PETER WENSIERSKI, geboren 1954, berichtete ab 1979 als damals jüngster westlicher Reisekorrespondent aus der DDR und über die aufkommende Oppositionsbewegung. Seit 1993 arbeitet er beim SPIEGEL. Mit dem Buch »Schläge im Namen des Herrn« eröffnete er die Debatte über Missbrauch in der Heimerziehung. Sein Buch »Die verbotene Reise« über eine ungewöhnliche Flucht aus der DDR wurde ein Bestseller..

Außerdem von Peter Wensierski lieferbar:

Die verbotene Reise. Die Geschichte einer abenteuerlichen Flucht
Schläge im Namen des Herrn. Die verdrängte Geschichte der Heimkinder in der Bundesrepublik

Besuchen Sie uns auf www.penguin-verlag.de und Facebook.

Peter Wensierski

Die unheimliche Leichtigkeit der Revolution

Wie eine Gruppe junger Leipziger
die Rebellion in der DDR wagte

Verlagsgruppe Random House FSC® N001967

1. Auflage 2019

Umschlag: www.buerosued.de nach einem Entwurf von Büro Jorge Schmidt
Umschlagmotiv: Anita Unger; Armin Wiech/Archiv Bürgerbewegung Leipzig
Satz: Buch-Werkstatt GmbH, Bad Aibling
Druck und Bindung: GGP Media GmbH, Pößneck
Printed in Germany
ISBN 978-3-328-10349-3
www.penguin-verlag.de

Dieses Buch ist auch als E-Book erhältlich.

Inhalt

Vorbemerkung 9
Prolog 11
Polka im Schweitzer-Haus 13
Die Stadt, die Gruppen und das Friedensgebet 29
Ein Abend am See 42
Ein Haus im Leipziger Osten 55
Frühstück im Plattenbau 62
Der Marsch an der Pleiße 80
Der lange Sommer 88 88
Der kurze Brief zum langen Streit 113
Handeln und beten 131
Die Eroberung der Stadt 139
Herzklopfen 151
Luftballons und Zigaretten 162
Ein gebrauchter Weihnachtsbaum 185
Die Januarnacht 205
Der Morgen danach 222
Das Netzwerk 238
Der Sprung auf die Mauer 250
Nachspiel 281
Februarschnee 286
Ein neuer Plan 295
Swing-Musik zum Wahlbetrug 314
Der Sommer der Revolution 325
Freiheit und Musik 341

Schall und Rauch 357
Die Macht der Straße 366
Jetzt liegt es an uns 390
Wie es für sie weiterging 399
Über die Entstehung dieses Buches 424
Dank 431

Anhang 433
Glossar 433
Chronik 1987 bis 1990 454

Vorbemerkung

Dieses Buch erzählt die wahre Geschichte einer Gruppe junger Leute, die Ende der achtziger Jahre in Leipzig lebten.

Alle authentischen Äußerungen jener Zeit sind *kursiv* wiedergegeben. Sie entstammen in gekürzter Form damaligen Tonbandmitschnitten, Abhör- und sonstigen Protokollen, Originaltexten, Briefen, Vermerken, Zetteln oder Tagebüchern bis hin zu Schulaufsätzen. Rekonstruierte wörtliche Rede steht in normalen »Anführungszeichen«. Mit einem Stern* versehen sind Eigennamen und Begriffe, die in einem Glossar am Ende des Buches erklärt werden. Dort findet sich überdies eine Chronik der Ereignisse von 1987 bis 1990.

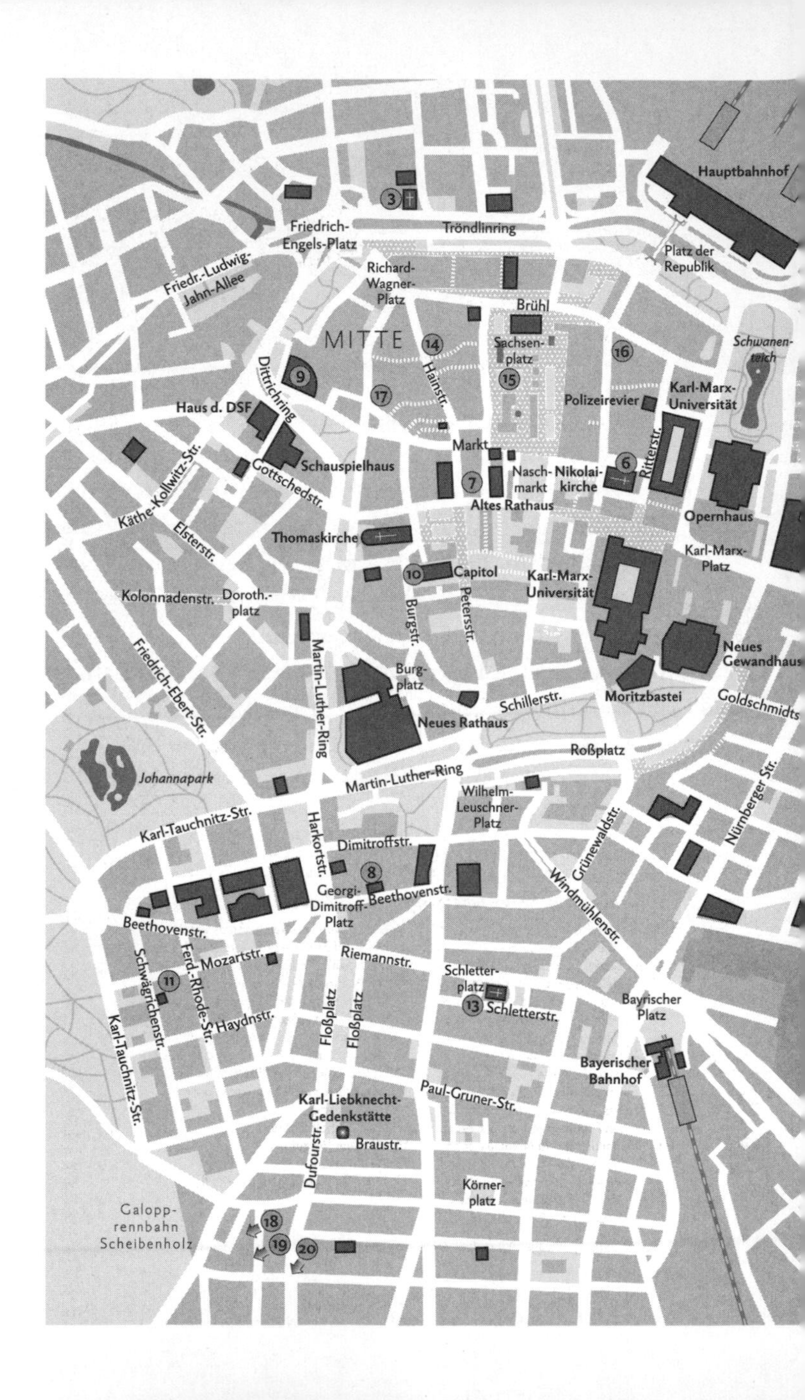
Hauptbahnhof
Friedrich-Engels-Platz
Tröndlinring
Platz der Republik
Friedr.-Ludwig-Jahn-Allee
Richard-Wagner-Platz
Brühl
MITTE
Sachsenplatz
Schwanenteich
Dittrichring
Hainstr.
Polizeirevier
Karl-Marx-Universität
Haus d. DSF
Markt
Ritterstr.
Schauspielhaus
Nasch-markt
Nikolaikirche
Käthe-Kollwitz-Str.
Gottschedstr.
Altes Rathaus
Opernhaus
Elsterstr.
Thomaskirche
Karl-Marx-Platz
Capitol
Karl-Marx-Universität
Kolonnadenstr.
Doroth.-platz
Burgstr.
Petersstr.
Friedrich-Ebert-Str.
Martin-Luther-Ring
Neues Gewandhaus
Burgplatz
Schillerstr.
Moritzbastei
Goldschmidtstr.
Neues Rathaus
Roßplatz
Johannapark
Martin-Luther-Ring
Wilhelm-Leuschner-Platz
Nürnberger Str.
Karl-Tauchnitz-Str.
Harkortstr.
Dimitroffstr.
Grünewaldstr.
Georgi-Dimitroff-Platz
Beethovenstr.
Windmühlenstr.
Beethovenstr.
Mozartstr.
Riemannstr.
Schletterplatz
Schwägrichenstr.
Ferd.-Rhode-Str.
Schletterstr.
Bayrischer Platz
Haydnstr.
Floßplatz
Floßplatz
Karl-Tauchnitz-Str.
Bayerischer Bahnhof
Paul-Gruner-Str.
Karl-Liebknecht-Gedenkstätte
Braustr.
Dufourstr.
Körnerplatz
Galopprennbahn Scheibenholz
3
6
7
8
9
10
11
13
14
15
16
17
18
19
20

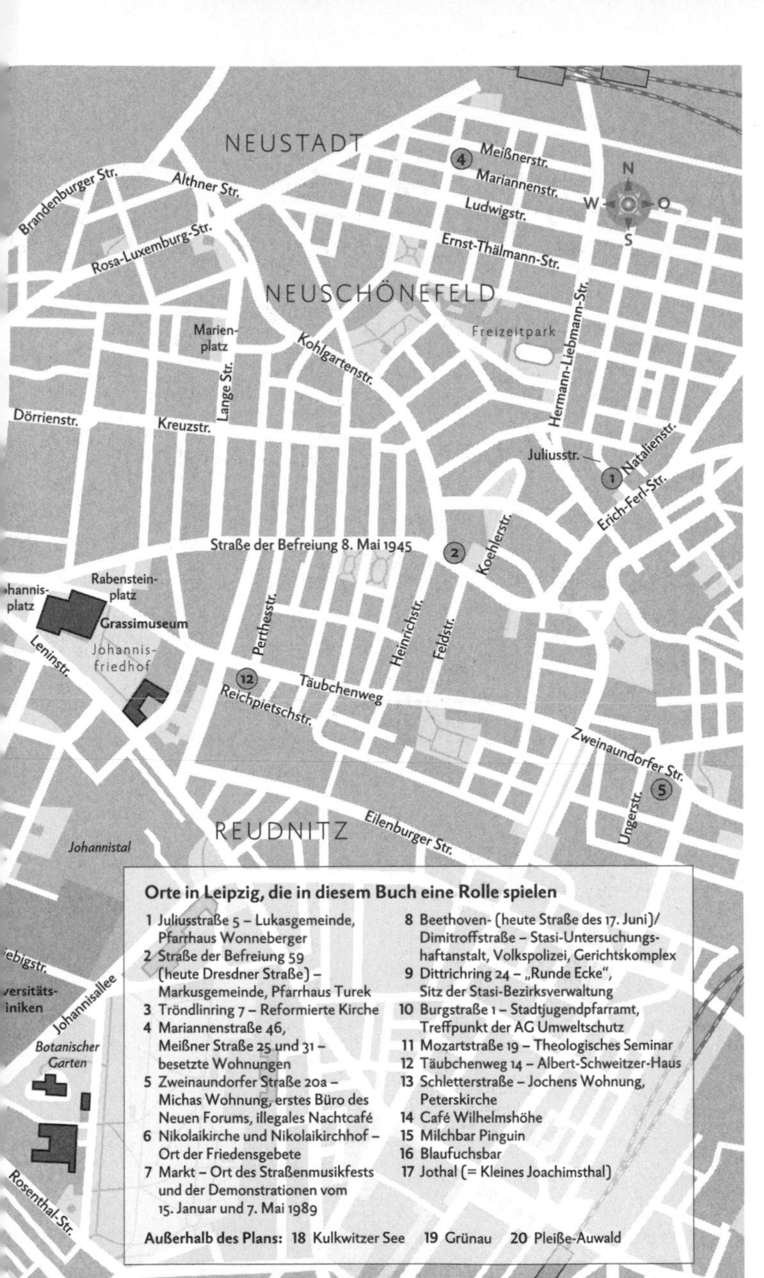
NEUSTADT
NEUSCHÖNEFELD
REUDNITZ
Brandenburger Str.
Althner Str.
Rosa-Luxemburg-Str.
Meißnerstr.
Mariannenstr.
Ludwigstr.
Ernst-Thälmann-Str.
N
W
O
S
Freizeitpark
Hermann-Liebmann-Str.
Marien-
platz
Kohlgartenstr.
Lange Str.
Dörrienstr.
Kreuzstr.
Juliusstr.
Natalienstr.
Erich-Ferl-Str.
Straße der Befreiung 8. Mai 1945
Koehlerstr.
Rabenstein-
platz
Grassimuseum
Johannis-
friedhof
Leninstr.
Perthesstr.
Heinrichstr.
Feldstr.
Täubchenweg
Reichpietschstr.
Zweinaundorfer Str.
Ungerstr.
Eilenburger Str.
Johannistal
Johannisallee
Botanischer
Garten
Rosenthal-Str.
1
2
4
5
12
Orte in Leipzig, die in diesem Buch eine Rolle spielen
1 Juliusstraße 5 – Lukasgemeinde, Pfarrhaus Wonneberger
2 Straße der Befreiung 59 (heute Dresdner Straße) – Markusgemeinde, Pfarrhaus Turek
3 Tröndlinring 7 – Reformierte Kirche
4 Mariannenstraße 46, Meißner Straße 25 und 31 – besetzte Wohnungen
5 Zweinaundorfer Straße 20a – Michas Wohnung, erstes Büro des Neuen Forums, illegales Nachtcafé
6 Nikolaikirche und Nikolaikirchhof – Ort der Friedensgebete
7 Markt – Ort des Straßenmusikfests und der Demonstrationen vom 15. Januar und 7. Mai 1989
8 Beethoven- (heute Straße des 17. Juni)/ Dimitroffstraße – Stasi-Untersuchungshaftanstalt, Volkspolizei, Gerichtskomplex
9 Dittrichring 24 – „Runde Ecke“, Sitz der Stasi-Bezirksverwaltung
10 Burgstraße 1 – Stadtjugendpfarramt, Treffpunkt der AG Umweltschutz
11 Mozartstraße 19 – Theologisches Seminar
12 Täubchenweg 14 – Albert-Schweitzer-Haus
13 Schletterstraße – Jochens Wohnung, Peterskirche
14 Café Wilhelmshöhe
15 Milchbar Pinguin
16 Blaufuchsbar
17 Jothal (= Kleines Joachimsthal)
Außerhalb des Plans: 18 Kulkwitzer See 19 Grünau 20 Pleiße-Auwald

Eines Tages müssen wir alle sterben.
Aber an allen anderen Tagen nicht!

Prolog
Mariannenstraße 46

Frank ging an den Mülltonnen vorbei auf die Sonnenblumen zu, die Katti vor der Backsteinmauer am Ende des Hofes ausgesät hatte. Ihre gelben Köpfe leuchteten in der Dämmerung noch viel stärker als am Tag. Im Frühjahr hatte sie schnell noch Samenkörner in ihre Taschen gestopft, bevor sie gemeinsam in die Stadt zogen. Frank erinnerte sich gut daran. Mitten im Gespräch war Katti manchmal auf der Straße stehen geblieben, weil sie einen passenden Ort entdeckt hatte. Sie hatte die Körner dann ganz nebenbei verstreut, auf Trümmergrundstücken oder rund um Gaslaternen. Sie hatte dabei gelacht und gesagt, sie wisse gar nicht so genau, was da am Ende einmal herauskomme.

Heute war Frank wieder mit ihr in der Stadt unterwegs gewesen. Sie fanden einige der Stellen wieder, an denen sie im Frühjahr die Blumen gesät hatten. Es war spät geworden, als sie in ihr Viertel zurückkehrten. In den dicht bebauten Straßen hinter dem Bahnhof, im Leipziger Osten, wo sie lebten, blieb es an diesem Abend noch lange warm.

Im Hof, den Katti und Frank nun im Dämmerlicht betraten, stand der von ihm aus alten Dielenbrettern zusammengezimmerte Tisch. Um ihn herum saßen Rainer und Uwe, die heftig aufeinander einredeten, Anita, Gesine, Kathrin, Anke, Conny, Rico, Micha und Jochen, dessen Gitarre neben ihm lag.

Ein Fenster zur Wohnung im Erdgeschoss stand offen. Christian, der neue Freund von Gesine, saß dort und ließ seine Beine in den Hof baumeln. Aus einem alten Kofferradio kam Musik.

In einem Stockwerk darüber brannte Licht. Dort oben bewegte sich ein Schatten an der Wand auf das Fenster zu und öffnete es. Eine alte Frau schaute herunter. Es war Oma Läppchen.

Frank zögerte, einen kleinen Moment nur, bevor er auf die anderen zuging. Uwe reichte ihm ein Glas, und Rainer schenkte ihm ein. Ganz voll, genau bis an den Rand. Gesine und Kathrin lachten und wollten auch mehr vom Wein. Jochen nahm die Gitarre zur Hand.

Es versprach, eine lange Nacht zu werden.

Draußen vor dem Haus, auf der anderen Straßenseite, saßen seit dem Nachmittag zwei Männer in einem grauen Wartburg und beobachteten alles.

Bis zum nächsten Morgen ist noch viel Zeit, dachte Frank. Sie waren jetzt alle zusammen. Ich muss nicht wissen, was morgen passiert.

Polka im Schweitzer-Haus
Frühjahr 1988

Der junge Mann auf dem Fahrrad fuhr langsam die Straße entlang, eine Hand am Lenker, in der anderen ein Buch, in dem er seelenruhig las und von dem er nur ab und zu aufschaute.

Anita blieb stehen. Statt die Straße zu überqueren, sah sie ihm von der Bordsteinkante aus nach. Das Ampelmännchen zeigte schon längst grün für sie. Er war einfach bei Rot über die Kreuzung gefahren.

Da ertönte die Sirene eines Funkstreifenwagens. Der langgezogene Jaulton war laut und nah. Der Radfahrer begriff sofort, klappte sein Buch zu und trat in die Pedale.

Der Lada der Leipziger Volkspolizei näherte sich bedrohlich schnell. Der Radler strengte sich an, dabei musste er auch noch Schlaglöchern und den Schienen der Straßenbahn ausweichen. Anita fand, das Ende der kurzen Flucht war abzusehen.

Allerdings gab es da noch diese kleine Seitenstraße, Durchfahrt verboten, Einbahnstraße. Mit einem rasanten Schwenk bog der Flüchtende im letzten Moment dort ein. Zum Erstaunen Anitas wagten es die beiden deutschen Volkspolizisten nicht, ihm entgegen der vorgeschriebenen Fahrtrichtung zu folgen. Sie stoppten ihren Wagen, schalteten das Signalhorn ab und schauten ihm nur noch hinterher. Anita setzte ihren Weg fort, aber der Kerl auf dem Rad ging ihr weiter durch den Kopf. Den will ich kennenlernen, dachte sie.

Anita wollte an diesem Morgen ihre Freundin Gesine besuchen, doch die war nicht da. Sie setzte sich ins Treppenhaus, steckte sich eine Zigarette an und wartete eine Weile. Es war still im Haus, im Hintergrund war nur ab und zu das Quietschen einer Straßenbahn zu hören.

Ihre Freundin erschien nicht. Sie hatte vor, Gesine zu einer gemeinsamen Tramptour im nächsten Sommer zu überreden. Im vergangenen Jahr war Anita alleine unterwegs gewesen, das hatte ihr nicht gefallen. Kein Solo-, aber auch kein Meutenurlaub mehr, hatte sie sich in Budapest geschworen. Sie saß da und träumte davon, gemeinsam mit ihrer besten Freundin durch die Lande zu ziehen.

Nach der dritten Alten Juwel* gab sie das Warten auf, machte sich auf den Rückweg durch die Stadt und beschloss, zum Täubchenweg zu gehen. Dort lag das Albert-Schweitzer-Haus, ein Pflegeheim, in dem sie lange Zeit gearbeitet hatte. Sie könnte dort endlich ein paar liegen gebliebene Sachen abholen.

Es war ein weiter Fußweg, aber die niedrig stehende Frühjahrssonne schien hell und wärmte schon. Ihr gleißendes Licht warf schwarze Schatten und gab den Häusern in den Straßen der Stadt klare und scharfe Konturen. Anita lief auf ihrem Weg durch den Leipziger Osten an verfallenen Gebäuden vorbei, schaute aber kaum noch hin, denn so war es schon seit Jahren, auch in anderen Teilen der Stadt. Ganze Häuserzeilen waren unbewohnt, die Fensterscheiben eingeworfen, der Bürgersteig gesperrt oder mit Brettergerüsten gegen herunterfallende Mauerteile und Dachziegel geschützt. Immer wieder große Brachen, Reste von Kellern, über denen einmal Häuser gestanden hatten, Trümmer von abgerissenen Gebäuden, vor kurzem erst zusammengeschobene Haufen, aus denen schwarze Holzbalken in die Luft ragten.

Im Täubchenweg stand Anita schließlich vor ihrer alten Arbeitsstelle. Das kirchliche Pflegeheim war ein mehrstöckiger, recht gut erhaltener Bau. Im Hof lag ein Kindergarten, daneben eine Polizeistation. Altersheime der Kirche hatten zwar einen besseren Ruf als staatliche Einrichtungen, doch selbst hier waren die Menschen in Zimmern mit bis zu 15 Betten untergebracht. Für persönliche Dinge und so etwas wie Privatsphäre war da kaum Platz. Jeder der Bewohner besaß nur noch das Bett und einen kleinen Nachttisch.

Anita betrat das Gebäude. Es roch muffig. Sie hielt kurz inne. War das etwa Musik? Sie ging weiter, eine Treppe hoch. Die Musik wurde lauter. Auf der obersten Stufe angekommen, konnte sie bis zum Ende des Ganges schauen. Zwischen Schlafsaaltür und Flur drehte sich ein junger Pfleger mit weißer Hose und Jacke schwungvoll zu Polkamusik mit einer der alten Frauen. Die grauhaarige Dame kicherte und gluckste vor Vergnügen. Ihr weißes, dünnes Nachthemd wehte weit um sie herum.

Anita lächelte. Sie erinnerte sich an die Momente von Freude, die es auch während ihrer Arbeit hier immer wieder gegeben hatte. Dann stutze sie. Moment mal, dachte sie, das ist doch ... Es war der Radfahrer, den sie am Morgen auf der Flucht vor der Volkspolizei gesehen hatte.

Wenig später saßen sie zusammen im karg eingerichteten Pausenraum mit der Polstergarnitur aus braunem Cord, vergilbten Vorhängen am Fenster und einer leeren Schrankwand. Sie tauschten sich über ihre Erlebnisse bei der Arbeit im Albert-Schweitzer-Haus aus. Uwe erzählte von der alten Frau Reiter, die immer nur dieselbe Zeitung mit Bildern von Blumen und anderen Pflanzen las. »Wenn ich neben dem Bett der 93-Jährigen stand, zeigte sie mit dem Finger auf ein Bild und sagte: ›Die will ich kaufen, wenn ich wieder einen Garten hab!‹«

Obwohl es traurig war, mussten beide lachen.

Uwe erzählte Anita von Frau Süß, der er jeden Abend ein Gutenachtküsschen geben musste, von Frau Meier, zu der er sagte, komm, wir gehen jetzt ins Bett, und sie antwortete, das habe ich noch nie mit einem fremden Mann gemacht, von Margot, der Behinderten, die mehrere Gebisse vertauschte, so dass die Frauen im Saal alle Gebisse durchprobieren mussten, bis jede wieder ihr eigenes hatte. Uwe, der mit seinen 25 Jahren kaum noch Haare auf dem Kopf trug, schilderte, wie fröhlich und eitel es im Saal beim Haareschneiden zugehen konnte, dabei verpasste er doch den Frauen meist nur einen »Rupper«, einen Kurzhaarschnitt mit dem Rasierer.

Er wurde ernst, als Anita von einer Frau berichtete, die sie immer vorsichtig gefüttert hatte, weil sie nicht mehr richtig schlucken konnte.

»Als ich freihatte, ist sie erstickt.«

Anita hatte oft ganz allein Nachtwache gehabt, und es war für sie schwer zu ertragen gewesen, wenn jemand im Sterben lag in einem Zimmer mit fünfzehn anderen.

Das hatte Uwe auch schon öfter miterlebt. »Ich muss hier manchmal einfach Blödsinn machen«, sagte er, »sonst kann man das alles gar nicht aushalten.«

Während er weiterredete, sah ihn Anita lange an. Es hatte etwas Warmherziges, wie er über die alten Frauen hier sprach. Das gefiel ihr. Da hatte jemand Freude am Leben und war an Menschen interessiert. Der allgegenwärtige Frust machte ihm offenbar nicht viel aus.

»Habt ihr damals auch, wenn es keine Windeln gab, im Keller selbst welche aus Zellstoff und Baumwolltüchern zusammengelegt?«, wollte Uwe wissen.

Anita nickte: »Na klar, immer wieder. Wir haben viel improvisiert, darin waren wir ziemlich gut. Trotz allem hab ich hier sehr gern gearbeitet.« Besonders gut gefallen hatte ihr, dass die meisten Alten so lebendige Geschichten aus der Zeit des Weltkriegs, aus den Aufbaujahren und vom Mauerbau erzählen konnten. »Ich habe viel über Leipzig erfahren.«

Anita hatte das Schweitzer-Haus verlassen und bei der Kirche eine Ausbildung als Sozialarbeiterin begonnen.

Was ihm immer wehtue, sagte Uwe, seien die Kurzbesuche von Verwandten, die nur kämen, um die Renten der bettlägerigen Frauen abzuholen.

Nach einer Weile erschien Uwes Freund Frank, der in einer anderen Abteilung arbeitete. Er ließ sich mit einem Seufzer auf das Cordsofa fallen. Im Erdgeschoss hatten Kinder aus dem Kindergarten zur Unterhaltung der Alten gesungen. Frank musste deshalb einige seiner Frauen drei Stockwerke erst hinunter- und danach wieder hinauftragen. Einen Lift gab es nicht. Er war geschafft.

Uwe fragte ihn, ob Anke das Vorsingen organisiert habe. Er wusste, Frank interessierte sich für Anke. Sie war mit zwanzig Jahren eine der jüngsten und hübschesten Mitarbeiterinnen des Kindergartens im Hof. Anke hatte erst gestern mit Uwe und Frank zusammengesessen und von ihrem Elternabend berichtet, den sie zum Thema »Umweltschutz mit Kindern« veranstaltet hatte.

Ja, sie sei dabei gewesen, beantwortete Frank Uwes Frage. Aber im Moment war er mehr interessiert an der Frau in der flattrigen Hippiekleidung, die er nicht kannte. Als er erfuhr, dass Anita hier früher einmal gearbeitet hatte, kam Frank schnell auf das Regiment zu sprechen, das die alten Diakonissen im Hause führten.

»Für die sind doch Leute wie wir exotisch.«

Anita gab ihm recht. Frank und Uwe waren eher zufällig in dem christlichen Pflegeheim gelandet, weil sie irgendeinen Job brauchten, der sie vor Ärger mit den Behörden schützte. Solcher Ärger war unausweichlich für Jugendliche, die wie sie keine Chance auf eine übliche Berufskarriere hatten, nachdem ihnen bereits als Schülern das Abitur und erst recht ein Studium verwehrt worden war. Wer jedoch nicht arbeitete und damit nicht am Aufbau des Sozialismus teilnahm, konnte wegen asozialen Verhaltens* belangt werden. Viele Gleichaltrige landeten deswegen in Jugendwerkhöfen*.

»Wisst ihr, wie ich hier ins Schweitzer-Haus gekommen bin?«, fragte Uwe. »Ich bin beim Friedensgebet in der Nikolaikirche nach vorn gegangen und habe in meiner Fürbitte einen zivilen Ersatzdienst gefordert. Danach sprach mich eine Diakonisse an und meinte: ›Wieso reden Sie eigentlich immer nur davon? Sie könnten doch jetzt schon aktiv werden und bei uns im Pflegeheim arbeiten. Wir suchen junge kräftige Männer.‹ Sie gab mir eine Telefonnummer, ich rief an, ging hin, und seitdem arbeite ich hier.«

Frank meinte, ihm gehe das fromme Getue auf den Wecker. Immer wieder hätten sie Diskussionen mit den Diakonissen, die ihren Widerstandsgeist nicht verstünden.

»Sie finden sich damit ab, dass alles von Gott vorbestimmt sei, und hoffen darauf, dass er irgendwann ihre Gebete erhört.«

Er sah Anita an.

»Wir halten immer dagegen, dass wir selbst es sind, die etwas verändern müssen, und dass es keiner für uns machen wird. Auch ihr Jesus hat gegen Ungerechtigkeit gekämpft und nicht gewartet, dass es ein anderer für ihn erledigt.« Für ihn reiche es nicht, beim Friedensgebet in der Nikolaikirche nur eine Fürbitte auszusprechen. Was man als Anliegen vortrage, müsse man schon selbst mit Leben erfüllen. Für einen zivilen Ersatzdienst beten sei das eine, aber Veränderung gebe es nur durch Handeln. Wenn endlich junge Leute, statt zur Armee zu gehen, einen Ersatzdienst in Alten- und Pflegeheimen machen könnten, sähe die Lage in Häusern wie diesem doch ganz anders aus.

Leute wie sie, setzte Frank noch hinzu, seien für die Diakonissen doch nur billige Arbeitskräfte, genauso wie alle Menschen mit Ausreiseantrag, denen in ihrem Betrieb gekündigt wurde und die dann nur noch bei der Kirche jobben konnten – ob als Hilfspfleger im Altersheim oder als Gärtner auf dem Friedhof.

Frank hörte sich sehr radikal an in seinen Urteilen. Auch ihn hatte man wegen seiner pazifistischen Gesinnung nicht zum Abitur zugelassen, also begann er eine Lehre als Zimmermann. Doch die verlief anders als erhofft. Frank wurde vom Baukombinat Leipzig beim Hochziehen der Plattenbauten in Grünau, einer Großwohnsiedlung* im Leipziger Westen, eingesetzt. Das war nicht sein Lebenstraum.

Anita betrachtete die beiden Männer, denen sie gegenübersaß. Frank hatte wie sie selbst dunkle Haare und braune Augen. Ein gutaussehender, etwas geheimnisvoller, südländischer Typ, der trotz seiner heftigen Aussagen ruhig und nachdenklich sprach und dem immer wieder ein verschmitztes Lächeln über seine Lippen huschte. Einer, der es wagte, in ihrer Gegenwart offen Kritik zu üben, obwohl er sie doch erst ein paar Minuten kannte.

Uwe, der kräftige Radfahrer, sprach lebhaft geradeheraus, war geradlinig und offenherzig, spontan zu jeder Schandtat bereit.

Ihr gefielen beide.

Als Anita erfuhr, dass Uwe und Frank in der Grünauer Großwohnsiedlung* Wohnkomplex 8 wohnten, musste sie lachen. »WK8? Ich doch auch!«

Ihre Wohnungen, stellten sie fest, lagen sogar ganz nah beieinander.

Das war für junge Leute wie sie eher ungewöhnlich. Wohnraum war knapp. Viele wohnten deshalb lange bei ihren Eltern oder zogen mit achtzehn schwarz in leerstehende Altbauwohnungen. Quartiere, die keiner mehr haben wollte, mit Ofenheizung, Toilette im Hof, eiskalt im Winter. Anita hatte ihre Neubauwohnung als Ersatz zugewiesen bekommen. Sie hatte bis dahin mit ihrer kaum älteren Tante Jutta in einem heruntergekommenen Haus im Leipziger Osten gewohnt, das dann mit dem ganzen Straßenzug abgerissen wurde.

»Im Winter war in meinem Schlafzimmer die Außenwand zum fehlenden Nachbarhaus immer wieder mal mit Raureif überzogen«, erzählte sie. »Bevor ich nach Grünau kam, wurden wir erst in ein Bauarbeiterhotel einquartiert, nachdem ein Haus in der Nachbarschaft teilweise eingestürzt war, in dem noch Leute gewohnt hatten.« Jetzt hatte sie Heizung und Warmwasser, ihre Freunde aus den Altbauvierteln kamen sie gern besuchen, um zu baden oder ihre Wäsche zu waschen. Frank und Uwe waren auf ähnliche Weise aus den Altbauwohnungen ihrer Familien heraus an ihre Wohnungen in Grünau gekommen.

Man könne sich ja mal gegenseitig besuchen, sagte Frank. Uwe hatte eine bessere Idee.

»Am Wochenende soll es wärmer werden. Wir wollen uns mit ein paar Freunden am Kulkwitzer See treffen ...«

»... komm doch einfach mit dazu!«, setzte Frank Uwes Worte fort.

Anita strich sich die langen Haare zurück und rückte ihr Stirnband zurecht, sie wollte noch die Heimleitung erwischen, nahm ihre Tasche, verabschiedete sich und meinte: »Vielleicht.«

Nachmittags um halb drei war Dienstschluss für Uwe und Frank. Sie freuten sich, jemand aus ihrem Plattenbauviertel kennengelernt zu haben, die besser zu ihnen passte als die vielen jungen Familien mit kleinen Kindern, die dort überwiegend lebten. Frank mochte die Kleinfamilienidylle ohnehin nicht sonderlich.

Sie wollten noch Anke aus dem Kindergarten abholen und gingen durch den Hinterausgang quer über den Hof, vorbei an einer Batterie überfüllter Mülltonnen, im Sommer ein Tummelplatz für allerlei Ungeziefer. Die Bettwäsche, die Uwe mittags aufgehängt hatte, war noch nicht trocken. Die graugewaschenen Laken blähten sich im Wind und schlugen ihnen ins Gesicht. Hinter einem Holzgatter lag ein einfacher, kleiner Spielplatz mit Klettergerüst und Sandkasten. Dort kam ihnen Anke entgegen.

Frank machte der angehenden Erzieherin mit den dunklen Haaren, den leuchtend blauen Augen und einem intensiven Blick schon länger den Hof. Anke besaß bereits eine ganze Sammlung seiner Zettel, die er an ihrer Wohnungstür in Leipzig-Schleußig hinterlassen hatte, da er sie meist nicht antraf. Anke fand ihn interessant.

Sie erzählte den beiden vom Kampf gegen die anhaltende Rattenplage im Kindergarten. Jeden Tag, zu Beginn des Frühdienstes morgens um sechs, fordere sie die ersten noch ganz müden Kinder auf: Haut gegen die Küchentür und bollert auch ordentlich gegen die Badezimmertür. »Sie machen es und haben sogar ihren Spaß dabei. Ich muss ihnen nicht sagen, warum.«

Nur so war Anke sicher, dass die Ratten aus den Spül- und Waschbecken mit den tropfenden Wasserhähnen verschwunden waren, bevor sie mit den Kindern hineinging.

Zu dritt machten sie sich mit ihren Fahrrädern auf den Weg in die Leipziger Innenstadt. Dort traf man eigentlich immer jemanden, den man kannte. Das Zentrum hatte dafür genau die richtige Größe, nicht zu groß, nicht zu klein.

Es war Freitagnachmittag und die Innenstadt belebter als gewöhnlich. Sie erreichten den Markt. Vor den Arkaden gegenüber der Mädlerpassage sahen sie von weitem einen kleinen Menschenauflauf. Um einen Gitarrenspieler hatte sich ein Halbkreis von Zuhörern geschart. Sie ahnten schon, wer es war.

Jochens Stimme wurde vom Säulengang vor dem Alten Rathaus ordentlich verstärkt und war weithin zu vernehmen. Sie konnten gut verstehen, was er sang:

»Hast du schon jemals das Gefühl gehabt, dies alles könnte anders sein, und dass es ohne Herrn und Sklaven geht und ohne dieses ›dein und mein‹? Geht dir ein Licht auf, wenn es dunkel wird, dass du dich viel zu selten wehrst, und dass der Zeitpunkt jetzt gekommen ist, an dem du endlich aufbegehrst ...«

Das Lied stammte von einem Wiener Liedermacher. Was im Westen niemanden aufregte, war hier im Osten auf der Straße gesungen eine Provokation.

Und richtig, Anke, Frank und Uwe sahen, wie sich von der Seite zwei Uniformierte näherten. Den beiden Volkspolizisten folgten in gewissem Abstand zwei Herren in Zivil. Jochen sang immer noch das Georg-Danzer-Lied:

»Hast du schon jemals den Verdacht gehabt, dass du hier nur betrogen wirst und dass es doch nicht deine Schuld sein kann, wenn du in dieser Kälte frierst? Hast du schon jemals irgendwie geahnt, dass uns mehr zusteht als der Rest ...«

Jetzt standen die beiden Polizisten direkt vor Jochen, der sie natürlich auch schon längst bemerkt hatte, aber einfach weiterspielte. Er schlug noch einen Akkord an, dann unterbrachen sie ihn: »Bürger, unterlassen Sie auf der Stelle das unerlaubte Musizieren. Das Instrument ist beschlagnahmt, kommen Sie mit zur Klärung des Sachverhalts!«

Jochen wollte protestieren, doch einer aus dem Kreis der Zuhörer kam ihm zuvor. »Einen friedlichen Musiker festnehmen, wo gibt's denn so was? Immer nur die Polizei!« Ein Zweiter fiel ein: »Lassen Sie den Mann doch Gitarre spielen, das ist doch nichts Unrechtes!« Und ein Dritter: »Hört auf, solche Leute zu drangsalieren, die Leipzig mal was Schönes bieten!« Auch Anke, Uwe und Frank schimpften mit den anderen, eine überraschende Solidarität machte sich unter den Zuhörern breit, und den Uniformierten wurde es etwas mulmig. Sie ließen Jochen die Gitarre. Der hatte seinen Ausweis gezückt und meinte, sie könnten doch gleich hier alles aufnehmen. Das Dokument lenkte die beiden Volkspolizisten etwas ab, sie wirkten unentschlossen, wie sie weiter vorgehen sollten. Straßenmusik wurde, wie alle spontanen Aktivitäten, stets misstrauisch beäugt. Die Ordnungshüter duldeten keine öffentlichen Auftritte ohne staatliche Genehmigung – die allerdings kaum zu bekommen war.

Anke, Uwe und Frank kannten Jochen nicht nur von seinen illegalen Darbietungen auf der Straße. Er gehörte zum *Arbeitskreis Gerechtigkeit*, einer der unabhängigen Basisgruppen*, die seit Anfang des Jahres das Friedensgebet in der Nikolaikirche mitgestalteten, an dem sie auch regelmäßig teilnahmen.

Jochen hatte in Halle an der staatlichen Uni Theologie studiert, war aber zusammen mit seinem Freund Thomas und acht anderen Studenten wegen der Weigerung, in den Semesterferien am sechswöchigen Zivilverteidigungslager teilzunehmen, exmatrikuliert worden. Seit einem Jahr studierten Jochen und Thomas nun am nichtstaatlichen Theologischen Seminar der evangelischen Kirche in Leipzig, wo es keine vormilitärische Erziehung gab. Allerdings hatte Jochen sich inzwischen von kirchlichen Glaubensdogmen abgewandt und in der Peterskirche an der Schletterstraße zu »atheistischen Andachten« eingeladen. Das kam bei seinen Dozenten nicht so gut an, er verlor sein Stipendium. Sein Geld zum Leben verdiente er seither als Straßenmusiker – ohne Genehmigung der Behörden. Außerdem hatte er zwei Putzstellen. Jochen war einer, der sich durchzuschlagen wusste.

Die uniformierten und zivilen Herren hatten ihn inzwischen in ihre Mitte genommen. Sie wollten ihn unbedingt aus der Öffentlichkeit entfernen, doch das war nicht einfach, die Passanten maulten weiter, einige von den jüngeren setzten sich sogar als Blockade auf den Boden und riefen, dass sie weiter Musik hören wollten.

Jochen wurde dennoch samt Gitarre Richtung Streifenwagen geschoben. Als er seine drei Freunde entdeckte, zwinkerte er ihnen zu. Sie mussten lachen, als einer der beiden Polizisten im Gedränge seine Mütze verlor. Oder hatte sie ihm jemand vom Kopf geschlagen?

Die Polizisten fuhren mit Jochen davon. Seine Freunde machten sich keine großen Sorgen. Sie wussten, dass sie ihn nach der Feststellung der Personalien wieder gehen lassen würden. So war es bei Zuführungen* bisher immer gelaufen. Zum Musizieren reiste Jochen oft in andere Städte wie Dresden oder Halle. Immer wieder gab es dabei Ärger mit der Volkspolizei. Er hatte sich daran gewöhnt und nahm es gelassen.

Frank lachte und meinte, Jochen könne ja auf sein Theologiestudium verweisen und die Notwendigkeit, als künftiger Pfarrer auch mal liturgische Gesänge vor Publikum üben zu müssen.

Anke verabschiedete sich von den beiden, sie wollte noch zu einem Treffen ihrer Gruppe *Frieden und Umweltschutz mit Kindern*. Frank war etwas überrascht, dass sie plötzlich nur noch zu zweit waren. Er wäre gerne mit Anke etwas trinken gegangen. Uwe aber hatte nichts vor, die Sonne schien, und der Abend war noch lange nicht in Sicht. Das brachte Frank auf die Idee, eine Runde durch den Leipziger Auwald zu radeln. Das war einer seiner Lieblingsorte, den er auch oft allein durchstreifte. Frank fühlte sich dort glücklich, und er hatte sich einen Naturführer organisiert, weil er es wichtig fand, die Namen der Pflanzen und Bäume zu kennen. Damit hatte er auch Anke beeindrucken können.

Bald fuhren Uwe und Frank an der im Auwald noch offen fließenden Pleiße entlang. Früher hatte der Fluss einmal als Lebensader durch die Stadt geführt. Doch seit den fünfziger Jahren war er im Stadtgebiet größtenteils in Abwasserrohren verschwunden oder überbaut worden. Die Pleiße war durch die um Leipzig liegende Industrie hochgradig belastet, und wo sie noch offen zutage trat, stank sie entsetzlich. Anblick und Geruch des schmutzigen Flusses sollte den Leipzigern offenbar möglichst erspart bleiben.

Frank fand, die versteckte Pleiße war das Symbol schlechthin für die ganze Situation der Stadt und der geschundenen Region.

Offensichtliche Probleme wurden nicht offen diskutiert. Doch wenn die Leipziger ihre Fenster aufmachten, ließ sich nichts verheimlichen. Dann stank es je nach Windrichtung aus den Industrieanlagen von Böhlen, Leuna, Schkopau, Espenhain, Wolfen oder Miltitz. Die Stadt war regelrecht umzingelt von veralteten Anlagen der Chemie- und Kohleindustrie, von kahlen Wäldern und Mondlandschaften. Um ihr Produktionssoll zu erfüllen, schalteten die Fabriken nachts ihre Luft- und Abwasserfilter ab, sofern überhaupt welche vorhanden oder funktionstüchtig waren. An grauen Wintermorgen konnte der »Industrienebel« genannte Smog so dicht sein, dass die Verkehrspolizei an wichtigen Kreuzungen Fackeln aufstellen musste. Die Zerstörung der Umwelt prägte den Alltag in der Stadt, legte sich auf die Gemüter und ließ die Menschen abstumpfen.

Die beiden Freunde waren an einem Wehr stehen geblieben und beobachteten, wie der Wind mit dem gelbgrünen Schaum auf dem Wasser spielte. Sie waren schon seit Jahren in einer kirchlichen Umweltgruppe aktiv. Anfangs hatte ihr Kreis versucht, an Informationen über Umweltbelastungen heranzukommen und diese zu verbreiten. Dann hatten sie kleine Aktionen ausprobiert. Einen Park säubern, Bäume am Rand eines Tagebaus pflanzen, Eingaben* an die Behörden machen, Ausstellungen in Kirchenräumen, Radtouren als Gruppe, vom Aussterben bedrohte Märzenbecher im Auwald ausgraben und zwecks Vermehrung teilen ...

Frank musste spöttisch lächeln, als er an all die inzwischen in seinen Augen harmlosen Aktionen dachte. Auf den Seminaren kirchlicher Umweltgruppen in Torgau, Beyern oder anderswo hatte es in letzter Zeit immer heftigere Auseinandersetzungen um die weitere Ausrichtung der Arbeit gegeben: Wie radikal durften sie werden, wenn selbst Aktivitäten wie das Pflanzen von Bäumen vom Staat schon misstrauisch beäugt wurden? Sollte man mehr mit staatlichen Stellen und DDR-Naturschutzorganisationen zusammenarbeiten? Nur die legalen Möglichkeiten ausnutzen?

Die Umweltprobleme wurden von Jahr zu Jahr größer, und der Staat unternahm nichts. Frank hatte irgendwann die Nase voll von all den Aktivitäten, die wenig bis nichts bewirkten.

»Leute, es ist Zeit, etwas zu riskieren«, stritt Frank sich mit den anderen in der Gruppe, »wir brauchen phantasievolle Protestaktionen, um mehr Menschen zu erreichen. Und Regeln kann man auch umgehen.«

Auch Uwe hatte sich entschieden, etwas anderes zu machen, als weiter Märzenbecher umzupflanzen. Als ihn während eines Klausurwochenendes der Umweltgruppe morgens beim Zähneputzen jemand anpflaumte, er solle das Wasser doch bitte nicht so lange laufen lassen, war's das für Uwe: »Wenn du sonst keine Probleme in diesem Land siehst ...«

Sie verfolgten mit ihren Augen die umherfliegenden Schaumflocken. Frank sann darüber nach, was sie nach all den Diskussionen tun könnten. Dann sagte er plötzlich: »Wir könnten doch mal eine Demonstration entlang der Pleiße auf die Beine stellen.«

Beide wussten, dass dies ein absolutes Reizwort war, für den Staat wie für die Kirche. Schon die bisherigen Aktionen mussten mit harmlosen, möglichst fromm klingenden Begriffen getarnt werden. Selbst die öffentliche Parksäuberung hatte einige Kirchenleute gestört, und beim Fahrradcorso waren alle von der Volkspolizei kontrolliert worden, obwohl sie kein Plakat oder Transparent dabeihatten und vorschriftsmäßig höchstens zu zweit nebeneinander gefahren waren. Der Gedanke, einfach zu einer Demonstration aufzurufen, war in der DDR undenkbar. In der Verfassung war das Demonstrationsrecht erheblich eingeschränkt. Frei einberufene oder spontane Versammlungen waren praktisch illegal, Demonstrationen blieben auf Kundgebungen der Partei und anderer regimetreuer Organisationen begrenzt.

Würden sie die Demonstration entlang der Pleiße stattdessen Pilgerweg nennen, so wäre es vielleicht sogar möglich, Handzettel mit einer Einladung dazu auf einem Abzugsgerät der Kirche herzustellen.

Frank wusste, dass Uwe eine Demonstration lieber wäre als ein Pilgerweg. Aber so weit waren sie jetzt noch nicht.

Sie standen immer noch am Wehr. Sie schwiegen und schauten eine Weile vor sich hin.

»Sieh dir bloß den toten Fluss an«, meinte Uwe.

Das brachte Frank auf eine Idee.

»Na klar, wir nennen es einfach *Pleiße-Gedenkumzug*, weil der Fluss tot ist. Ist nicht im Juni wieder Weltumwelttag? Das würde doch passen. Wir demonstrieren dann entlang der Pleiße – von Connewitz durch den Auwald bis zum Clara-Zetkin-Park!«

Frank brauchte Uwe nicht weiter zu überzeugen.

»Ok, lass es uns probieren!«

Sie machten sich gutgelaunt auf den Rückweg in die Stadt. Als es schon dunkel wurde, betraten Frank und Uwe ein

Haus neben der Thomaskirche. Dort im Stadtjugendpfarramt konnte sich die Umweltgruppe regelmäßig treffen. Obwohl die beiden nicht mehr dazugehörten, waren sie mit den Leuten in der Gruppe befreundet geblieben. Sie setzten sich zu ihnen.

Mal sehen, wie unsere Idee hier ankommt, dachte Frank. Er ahnte schon, dass nicht alle bei einer solchen Aktion mitmachen, ja sie sogar ablehnen würden. Aber vielleicht könnten sie wenigstens einen Teil der Leute für den Pleiße-Gedenkumzug gewinnen. Bis Juni blieb noch viel Zeit.

Die Stadt, die Gruppen und das Friedensgebet

Frank und Uwe hatten im Sommer 87 ihre Mitarbeit in der Umweltgruppe aufgegeben und eine eigene Gruppe gegründet. Sie wollten alles zum Thema machen, was mit ihrem Leben direkt zu tun hatte. Das war mehr als die allgegenwärtigen Umweltprobleme. Warum musste man sich verpflichten, jahrelang zur Armee zu gehen, um einen Studienplatz zu bekommen? Warum gab es im Friedensstaat* keine Möglichkeit, den Wehrdienst zu verweigern, keinen Sozialen Friedensdienst* als echte Alternative zur Armee?

Die DDR war ein Staat voller Widersprüche. Den Niedergang der Wirtschaft konnte zwar jeder tagtäglich in seinem Betrieb erleben, doch die staatlichen Medien berichteten von angeblichen Erfolgen, stetigem Wachstum, Planübererfüllung und »Weltmarktniveau«. Unter den Industrienationen wähnte man sich gar unter den zehn größten der Welt. Die Menschen nahmen das schon lange nicht mehr ernst und machten ihre Witze darüber. Aber junge Leute wie Frank und Uwe fanden: Zu viele nahmen es auf Dauer hin. Wie viele Gleichaltrige hatten sie es satt, dass alte Männer im Politbüro* beinahe jede Frage ihres Lebens bestimmten. Sie durften schon als Schüler nicht die Kleidung tragen, die sie wollten, nicht die Musik hören, die sie wollten, nicht die Bücher lesen, die sie wollten, nicht die Filme sehen, die sie wollten, nicht reisen wohin sie wollten, nicht den Beruf ergreifen, den sie wollten, nicht wohnen, wo sie wollten. Kurzum: nicht das Leben führen, das sie wollten.

Deshalb nannten sie sich *Initiativgruppe Leben.* Ökologie, Umgestaltung der Gesellschaft, demokratische Rechte, Öffentlichkeit. Menschen mit Aktionen aus ihrer Lethargie und Resignation reißen – darum ging es ihnen.

Frank entwarf voller Enthusiasmus ein eigenes Logo, drei rote Buchstaben in einem Kreis: IGL.

Ihre kleine Gruppe wurde in der Leipziger Szene schnell bekannt. In der Nikolaikirche hängten sie ein Infobrett auf mit der Überschrift »Information – Kommunikation« und der Einladung, bei ihnen mitzumachen. Als einer der Ersten hatte Micha den Aufruf gesehen und war zu ihnen gestoßen. Ein großer schlaksiger Kerl, dem gefiel, was Frank und Uwe mit der IGL machten. So wie sie war Micha kein Freund heimlicher Untergrundaktivitäten oder ewiger Diskussionen in Privatwohnungen. Er wurde bald einer ihrer wichtigsten Mitstreiter.

Micha studierte Zahnmedizin und hatte sich deswegen für drei Jahre Armeedienst verpflichten müssen, sonst wäre er niemals zum Studium zugelassen worden.

Als er auf die Einladung zur Initiativgruppe Leben stieß, hatte Micha gerade die Absicht aufgegeben, einen unabhängigen Studentenbund an der staatlichen Uni zu gründen. Auch ihm war seine Mitarbeit in der Umweltgruppe zu wenig. Micha hatte es sogar mit Hilfe eines Professors geschafft, einen Hörsaal für ein paar Diskussionsrunden über selbst gewählte Studienthemen benutzen zu dürfen. Aus den Teilnehmern, so hatte er gehofft, könnte der Kern einer nichtstaatlichen Studentengruppe werden. Das hatte er dem Professor natürlich nicht gesagt, sondern von Themen wie Schwangerschaft oder Gentechnik gesprochen. Doch einfach mal selbständig einen Hörsaal zu nutzen überschritt schon die Grenze des Erlaubten. Der Professor bekam von der Unileitung erheblichen Ärger und entzog Micha den Saal. Micha wäre aber noch aus einem anderen Grund beinahe exmatrikuliert worden. Als er im Januar 88 von den Verhaftungen bei der alljährlichen Gedenkdemonstration zu Ehren Rosa Luxemburgs und Karl Liebknechts in Berlin gehört hatte, schrieb er spontan einen Brief an Erich Honecker. Künstler wie Freya Klier und Stephan Krawczyk müssten doch *in unserem Land* frei ihre Meinung sagen können. Er bekam niemals eine Antwort, stattdessen musste er zu Disziplinargesprächen beim Prorektor der Leipziger Universität erscheinen. Nur eine ihm wohlgesinnte Seminargruppenleiterin, die er über sein Schreiben informiert hatte, konnte seinen Rausschmiss knapp verhindern.

Micha lebte mit seiner Freundin Sabine in einem heruntergekommenen Altbau in der Zweinaundorfer Straße. Mit ihr, die alle Freunde Bine nannten, erwartete er im November ein Kind. Diese Verantwortung unterschied ihn von den anderen in der Gruppe. Die Wohnung von Bine und Micha stand offen für viele Besucher. Sie lag in einem weitgehend leerstehenden Haus, in dem Micha einige Geheimnisse verbarg.

Gruppengründungen waren nichts Offizielles, der Staat duldete keine Konkurrenz. Eine unabhängige Gruppe schwebte im Niemandsland zwischen Staat und Kirche. Auch wenn man nicht fromm war – eine gewisse Nähe zur Kirche war notwendig. Nur dann konnte man im relativen Freiraum agieren, den allein die evangelische Kirche besaß, seitdem sie sich von der Kirche im Westen getrennt und 1971 als »Kirche im Sozialismus«* neu definiert hatte, nicht mehr als Kirche gegen den Sozialismus, wie in den fünfziger Jahren. Staat und Stasi zögerten deshalb, anders als früher, mit direkten Repressionen gegenüber der Kirche. Das bedeutete allerdings nicht, dass es keine gab. Der Staat hoffte, mit Hilfe der Kirche den größten Teil der Unruhegeister im Lande unter Kontrolle zu halten. Ihre Disziplinierung sollte durch Bischöfe, Superintendenten, staatstreue Pfarrer und Christen erfolgen, ohne dass sich die Staatsvertreter direkt zeigen mussten. Die Partei sprach nicht mit den rebellischen Jugendlichen, die führenden Genossen bestellten lieber leitende Kirchenvertreter ein und setzten sie unter Druck. Ein Dauerkonflikt, aber auch eine Chance: Wer sich zusammentat, war gut beraten, einen Namen mit Bezug zur Kirche oder ihrer Botschaft zu wählen. Für viele Mitglieder aus christlichen Elternhäusern war das selbstverständlich, da sie schon konfirmiert und zur Jungen Gemeinde gegangen waren. Aber auch die Initiativgruppe Leben, in der die meisten Mitglieder nicht viel mit der Kirche zu tun hatten, machte es so wie alle anderen Leipziger Gruppen, sie stellte einen Aufnahmeantrag für den Bezirkssynodalausschuss*, was ihnen die Nutzung kirchlicher Strukturen erlaubte. Persönliche Beziehungen und Freundschaften machten mehr als formale Regeln und abstrakte politische Ziele den Zusammenhalt aus.

Mit dem starken Hang zu öffentlicher Aktion unterschied sich die von Frank und Uwe ins Leben gerufene Initiativgruppe Leben von den anderen Gruppen in der Stadt, besonders vom Arbeitskreis Gerechtigkeit. Den hatten Theologiestudenten aus dem Leipziger Theologischen Seminar als subversive Gruppe gegründet, ohne dies gleich nach außen bekannt zu machen. Aus Gesprächen über Nietzsche hatte sich ein verschworener Freundeskreis entwickelt. Zwei Wochen vor Gründung der Gruppe war einer von ihnen an Nietzsches Todestag sogar zu dessen Grab im 25 Kilometer entfernten Röcken gepilgert, um dort Kerzen aufzustellen.

Am 31. Oktober 1987, einem frostigen Herbsttag, saßen dann sechs Studenten im Leipziger Osten am bullernden Kachelofen in einer Dachgeschosswohnung der Meißner Straße zusammen. Sie kamen gerade aus dem Konzert »Wieder stehen« von Stephan Krawczyk und Freya Klier in der

Lukaskirche und beschlossen, die Zeit sei reif für eine konspirativ organisierte Widerstandsgruppe.

Vor allem Jochens Freund Thomas hatte die Gründung vorangetrieben. Er fühlte sich in protestantischem Geist zum Widerstand gegen eine Diktatur in Deutschland verpflichtet. Thomas kam ursprünglich aus Karl-Marx-Stadt*, wo er, wie so viele Jugendliche im Land, wegen der Militarisierung des Alltags die ersten Widersprüche zum Staat entwickelte. In seiner Familie gab es Verbindungen zur evangelischen Kirche. Sein Vater war Ingenieur im Textilmaschinenbau-Kombinat, aber gleichzeitig Mitglied des Kirchenparlaments sowie engagierter Kirchenvorstand seiner Gemeinde. Das Hobby seines Vaters war die Kernphysik, darüber hielt er Gastvorträge an der Technischen Hochschule, bis er in die SED eintreten sollte, wozu er nicht bereit war. Thomas erlebte Eltern, die sich in der DDR eingerichtet hatten, ohne sich anzupassen, ihn aber darin bestärkten, das nicht zu tun. Allerdings ging Thomas zunächst noch kleine Kompromisse ein: Mit vierzehn wurde er FDJ*-Mitglied, und statt den Wehrdienst total zu verweigern, wie er es am liebsten getan hätte, wählte er – in seinen Augen – »nur« die legale Möglichkeit, Bausoldat* zu werden, obgleich das schon genug Schwierigkeiten mit sich brachte. Aber die Alternative hätte Gefängnis bedeutet. Wehrdienstverweigerung war in der DDR verboten.

Thomas war stark von Büchern geprägt. Es gab eine Phase, in der er alles aufsaugte, was ihm der Staat an Lektüre vorenthielt. Die verbotenen Bücher kursierten als zerlesene Exemplare unter den Jugendlichen, standen in den Regalen der Pfarrhäuser oder wurden von Besuchern aus dem Westen hereingeschmuggelt. Von Hermann Hesses *Steppenwolf* aus las er sich durch die Philosophen, ob Schopenhauer, Heidegger, Comte oder Wittgenstein. Die West-Ikonen Foucault und Marcuse nahm er gleichfalls zur Kenntnis und landete schließlich bei Nietzsche, von dem er fand, dass er die großen Fragen auf den Punkt gebracht hatte. Nietzsche war für Thomas eine Gestalt, die provozierte, irritierte und alles in Frage stellte. Ein Freund hatte ihm sogar die Silhouette des Philosophenkopfes einen Meter groß an die Wand des Treppenhauses in der Meißner Straße gemalt. Thomas war in jeder Runde schnell eine dominierende Erscheinung. Er übernahm gern die Führung des Gesprächs und bestach andere mit seiner intelligenten Argumentation. In der Öffentlichkeit hielt er sich aber eher zurück.

Im Arbeitskreis Gerechtigkeit gab es eine Satzung, festgelegte Sprecher und klare Verhaltensregeln gegenüber SED, Stasi und Polizei. Thomas und seine Freundin Susanne, Bernd, Jochen, Frank Wolfgang und dessen Freundin Babette, die zu den Gründern der Gruppe gehörten, wollten es Staat und Stasi schwer machen und bauten eine konspirative Logistik und Technik auf, damit Aktivitäten nicht schon vor dem Start unterbunden werden konnten. Immerhin hatte die Stasi allein in Leipzig rund 2400 hauptamtliche und 10 000 inoffizielle Mitarbeiter. Die Idee der Gruppe hatten sie schon im Sommer 87 auf einer Wiese außerhalb der Stadt besprochen. Es ging auch um eine systematische Dokumentation von Menschenrechtsverletzungen. Thomas sah regelmäßig in Gerichtsgebäuden unauffällig die Aushänge nach möglichen politischen Verfahren durch.

Seine öffentliche Arbeit begann der Arbeitskreis Gerechtigkeit unter diesem Namen erst am 26. Januar 1988 in der Kontaktgruppe* zur Unterstützung der in Berlin verhafteten Oppositionellen. Zwei Monate später stellte Thomas für den Arbeitskreis den Antrag, im Bezirkssynodalausschuss mitarbeiten zu können: *Wir sind eine Gruppe am Theologischen Seminar Leipzig von 20 Personen, die sich mit dem Thema*

Gerechtigkeit auseinandersetzt. Unsere Gruppe versteht sich als kirchliche Basisgruppe, die nicht konfessionell gebunden ist.

Sie hatten bewusst einen harmlosen, eher nach Kirche als nach Opposition klingenden Namen gewählt und wollten den Schutzraum Kirche nutzen. Man konnte aber nicht einfach zu ihren Treffen kommen und mitmachen. Die Gruppenmitglieder sprachen gezielt Leute an, von denen sie glaubten, sie würden zu ihnen passen. Eine Ausnahme war der katholische Priester Friedel Fischer, der seine Mitarbeit selbst angeboten hatte. Fischer war in der DDR der höchste Repräsentant vom Oratorium des heiligen Philipp Neri und pflegte geheime Beziehungen zu katholischen Untergrundgruppen in Litauen, Polen und der UdSSR. Die Ordensgemeinschaft war 1930 in Leipzig gegründet worden. Fischer hatte besonders guten Kontakt zum Prager Untergrundpriester Václav Malý, einer Schlüsselfigur des tschechischen Widerstands, und brachte wichtige politische Texte von seinen Reisen mit, die er teils selbst übersetzte und die der Arbeitskreis Gerechtigkeit weiterverbreitete.

Die Mitglieder versuchten, so viele Kontakte wie möglich zu knüpfen: zu anderen Gruppen in der DDR und Westdeutschland, zu Journalisten der Westmedien* und zur Opposition in Polen, Ungarn und der Tschechoslowakei. Ziel war es, ein möglichst großes Informationsnetz aufzubauen und dadurch Öffentlichkeit in Ost und West herzustellen.

In Berlin half ihnen der Schriftsteller Lutz Rathenow mit seinen Kontakten zu den Westmedien. Im Bezirk Prenzlauer Berg existierte auch eine andere wichtige Schaltstelle der Opposition: die Umweltbibliothek* im Keller der Zionsgemeinde. Dort wurden Informationen gesammelt und in Untergrundschriften wie den *Umweltblättern** weiterverteilt.

In Leipzig wollten die Basisgruppen auch so etwas aufbauen. Seit Monaten schon rangen sie mit den Kirchenoberen um ein Kommunikationszentrum. Außerhalb von Kirchenräumen war so etwas unmöglich. Niemand durfte irgendwo Räume mieten, einen Laden, ein Café, einen Treffpunkt eröffnen. Aber selbst da, wo eine Gemeinde bereit war, Räume zur Verfügung zu stellen, intervenierte bisweilen die Leipziger Kirchenleitung und untersagte es. Stasi und SED sahen in einem ständigen Kommunikationszentrum eine große Gefahr und übten Dauerdruck auf die Kirchenleitung aus. Tatsächlich wurde es niemals gestattet.

Die 25 Leipziger Basisgruppen waren Teil einer Szene von mehr als 300 Friedens-, Umwelt-, Dritte-Welt-, Frauen- und Schwulengruppen im ganzen Land, die es seit Beginn der achtziger Jahre unter dem Dach der Kirche gab. Sie hatten bereits viele Auseinandersetzungen mit Kirchenleitung und Staat ausgefochten. In Leipzig gehörten neben dem Arbeitskreis Gerechtigkeit dazu auch die *Frauen für den Frieden*, die *Initiativgruppe Hoffnung Nicaragua*, die *Arbeitsgruppen Umweltschutz* und *Wehrdienstfragen* und die *Arbeitsgruppe Menschenrechte.*

Der Leipziger Theologiestudent Bernd, Mitbegründer des Arbeitskreises Gerechtigkeit, war eine der Kontaktpersonen zur Berliner *Initiative Frieden und Menschenrechte*, zu der bekannte Ost-Berliner Oppositionelle wie Bärbel Bohley, Werner Fischer, Peter Grimm, Ulrike Poppe, Wolfgang Templin, Ralf Hirsch und kurzzeitig Reinhard Schult gehörten. Bernd fuhr im Auftrag von Wolfgang Templin nach Polen, um Kontakte zur dortigen Opposition zu knüpfen. Die Oppositionsgruppen in der DDR hatten spätestens Mitte der achtziger Jahre begonnen, sich zu vernetzen.

Im Alltag kam es trotz allen Auseinandersetzungen über die politische Strategie zwischen den Leipziger Gruppen immer wieder zur praktischen Zusammenarbeit. Einige Personen waren ohnehin gleichzeitig in mehreren aktiv. Die Leute um Bernd und Thomas gingen bewusst Doppelmitgliedschaften ein und besuchten Veranstaltungen oder Aktionen anderer Gruppen, um Einfluss zu nehmen. Aber anders als die Splittergruppen nach der Studentenbewegung im Westen verloren sich die Leipziger Gruppen nicht dauerhaft in ideologischen Grabenkämpfen. Sie verzettelten sich nicht im Dauerstreit über Gesellschaftsutopien. Natürlich gab es teils heftige Konflikte und persönliche Animositäten, doch statt die Kräfte mit endlosen Debatten aufzureiben, war man sich einig in der Abwehr eines alles bestimmenden Unterdrückungssystems. Sie alle wollten den unerträglichen Druck loswerden, der ein freieres Leben verhinderte.

Allein die Arbeitsgruppe Umweltschutz konnte bis zu 80 Leute zusammenbringen. Insgesamt trafen sich 1988 etwa 300 Mitglieder regelmäßig in allen Leipziger Basisgruppen. Sie waren selten über 25 Jahre alt und vermochten zusammen ein Vielfaches an Leuten zu mobilisieren. Auch Leipziger Künstler gründeten Gruppen, etwa die *Plagwitzer Interessengemeinschaft**. Es gab Untergrundzeitschriften wie *Anschlag, Zweite Person, Glasnost, Sno'Boy.* Zusammen mit der Kunst-, Musik- und Kulturszene, etwa in Judy Lybkes 1986 gegründeter Galerie Eigen+Art oder in dem bei Punkern aus dem ganzen Süden der DDR beliebten Mockauer Keller der dortigen Kirchengemeinde, entfalteten die Gruppen ein beträchtliches alternatives Potential in der Stadt, das sich bei Veranstaltungen – selbstverständlich nur in Kirchen – mit bis zu tausend Besuchern zeigen konnte.

Ein gutes halbes Jahr nach ihrer Gründung hatte die Initiativgruppe Leben rund zwei Dutzend Mitstreiter und plante verschiedene Arbeitsgruppen. Sie konnten unter erheblichen Schwierigkeiten einige Aktionstage, Ausstellungen und Veranstaltungen mit vielen Besuchern auf die Beine stellen, darunter in Leipzig-Leutzsch im Oktober 1987 eines der letzten großen DDR-Konzerte des oppositionellen Liedermachers Stephan Krawczyk und der Theaterregisseurin Freya Klier, die beide vom Staat mit Berufsverbot belegt waren.

In der Praxis war Mitglied, wer kam und mitmachte. Sie trafen sich privat, in ihren Wohnungen. Anfangs in Grünau bei Frank, dann in einer Dachgeschosswohnung am Nordplatz, später meist bei Micha in der Zweinaundorfer Straße. Der hatte eine größere Wohnung und nutzte außerdem noch weitere im Haus leerstehende Räume.

Für die Gruppen in Leipzig war der entscheidende Einschnitt, der alles veränderte, die Verhaftung von Krawczyk und Klier und rund hundert weiteren Berliner Oppositionellen gewesen.

Vor diesem Ereignis hatte das Friedensgebet in der Nikolaikirche jeden Montag nur in kleiner Runde stattgefunden. Es existierte zwar schon seit 1982, doch zuletzt saßen in der Nordkapelle kaum zehn Besucher auf den Stühlen um einen Altar. Erst als im Januar 1988 junge Leipziger einen Ort brauchten, um ihre Solidarität mit den Inhaftierten in Berlin zu demonstrieren, wurde es zur Großveranstaltung.

In der evangelischen Studentengemeinde in der Leipziger Südvorstadt wurde zuerst über die Situation in Berlin informiert. Am nächsten Tag gab es eine mehrstündige, turbulente Veranstaltung in der Leipziger Michaeliskirche. Unter den 350 Besuchern bildete sich am Wochenende nach den Verhaftungen in Ost-Berlin spontan eine Gruppe, die beschloss, das bestehende Friedensgebet in der Nikolaikirche für weitere Solidaritätsveranstaltungen zu nutzen. Am Montag um 17 Uhr versammelte man sich dort in der Nordkapelle, wo es mit 300 Besuchern plötzlich *voll wie eine Straßenbahn im Berufsverkehr* wurde, wie es ein Teilnehmer damals in den *Umweltblättern* beschrieb.

Die Besucher wollten kein wöchentliches, sondern ein tägliches Friedensgebet, um besser über die Ereignisse informieren zu können. Darauf ließen sich der zuständige Superintendent* Friedrich Magirius und der Gemeindepfarrer der Nikolaikirche, Christian Führer, wegen Bauarbeiten und einem fehlenden Beschluss des Kirchenvorstandes nicht ein. Es gab aber eine Lösung. Zusätzlich zum wöchentlichen Friedensgebet in der Nikolaikirche fanden dann bis Mitte Februar auf Initiative einiger Studenten tägliche Versammlungen in den Gemeinderäumen von Studentenpfarrer Michael Bartels in der Alfred-Kästner-Straße statt. Bartels erlaubte auch, dass die neugebildete *Kontaktgruppe Friedensgebet für die Inhaftierten* von morgens elf Uhr bis kurz vor Mitternacht sein Telefon zur Kommunikation mit Berlin und den anderen Gruppen im Land verwendete. Ein für die Gruppen frei zugängliches Telefon hatte eine große Bedeutung, weil es kaum private Telefonanschlüsse gab, die sich derart nutzen ließen.

Da ein Teil der Berliner Verhafteten im Februar über Nacht in den Westen abgeschoben wurde, fühlten sich viele der oft schon seit Jahren wartenden Ausreiseantragsteller* in der ganzen DDR motiviert, durch politische Aktionen ihre Ausreise zu beschleunigen.

So erschienen fortan nicht nur die jungen Leute aus den Basisgruppen, sondern immer mehr Ausreiseantragsteller zum Friedensgebet. Die Nikolaikirche war auf einmal völlig überfüllt, mit tausend und mehr Besuchern. Das Friedensgebet wurde zur gemeinsamen politischen Bühne zwischen denen, die »Wir bleiben hier«, und denen, die »Wir wollen raus« meinten.

Die Leute aus den Gruppen konnten die Friedensgebete selbständig vorbereiten. Sie begannen immer montags um 17 Uhr und dauerten selten länger als eine knappe Stunde. Ein paar Lieder, ein Info-Teil, ein Psalm, eine Predigt, eine

Meditation, Fürbitten, Ankündigungen und der Schlusssegen. Entscheidend waren die Fürbitten und die Informationen über andere Veranstaltungen und Aktionen. Als Fürbitte wurde etwa vorgetragen: »Herr, ich bitte Dich um Hilfe und Gerechtigkeit für alle diejenigen, die ihren Arbeitsplatz verloren haben, nachdem sie einen Ausreiseantrag gestellt haben.« Auch in anderen Städten der DDR traten die Ausreiser* zunehmend an die Öffentlichkeit. Staat und Partei taten alles, um sie zu diskriminieren und verächtlich zu machen, *als Personen, die sich außerhalb der Gesellschaft gestellt haben.* Oppositionelle reagierten auf diese gesellschaftliche Isolierung sehr unterschiedlich. In Ost-Berlin kam es nach schweren Auseinandersetzungen zur Ausgrenzung der Antragsteller durch die meisten Gruppen, die am liebsten nichts mit ihnen zu tun haben wollten, »weil sie schon mit einem Bein im Westen standen«, wie es oft hieß. In Leipzig dagegen gab es zwar auch Debatten, doch die Ausreiser durften sich an der Gestaltung der Friedensgebete beteiligen. Sie waren in ihrem Protest sehr mutig und beflügelten die Gruppen. Besonders dem Arbeitskreis Gerechtigkeit war es wichtig, von Beginn an eine Solidargemeinschaft mit den Ausreiseantragstellern entstehen zu lassen. Weil die Ausreiser, die der Staat schon genug drangsalierte, in Leipzig nicht auch noch von den Oppositionsgruppen ausgegrenzt, sondern als Potential des organisierten Widerstandes angesehen wurden, bekam die Konstellation in dieser Stadt, anders als in Berlin, eine besondere Brisanz.

So begannen sich Anfang 1988 die Kräfte in der Pleißestadt zu verändern, und es dauerte keine zwei Jahre mehr, bis Leipzig zum Zentrum der friedlichen Revolution werden sollte.

Frank und Uwe fanden es in diesem Frühjahr realistisch, erstmals eine eigene Umweltdemo in Leipzig zu wagen, vor allem, wenn man die Bewahrung der Schöpfung in den Vordergrund stellte und die Demo offiziell Pleiße-Gedenkumzug heißen würde. Frank wusste, dass es irgendwie eine Mogelpackung war, aber noch eine notwendige. Dabei strebten er und Uwe etwas anderes an. Sie wollten Leute außerhalb des immer gleichen Dunstkreises der kirchlichen Gruppen erreichen, die Konfrontation durch öffentliche Aktionen suchen, damit mehr Menschen auf die Straße bringen und gleichzeitig – so gut es nur ging – selbstbestimmt ihr Leben gestalten.

Sie empfanden die Anbindung an die Kirche, wie sie die meisten staatsunabhängigen Friedens- und Umweltgruppen seit Jahren praktizierten, als Korsett, aus dem man sich befreien musste – auch wenn das Risiko damit stieg, verfolgt zu werden. Ihre Gruppe sollte mehr Aktionen auf die Beine stellen und weniger programmatische Erklärungen abgeben. Es gab keine zentralistische Struktur, keine Anführer, keine Sprecher. Alle, die mitmachten, konnten im Plenum mitentscheiden. Eigeninitiative hatte Vorrang vor Gruppenkonsens.

»Bei euch kann wohl jeder machen, was er will?«, spottete Thomas vom Arbeitskreis Gerechtigkeit einmal gegenüber Uwe. »Im Grunde ja«, war dessen Antwort.

Ein Abend am See
April 1988

An einem Samstagabend Ende April stapften Uwe und Frank mit ein paar Weinflaschen über das wild bewachsene Gelände zwischen ihrem Neubauviertel und dem Kulkwitzer See. Sie ließen sich auf einer kleinen, abschüssigen Wiese nieder, umsäumt von niedrigen Büschen. Die Plattenbauten waren von dort nicht mehr zu sehen. Am Horizont hinter dem See stiegen Rauchwolken aus einem hohen Schlot des Kraftwerkes Kulkwitz gemächlich und vollkommen senkrecht gen Himmel.

Der große Baggersee lag spiegelglatt vor ihnen. Doch das Wasser war zum Baden noch zu kühl. Uwe hatte sich Schuhe und Strümpfe ausgezogen, krempelte die Hose hoch und spritzte mit den Füßen im flachen Wasser herum.

Bald kamen die anderen. Jochen, Andreas, Theo mit seiner Freundin Carola – Uwe und Frank wussten nicht so genau, wer alles zu ihnen stoßen würde. Es war ein offenes Treffen an einem entspannten Ort.

Von Anita, ihrer neuen Bekanntschaft, noch keine Spur. Frank war etwas enttäuscht, ließ sich aber nichts anmerken. Er lag etwas abseits von den anderen ausgestreckt auf der Wiese, schaute in den Abendhimmel und rupfte mit einer Hand im Gras.

Jochen packte seine Gitarre aus. Eine Saite war gerissen. Er versuchte den Draht zu reparieren, so gut es ging. Nach dem Zwischenfall neulich hatte er den Nachmittag auf dem Polizeirevier verbracht. Die Vernehmer wollten wissen, ob Jochen den Text selbst verfasst habe, den er gesungen hatte.

»Nein, nein, habe ich sie beruhigt, das ist ein antikapitalistisches Lied, das die Werktätigen im Westen auffordert, sich gegen Ausbeutung und Unterdrückung zu wehren.« Damit habe er sie überzeugen können, ihn mit seiner Gitarre gehen zu lassen.

Sie freuten sich, zum ersten Mal im Jahr wieder am See zu sein.

Jochen schlug ein paar Akkorde an. Bei der Festnahme hatte er mehr Angst um die Gitarre gehabt als um sich. So ein gutes Instrument zu ergattern war schwierig. Sein Vater hatte es nur durch Bestechung in einer Werkstatt der Kirche organisieren können.

Mit seinem üppigen schwarzen Vollbart, den schwarzen Locken, seiner hohen Stirn und einer gehörigen Portion Entschlossenheit im Gesicht begeisterte Jochen schnell die Leute, besonders die Frauen. Sie verliebten sich öfters in ihn. Sein Beziehungskarussell drehte sich schneller als bei anderen.

Jochen spielte einen Song der verbotenen legendären Renft-Combo, die mal in Leipzig zu Hause war und ein wichtiges Symbol der Opposition.

Eine Sonne, die unter die Haut geht,
wie die Stimme von Bob Dylan, etwas rau …

Die erste Flasche »Stierblut« war schnell leer.

Uwe drehte sich um und suchte mit den Augen die Gegend ab. Warum hatte sie »vielleicht« gesagt?

Die Sonne ging allmählich unter, ein paar Fische schnappten aus dem Wasser und hinterließen immer größer werdende Wellenringe.

Jochen hatte schon mehrere Lieder gespielt, da erschien endlich Anita. Sie hatte ihre Freundin Gesine mitgebracht.

Uwe freute sich über das Wiedersehen, reichte den beiden eine Flasche des ungarischen Weins und stieß mit seiner an. Frank stand auf und setzte sich neben Anita.

Uwe kannte Gesine vom Friedensgebet in der Nikolaikirche. Die 23-Jährige war schon von weitem gut zu erkennen, ihre dunkelbraunen Haare reichten weit über ihre Schultern hinunter, ihr schmales Gesicht hatte etwas Madonnenhaftes. Eine Pfarrerstochter aus dem Erzgebirge, die meist eine selbstgedrehte, filterlose Zigarette in der Hand hielt.

Gesine war seit der Festnahme der Berliner Oppositionellen im Januar bei allen Solidaritätsaktionen mit dabei. Sie setzte sich besonders für die Idee eines Kommunikationszentrums der Leipziger Basisgruppen in Kirchenräumen ein. Thomas vom Arbeitskreis Gerechtigkeit war deshalb auf sie aufmerksam geworden, und so gehörte sie neuerdings zum Kern dieser Gruppe.

Sie hatte sich neben Uwe am schmalen Sandstrand niedergelassen und erzählte ihm von ihrem Tag im Musikverlag. Ursprünglich wollte sie mal Musikerin werden. Und anders als viele Pfarrerskinder durfte sie sogar Abitur machen, erhielt danach aber keinen Studienplatz. Aus ihrem Traum wurde der Job, den sie jetzt hatte. Sie musste in Opernpartituren die Anmerkungen der Musiker ausradieren, damit die Notenhefte erneut ausgeliehen werden konnten.

Jochen spielte einen Song nach dem anderen. Der Text des Wiener Liedermachers Danzer bekam auch an diesem Ort eine andere Bedeutung: »Hast du schon jemals das Gefühl gehabt, dies alles könnte anders sein?« Bei der nächsten Zeile musste Jochen grinsen. »Noch ist es Zeit, mach dich zum großen Sprung bereit, auf die andere Seite ...«

Als Jochen dieses Lied in Halle auf der Straße gesungen hatte, hielten sie ihm nach der Zuführung vor, er habe zur Flucht über die Grenze aufgefordert.

Gesine sah über den See. Heute Abend waren sie nicht die Einzigen hier. Ein junges Pärchen vom nahegelegenen Zeltplatz paddelte in der Ferne langsam vorbei. Es wirkte alles sehr friedlich. Sie blinzelte in den Sonnenuntergang und konnte sich nicht entscheiden, ob sie ihn spießig oder romantisch finden sollte.

Sie drehte sich zu Anita um. Ihre Freundin hatte Frank zum Lachen gebracht, denn Anita erzählte ihm ein wenig davon, wie ihr erstes Leben als Schuhverkäuferin gewesen war.

»Ich habe während meiner Lehrzeit einfach nicht in die Klasse gepasst.« Die anderen Mädchen waren nur mit dem Lackieren ihrer Fingernägel oder ihren Frisuren beschäftigt gewesen. Der Lehrer für Marxismus-Leninismus hatte seine ständigen Blähungen im Unterricht nicht zurückhalten können, alle spotteten über ihn. Aber eines Tages lautete seine Aufgabe: »Was verstehen Sie unter einem Marxisten?«

Die habe sie ernst genommen und versucht, ehrlich zu beantworten. »Erst habe ich die Definitionen aus Lexikon und Duden zitiert und geschrieben, dass ich damit nicht viel anfangen könne. Dann habe ich eigene Erklärungen versucht: Ein Marxist ist ein Mensch, der die Bibel und das *Kommunistische Manifest* kennt, der Marx und Lenin gelesen und verstanden hat, der historisch gebildet und politisch qualifiziert ist, der eigene Werte hat und nach ihnen lebt. Aber einen solchen Menschen kenne ich nicht, hab ich am Ende meines Aufsatzes geschrieben.«

»Und? War deine eigene Meinung gefragt?«, wollte Frank wissen.

»Ich wurde ein paar Tage später in die Zentrale der Konsumgenossenschaft gerufen. Die waren zuständig für die Ausbildung der Schuhverkäufer.«

Wieso Anita dort erscheinen sollte, wurde ihr nicht gesagt.

»Als ich dann da war, machte mich der Leiter zur Schnecke. Was ich mir denn dabei gedacht hätte, die Aufsätze sollten doch für einen Wettbewerb sein und womöglich im Zentralorgan der FDJ abgedruckt werden. Wie er denn jetzt dastünde ... und so weiter und so fort.«

Nach einer kurzen Pause sagte Frank: »Die Lektion war wieder mal, man soll einfach nicht ehrlich sein.«

»Mehr Ärger«, erzählte Anita, »habe ich dann aber nicht bekommen.«

Sie schauten beide in den Abendhimmel, die Rauchwolken in der Ferne waren rosarot.

Frank wollte mehr über Anita erfahren. Sie machte bei den Frauen für den Frieden mit und erzählte ihm von der letzten Eingabe, die sie verfasst hatte. Sie kramte einen Moment in ihrer Tasche und zog einen Durchschlag heraus. Frank nahm das Seidenpapier und las sich Anitas Beschwerde an den Rat des Bezirkes durch.

In letzter Zeit blieb mir im wahrsten Sinne des Wortes die Luft weg. Ich möchte Sie fragen, ob Sie es normal finden, dass einem der Aufenthalt im Freien in Leipzig fast unmöglich geworden ist, weil man vor lauter Smog einfach keine Luft mehr bekommt, und dass gegen diesen Zustand nichts unternommen wird.

Warum alarmieren und informieren Presse und Rundfunk nicht öffentlich die Bevölkerung? Warum werden nicht Maßnahmen ergriffen, wie ein Verbot sämtlicher privater Fahrten mit Kraftfahrzeugen?

Ich frage mich, wie die zuständigen Institutionen und Personen so verantwortungslos handeln können.

Frank staunte über ihre Direktheit.

»Und? Was war die Reaktion?«

»Man habe meine Eingabe erhalten, teile die Sorgen, könne aber einige Formulierungen in dieser Form nicht bestätigen. Sie luden mich einen Monat später zum Gespräch über die sozialistische Umweltpolitik und die eingeleiteten Maßnahmen in ein kleines Büro ein. Da ging ich hin, es war aber enttäuschend, weil sie mich nur belehrt haben, dass sie alles zum Wohle des Volkes unternähmen.«

Das kenne er auch, erwiderte Frank und erzählte ihr von einem Plakat, das er für eine Ausstellung in einer Kirche gemacht hatte. »Leidensweg einer Eingabe« war die Schlagzeile, darunter standen Beispiele für Eingaben und die Antworten der Behörden.

»Eigentlich ist es sinnlos, Eingaben zu machen«, meinte Frank.

»Aber sie müssen doch irgendwie Druck spüren«, sagte Anita.

Uwe hatte sich dazu gesetzt. »Ich hab nach dem Zwischenfall mit Jochen auch eine Eingabe geschrieben.«

»Und? Haben sie schon reagiert?«, wollte Anita wissen.

»Noch nicht. Dass *Straßenmusik das öffentliche Leben in unserer Stadt bereichert*, hab ich geschrieben, und da *Musik schon seit Lebzeiten die Menschen verbindet und ganz einfach Spaß macht, müsste doch eine Möglichkeit vorhanden sein, diese Freude den Menschen zu erhalten.*«

Uwe zeigte mit dem Arm am Seeufer entlang.

»Hier ist überall Naturschutzgebiet, aber nicht weit von hier liegt der VEB Ingenieurstechnische Erschließung. Dort hab ich im vergangenen Jahr gejobbt, bevor ich im Schweitzer-Haus anfing. Mir sind da gleich in der ersten Woche die Diesel- und Ölfässer aufgefallen, die direkt am Seeufer standen. Da ist immer eine Menge danebengegangen. Jeden Tag sah ich die schillernden Ölpfützen und musste an das Grundwasser denken. Ich konnte das nicht länger mit ansehen, hab mich hingesetzt und eine Eingabe an das Amt für Umweltfragen geschrieben. Fünf Mal musste ich das wiederholen, niemand fühlte sich zuständig. Ich dachte schon, sie ist versackt.

Doch drei Monate später fragte mich die Betriebsleitung plötzlich, warum ich sie angezeigt hätte. Sie hätten die Auflage bekommen, eine Wanne aus Beton zu bauen. Die waren total sauer auf mich. Ich wurde in die Werkstatt verbannt, durfte nicht mehr mit auf Baustellen hinausfahren, die versprochene Fahrerlaubnis auf Betriebskosten wurde mir gestrichen, und ich bekam nur noch stupide Aufgaben. Immerhin, die Ölwanne wurde gebaut, und ich bin gegangen.«

Anita fand die Maßnahmen gegen Uwe nicht so schlimm. Überhaupt fand sie es ziemlich normal und risikolos, Eingaben zu schreiben. Nach ihrem Geschmack könnten das ruhig mehr Menschen machen. Es koste kaum Mut und lasse sich leicht realisieren. Sie wollte noch wissen, ob Uwe danach gleich im Schweitzer-Haus angefangen habe.

»Nein«, sagte Frank, »wir haben zusammen auf dem Weihnachtsmarkt Glühwein und Grillettas verkauft.«

»Was habt ihr?«

»Wir haben den Gastwirt vom Café Wilhelmshöhe kennengelernt«, erzählte Uwe weiter, »der beschäftigt viele Ausreiser und so Typen wie uns. Für ihn haben wir einen Stand auf dem Markt gemacht. Wir mussten ja irgendeine Beschäftigung nachweisen. Die Leute standen bei uns Schlange. Hamburger mit Ketchup, Bulette, Gurke und Käse waren der Knüller. Der Wirt kam mit dem Nachschub gar nicht hinterher.«

Uwe lachte, dann fiel ihm etwas ein, und er wurde ernst.

»Allerdings ist in diesen Wochen vor Weihnachten noch etwas ziemlich Unheimliches passiert.« Er schwieg einen Moment. »Damals war doch in Berlin gerade der Stasi-Überfall auf die Umweltbibliothek gewesen, und ich dachte, sie wollten mich deshalb vernehmen. Wisst ihr, was der Vorwurf aber war? ›Es wurde eine Frau vergewaltigt, Sie gehören zu den Verdächtigen.‹ Da bin ich schon etwas aus der Fassung geraten. Sie gaben mir einen Lappen, den musste ich in die Hose stecken. Ich wusste echt nicht, was das sollte. Nach drei Stunden, am Ende der Befragung, haben sie den Lappen mit einer Pinzette genommen und in ein Einmachglas gesteckt. Und dann hab ich abends erfahren, dass sie mit Frank genau dasselbe gemacht haben. Derselbe absurde Vorwurf und genauso ein gelber Lappen. Weißt du, was die machen? Die sammeln Geruchsspuren von uns, für ihre Spürhunde! Wenn ich irgendwo eine Parole anmale oder ein Flugblatt in einen Briefkasten reinstecke, dann können sie das zurückverfolgen. Sie lassen den Hund erst am Flugblatt riechen, und dann stellen sie ihm unsere Lappen hin.«

Zur selben Zeit wie die Runde am Kulkwitzer See versammelten sich einige ältere Herren in der streng abgeschirmten Geheimdienstzentrale mitten im Stadtzentrum Leipzigs, im Raum 137, einem Konferenzraum mit blassgrüner Wand, dunkelbrauner Holzvertäfelung, brummenden Neonleuchten unter der Decke und einem Scherengitter vor allen Fenstern. Das Gebäude war in Leipzig bekannt als die Runde Ecke*. Generalleutnant Manfred Hummitzsch* hatte die Abteilungsleiter zu dieser Sitzung einbestellt. Er ließ zunächst Oberst Etzold, den Chef der Untersuchungsabteilung, über die neueste statistische Auswertung zugeführter Personen vortragen. Die Zahl der nach dem Friedensgebet in der Nikolaikirche vorübergehend Festgenommenen hatte sich in letzter Zeit stetig nach oben entwickelt.

Genossen, in der vergangenen Woche waren es insgesamt 52 Personen, alle männlich, 38 aus dem Bezirk Leipzig, 14 nicht. 12 waren unter 25 Jahren, 38 erhielten Ordnungsstrafen, insgesamt 14 200 Mark. Zusammengefasst: Die Antragsteller, die an den Friedensgebeten teilnehmen, suchen zunehmend durch Zusammenrottungen die Konfrontation mit den Staatsorganen.

Der Chef der Auswertungs- und Kontrollgruppe notierte sich etwas in seinem Arbeitsbuch, der Leiter der Untersuchungshaftanstalt steckte sich bereits die zweite F6 an und reichte seine Packung dem Offizier für Sonderaufgaben, der neben ihm saß.

Nun legte Hummitzsch los und sprach über die *Angriffe feindlich-negativer Kräfte*, die Unterbindung von *Provokationen und Vorkommnissen*, mit denen auch zukünftig gerechnet werden müsse. Mit Blick auf den Oberst aus der Zentralen Parteileitung meinte der Leipziger Stasi-Chef: *Zur Verhinderung derartiger Aktivitäten oder Einschränkung ihrer Wirksamkeit müssen die Potenzen der Gesellschaftlichen Mitarbeiter in enger Abstimmung mit den Leitern der Dienststellen des MfS zum Einsatz gebracht werden. Genossen mit Fachkenntnissen im Umweltschutz, Militärpolitik oder Kunst und Kultur müssen die Exponenten des Untergrundes durch Diskussion und Missfallensbekundungen bloßstellen. Die 1. Sekretäre der Partei sind bei der Schaffung eines Kaderstamms von jeweils zehn bis dreißig gesellschaftlichen Kräften zu unterstützen. Dazu sind zuverlässige, argumentationssichere Mitglieder der Partei, progressive Parteilose, Angehörige der Intelligenz und Jugendliche zu gewinnen.*

Oberst Etzold schaute ernst in die Runde. Auch er war Kettenraucher und stützte seinen Kopf oft mit der Hand ab, in der die Zigarette glühte. Das hatte seine Schläfen schon ganz gelb werden lassen. Er blätterte in seinen Papieren, sein Chef fuhr mit monotoner Stimme fort: *Die Gespräche zur Eindämmung derartiger Aktivitäten mit den leitenden Personen der evangelischen Kirche bringen nicht in jedem Fall das gewünschte Resultat. Gegenüber den Genossen der Partei wurde seitens der Vertreter der Kirchen bei disziplinarischen Aussprachen zur Entschuldigung angeführt, dass die Mitglieder sogenannter Basisgruppen sich nicht an Absprachen halten.*

Von den Medien des Klassenfeindes angefeuert, nutzen die Inspiratoren des politischen Untergrundes den Freiraum der Kirche verstärkt zur Konspiration und Diversion aus. Eine Überprüfung unserer inoffiziellen Basis in diesen Gruppen ergab, dass die Pläne zur Anwerbung inoffizieller Kräfte von der Bezirksverwaltung und unseren Kreisdienststellen bei weitem noch nicht erfüllt wurden.

Hummitzsch fragte jeden Einzelnen, wie es um die Anwerbung von Informanten in ihrem Bereich stehe. Er war besorgt, weil sie angesichts der anwachsenden Gruppen mithalten mussten.

Wir müssen vor allem in die neuentstandenen Zusammenschlüsse verstärkt mit inoffiziellen Mitarbeitern eindringen. Der IM-Bestand muss erweitert werden. Ich denke da an die sogenannten Arbeitskreise »Gerechtigkeit« und »Menschenrechte«, die im Gemeindehaus beim hinreichend bekannten Pfarrer Wonneberger Unterschlupf gefunden haben, sowie an die Initiativgruppe »Leben«, die sich als Kraft außerhalb der Kirche etablieren will. Aufklärung und Zersetzung dieser Zusammenschlüsse sind voranzutreiben! Weitere Einschleusung neuer IM und ihr zielgerichteter Einsatz sind notwendig zur vorbeugenden Verhinderung feindlich-negativer Pläne, Absichten und Handlungen, um die feindlichen Kräfte und Erscheinungen zurückzudrängen!*

Oberst Schmid meldete sich zu Wort: »Aus den mir vorliegenden Erkenntnissen zur Aufklärung der Personen hätte ich da einen Vorschlag zur Diskreditierung eines der Vertreter des politischen Untergrundes in der sogenannten Basisgruppe ›Leben‹. Ein geeigneter Termin dafür steht bald an.«

»Der geeignete Termin« war eine kurz danach stattfindende Veranstaltung in der Reformierten Kirche unweit des Hauptbahnhofs. Pfarrer Wonneberger und einige Leute aus der Arbeitsgruppe Menschenrechte hatten einen Abend unter dem Titel »Der Friede muss unbewaffnet sein« vorbereitet.

Wonneberger traute sich mehr als andere Gemeindepfarrer. Der 44-Jährige sah auf den ersten Blick aus wie einer von ihnen, wenn er mit Jeans, Hemd und Lederjacke auf seinem alten, grauen Diamant-Rad angefahren kam. Er war klein und drahtig, mit kurzen Haaren, keine patriarchalische Führungsgestalt, offen im Kontakt mit den jungen Leuten. Einer, der versuchte, ihnen Raum zu geben. Er wollte, dass sie ihre Stärken entdeckten und entwickelten. Wonneberger wirkte auf sie überzeugend, mit einer inneren Kraft, aber ohne unangenehmes Sendungsbewusstsein. Die meisten Jugendlichen nannten ihn nur kurz »Wonni«. Für die Veranstaltung suchten sie gemeinsam mit ihm Bibelstellen über Pazifismus heraus und verfassten einen Vorschlag zur Einrichtung eines zivilen Ersatzdienstes.

Die Kirche war gut besucht, viele aus den Basisgruppen waren erschienen. Nach dem Orgelspiel und einem Lied gab es eine kleine Aufführung, bei der Uwe mitmachte. Er spielte einen Bausoldaten, ein anderer den Totalverweigerer, auf den sicher das Gefängnis wartete, und der Nächste einen, der sich für drei Jahre zur Armee verpflichtet hatte, um studieren zu können. Die ganze Veranstaltung war ein einziges Plädoyer dafür, als Alternative zum Wehrdienst einen echten Zivildienst zu erlauben.

Mitten im Spiel von Uwe erhob sich plötzlich jemand in einer der Kirchenbänke und brüllte: »Aufhören! Aufhören! Du da vorne, hey komm, wir sind doch zusammen bei der Armee gewesen! Du hattest dich doch für drei Jahre verpflichtet! Das ist doch alles unglaubwürdig, was du da erzählst! Du hast einen Eid geschworen, gedient und willst für Bausoldaten eintreten ...«

Dann stand der Mann auf und verließ schnellen Schritts die Kirche. Rainer vom Arbeitskreis Gerechtigkeit sprang von der Kirchenbank auf und rannte hinterher. Unruhe machte sich breit.

Uwe hatte sich tatsächlich für drei Jahre freiwillig zur Armee gemeldet. Sein Traum war es gewesen, zur Handelsmarine zu gehen, erkauft hatte er ihn mit der Verpflichtung. Das hatte er nicht an die große Glocke gehängt und nur wenigen von seinem Kompromiss erzählt. Drei Jahre Armee – das war in den Gruppen kein Ruhmesblatt und erweckte eher Misstrauen. Uwe hatte es verdrängt, jetzt schämte er sich.

Rainer, der dem Zwischenrufer hinterhergelaufen war, hatte ihn vor der Kirche nicht mehr ausfindig machen können und kehrte auf seinen Platz zurück.

In die entstandene Unruhe hinein meldete sich von hinten der zweite Pfarrer der Kirche zu Wort. Im Gegensatz zum verantwortlichen Pfarrer Sievers war er protestantisch-konservativ und von Anfang an gegen einen politischen Gottesdienst gewesen. »Lasst uns die Veranstaltung abbrechen. Sie ist nicht genehmigt, die Gemeinde riskiert ein Ordnungsstrafverfahren. Theologie und Meditation fehlen hier, und einiges andere stimmt, wie wir gehört haben, offenbar auch nicht.«

Kathrin, eine 17-Jährige aus Wonnebergers Arbeitsgruppe Menschenrechte und selbst Gemeindemitglied, hatte die Veranstaltung mit vorbereitet. Jetzt stellte sie sich in den Mittelgang. Ihr zitterten die Knie. Mehr als 200 Leute saßen in den Bänken. Uwe hatte es die Sprache verschlagen. Sie erhob ihre Stimme: »Wir haben die Genehmigung vom Pfarrer Sievers, der hier Hausherr ist. Er hat unsere Konzeption vorher bekommen und genehmigt.« Die junge Frau hatte noch nie vor so vielen Menschen gesprochen, nun widersprach sie dem Pfarrer, der die Veranstaltung abbrechen wollte. »Lassen Sie uns bitte weitermachen. Diskutieren können wir noch nachher, ihr seid alle zum Friedenscafé eingeladen.«

Es gelang ihr tatsächlich, nach kurzem Wortwechsel die Situation zu beruhigen und den Zweikampf mit dem Pfarrer für sich zu entscheiden. Die Veranstaltung ging weiter.

Nach dem letzten Lied ging Wonneberger auf Uwe zu. Er war unzufrieden. »Warst du wirklich ...?«

Uwe nickte, er bekam immer noch kein Wort heraus. So bloßgestellt zu werden war ihm sehr unangenehm. Er erklärte Wonneberger und den anderen, die mit ihm um einen Tisch des improvisierten Cafés in einem Nebenraum der Kirche saßen, seine damalige Situation. Aber ihm war selbst klar, dass das viel zu spät kam. Er hätte darüber längst reden müssen. Wonneberger machte ihm keine Vorwürfe, gab ihm nur einen Rat: »Wir müssen mit offenem Visier kämpfen.«

Uwe teilte drei Tage danach dem Wehrkreiskommando schriftlich mit, dass er jeden künftigen Reservistendienst verweigere: *Wie Sie ja wissen, habe ich 3 Jahre bei der NVA gedient. In diesen 3 Jahren habe ich mich immer wieder gefragt, ob das wirklich der wahre Weg zum Frieden sein soll, der dort gegangen wird. Mir fällt da ein Satz von Karl Marx ein: Nichts hat bisher mehr Unheil angerichtet, als die Tatsache, dass um Frieden zu haben, man sich zum Krieg rüsten muss. Deshalb bin ich nicht mehr gewillt, jemals wieder eine Waffe in die Hand zu nehmen ...*

Er schickte den Brief als Einschreiben, um sicherzustellen, dass er ankam. Eine Weile hörte er nichts.

Ein Haus im Leipziger Osten
Mai 1988

Allmählich wurde es Sommer. Kathrin und Rainer durchstreiften die Straßen im Osten Leipzigs, den Blick fest nach oben, auf die Fenster gerichtet. Sie hielten Ausschau nach verdreckten Fenstern und fehlenden Gardinen: Zeichen für Leerstand.

Kathrin und Rainer kannten sich wie viele andere auch vom Friedensgebet und den Solidaritätsaktivitäten der Basisgruppen. Ihr Auftritt in der Kirche hatte ihn beeindruckt. Die beiden waren seit kurzem ein Paar und nun auf der Suche nach einer Wohnung.

Rainer studierte Theologie und hatte im ersten Studienjahr im Männerkonvikt des Theologischen Seminars in der Paul-List-Straße wohnen dürfen. Doch bald sollten Erstsemester nachrücken. Bisher war er im großen Saal der Dachbodenetage untergebracht, dort schlief er in einem der sechs Doppelstockbetten. Auf Dauer war das etwas anstrengend, besonders, nachdem Kathrin zweimal zum Übernachten im Schlafsaal gewesen war. Seine Freunde Jochen, Thomas und Bernd hatten bereits Alternativen zum Wohnen gefunden und ihm Tipps gegeben, wo er suchen könnte. Offiziell gab es keine freien Wohnungen, aber fast alle Studenten wohnten »schwarz« in heruntergekommenen, leerstehenden Altbauten in Connewitz, im Leipziger Westen oder hier im Osten, wo er nun mit Kathrin unterwegs war.

Das Theologische Seminar war ein sich ständig nachfüllendes Sammelbecken für unangepasste Jugendliche, subversive Unruhegeister und Individualisten aller Art. Im ganzen Land hatte der Staat nur drei evangelische Hochschulen anerkannt, in Leipzig, Naumburg und Ost-Berlin. Es waren Inseln in der DDR mit hochgebildeten Dozenten, eine Gegenwelt großer geistiger Freiheit. In Leipzig konnte man auch ohne Abitur nach einem Jahr Vorausbildung studieren. Deshalb fanden sich dort viele zusammen, denen aus politischen Gründen das Abitur verwehrt worden war.

Bei Rainer hatte es gereicht, dass er als 14-Jähriger nicht zur Jugendweihe gegangen war und mit 15 Jahren das Abzeichen der unabhängigen Friedensbewegung *Schwerter zu Pflugscharen** an der Jacke trug. Er hatte es obendrein gewagt, das Abzeichen in der Schule zu verteilen, und das auch noch bei einer Aussprache* mit dem Direktor und fünf für die Schule zuständigen Parteigenossen verteidigt. Das stempelte ihn in ihren Augen zum Staatsfeind ohne Zukunft in ihrem System ab. Wer Anfang der achtziger Jahre das kreisrunde Abzeichen der kirchlichen Friedensbewegung so demonstrativ trug, war für Abrüstung in Ost und West und oft auch Pazifist. Das vertrug sich nicht mit der staatlichen Politik der Wehrerziehung in der Schule und der Vorstellung, gleich nach dem Abschluss jahrelang zur Armee zu gehen. Jugendliche wurden mitunter auf offener Straße von Volkspolizisten festgehalten, die ihnen mit der Schere das unerwünschte Symbol an Ort und Stelle von der Kleidung abtrennten.

Rainers Klassenkameraden waren kompromissbereiter. Einem seiner Freunde hatte die Mutter das Abzeichen auf den Brustbeutel genäht, damit er ihn bei Gefahr umdrehen konnte. Nach der 10. Klasse musste Rainer die Schule verlassen und eine Maurerlehre machen. Er fand, das sei angesichts der überall verfallenden Bausubstanz ein sinnvoller Beruf.

Anders als Rainer hatte Kathrin an der Jugendweihe teilgenommen, doch dann ging sie auch noch zur Konfirmation, was man ihr an der Schule übelnahm. Schließlich legte sie in der 9. Klasse das Amt der FDJ-Sekretärin nieder und begeisterte sich stattdessen für die freien Diskussionen in der Jungen Gemeinde. Hier fand sie endlich die Leute, nach denen sie gesucht hatte, sie ging mit ihnen ins Theater, ins Kino, in den Kulturclub zu Literaturveranstaltungen. Ohne Abitur begann Kathrin eine Ausbildung zur »Facharbeiterin für Schreibtechnik«, nachdem sie zunächst mehrmals als Praktikantin die Situation in Altersheimen kennengelernt und mit einer Ausbildung in der Kirche geliebäugelt hatte. Doch nach einigem Hin-und-her-Überlegen dachte sie, lieber geh ich in einen staatlichen Betrieb statt in die kirchliche Parallelwelt, wenn ich in diesem Land etwas bewirken will. Dass sie im Urania-Verlag inzwischen Stenografie gelernt hatte, gefiel ihr ganz gut. Ihre Tagebücher verfasste sie fortan in dieser Beinahe-Geheimschrift. Und sie konnte alle Bücher bestellen, die sonst in den Buchläden schwer zu bekommen waren – dazu mit Rabatt. Kathrin investierte den gesamten Lohn dafür. Ihre stattliche Sammlung von Christoph Hein bis Alexander Wolkow kursierte in ganz Leipzig bei Freunden und Bekannten.

In der Nähe des Bahnhofs waren die beiden an einer öden Freifläche vorbeigekommen. Hier hatten einmal Häuser gestanden, die auch 43 Jahre nach Kriegsende nicht wieder aufgebaut worden waren. Das riesige Schild in der Mitte der Wüstenei nahmen die beiden gar nicht wahr. Vor der trostlosen Kulisse wirkte es wie seine eigene Parodie: *Unsere Deutsche Demokratische Republik – Staat der sozialen Sicherheit, Geborgenheit und Zukunftsgewissheit.*

Die Parolen der Partei standen schon seit vielen Jahren in der Stadt und vor den Betrieben herum und bildeten einen immer krasseren Gegensatz zur Realität. Leipzig war die einzige Stadt in der DDR, in der zweimal im Jahr der Ausnahmezustand herrschte. Bei der Frühjahrs- und Herbstmesse kamen nicht nur viele Aussteller, sondern auch Besucher aus dem Westen. Dann wurde die Innenstadt herausgeputzt, die Fassaden abgewaschen von Ruß und Staub, das Warenangebot verbessert und Plasteblumen hinter die Fenster von unbewohnten Häusern gestellt. Die Preise in den Gaststätten stiegen erheblich an, in Hotelbars und Diskotheken nahm die Prostitution sichtbar zu.

Die Besucher aus dem Westen sollten möglichst im Zentrum bleiben, denn die verfallenen Stadtviertel begannen gleich hinterm Ring: der Leipziger Osten mit Volkmarsdorf, Reudnitz und Anger-Crottendorf. Oder die Südvorstadt, Connewitz, Plagwitz und Lindenau. Dort lag die Stadt in Agonie, das wollte man nicht zeigen. Aber genau hier zog es junge Leute hin, die dort die Freiräume fanden, die es anderswo nicht gab.

Kathrin und Rainer drangen tiefer in den Osten Leipzigs hinein. Von der Meißner Straße, in der Rainers Kommilitonen Thomas und Bernd wohnten, gingen sie durch die Hedwigstraße, in der Roland aus der Umweltgruppe lebte. Schließlich bogen sie in die Mariannenstraße ein. Sie sahen von weitem, dass vor der Nummer 46 Möbel auf der Straße standen, und beschleunigten ihren Schritt. Eine Frau mit Kleinkind saß auf einem Stuhl und wartete wohl auf die Wiederkehr des Transportfahrzeugs. Rainer sprach sie an. Die Familie ziehe aus, erklärte sie und war darüber offensichtlich sehr glücklich. Die Frau konnte kaum glauben, dass jemand dort einziehen wollte, ließ aber Kathrin und Rainer zur Besichtigung ins Haus hinein.

In den Nachbarhäusern rechts und links wohnte offensichtlich schon lange niemand mehr. Türen und Fenster im Erdgeschoss waren zugemauert, in den höheren Stockwerken die Scheiben eingeworfen. Ein Teil des Außenputzes war auch bei der Nummer 46 abgefallen. Im Treppenhaus roch es nach Eintopf.

»Oma Lepschy im zweiten Stock ist schon über achtzig, kocht sich aber jeden Tag selbst ihr warmes Essen. Mit der kommt man prima aus!«, sagte die Frau, als sie Kathrins fragenden Blick sah.

Die Zimmer im Erdgeschoss waren leer geräumt und trocken, in der Küche funktionierte der Gasherd, der Wasserhahn tropfte in den Ausguss.

»Die Kachelöfen müssten mal gereinigt werden, und die Toilette für diese Wohnung steht draußen im Hof.«

Die Frau versuchte den Hahn fest zuzudrehen.

»Wanne und Dusche gibt's im Ostbad, gleich um die Ecke in der Konradstraße. Da habt ihr warmes Wasser. Das machen sie mit dem Kessel einer alten Dampflokomotive.« Und mit einem Blick auf das junge Paar fügte sie hinzu: »Die haben sogar Abteile mit Doppelwannen.«

Die beiden reagierten nicht. Kathrin ging zurück in den Hausflur, von dort kam man in den Keller.

»Da geht ihr besser nicht hinunter ...«

An der Backsteinmauer, die den Hof zum Nachbarhaus begrenzte, rankte Efeu empor. Einige Steine waren herausgefallen. Die dunklen Efeublätter glänzten in der Sonne, und Kathrin stellte sich vor, dass man hier im Hof gut zusammensitzen könnte.

Zu ihrer Überraschung bekamen sie gleich den Wohnungsschlüssel überreicht, mit der Bemerkung, lange würde das Haus sowieso nicht mehr stehen, die kommunale Wohnungsverwaltung habe keinen Nachmieter mehr gewollt. Für Studenten wie sie sei es aber besser als nichts. Oben unterm Dach gebe es noch eine weitere leerstehende Wohnung. Auch dort könne noch jemand einziehen.

Kathrin und Rainer überlegten nicht lange. Als sie alleine waren, inspizierten sie noch einmal alle Räume und waren zufrieden. Die Marianne 46, beschlossen sie, die sollte es sein.

In der Wohnung von Micha und Bine in der Zweinaundorfer Straße waren die Versammelten von der Initiativgruppe Leben rund um den Küchentisch bester Stimmung. Frank, Uwe und Ernst hatten sich hier verabredet, um die Einladung für den Pleiße-Gedenkumzug herzustellen. Ernst arbeitete bei der Reichsbahndirektion Halle, wo er als Ingenieur für die Standsicherheit von Brücken zuständig war. Was ihn in die Gruppen getrieben hatte, waren die ständigen Lügen in der Presse – er kannte doch den maroden Zustand sämtlicher Brücken, die einstürzenden Altbauten, die Umweltkatastrophe rund um Leipzig. Seit Jahrzehnten gab es Versprechungen, aber keine Veränderungen. Ernst war der Älteste unter ihnen und erst seit kurzem dabei. Andere Gruppen, in denen er sich zuvor umgeschaut hatte, redeten ihm zu viel, ohne zu handeln. Ihm sagte der Schwung dieser Jungen hier zu.

Über den Text waren sich alle schnell einig. Es waren nur wenige Zeilen: *Lesen – Abschreiben – Weitergeben* stand in der ersten Zeile. Dann das Datum: *Sonntag, 5. Juni, 14 Uhr. Der Wunsch nach sauberen Gewässern soll uns verbinden, soll uns die Verantwortung für das Morgen bewusst machen, soll uns fordern, aktiv für die Erhaltung der Natur einzutreten.*

Ernst schlug vor, noch eins draufzusetzen und einfach den Bürgermeister der Stadt einzuladen, außerdem Vertreter des Umweltschutzministeriums, der staatlichen Gewässeraufsicht und der Bezirkshygieneinspektion. Uwe spannte den Bogen weiter: »Und Reporter der *Leipziger Volkszeitung**!«

Beide wussten, dass niemand von denen teilnehmen würde. Auch nicht Reporter des örtlichen SED-Blattes. Aber warum sie nicht einfach öffentlich dazu auffordern?

»Wir könnten doch in den Aufruf schreiben«, sagte Frank, »›eingeladen wurden ...‹, und dann zählen wir die einfach alle auf.« Ernst fand das eine gute Idee. Die Sache war beschlossen. Also schrieben sie *Eingeladen wurden*, dann folgten Offizielle der Stadt und der Betriebe. Schließlich noch der Hinweis: *Für ein abschließendes Mahl bitten wir kleine Portionen an Speisen, Instrumente und Blumen mitzubringen.*

Niemand stand als Veranstalter darunter. Keine Gruppe, keine Namen.

Micha ging ins Wohnzimmer und tippte den Text mit seiner uralten Mercedes-Schreibmaschine gleich zweimal hintereinander auf jede der fünf kostbaren Ormig-Matrizen, die sie bei Pfarrer Wonneberger abgestaubt hatten. So ließen sich gleich zwei Einladungen mit einem Blatt Papier herstellen.

Während Micha tippte, klemmten die anderen eine alte Wäschemangel aus dem Volkseigenen Betrieb Textilmaschinenbau Aue auf die Tischplatte. Bine stellte eine Schüssel mit Essig und Schwamm daneben. Die Mangel hatte eine Kurbel an der Seite und zwei Walzen, die sich in der Andruckhöhe verstellen ließen. Der große Abstand war zum Durchziehen von Frotteestoffen, der kleine für dünne Halstücher – aber mit Papier funktionierte es auch.

Jedes einzelne Blatt musste zunächst mit dem in Essig getränkten Schwamm befeuchtet werden. Dann wurde das Blatt zusammen mit der vorsichtig daraufgelegten Matrize, die dabei etwas bläuliche Farbe abgab, durch die beiden Walzen gepresst.

Das Ergebnis war immerhin lesbar. Aber eine Matrize reichte gerade für rund dreißig Blatt. Sie wechselten sich ab, jeder wollte mal ran. Am späten Abend war endlich eine ausreichende Menge fertig. Aus den gedruckten Seiten wurden 300 Einladungen geschnitten. Die ganze Wohnung stank noch stundenlang nach Essig, ebenso ihre Hände und das Papier.

Frühstück im Plattenbau

Anita erwartete Gäste. Sie hatte ihr Matratzenlager zu einer Sitzecke umgebaut, mehrere Vasen mit Blumen im Zimmer verteilt und auf dem Boden eine bunte Tischdecke ausgebreitet, auf der Kerzen brannten und alles für ein Frühlingsfrühstück bereitstand. Seit sie in die Grünauer Plattenbausiedlung eingezogen war, versuchte Anita, ihre kleine Wohnung möglichst schön und liebevoll einzurichten. Bei Uwe und Frank sah das anders aus. Zwei Bierkästen und eine Holzplatte – das war für Uwe ein Tisch. Bei Frank sah es auch nicht viel besser aus.

Seitdem sie sich kennengelernt hatten, besuchten sie sich untereinander recht oft, aber am liebsten trafen sie sich bei Anita. Frank fand, sie habe Stil. Keine Möbel aus dem Sperrmüll, sondern ein alter Sekretär, ein schöner, runder Holztisch, Kerzenleuchter, Kunstplakate an der Wand, ein altes Radio mit magischem Auge.

Die beiden hatten schon öfter für Anita gekocht und sie damit überrascht, wenn sie freitags von ihrer Ausbildung zur kirchlichen Sozialarbeiterin in Potsdam zurück nach Leipzig kam. Diesmal hatte Anita sie eingeladen.

Als sie erschienen, war Uwe ganz aufgeregt. »Stell dir vor, ich war mit Micha im russischen Konsulat!«

»Ist das wahr?«

»Ja! Zur Beantwortung unserer Fragen.«

Die beiden hatten im Februar als *Jugendliche einer autonomen Gruppe aus Leipzig namens Initiativgruppe Leben* einen Brief an den Kreml geschrieben, Gorbatschow zum 57. Geburtstag gratuliert und dazu noch ein paar Gedanken formuliert: *Wir beobachten voller Interesse Ihr Engagement bei der Umgestaltung Ihres Landes. Leider erhalten wir Informationen über Ihre Auffassung von Politik nur mangelhaft und unvollständig. Sie decken in Ihrem Land Missstände auf, welche auch bei uns auftreten. Aber gerade diese Kritiken veröffentlicht man nicht in unseren Zeitungen. Uns interessiert, ob Ihnen diese Tatsachen bekannt sind.* Ihr Schreiben endete mit ein paar Fragen nach Pluralismus, den Möglichkeiten zivilen Wehrersatzdienstes und Gorbatschows Sicht auf Abrüstungsmöglichkeiten. Sie hatten den Brief einem Bekannten mitgegeben, der vorhatte, nach Moskau zu fliegen, und ihn direkt in einen Briefkasten beim Kreml einwerfen wollte.

Sie wurden daraufhin ins Leipziger Konsulat eingeladen. Das lag gleich hinterm Zoo, eine große Villa aus Backstein. Micha und Uwe sprachen in ihrer üblichen Kleidung, mit buntem Halstuch und Jesuslatschen an den Füßen am Empfang des Konsulates vor. »Sie werden erwartet«, hieß es. Dann saßen sie, bei Keksen und Tee aus Georgien, eine Stunde lang auf dem Sofa mit dem Vertreter des Konsuls zusammen und redeten über Politik. Der Diplomat brachte seine Freude über das Engagement der jungen Leipziger zum Ausdruck, am Ende drückte er beiden die Hände und sagte freundlich: »Wir wollen in Kontakt bleiben.«

Sie wussten beide, dass das nicht sehr viel bedeutete, aber immerhin. Die Stasi sollte ruhig wissen, dass sie den Kontakt zu den Freunden* schätzten, seitdem in Moskau ein neuer Wind wehte. Wenn Uwe mit Frank nach Berlin fuhr, besuchten sie nicht nur die Umweltbibliothek, sondern gingen auch immer zum russischen Kulturzentrum, um sich die neuesten Broschüren mit den Übersetzungen der Reden von Gorbatschow abzuholen.

Frank und Uwe hatten Anita ihre neuesten Errungenschaften an Schallplatten mitgebracht. In der Ernst-Thälmann-Straße im Leipziger Osten, nicht weit von der Mariannenstraße, gab es einen kleinen Plattenladen. Bei Tappert wurden die neuen Lizenzscheiben mit Westmusik immer freitags geliefert. Bis zu hundert Leute standen dann Schlange vor dem Laden. Manche hatten eigens die Arbeit vorzeitig verlassen. Wenn die Tür Punkt zwei Uhr geöffnet wurde, stürmten die Ersten hinein und hatten nur eine Frage: »Gibt's heute Lizenzplatten?« Oft war die Antwort »Nein«, und 99 von 100 Wartenden waren blitzschnell wieder verschwunden. Aber manchmal gab es Scheiben von Pink Floyd, Deep Purple oder Supertramp. Man musste allerdings immer zu einer Westplatte eine Nichtlizenzplatte aus dem Osten dazukaufen, das machte die Sache etwas umständlich.

Es gab noch andere Bezugsquellen, wie den Verkaufsladen im polnischen Kulturinstitut oder die Flohmärkte. Aber dort zahlte man für eine Platte schon mal 80 Mark und nicht 16,10 Mark wie bei Tappert. Manche Jugendliche fuhren lieber gleich bis nach Budapest, wo das Plattenangebot enorm und die Preise moderat waren. Frank hatte Santana ergattert, Uwe gleich drei Exemplare einer Scheibe von Police kaufen können. Er wollte sie verteilen. Sein Geschenk für Anita drehte sich schon auf ihrem Plattenspieler.

Sie tranken Tee und aßen von Anita selbstgemachten Kräuterquark, Marmelade, Honig, und Eier. »Ihr erzählt so wenig von euch«, hatte Anita ihnen einmal vorgeworfen. Sie selbst hatte Fotos ihrer Familie in einer Ecke ihres Zimmers stehen. Ihre Mutter war gestorben, als sie zwölf war, ihr Vater wenig später. Anita wuchs zunächst bei einer Verwandten auf und war froh, als sie mit 18 endlich zu ihrer Lieblingstante Jutta ziehen konnte. Frank sprach nicht gerne über seine Eltern. Uwe war da offener.

Er war in einer Siedlung am Rand von Leipzig als jüngstes Kind in einer von den Frauen – Mutter und Großmutter – dominierten Familie aufgewachsen. Seinen Vater hatte er nie kennengelernt, der hatte sich früh verdrückt. Sie waren drei Geschwister in engen und ärmlichen Verhältnissen, mit Hühnern und selbstgeschlachteten Schweinen, fast wie ein kleiner Bauernhof. Seine Mutter arbeitete hart im Dreischichtbetrieb in der Leipziger Wollkämmerei. Dort bereiteten sie die Wolle geschorener Schafe auf. Nebenbei machte sie ihren Facharbeiterbrief auf der Abendschule.

Kurz bevor Uwe in die Schule kam, zogen sie um in den Leipziger Osten. In der Dreiraumwohnung wohnten sie anfangs zu siebt, zusammen mit Cousin und Cousine. Als dort grundsaniert werden sollte, ging es ins Plattenbauviertel Grünau, da waren von den sieben einige schon selbständig und ausgezogen. Im Neubaublock wurden ihnen zwei kleinere »Wohneinheiten« im gleichen Haus zugewiesen. Eine Einraumwohnung und eine weitere mit eineinhalb Zimmern. So kam es, dass Uwe nun allein in der kleineren, seine Mutter in der größeren Wohnung lebte.

Uwe war beim Eintritt in die Schule begeisterter Jungpionier mit blauem Halstuch und Pionierknoten, fuhr in Ferienlager. Das Zusammensein mit den anderen Kindern hätte er genossen, wenn da nicht dauernd diese Pionierappelle gewesen wären. *Wir Jungpioniere lieben unsere Deutsche Demokratische Republik!* Das blaue Halstuch wurde nach dem vierten Schuljahr bei den Thälmannpionieren rot. *Für Frieden und Sozialismus immer bereit!* Mit 14 wurde er in die FDJ aufgenommen. Die Jugendweihe war genauso selbstverständlich wie das dort erneut gesprochene Gelöbnis von der Liebe zur DDR. Er machte das, was fast jeder machte, ohne sich darüber den Kopf zu zerbrechen.

Dann lernte er Jugendliche mit langen Haaren kennen,

die von Rockkonzert zu Rockkonzert zogen und Ostern und Pfingsten in der Schwarzbierkneipe U Fleků in Prag bis zur Bewusstlosigkeit feierten. Mit 16 Jahren begann Uwe eine Lehre als Maschinenschlosser im Leipziger Wasserwerk. Im VEB Wasserversorgung und Abwasserbehandlung erfuhr er, wie die hundertprozentige *Zustimmung zur Politik der Partei* organisiert wurde. Das dortige Kollektiv hatte zur Sicherung der Prämie als Kollektiv der Sozialistischen Arbeit* zugesagt, dass alle Brigademitglieder auch Mitglied der Gesellschaft für Deutsch-Sowjetischen-Freundschaft* würden. Da er eine Freundschaft auf Anordnung ablehnte und seine Freunde selber aussuchen wollte, wurde Uwe nicht Mitglied. Nun hatte das Kollektiv ein Problem. Man löste es auf pragmatische Weise. Man schloss Uwe einfach aus der Brigade aus. Damit wurden wieder 100 Prozent erreicht, und die Kollektivprämie war gesichert.

Anita hatte gebannt Uwes Geschichten gelauscht, aber jetzt hatten die drei alle neuen Platten mehrmals gehört, genug gegessen und getrunken, es war Zeit für sie, in die Stadt aufzubrechen. Nach Stationen am Naschmarkt und in der Milch- und Eisbar Pinguin wollten sie zum Opernhaus. Der in der DDR sehr beliebte niederländische Sänger Herman van Veen sollte dort auftreten. Das Konzert war ausverkauft, aber man konnte ja nie wissen. Sie machten sich auf den kurzen Weg zum Karl-Marx-Platz. Vor dem Haupteingang stand eine Traube von Leuten, die gern reinwollten. Sie schlängelten sich an den Wartenden vorbei ganz nach vorne durch, bis an eine der Türen. Die Einlasskräfte, sahen sie, waren ältere Frauen. Die Leute hinter ihnen drängten weiter, sie bettelten oder motzten um Einlass. Irgendwann schoben Uwe und Frank eine der Damen beiseite und waren drin. Das machten ihnen die anderen Leute nach und auf einmal war der Zuschauerraum total überfüllt. Die Leute setzten sich einfach in die Seitengänge.

Ein Sicherheitsbeauftragter des Opernhauses kam und forderte dazu auf, den Saal zu verlassen. Alle blieben sitzen. Mit einer halben Stunde Verspätung kam Herman van Veen auf die Bühne. Er imitierte ein Telefongespräch mit seiner Mutter: »Stell dir vor, hier sind viel mehr Leute im Saal, als eigentlich reindürfen. Aber ich hab den Verantwortlichen gesagt, die sollen einfach alle hierbleiben, es wird keiner rausgeschmissen.«

Die Leute johlten, und das Konzert begann.

Es klopfte an Uwes Tür. Frank hatte die gedruckten Einladungen für die Aktion mitgebracht und legte sie auf den Schreibtisch neben die Briefumschläge, die Uwe besorgt hatte. Frank war bester Stimmung und hatte einige Neuigkeiten zu erzählen: »Micha kennt einen Grafiker in Markleeberg, der demnächst ausreisen wird. Der hat Siebdrucke für ein Plakat gemacht. In der Mitte ist eine freie, weiße Fläche, da müssen wir nur noch Zeit und Treffpunkt reinschreiben.«

»Da schreiben wir groß drüber: Weltumwelttag und 1. Pleiße-Gedenkmarsch.«

Uwe fand, dass das besser klang als Gedenkumzug. Frank hatte schon den nächsten Schritt im Kopf.

»Wir bringen die überall bei den Pfarrern vorbei, die sollen sie in die Schaukästen hängen!«

»Wie viele haben wir denn?«

»Genug. Alle Pfarrer werden sie sowieso nicht aushängen.«

Uwe zeigte Frank einige handbeschriebene Seiten. »Weißt du, was das ist? Das sind alle Anschriften der Abonnenten von den *Streiflichtern* und von *Kontakte*. An die können wir die Einladung per Post verschicken.«

Kontakte war ein kostenloser monatlicher Informationsbrief mit Berichten und Veranstaltungsterminen der kirchlichen Basisgruppen in Leipzig. Die *Streiflichter* der Arbeitsgruppe Umweltschutz hatten eine Adresskartei von 328 Abonnenten,

200 davon in Leipzig. Die hektografierte Untergrundzeitschrift wurde von Mitgliedern der Umweltgruppe im Stadtjugendpfarramt produziert. Um Repressionen zu entgehen, stand auf der Titelseite neben einer Lizenznummer der Vermerk »Nur zum innerkirchlichen Dienstgebrauch«*, was natürlich so nicht stimmte, aber den Staat beruhigen sollte. Was die Pfarrer auf den alten Druckmaschinen meist per Hand herstellten, durfte nicht außerhalb von Kirchengemeinden in Umlauf gebracht werden. Für regelmäßig Gedrucktes war die Lizenznummer notwendig, selbst eine erfundene war besser als keine. Die Basisgruppen im ganzen Land nutzten dieses Zugeständnis des Staates an die Kirchen großzügig für ihre Untergrundschriften aus.

Uwe hatte schon einen kleinen Stapel Umschläge adressiert. Frank nahm sie in die Hand und runzelte die Stirn.

»Du schreibst auf alle Briefe als Absender Deiwitzweg 20, deine eigene Anschrift? Unter der Einladung steht doch extra weder eine Gruppe noch ein Name.«

»Warum nicht? Das ist mir vollkommen egal! Und die Leute wissen dann, dass die Einladung wirklich von mir stammt.«

Sie machten sich gemeinsam an die Arbeit, steckten die Einladungen in die Umschläge, adressierten und frankierten sie. Frank hatte die anderen Anschriften besorgt: die der Kirche, des Oberbürgermeisters, der Gewässeraufsicht, der *Volkszeitung* und der Betriebsdirektoren, die für Abwassereinleitungen verantwortlich waren. Auf dem Weg in die Stadt warfen sie ihre Briefstapel in unterschiedliche Briefkästen ein. Sie hofften, dass der Stasi bei der Postkontrolle nicht alle Briefe auf einmal in die Hand fielen und ihre Einladungen durchkämen.

Kurz darauf traf sich die Initiativgruppe Leben in einer dunklen Dachgeschosswohnung am Nordplatz. Hier lebte Christoph. Der junge Mann mit dem gepflegten schwarzen Vollbart war neu zu ihnen gestoßen und passte gut in die

Gruppe. Er war einer, der sich nicht so leicht aus der Ruhe bringen ließ und den Überblick behielt. Sie mochten seinen feinen Humor, wenn er über die Welt sprach. Christoph fotografierte ausgesprochen gern, nicht nur bei Aktionen. Man sah ihn oft durch Leipzig ziehen, mit einem Rucksack und seiner Fotoausrüstung in einer Ledertasche, auf der eine Friedenstaube klebte.

Die IGL war inzwischen gewachsen und eine bunt gemischte Gruppe geworden. Uwe sah sich in der Runde um. Da war Saskia, gerade 20 Jahre alt. Sie war schon im Winter dazugestoßen. *War sehr interessant,* hatte sie in ihren Kalender am 10. Februar eingetragen. Saskia war in Connewitz am Wiedebachplatz aufgewachsen und hatte als Leipziger Jugendliche schnell den Weg in die Alternativszene gefunden. Die Küken-Disco interessierte sie mehr als das Nachbeten der Parteilinie im Schulunterricht. Sie ließ sich den Pony lang wachsen wie ein Hippiemädchen und wurde in der FDJ nicht heimisch. Vom Connewitzer Eiskeller*, dem Jugendclub Erich Zeigner, und wilden Partys mit vielen langhaarigen Jungs, auf denen *übelst viel Wodka-Cola* getrunken wurde, ging es über die Günthersdorfer Disco schließlich ins Wilhelmshöhe und ins Jothaler. Ton, Steine, Scherben liefen endlos auf ihrem Kassettenrekorder. Sie wurde Krippenerzieherin und galt ihren Ausbilderinnen als aufsässig. Dabei hatte sie nur irgendwann einmal gedacht, wenn ich keinen Ausreiseantrag stelle und in Leipzig bleibe, dann muss ich hier was machen. Endlich hatte sie die Leute gefunden, die Spaß hatten, politisch und nicht brav waren.

Sie sprachen leise. Ein Großteil der Einladungen hatte die Empfänger offensichtlich erreicht. Alle waren von den Siebdruckplakaten begeistert, die Micha organisiert hatte. Der Grafiker hatte einen Fisch abgebildet, der nur noch aus Gräten bestand. Und er hatte zur Überraschung der

Organisatoren noch etwas produziert: ein Stoffabzeichen, das sich die Teilnehmer an die Kleidung heften konnten. *1. Pleißegedenkumzug, 5. Juni 1988, Umkehr zum Leben* war auf dem Abzeichen zu lesen.

»Umzug? Klingt zumindest besser als Pilgerweg. Na ja, ist eigentlich egal, was drauf steht«, meinte Uwe. »Umzug oder Marsch, Hauptsache, das Abzeichen wird getragen und es kommen genug Leute. Wir müssen noch jede Menge Sicherheitsnadeln besorgen.«

Micha hatte im Zeitungsarchiv der Deutschen Bücherei Artikel zur Pleiße gesucht. »Bis auf eine Sache, die ich ziemlich lustig finde, war nicht viel da.« Was es war, wollte er den anderen noch nicht verraten.

Es gab noch Einladungen, die nicht mit der Post verschickt worden waren. Davon nahm sich jeder welche mit. Sie wurden hier und da in Hausbriefkästen gesteckt, in Telefonzellen ausgelegt und sogar an eine Litfaßsäule geklebt. Keiner wurde erwischt, aber am nächsten Tag war die Staatsmacht alarmiert. Weil weder eine Gruppe noch sonst ein Verantwortlicher unter dem Aufruf stand, hielt man den Gedenkumzug für eine kirchliche Aktivität und bestellte die Leipziger Superintendenten in den Rat des Bezirkes, Abteilung für Kirchenfragen, ein. Was dort besprochen wurde, erfuhr zunächst niemand.

Doch wenige Tage später bekam Uwe unerwarteten Besuch im Albert-Schweitzer-Haus. Man rief ihn mitten aus seiner Schicht ins Büro des Heimleiters. Dort wartete der Stellvertreter des Superintendenten auf ihn. Uwe sah sofort, dass der Herr sehr aufgeregt war.

»Was haben Sie sich denn bloß dabei wieder gedacht? Ein Gedenkumzug! Was soll das denn sein? Stecken Sie dahinter?«

»Na ja, wir haben gesehen, die Pleiße ist tot, den Fluss gibt es nicht mehr, also können wir nur noch seiner gedenken!«

»Aber wer hat Ihnen das Recht erteilt, Briefe und Plakate mit dem Aufruf, an diesem Umzug teilzunehmen, an alle Kirchengemeinden zu verteilen?«

Uwe versuchte zu argumentieren. Er wollte nicht sagen, wer hinter der Aktion steckte, er redete über die unerträgliche Umweltbelastung in Leipzig, die Verantwortung für die Schöpfung und die notwendigen Aktivitäten – bis er merkte, dass sein Gegenüber all diese Argumente nicht wirklich interessierten. Der Vertreter der Kirche sah ihn ernst an.

»Wissen Sie was? Mag ja alles sein, aber bitte laden Sie alle, die Sie zu diesem ›Umzug‹ eingeladen haben, wieder aus! So etwas überschreitet eine Schwelle, da können wir Ihnen und allen, die da mitlaufen, nicht mehr helfen. Und dann tragen Sie allein die Verantwortung dafür, was passiert ...«

Die Superintendenten hatten den SED- und Stasi-Leuten bei dem Gespräch im Rat des Bezirkes erklärt, dass sie von dem Vorhaben nichts wüssten und sich davon distanzierten. Sie hatten sich darüber hinaus verpflichtet, dafür zu sorgen, dass auch beim Friedensgebet nicht dazu aufgerufen würde.

Das bekam Micha auch gleich zu spüren. Als er beim Friedensgebet in der Nikolaikirche eine Information über den Ablauf des Pleiße-Gedenkmarsches vorlesen wollte, wurde dies vom Pfarrer Führer verboten. Selbst eine von Frank schnell hergestellte Infotafel mit Fotos zur Umweltsituation in Leipzig durfte in der Kirche nicht aufgestellt werden, mit dem Argument, die Vertreter der Kirche hätten sie vorher nicht begutachten können. Gleich nach dem Friedensgebet kam es deshalb zu einer hitzigen Diskussion mit dem stellvertretenden Superintendenten. Es ging höher her als bei den üblichen Nachbesprechungen mit den Gruppenvertretern in den Gemeinderäumen der Nikolaikirche.

Ihr wollt doch gar nichts für die Pleiße tun, warf er ihnen vor.

Ihr wollt doch nur die Revolution proben! So jedenfalls würde es auch der Staat sehen.

Micha erwiderte: *Geht es Ihnen um unseren Ungehorsam? Sind Sie so beleidigt, weil wir bewusst auf das Einverständnis oder die Ablehnung durch Ihre Institution verzichten? Hier geht es nicht um eine Revolution mit Kanonen, sondern um eine kleine Revolution im Denken, um Offenheit, Mitbeteiligung und Mitverantwortung.*

Pfarrer Wonneberger saß auch in der Runde: *Ich bedauere es sehr, wie sich meine Kirche verhält.* Er war wütend, machte aber einen Vorschlag: *Man könnte doch wenigstens einen Beobachter entsenden, der am 5. Juni das Geschehen an der Pleiße verfolgt. Es liegt doch im Interesse der Kirche, sich für die Erhaltung der Schöpfung einzusetzen.*

Am Ende des Gesprächs gab es unter den Basisgruppen mehr Befürworter des Marsches als zuvor. Doch die Pfarrer, die in ihren Informationskästen das Plakat mit dem Aufruf zum Pleiße-Gedenkumzug aufgehängt hatten, wurden am nächsten Tag von ihren Vorgesetzten aufgefordert, es zu entfernen. In Wonnebergers Schaukasten an der Lukaskirche und dem von Rolf-Michael Turek in der Markusgemeinde blieben die Plakate hängen, woanders verschwanden sie.

Es waren nur noch wenige Tage bis zum 5. Juni, als Uwe in seinem Briefkasten eine Vorladung der Volkspolizei zur Klärung eines Sachverhaltes* fand. Er ging hin, nicht ahnend, dass es ein »Gespräch« von über fünf Stunden Dauer werden sollte.

Sie legten ihm eine der Einladungen vor. *Wir würden gerne einige Fragen, die sich uns stellen, mit Ihnen klären.*

Bitte.

Absender dieses Pamphlets sind Sie! Woher hatten Sie das?

Umweltschutz liegt mir schon lange am Herzen. Sich für eine saubere Pleiße einzusetzen kann doch nicht verkehrt sein, oder? Ich habe das von irgendwelchen Leuten auf einer Veranstaltung der Kirche in Halle erfahren, fand die Idee richtig und möchte mit Freunden daran teilnehmen.

Uwe redete ausführlich und versuchte dabei mehrmals erfolglos den Briefumschlag, der vor ihm auf dem Tisch lag, in die Hand zu bekommen, um zu sehen, an wen er adressiert war. Wer war es bloß, der seine Einladung bei der Staatsmacht abgegeben hatte?

Wissen Sie, wer die Organisatoren dahinter sind und welches Ziel sie verfolgen?

Das weiß ich nicht, das steht ja nicht drunter. Das ist mir auch egal. Ich find die Sache gut.

Nach einigem Hin und Her drängte der Vernehmer Uwe, alle Anschriften preiszugeben, an die er als Absender die Einladungen verschickt hatte. Uwe redete sich damit heraus, dass er nicht wisse, ob er die Liste noch zu Hause habe.

Wir brauchen nicht drum herum zu reden, wurde er schließlich belehrt, *die Veranstaltung ist nicht angemeldet. Alle Bürger, auch Sie und Ihre Freunde, sind aufgerufen, daran nicht teilzunehmen!*

Uwe musste eine Erklärung unterschreiben, dass er selbst nicht teilnehmen werde. Am späten Nachmittag ließen sie ihn wieder laufen.

In der Mariannenstraße war viel geschehen. Den Schutt im Hof hatte Rainer zur Seite geräumt, vor der Backsteinmauer wuchsen ein paar noch ganz kleine Sonnenblumen und andere Pflanzen. Das Fenster zum Hof stand weit offen, und aus einem roten Kassettenrekorder, den Kathrin zur Konfirmation aus dem Westen geschenkt bekommen hatte, drang laute Musik. Frank war zu Besuch und hämmerte im Hof einen Tisch zusammen.

Kathrin saß mit Rainer in der Küche. Er hatte seine Latzhose an, die er vor ein paar Tagen selbst aus einer weißen

Maurerhose braun gebatikt hatte. Darauf prangte ein Anti-AKW-Anstecker »Atomkraft? Nein danke«, das Geschenk eines Besuchers aus dem Westen. Sie bewachten den Wasserkessel auf dem Gasherd, da dessen Pfeifentülle abhandengekommen war.

Kathrin hatte begonnen, sich mit ihrer Freundin Michaela im obersten Stockwerk einzurichten. Rainer hatte ihre Wände mit DDR-Zeitungen vortapeziert, die Frauen hatten sie mit der üblichen Kalkfarbe gestrichen, Kathrin hatte sich für ein düsteres Graubraun entschieden und passende Möbel im Sperrmüll gefunden. Die Versorgungsleitung in ihrer Küche funktionierte nicht, Wasser mussten sich die beiden Frauen im Erdgeschoss holen. Dort wohnte Rainer in einem Zimmer zur Straße. Frank hatte das Zimmer daneben ins Auge gefasst. Ihm erschien es als gute Alternative zum Plattenbau von Grünau. Uwe und Anita würden ihn sicher oft hier besuchen kommen. Außerdem gab es eine kleine, fensterlose Kammer, die vom Flur aus zugänglich war. Sie war ausreichend groß für eine Dunkelkammer, sein langgehegter Traum.

Kathrin hatte noch jemand Neues angeschleppt: Christian, ein Katholik aus dem Stadtjugendkonvent. Der 19-Jährige hatte sehr lange, sehr lockige Haare und brauchte dringend Wohnasyl. Er versprach bei seinem Einzug, sich nach etwas anderem umzusehen, falls jemand das Zimmer dringender benötige. Christian bekam das Zimmer im Erdgeschoss, gleich neben der Küche, mit einem Fenster zum Hof.

Das Wasser im Kessel brodelte, Rainer goss es auf den Tee in der Kanne, griff zwei Becher, und Kathrin folgte ihm in sein Zimmer. Es war der einzige Raum im Haus, der ordentlich aufgeräumt und schon fertig eingerichtet war. Rainer liebte Ordnung und wachte auch über die Küche im Erdgeschoss, ein Kampf, der mit zunehmender Zahl der Bewohner und Besucher immer schwerer wurde.

Kathrin staunte immer noch über Rainers massives Bauernbett aus Holz, die anderen hatten nur Matratzen auf dem Fußboden. Auf seinem Nachttisch sah es interessant aus. Neben dem sehr laut tickenden Wecker, einem Taschenmesser, einem Anhänger mit Friedenssymbolen und einem Telegramm lagen mehrere Miniwörterbücher aus dem Westen und eine Streichholzschachtel, auf die Rainer das Wort »Englisch« geschrieben hatte. Darin waren wohl hundert kleingeschnittene und handbeschriftete Zettelchen zum Vokabellernen. Auf der Vorderseite das deutsche, auf der Rückseite das englische Wort.

Sein Zimmer war rauchfrei, Rainer hasste den Gestank von Zigaretten. Christians Zimmer gegenüber war das Raucherzimmer. Rainers Zimmer war voller Papiere, Bücher und Akten, das meiste davon verstaut in einem alten, schweren Wohnzimmerbüfett, selbst hinter den Glastüren im oberen Teil. Wirklich brisante Sachen hatte er jedoch in einer konspirativen Wohnung des Arbeitskreises Gerechtigkeit versteckt. Über solche Dinge redete er nur mit Thomas.

Für Kathrin war der Einzug in die Marianne eine Erholung von den Anstrengungen der vergangenen Monate. Seit Januar, seit den Verhaftungen der Berliner, war sie kaum zur Ruhe gekommen. Mahnwachen, Fürbitten, pausenlos öffentliche Veranstaltungen und geheime private Treffen. Trotzdem musste sie jeden Morgen um 6.45 Uhr in ihrem Betrieb erscheinen. Von der Mariannenstraße war es, anders als von der Wohnung ihrer Eltern, immerhin nur noch ein kurzer Fußweg in den Verlag.

Wegen ihrer Ausbildung zur Facharbeiterin für Schreibtechnik konnte Kathrin im Gegensatz zu den anderen in den Basisgruppen richtig schnell mit zehn Fingern tippen. So war sie unentbehrlich geworden. Erklärungen, Flugblätter und Artikel für die *Streiflichter*: Alles Mögliche musste ständig getippt werden. Sie nutzte ihre Fähigkeit auch, um auf ihrer Arbeitsstelle im Urania-Verlag unbemerkt verbotene Literatur abzuschreiben: Alexander Solschenizyn, Robert Havemann, Jürgen Fuchs, Monika Maron, Václav Havel. Die Bücher waren dick, und mit Kohlepapier waren nur vier, höchstens fünf Durchschläge machbar. Diese wenigen Exemplare fanden aber oft ein paar hundert Leser. Ihre Ausbilder dachten, die junge Frau mit der runden Nickelbrille übt halt gerne, und sie freuten sich über ihren Fleiß, der scheinbar selbst nach Feierabend anhielt. Sie war wirklich fleißig. Die Nachfrage war groß, sie schaffte es kaum hinterherzukommen. Es passierte gelegentlich, dass Kathrin zu Hause die ganze Nacht an der Schreibmaschine saß und anderntags im Verlag mit dem Kopf auf dem Schreibtisch einschlief.

Die fertigen Abschriften verteilte sie an Freunde. Das Kohlepapier, auf dem man noch erkennen konnte, was sie getippt hatte, ließ sie vorsichtshalber verschwinden. Ihr erhöhter Verbrauch fiel niemandem auf.

Der Tee aus der Kanne war noch recht heiß, Kathrin stellte ihren Becher ab und sah sich in Rainers Zimmer nach neuen Dingen um. An der Wand hing das Plakat »Wieder Stehen« von der Veranstaltung in der Lukaskirche mit Freya Klier und Stephan Krawczyk. Auf einem Zettel daneben stand ein Spruch, der dem 21-Jährigen wohl besonders wichtig war: »Wenn es jemanden gibt, und sei er auch ganz allein, der es wagt, in Übereinstimmung mit seinen Vorstellungen und Grundsätzen zu leben, dann werden viele andere Mut bekommen und ein wenig von ihrer Würde wiederfinden.«

Rainer sah, dass Kathrin den Text las. »Ist von Einstein!« Er blies über seinen Becher, um ihn etwas abzukühlen.

»In Borna ist ein Jugendtreff der Kirche geplant. Da könntest du doch von den Leipziger Aktivitäten berichten«, fügte er hinzu.

Kathrin drehte sich um und nickte. Sie wollte mehr über den Ort wissen, in dessen Nähe Rainer aufgewachsen war. 25000-Einwohner, Verfall, Suff und Dreck, gegen den ein evangelischer Jugendwart ankämpfte, der alle zwei Monate in seinem Kirchenbezirk ein Konzert mit interessanten Bands oder Liedermachern organisierte. Besonders groß war der Andrang bei seinen Veranstaltungen, wenn gleichzeitig im nahegelegenen Frohburg ein Auto- oder Motorradrennen war. Dort existierte eine von drei Rennstrecken in der DDR, und an Renntagen kamen leicht über 10000 Besucher zusammen. Das nutzte Jugendwart Matthias für seine offene Jugendarbeit* und ließ Gruppen wie die Bornaer Jugendband Regenbogen auftreten. Dann war die Kirche restlos überfüllt.

»Einmal wurde Pink Floyd, *The Wall*, nachgespielt. Das war richtig erstklassig, sogar mit aufgebauter Mauer vorne in der Kirche, die am Ende eingerissen wurde. Die Leute standen vor Begeisterung auf den Kirchenbänken.«

Rainers Freunde gründeten eine eigene Musikband namens Feuerhaken. In Borna hatte er mit seinem Freund Hartmut zwei Jahre lang eine eigene Untergrundzeitung herausgebracht.

»Das war ein kleines, radikales Heft über Umweltprobleme, Wehrdienstverweigerung und Kulturthemen. Wir nannten es *Namenlos*. Es gab sogar Artikel über politische Gefangene in der DDR. Jeder, der mitmachte, musste uns 25 getippte Seiten, Fotos oder handgemalte Deckblätter liefern. Die Texte auf Durchschlagpapier, jede Seite fünf Mal abschreiben. Aber das kennst du ja. Manchmal hat sogar meine Mutter geholfen beim Tippen.«

Rainers Elternhaus lag in Benndorf. Zur Berufsschule musste er jeden Tag knapp zehn Kilometer mit dem Rad nach Borna fahren. Aber wenn er seine erste Freundin Grit an ihrer Schule in Borna abholte, dann nahm er sein Motorrad, und während ihre Mitschüler auf den Schulbus warten mussten, war er schon mit Grit auf und davon.

Kathrin sah, dass er sein Leben in Dorf und Kleinstadt gut ausgehalten und einen großen Freundeskreis aufgebaut hatte. Rainer füllte ihre Becher mit Tee nach. Zu Familienfeiern, erzählte er weiter, kämen Dutzende Verwandte. Das sei jedes Mal ein tiefer Einblick in die deutsche Geschichte.

»Onkel Horst wurde kurz nach dem Krieg als 16-jähriger angeblicher Werwolf* von den Russen vier Jahre lang eingesperrt. Erst in Bautzen, dann im ehemaligen KZ Buchenwald. Aber Onkel Horst schweigt darüber. Onkel Siegfried dagegen erzählt am Tisch immer wieder begeistert von seiner Zeit als Testflieger, als neue Bordwaffen für Görings Luftwaffe ausprobiert wurden.«

Das hatte bei Rainer schon als Schüler das Gefühl ausgelöst, in seinem Leben unmöglich zur Armee gehen zu können. Es erfüllte ihn später mit Genugtuung, dass beide Söhne seines Onkels den Dienst mit der Waffe verweigerten, um Bausoldaten zu werden, und seine Tochter einen Bausoldaten heiratete.

»Geraucht und getrunken wurde elend viel bei allen Festen auf dem Dorf.«

»Vielleicht magst du deswegen heute nicht rauchen und trinken«, fiel Kathrin ein, »weil es dich an diese Familienfeiern erinnert?«

Rainer musste lachen.

»Mein Geburtsort liegt mitten im Gebiet der Tagebaue. Braunkohle und Schnaps gehören zusammen, den Schnaps gibt es ja als Deputat praktisch umsonst für die Arbeiter. Meine Eltern haben immer Unmengen Eierlikör draus gemacht.«

»O Graus!«

»Benndorf hat vielleicht hundert Häuser, ich denke, ich kenne jedes davon und alle Menschen beim Namen. Ein

Mädchen wohnt bei uns, sie heißt Uta. Sie hat eine schlimme Nierenkrankheit, konnte keinen Beruf erlernen und später nicht arbeiten. Wer wie sie nicht arbeiten kann, ist unwichtig für den Staat. Wir Kinder wussten über Uta, sie dürfe als Invalidenrentnerin in den Westen fahren. Was haben wir sie beneidet! In Wahrheit ist sie wohl nur ein einziges Mal mit ihrer Oma gefahren.« Rainer guckte einen Moment nachdenklich. »Unser kindlicher Neid auf Uta war ungerecht. Durch sie ist uns aber sehr früh etwas klar geworden.«

Kathrin sah ihn fragend an.

»Wir sind hier bis zum 65. Lebensjahr eingesperrt, bis wir als Rentner reisen dürfen ...«

Plötzlich stand Frank in der Tür. »Ach, hier seid ihr! Kommt raus in den Hof, der Tisch ist fertig, wir können ihn einweihen.« Er drehte sich um, jemand rief laut durchs Treppenhaus: »Die Mariannen-Hunger-Hilfe ist gekommen!«

Es war Andreas, den alle nur Alu nannten. Der war Koch in einem kirchlichen Altersheim und brachte ihnen regelmäßig Essen mit. Diese Art der Verpflegung hatten sie die Mariannen-Hunger-Hilfe getauft. Außer Riesaer Spaghetti mit Tomatensauce wurde bisher wenig gekocht. In der Küche hing eine kleine Spendenbox für Alu.

Der Marsch an der Pleiße

Juni 1988

Am frühen Sonntagnachmittag, dem 5. Juni, war die Teichstraße in Connewitz ungewöhnlich belebt. Frank und Uwe waren an diesem strahlenden Junitag mit ihren Fahrrädern gekommen und warteten gespannt, wie viele ihrem Aufruf folgen würden. Nach und nach erschienen immer mehr Leute, viele so wie sie mit dem Rad, einige schoben Kinderwagen mit ihrem Nachwuchs vor sich her, einer kam in seinem Rollstuhl. Die meisten trugen Rucksäcke, die mit Proviant gefüllt waren. Die Stimmung war gelöst, es sah eher nach einem Sonntagsausflug aus als nach einem Protestmarsch.

Bevor es losging, verteilte Micha an alle Teilnehmer die Stoffabzeichen »Umkehr zum Leben – 1. Pleißegedenkumzug«. Sie waren so groß wie eine Postkarte und wurden mit Sicherheitsnadeln an die Kleidung geheftet. Sofort stellten sie Zusammengehörigkeit her. Ein Aktivist aus der Arbeitsgruppe Umweltschutz hängte sich eine bemalte Pappe um. Frank trat neugierig heran. Unter der Überschrift »Der Zustand unserer Flüsse« war eine Karte mit den wichtigsten Flüssen der DDR zu sehen. Unterschiedliche Farben signalisierten deren Verschmutzungsgrad. Im Raum Leipzig waren alle Flüsse schwarz eingezeichnet – biologisch tot.

Auch Thomas vom Arbeitskreis Gerechtigkeit war mit einigen seiner Leute gekommen. Er machte sich schnell noch ein provisorisches Plakat. Auf ein größeres Blatt Papier, das er an einer Kordel um den Hals vor seinem Jackett baumeln ließ, schrieb er: »Genossen – gepflegte Gewässer! Mach mit!« Die Mach-mit-Bewegung* kannte hier jeder – nicht wirklich *freiwillige Arbeitseinsätze zur Verschönerung der Städte und Gemeinden.*

Von den eingeladenen Vertretern des Staates und der Betriebe war niemand erschienen. Aber Wonneberger saß gutgelaunt auf seinem Rad. Er blieb der einzige Pfarrer, der an der Aktion teilnahm.

Nur ein einziger Streifenwagen der Volkspolizei war zu sehen. Etwas abseits des Versammlungsplatzes beobachteten die beiden Uniformierten aus dem Wageninnern das bunte Volk in selbstgefärbter Latzhose und Fleischerhemd, Jeansjacke oder Parka. An den Füßen Römersandalen oder Tramperstiefel aus Wildleder.

Nicht weit davon stand ein beigefarbener Wartburg, in dem ein grauhaariger Herr mit Kamera saß. Er fotografierte eifrig und verbarg es schlecht. Als er den Film wechselte, war das wie ein Signal zum Aufbruch. Da die beiden Polizisten noch immer ruhig in ihrem »Toniwagen« saßen, hofften die Versammelten, dass hier wohl keine Konfrontation stattfinden würde. Rainer, den sie schon vermisst hatten, kam als einer der Letzten angerannt, begrüßte rasch Frank, Micha, Thomas und Uwe mit Handschlag, dann setzte sich der Zug in Bewegung. Mit einer gewissen Anspannung gingen sie direkt auf den Streifenwagen zu und auch am Wartburg vorbei. Die Polizisten stiegen nicht aus. Der Stasi-Fotograf war nach wie vor mit dem Filmwechsel beschäftigt.

Immer drei, vier Leute nebeneinander, wirkte die Kolonne mit fast 100 Metern Länge auf dem Damm längs des Pleißegrabens durchaus imposant. Nur – es sah sie kaum jemand. Nicht einmal der Streifenwagen der Volkspolizei war ihnen gefolgt.

Uwe schob sein Fahrrad neben Frank her.

»Das ist unglaublich«, meinte Frank, »wir sind jetzt fast zweihundert Leute. Jeder hier weiß, an diesem Tag sieht dich die Stasi. Aber es sind trotzdem so viele gekommen, die sich offen zeigen.«

»Genau das ist es, was bisher gefehlt hat«, antwortete Uwe, »ich hab jedenfalls keine Lust mehr, mich im Keller zu verstecken. Wir müssen aufhören, immer nur hinter vorgehaltener Hand über diese graue Stadt zu meckern.«

»Na ja, Uwe, wir laufen hier nur im Wald. Es sieht uns ja niemand.«

»Dann müssen wir das nächste Mal was in der Stadt machen und die Leute dort auf die Straße bringen. Für alle, die sich heute hier trauen mitzulaufen, hat sich jedenfalls etwas verändert.«

Auf der Hakenbrücke überquerten sie die dort noch offene Pleiße. Das Wehr war ein guter Ort für die Wasserprobe. Micha hatte große Einweckgläser beschafft und sie vorsorglich schon frühmorgens zusammen mit drei Informationstafeln im Gebüsch versteckt, um nicht zu riskieren, dass sie schon auf dem Hinweg zum Treffpunkt Teichstraße womöglich beschlagnahmt worden wären. Er wusste, dass sie keine wirkliche Untersuchung des Pleißewassers vornehmen konnten. Aber der Fluss, oder das, was von ihm noch übrig war, war so dreckig, dass man schon mit bloßem Auge seine Verschmutzung deutlich erkennen konnte.

Micha ging mit Rainer und Frank hinunter ans Ufer. Ein stechender Chemiegeruch schlug ihnen entgegen. Micha stellte das Pleißewasser zum Vergleich neben ein Glas mit Leitungswasser, das er ebenfalls versteckt hatte. Außerdem hatte er am Morgen auch schon eine Probe genommen, die er jetzt hochhielt. Es sah deprimierend aus. In der Pleißebrühe hatten sich am Boden dunkle Flocken abgesetzt. Micha roch daran und rümpfte die Nase. Christoph hielt die Szene mit der Kamera fest. Er hatte die Aufgabe, alles zu dokumentieren, was immer auch bei ihrem Umzug passieren würde.

Rainer holte eine der versteckten Pappen hervor. Darauf war der Text des Zeitungsartikels aufgeklebt, den Micha im Archiv gefunden hatte. Der 21-Jährige, der mit seinen langen Haaren und dem roten Vollbart älter wirkte, wurde gleich umringt. Er hielt das Plakat mit beiden Händen hoch, obwohl er wusste, dass es bereits eine strafbare Handlung war, so etwas öffentlich zu zeigen. Wer vor ihm stand und las, musste unweigerlich über das Datum der kurzen Meldung lachen.

Pleiße – bald wieder sauber? lautete die Überschrift. Dann der Text der Meldung: *Wie wir von unterrichteter Seite erfahren, soll noch in diesem Herbst mit den Arbeiten zur Reinigung des Pleißewassers begonnen werden. Im nächsten Jahr bereits wird damit der Fluss besseres Wasser haben. 1954 werden die Arbeiten abgeschlossen sein. Sächsisches Tageblatt, 19. Juni 1952.*

Ein satter Bärlauchgeruch lag über dem frischgrünen Waldboden. Sie marschierten unbehelligt weiter den Fluss entlang durch den Auwald, wo ihnen einige verblüffte Sonntagsspaziergänger begegneten, die erst nach dem Lesen der Plakate begriffen, worum es ging. Am Schleußiger Weg musste der lange Zug die vielbefahrene Verbindungsstraße zur Innenstadt überqueren.

Micha traute seinen Augen nicht. »Was machen die denn da?«

Die Volkspolizisten waren ihnen auf Umwegen hinterhergefahren und stiegen jetzt aus ihrem Wagen aus.

»Die sind uns zuvorgekommen. Wollen die …?«

Die beiden Uniformierten stoppten aber nur den Verkehr für sie und ließen den Zug vorüberziehen.

Micha stieß Rainer entspannt in die Seite: »Der 1. Pleiße-Gedenkmarsch wird von den Repräsentanten unserer Staatsmacht sicher über die Straße geleitet!«

Die Autofahrer standen und staunten. Auch aus einem vollbesetzten Bus gafften die Menschen zu ihnen herüber und versuchten aus der Sache schlau zu werden. Ein paar Herren in Zivilkleidung, sicher keine Sonntagsspaziergänger, lehnten am Brückengeländer und beobachteten das Geschehen.

Es ging weiter auf einem Damm, dahinter lag die weite Fläche der Leipziger Galopprennbahn. Zwei Stunden nach Beginn erreichten alle Marschierer den Clara-Zetkin-Park und ließen sich auf einer Wiese vor der Klingerbrücke nieder. Frank, Uwe und sein Freund Theo stellten ihre Fahrräder ab und setzten sich neben Micha in den Kreis der anderen. Essen und Getränke wurden aus Rucksäcken hervorgeholt. Uwe und Frank amüsierten sich darüber, wie einige ihre Butterbrote demonstrativ auch den unbekannten Herren anboten, die sich zu ihnen gesetzt hatten, die aber niemand kannte. Die Herren zuckten irritiert zusammen und nahmen sie dann doch, wenn auch zögerlich, dankend an.

»230 Leute sind mitgelaufen«, raunte Rainer in Michas Ohr. Er hatte gemeinsam mit Dirk aus der Umweltgruppe die Teilnehmer durchgezählt. Sie freuten sich, denn nicht alle in den Basisgruppen waren von der Idee des Umzugs überzeugt gewesen, und sie hatten befürchtet, dass sie durch die Distanzierung der Kirche Freiwild für die Sicherheitsorgane werden könnten. Rainer grinste, als er Micha erzählte, dass einige Leute in den Basisgruppen gezielt das Gerücht gestreut hatten, wenn es keine Festnahmen gebe, würde man den Umzug nicht weiter publik machen. Ob das über Spitzel weitergetragen wurde und geholfen hatte? Bis jetzt verlief jedenfalls alles glatt.

Bernd trat in die Runde und begann, Presseartikel über die Pleiße vorzulesen. Der Theologiestudent aus der Umweltgruppe kannte die Pleiße seit seinen Kindertagen in Crimmitschau. Dort war sie dank der Abwässer aus den Tuchfabriken und Spinnereien fast täglich anders gefärbt vorbeigeflossen, mal rot, mal blau.

Der aktuellste Text, den er zitierte, stand auf der Titelseite des *Neuen Deutschland** vom Wochenende. Darin lobte DDR-Umweltminister Hans Reichelt anlässlich des Weltumwelttages den Umweltschutz seines Landes in höchsten Tönen. Bernd las den Artikel so pointiert vor, dass die anderen fast nach jedem Satz lachen mussten. *Zur Minderung des Ausstoßes von Schadstoffen werden in der DDR vielfältige Maßnahmen mit wachsendem Erfolg realisiert.*

Einige johlten auf und klatschten ironisch Beifall.

An vorrangiger Stelle stehen der immer rationellere Einsatz aller Energieträger und die höhere Veredlung der einheimischen Rohbraunkohle, die auf absehbare Zeit unsere entscheidende Primärenergiequelle bleibt.

Pfiffe kamen als Antwort. Die Folgen der »Veredelung« von Rohbraunkohle kannte jeder gut. In vierzig Schwelöfen und Trockenkammern von Espenhain wurde sie zu energiereicherem Brennstoff umgewandelt. Die dazu notwendige Braunkohle hatte rund um Leipzig gigantische Tagebaulöcher und Abraumhalden hinterlassen. Theo, der neben Uwe saß, arbeitete im Werk Espenhain in einer Reparatur- und Instandhaltungsbrigade, die täglich gegen den Verfall des museumsreifen Betriebs ankämpfte, der mit Anlagen von 1939 arbeitete. Um die Pläne zu erfüllen, wurde die Kohle mit erheblich überhöhter Temperatur schneller getrocknet. Das Dumme war nur, sie begann dabei zu schwelen, und gewaltige Mengen von Schadstoffen gelangten in die Luft und in die Flüsse, machten die umliegenden Dörfer und Kleinstädte seit Jahren eigentlich unbewohnbar und die Menschen krank.

Theo unterstützte eine Idee, die schon seit Wochen in den Gruppen kursierte und kurz vor der Verwirklichung stand. Da Unterschriftensammlungen in der DDR verboten waren, sollte eine landesweite Spendenkampagne »1 Mark für Espenhain«* ins Leben gerufen werden. Jeder, der Geld gab, sollte mit seiner Unterschrift die Spende quittieren – so wollte man das Verbot umgehen und würde dennoch eine eindrucksvolle Anzahl Menschen vorweisen können, die die katastrophale Umweltsituation nicht länger hinnehmen wollten.

Große Reden wurden auf der Wiese nicht mehr gehalten, doch Micha konnte sich nicht verkneifen, zum Schluss auf alle nicht erschienenen Eingeladenen einzugehen.

Wo blieben die Kirchenvertreter, wo es doch heute konkret um die Erhaltung der Schöpfung ging? Hatten sie Angst davor, sich ohne den Schutz der Kirchenmauern zu bekennen? Hatten sie Angst dazuzugehören? Oder war ihre Eitelkeit verletzt, weil sie vor dieser Aktion nicht ins Vertrauen gezogen worden waren? Nur ein einziger Eingeladener beteiligte sich an der Aktion: Pfarrer Wonneberger!

Die Zuhörer in der Runde klatschten.

Unser erster Pleiße-Gedenkumzug hat viele Widersprüche bewusst werden lassen. Es kommt nun darauf an, aus der gesegneten Unruhe heraus Veränderungen zu erzielen und die breite Öffentlichkeit mit einzubeziehen. Gründe für einen zweiten Gedenkumzug wird es also genügend geben.

Ein junger Mann aus Rötha sprang rasch auf, bevor alle auseinandergingen. Er wies die Versammelten darauf hin, dass es am nächsten Wochenende in Deutzen im Süden von Leipzig den alljährlichen Umwelttag geben würde. »Ein Gottesdienst mit anschließender Wallfahrt«, ergänzte er. Sein Hinweis ließ die Leute um ihn herum grinsen.

Wallfahrt, Gedenkumzug, Pilgerweg. Wann werden wir es endlich Demonstration nennen?, dachte Uwe.

In seinem Dienstzimmer im Rat der Stadt tippte der Stellvertreter des Oberbürgermeisters und Stadtrat für Inneres seinen letzten Satz in den monatlichen Bericht über *Die Einhaltung der sozialistischen Gesetzlichkeit in Leipzig.* Für ihn war der *Gedenkumzug der größtenteils jugendlichen Personen* ganz klar *eine nicht genehmigte Demonstration.* Darüber konnten andere Bezeichnungen nicht hinwegtäuschen. Er war verärgert darüber, dass auch ein Pfarrer daran teilgenommen hatte, denn ihm gegenüber hatten beide Superintendenten versichert, es werde keine kirchliche Unterstützung geben. Auf nichts war Verlass.

Die Veranstalter wollten offensichtlich die Provozierbarkeit der staatlichen Organe testen. Dabei wurde von ihnen unsere Zurückhaltung falsch interpretiert, nämlich als Schwäche.

Der lange Sommer 88

Die Stimmung in der Mariannenstraße war bestens. Sie hatten einen ganzen langen Juniabend im Hof zusammengesessen und gefeiert. Es war ein Kommen und Gehen. Feiern wurden selten angekündigt, sondern entwickelten sich spontan. Der gelungene Pleißemarsch hatte alle beflügelt. Rainer hatte von der Wallfahrt in Deutzen erzählt. Dort waren mehr als 600 Leute zusammengekommen. Er hatte in der dortigen Kirche eine Antiatomkraftausstellung aufgebaut und riskiert, verbotenerweise Unterschriften für eine Volksabstimmung über Atomenergie zu sammeln. Sein Vorhaben, ein Transparent gegen Atomkraft beim Umzug durch Deutzen zu tragen, untersagte ihm aber der Superintendent des Kirchenkreises.

Das Unglück von Tschernobyl war gerade zwei Jahre her, und die DDR hatte ihre Bevölkerung nicht über die Auswirkungen informiert. Ohne Diskussion über die Gefahren der Atomkraft plante der Staat heimlich einen neuen russischen Reaktor im Süden des Landes. Dagegen, fand Rainer, müsse sich Widerstand regen. Nur wo? Keiner wusste, wo das neue AKW errichtet werden sollte. Bei einem Treffen in Quedlinburg grenzte er gemeinsam mit Leuten aus anderen Gruppen das mögliche Gebiet ein. Das wurde dann in Planquadrate aufgeteilt, in denen die einzelnen Beteiligten nachforschen sollten. Rainer fuhr momentan »seine« Gegend mit dem Rad ab und hoffte, es bald herausgefunden zu haben.

Christoph war auch vorbeigekommen, und alle im Hof waren beeindruckt von den Fotos, die er beim Pleiße-Gedenkumzug und vom Umwelttag in Deutzen mitgebracht hatte. Fast vor jeder Aktion wurde sichergestellt, dass mindestens einer, wenn möglich mehrere Leute fotografierten. In den hektografierten Untergrundblättern, die mit Wachsmatrizen hergestellt wurden, war zwar die Wiedergabe von Fotos nicht möglich. Aber die Fotoabzüge konnten für Infotafeln in der Nikolaikirche und andere Ausstellungen genutzt werden. Wichtig war es auch, die Bilder an die in Ost-Berlin arbeitenden Westjournalisten zur Veröffentlichung weiterzugeben. Dabei musste man vorsichtig sein, denn es gab die Straftat der *ungesetzlichen Verbindungsaufnahme* im Strafgesetzbuch; danach drohten unter Umständen mehrere Jahre Haft, wenn man mit Westmedien Kontakt hatte.

Eine neue Nachbarin war unter ihnen. Rainer hatte Conny, einer jungen Frau aus Bernburg, die in Leipzig an der Hochschule für Grafik und Buchkunst studierte, zu einer Wohnung im Haus links nebenan verholfen. Conny hatte bis dahin in einem Zimmer bei Jochen gewohnt, nachdem sie ihn als Straßenmusiker auf der Karlsbrücke in Prag kennengelernt hatte. Rainer fand es gut, wenn sich in der Nähe weitere Leute ansiedelten, die zu ihnen passten.

Connys neue Wohnung hatte einer alten Dame gehört, die wohl im Krankenhaus verstorben war. Rainer hatte irgendwie die Schlüssel besorgt und wollte sie ihr bei einem Treffen während des Friedensgebetes in der Nikolaikirche übergeben. Conny war eine entschlossene Ungläubige und hatte mit der Oppositionsbewegung im Rahmen der Kirche nicht viel im Sinn. Sie zog es mehr zu den radikalen Performances und Aktionen der Künstler und Künstlerinnen als zu den langhaarigen Bartträgern mit ernstem Gesicht in der Nikolaikirche. Rainer wollte aber, so nahm sie an, dass sie wüsste, in welche Nachbarschaft sie sich begab. Sie übernahm die Schlüssel von ihm.

Im ersten Augenblick war Conny schockiert, als sie die zwei Zimmer im Erdgeschoss betrat. Weder das Krankenhaus noch Verwandte schienen sich um die letzte Bleibe der Verstorbenen gekümmert zu haben. In der kleinen Küche standen überall Essensreste herum, halbgefüllte Teegläser, offene Senfbecher, benutztes Geschirr. Auf dem Gasherd befand sich noch das letzte Essen in den Kochtöpfen. Die mit Würmern gefüllten Töpfe warf Conny hinter einen Busch im Hof. Auch den Rest säuberte sie. Es war ihre erste eigene Wohnung.

Die Vorbewohnerin hatte ein Bett, aber Conny benutzte es nicht zum Schlafen, sie nahm die alten Matratzen heraus, legte eine der Zimmertüren über das Bettgestell – das war fortan ihr Zeichentisch. Sie schlief auf den Matratzen im kleineren, nicht beheizbaren Zimmerchen. Im großen Raum zur Straße hin gab es einen Kachelofen, und im Keller waren noch ein paar Kohlen der alten Dame verblieben. Gas und Strom waren nicht abgemeldet worden, die restlichen Hausbewohner hatten keine Einwände gegen ihren Einzug. Viel persönlichen Besitz, außer ein paar Bücher und etwas Zeichenzeug, hatte sie nicht mitgebracht. Es gab nicht weit von hier Wohnungen, da lief bei Regen das Wasser an den Wänden hinunter. Von innen. Sie war froh, einen Raum für sich zu haben und gleich nebenan eine, wie sie fand, vielversprechende Meute.

Connys Eltern waren Parteimitglieder, Lehrerin und Mediziner, in der Kleinstadt bekannt. Ihre Revolte gegen ein angepasstes Leben hatte bereits am Küchentisch, in der Familie, begonnen. Sie störte sich schon als Heranwachsende am Pragmatismus und den Sprüchen ihrer Eltern: *Die Dinge sind so, wie sie sind, wer sie ändern will, versteht das Leben nicht! Man darf das Leben nicht vergeuden mit unsinnigen Versuchen, etwas zu ändern.*

Conny wollte bald nur noch eins: den Eltern und dem Heimatort so weit wie möglich entfliehen. Immerhin eineinhalb Autostunden entfernt begann sie zunächst eine Ausbildung zur Facharbeiterin für Keramtechnik im VEB Colditzer Porzellanwerk. Von dort fuhr sie jeden Montag zum Vorstudium nach Leipzig. Sie schaute sich tagsüber Kunstausstellungen an, ging ins Programmkino am Nachmittag und am Abend in die naTo*, zu den wilden und frechen Aktionen der Künstler in der Galerie Eigen+Art oder zum Aktzeichnen ins Grassimuseum. Das fand hoch oben unterm Dach statt, und wenn sie sich zum Fenster streckte, hatte sie einen weiten Blick über Leipzigs Innenstadt. In ihrer Vorstellung gehörte zu ihrem neuem Leben auch die Fähigkeit, unter seltsamen Umständen leben zu können.

Frank war inzwischen in das Zimmer neben Rainer gezogen. Uwe war zwar traurig, dass sein Freund nicht mehr in Grünau wohnte, doch gleichzeitig war ihm klar, dass mit der Marianne ein attraktiver neuer Treffpunkt entstanden war. Nach der Feier im Innenhof hatte Uwe gleich auf einer Matratze bei Frank übernachtet.

Jetzt saßen sie ausgeschlafen zusammen, Frank löffelte Müsli, Uwe hatte sich ein Graubrot mit Marmelade gemacht. Da klapperte die Haustür und Steffen stand im Zimmer.

Alle nannten ihn den »Gärtner«, weil er einen Job als Grabpfleger auf einem Friedhof hatte. Steffens Augen waren schlecht, er trug eine dicke Hornbrille. Die beiden kannten ihn aus der Umweltgruppe, er sympathisierte mit dem, was sie in ihrer Initiativgruppe Leben taten, und war immer zu der einen oder anderen Hilfe bereit. Es kursierten verrückte Geschichten über ihn, etwa darüber, wie er an seinen Führerschein gekommen war. Er konnte trotz der dicken Brille sehr schlecht sehen. Doch er lernte die Sehtafeln beim Augenarzt einfach auswendig – und bestand. Einen Unfall hatte er bisher nicht gebaut. Der Gärtner hatte sich auf dem Jüdischen Friedhof auch selbst ein Gewächshaus konstruiert. Er sammelte dazu überall leere Plastikmilchtüten ein, die er zu schade zum Wegwerfen fand. Die »schweißte« er mit dem Bügeleisen zu einer großen Plane zusammen, die sonst nicht zu bekommen war. Irgendwie musste es funktioniert haben, denn man sah ihn auf kirchlichen Veranstaltungen später gelegentlich Blumen und Gemüse verkaufen.

Der Gärtner galt als verrückter Typ und hatte auch das zu ihm passende Fahrzeug gefunden: ein Krause Duo. Das war ein Moped mit drei Rädern, 3,8 PS, einer Plastikwindschutzscheibe und einer ocker-orangefarbenen Regenschutzplane rundherum. Sein Gefährt stand jetzt vor der Marianne und erinnerte stark an eine Rikscha. Der Gärtner hatte an den beiden Seitenfenstern neben der Sitzbank noch vergilbte Gardinen angebracht.

Die ersten Krause Duos waren nach dem Zweiten Weltkrieg in Leipzig-Gohlis von der Firma Louis Krause entwickelt und gebaut worden. Nach deren weitgehender Verstaatlichung wurde das Gefährt in den siebziger Jahren vom Volkseigenen Betrieb Brandis hergestellt, täglich nur acht Exemplare. Sie waren zugelassen als »Versehrtenfahrzeug für Gehbehinderte«, doch man sah wenig Versehrte darin fahren. Die meisten Krause Duos wanderten gebraucht in unversehrte Hände. Immerhin fuhr es 60 Stundenkilometer Spitze, und wenn man es erst mal mit dem Anreißhebel angeworfen hatte, war es die wohl günstigste Art und Weise, selbstbestimmt – und vor allem Dingen trocken – durch die Gegend zu fahren.

Helfer wie der Gärtner, die einzelne Aufgaben ohne Wenn und Aber übernahmen, waren in ihrer Bedeutung für die Gruppen nicht zu unterschätzen. Für Uwe und Frank sollte der Gärtner sechs große Holztafeln für eine Ausstellung über den Sozialen Friedensdienst in eine Kirche nach Karl-Marx-Stadt transportieren. Frank hatte wochenlang an den Pressspanplatten gearbeitet. Großbuchstaben für Überschriften aus Sperrholz geschnitten, Karikaturen gesucht, Material aus Zeitungen, Büchern und Untergrundzeitschriften zusammengestellt, die Platten rot grundiert, Fotos entwickelt und vergrößert. Sie waren zuerst in einer Kirche in Leipzig-Leutzsch aufgestellt worden und wanderten seitdem von Veranstaltung zu Veranstaltung.

Uwe fand, dass an seinem Freund ein talentierter Künstler oder zumindest ein begabter Grafiker verloren gegangen war, wenn er einer hätte werden dürfen. Auf dem Fensterbrett in seinem Zimmer stand eine Schale aus Ton, die Frank einmal selbst entworfen hatte.

Mit dem Gärtner war bald alles Notwendige besprochen. Er wollte die Tafeln auf das Dach seines Krause Duo schnüren und sich auf den Weg machen. Sie halfen ihm beim Aufladen und hofften, dass auf der 90-Kilometer-Fahrt alles gut gehen und es nicht regnen würde. Dann knatterte der Gärtner davon. Der beißend blaue Dunst des Zweitaktmotors hing noch lange in der Luft.

Frank und Uwe redeten über ihre in den Sommerwochen geplante Reise nach Rumänien. Dort kannten die beiden eine Familie, die sie bei ihren Touren immer wieder gerne besuchten. Den Frauen sollten sie die Antibabypille mitbringen, die sie dort nicht bekamen, seitdem die Partei beschlossen hatte, die Einwohnerzahl Rumäniens müsse gesteigert werden. Frank wollte wissen, ob Uwe schon ein paar Packungen beschaffen konnte. Uwe war optimistisch, er hatte einen guten Draht zu einer Ärztin im Albert-Schweitzer-Haus, die ihm mehrere Packungen versprochen hatte, ohne etwas dafür zu verlangen.

Frank und Uwe hatten sich vor vier Jahren in der Umweltgruppe kennengelernt und sich schnell angefreundet. Sie mochten dieselbe Musik, dieselben Bücher. Frank war phantasievoll und hatte Ideen, das gefiel Uwe. Sie trampten gemeinsam zu Bandkonzerten, meist Bluesgruppen, kreuz und quer durch die DDR, für einen Auftritt der Scorpions sogar bis nach Budapest. Damals hatte auch Uwe noch lange Haare, trug Kutte* und Jeans.

Es gab auch eine Zeit, da waren sie fast jedes Wochenende zusammen in einer Dorfdisco bei Leipzig. Mit dem Bus, der sie nach Günthersdorf brachte, kamen auch sehr viele andere Jugendliche aus der Stadt, die sich dort vergnügen wollten. Die Fahrer brachten sie zwar hinaus, doch irgendwann hatten sie die Nase voll von all den alkoholisierten, lauten Kunden, die um Mitternacht wieder in die Stadt zurückwollten. So stoppten die Busfahrer auf ihrer letzten Fahrt Richtung Leipzig einfach nicht mehr an der Haltestelle vor der Disco und überließen die Jugendlichen ihrem Schicksal. Frank und Uwe gingen daher manchmal mitten in der Nacht die 17 Kilometer zu Fuß zurück in die Stadt. Eine andere Möglichkeit war es, in der Scheune gegenüber der Disco zu übernachten. Die war sowieso beliebt, im Laufe des Abends verschwanden immer wieder Pärchen, um dort miteinander zu knutschen – oder auch mehr, wie die Reste der Mondos*-Kondome bezeugten. Die Scheune war groß, aber in manchen Sommernächten überfüllt. Mit oder ohne Partner, anstatt drei Stunden zu Fuß zurückzulaufen, konnte man hier gut zwischen den Heuballen bis weit nach Sonnenaufgang ausschlafen, es sei denn, die Volkspolizei kam mitten in der Nacht mit Taschenlampen und räumte das Objekt*.

Nach dem Vorfall in der Reformierten Kirche hatte Frank sich von Uwe nochmal von dessen Armeezeit erzählen lassen. Frank gehörte zu den wenigen jungen Männern, die aus Versehen niemals einberufen worden waren. Falls doch, dann wäre er zu den Bausoldaten gegangen. Uwe hatte dagegen einen großen Teil seiner dreijährigen Armeezeit auf einem Flugplatz in Rothenburg bei Görlitz mit dem Reparieren von MIG 21 verbracht. »Als Schüler dachte ich, das zieh ich durch, dann darf ich zur Handelsmarine.«

Die Volksarmee lernte er dann, ist ein Spiegelbild dessen, was in der ganzen Gesellschaft passiert, nur noch krasser und ungeschminkter. Unterordnung, Anpassung, Opportunismus, Lüge, Verrat – was ihn besonders auf die Palme und in Widerspruch brachte, war die EK-Bewegung. Im letzten Jahr kurz vor dem Ende der Armeezeit gehörte man zu den EKs, den Entlassungskandidaten. »Die drangsalierten nach Lust und Laune die Neuen. Sie demütigten regelrecht die Jungen.« Das Spiel kannte viele Varianten, alltägliche und manchmal besonders gemeine. Die 18-Jährigen mussten den 21-Jährigen das Essen auf die Stube bringen, die Schuhe putzen, den Flur bohnern und die Toiletten für sie reinigen.

Nichtsahnende Neulinge wurden in den engen Spind gesperrt. Die EKs warfen dann oben eine Mark ein, und die Eingesperrten mussten singen, um wieder herausgelassen zu werden.

»Die Offiziere haben das geduldet«, empörte sich Uwe. »Die Disziplinierung geschah durch die Gruppe selber, die Offiziere mussten überhaupt nichts tun. So war das System. Die Unterdrückung wurde von den Unterdrückten weitergegeben und die Bereitschaft zu unterdrücken neu erzeugt, indem du dich selbst daran beteiligst.«

»Und? Hast du?«

»Ich hatte auf meiner Stube zum Glück Theo, der kam aus Espenhain und hatte sich verpflichtet, um Ingenieur studieren zu können. Wir waren uns einig, das machen wir nicht mit. Alleine hätte ich das kaum geschafft.« Wie lässig und unerschrocken Theo sich gegenüber Autoritäten verhalten konnte, hatte Uwe imponiert. Eines Morgens gab es um fünf

Uhr früh Gefechtsalarm. Alle standen innerhalb weniger Minuten in Reih und Glied mit voller Gefechtsausrüstung auf dem Flur.

»In dem Moment kam Theo aus dem Zimmer mit Schlafanzug und Bohnerkeule und fing in aller Seelenruhe an, den Flur zu bohnern, obwohl er EK war. Das war seine Art des Protestes. Vorbeibohnern an den Soldaten mit Gasmaske und schwerer Montur. Der Spieß tobte vor Wut, aber Theo antwortete ganz trocken: ›Na, ich hab doch Revierdienst!‹« Die Übung, erzählte Uwe amüsiert, musste wiederholt werden.

Am Ende der Armeezeit hatte Uwe einen schlechten Stand bei den Offizieren, offenbar auch, weil er sich als Entlassungskandidat dem üblichen bösen Spiel verweigerte. Mit der Handelsmarine wurde es also nichts. Die drei Jahre hatte er umsonst geopfert. Zum Abschied sagte ihm sein Chef nur einen Satz: »Ich werde dafür sorgen, dass Sie in der Kohle, im Tagebau, landen!«

Ohne etwas zu sagen, winkte Frank Uwe zu sich ans Fenster. Draußen auf der anderen Straßenseite parkte ein grauer Wartburg. Der Fahrer hatte einen Fotoapparat in der Hand und richtete ihn auf ihre Hausfront. Zu den ersten Dingen, die Frank in seinem neuen Zimmer angebracht hatte, gehörte ein großes, aus Sperrholz ausgesägtes Abzeichen der kirchlichen Friedensbewegung Schwerter zu Pflugscharen. Es hing am Fenster zur Mariannenstraße, gut sichtbar für alle Passanten – für die Stasi offenbar eine politische Provokation.

Uwe musste los, aber Frank blieb nicht lange alleine. Er sah sie schon durchs Fenster vor dem Haus, wie sie gerade noch auf Uwe traf und mit ihm sprach. Franks Werben um Anke war erfolgreich gewesen. In einem kleinen Park hinter der Mariannenstraße hatten sie oft zusammengesessen. Jetzt waren sie ein Paar.

Seitdem besuchte er sie oft in ihrer Wohnung. Vor anderen

zeigte Frank sich ihr gegenüber nicht so zugewandt. Das irritierte sie etwas, aber so war es ja auch bei den meisten anderen Paaren. Sie fand Frank liebenswert und sensibel, gleichzeitig merkte sie, dass er nicht allzu viel über sich preisgeben wollte. Er liebte die Rolle des Beobachters, deshalb fotografierte er auch gerne. In seinem Zimmer hingen viele Bilder von seinen Reisen.

Anke war mit dem Rad vom Frühdienst im Kindergarten gekommen und warf sich jetzt zu ihm auf die Matratze. Frank fragte sie, ob sie am Abend mit ihm nach Grünau rausfahre, um seine Mutter zu besuchen. »Ich hab Lust, mal wieder was Richtiges zu essen.« Anke hatte eigentlich etwas anderes vor, ein Treffen mit einer Gruppe, die sich mit Erziehung und Schule beschäftigte. Aber als Frank ihr in Aussicht stellte, den Sonnenuntergang mit ihr irgendwo draußen zu erleben, kam sie ins Schwanken.

Anke war eine Pfarrerstochter, ihre Eltern Leipziger. Als Schülerin wollte sie sich gerne zum Klavierunterricht an der Musikschule anmelden, wurde aber abgelehnt. Ihren Eltern wurde gesagt: »Wir können Ihre Tochter nicht aufnehmen. Die Musikschule steht nur Arbeiter- und Bauernkindern offen.« Später trug sie das Zeichen Schwerter zu Pflugscharen an der Jacke und musste deswegen zum Direktor. Der jammerte Anke vor, ihr Verhalten falle auf ihn und die ganze Schule zurück. Aus Mitleid mit ihm habe sie es abgemacht, hatte sie Frank erzählt. Allein das Tragen dieses Abzeichens hatte vielen Jugendlichen den Lebensweg verbaut. Sie fand es frech und mutig, dass es bei Frank so demonstrativ im Fenster hing.

Der war aufgestanden und schaute durch die Grünpflanzen auf seinem Fensterbrett auf die Straße.

»Der Typ da gegenüber steht schon länger so nutzlos rum.« Er drehte sich wieder zu Anke um.

»Ziehen die eigentlich mit einem um?«

Anke stand auf, ging auf ihn zu und umarmte ihn. »Wir können ja erst noch eine Runde durch den Auwald radeln. Lass uns eine Decke und was zu trinken mitnehmen. Es ist so ein schöner Tag. Dann wollen wir mal sehen, was der Typ macht.«

Kurz darauf schoben sie ihre Fahrräder aus dem Hauseingang. Anke wollte schon in die Pedale treten, als sie merkte, dass Frank auf den Mann zuging, der immer noch auf der anderen Straßenseite wachte. Frank sagte ihm ins Gesicht, wo sie jetzt hinfahren und was sie danach machen würden. »Damit Sie es heute mal leicht haben!«

Der Pleiße-Gedenkmarsch war schon lange vorbei, aber die Spannungen zwischen den beteiligten Gruppen und der Kirche hielten an. Micha, Uwe, Frank, Rainer und einige andere aus der Initiativgruppe Leben hatten deswegen Superintendent Magirius zu einem Gespräch eingeladen. Er hatte tatsächlich zugesagt, dieses Mal zu ihnen zu kommen, anstatt sich wie sonst nach dem Friedensgebet in der Jugendkapelle von Nikolai zu treffen. Sie beabsichtigten, sich ihm als Gruppe näher vorzustellen, und zwar an dem Ort, an dem sie sich neuerdings trafen, im großen, weitgehend leeren Zimmer von Andreas, der in der Zweinaundorfer Straße im gleichen Haus wie Micha wohnte. Magirius sollte sie kennenlernen und sie so akzeptieren, wie sie waren. Als er zur Tür reinkam, war der Superintendent, der wie üblich im Anzug erschienen war, sichtlich irritiert.

»Wo soll ich mich hin …?«

Alle saßen im Kreis auf dem Fußboden, und es lagen nur noch ein paar freie Kissen auf den Dielen. Magirius konnte sich schließlich auf einen Stuhl niederlassen, den Michas Freundin Bine schnell aus dem Nebenzimmer herbeiholte.

Das Gespräch begann mit einer Darstellung der bisherigen Aktivitäten und Ziele der Gruppe: Gründung am 2. November 1988, Frieden, Gerechtigkeit, Bewahrung der Schöpfung, alternative Informationen für die Bevölkerung, Mitgestaltung der Friedensgebete, Aktionen und Zusammenarbeit mit den anderen Leipziger Gruppen. Dann gab es eine Überraschung für Magirius. Bis zu diesem Tag wussten er und die Kirchenleitung nicht, wer die Aktion an der Pleiße organisiert hatte. Als sie nun über ihre jüngsten Aktivitäten sprachen, verquatschte sich Andree, der Sprecher ihrer Untergruppe Ökologie. Damit war Magirius nun klar, dass sie es waren, die hinter dem Pleiße-Gedenkumzug steckten.

Magirius zog die Augenbrauen hoch und rutschte ein wenig auf seinem Stuhl herum. Er wollte bei den jungen Leuten für Verständnis werben angesichts der schwierigen Gespräche im Rat der Stadt und des Bezirkes. Wie hoch der Druck auf die Kirche dabei war, dass er nicht anders gekonnt habe, als sich gegenüber den Staatsvertretern vom Pleiße-Gedenkumzug als nichtkirchlich zu distanzieren, und dass er versprechen musste, auch beim Friedensgebet den Pleißemarsch nicht zum Thema werden zu lassen. »Es war ja keine genehmigte Aktion der Kirche, über die wir vorher Bescheid wussten.«

Sie hielten dagegen: »Dann hätte sie niemals stattgefunden!« Warum sonst wäre sein Stellvertreter bei Uwe vorbeigekommen, um ihn aufzufordern, die Sache abzusagen?

Magirius wehrte sich: »Die staatliche Seite war höchst alarmiert.«

»Immer diese Gespräche hintenherum!«, sagte Uwe. »Wir erfahren doch überhaupt nichts von dem, was Sie da ständig im Rathaus besprechen. Sie schweigen darüber und geben immer nur deren Drohungen weiter. Warum können wir nicht selber mit diesen Leute reden? Sie müssen nicht mit denen über uns reden!«

Magirius verwies auf die Vertraulichkeit der Gespräche. Ein Stöhnen ging durch den Raum. Er versuchte zu erklären, dass es besser sei, der Staat rede mit den Kirchenvertretern, als überhaupt nicht. Dann warf er der Gruppe ihre kompromisslose Haltung vor, sie gefährdeten das Miteinander von Kirche und Staat, die vertrauensvolle Zusammenarbeit, die doch schon oft Schlimmeres verhindert habe. »Ihr missbraucht die Kirche zu politischen Zwecken!«

Die Stimmung in der Gruppe blieb unverändert abweisend. »Wenn die ein Problem mit uns haben, dann sollen die direkt mit uns reden und sonst mit niemandem, die sollen nicht das Gefühl haben, die können mit uns machen, was sie wollen!«

Magirius versuchte es noch einmal. »Ihr lauft doch ins offene Messer. Ihr könnt doch nicht mit dem Kopf durch die Wand! Vergeudet eure Kräfte nicht mit aussichtslosen Aktionen.«

»Aussichtslose Aktionen?«, wiederholte Frank seine letzten Worte, »der Marsch entlang der Pleiße hat doch allen gezeigt, dass mehr möglich ist, als immer nur in Kirchenbänken zu sitzen und darauf zu hoffen, dass jemand unsere Gebete erhört. Die Menschen brauchen endlich das Gefühl, dass sie sich wehren können und nicht nur ausgeliefert sind.«

Magirius konnte da nicht mitgehen. »Ich bin für die Kirche insgesamt verantwortlich, nicht nur für eine Gruppe. Kirche ist nicht die Opposition. Wenn das Friedensgebet weiter bestehen soll, dann müssen alle Beteiligten Rücksicht nehmen.«

»Rücksicht?«, rief Uwe, »wie lange im Leben sollen wir Rücksicht nehmen? Bis es vorbei ist?«

Sie waren empört über die Ratschläge des alten Kirchenmannes und fanden ihn nicht glaubwürdig. Rainer hielt es nicht aus: »Reden Sie doch nicht immer von Verantwortung, wenn Sie doch nur Angst haben. Ihr Kollege, Superintendent Richter, hat es wenigstens einmal zugegeben, dass es die Angst ist, die ihn bestimmt.« Magirius sah ihn fragend an. Rainer ergänzte: »Das war in einem Gespräch mit uns Theologiestudenten nach einem Friedensgebet.«

»Es ist nicht Angst, es ist Sorge. Ihr jungen Leute wisst doch gar nicht, wie die Kommunisten zuschlagen können. Die kommen mit dem Panzer, so schnell könnt ihr gar nicht weglaufen. Es ist zu gefährlich, was ihr macht!«

Gesine, die auch gekommen war, stand auf und ging auf Magirius zu. »Ich bin die Tochter eines Pfarrers, 1968 lebten wir im Pfarrhaus von Deutschneudorf nahe der tschechischen Grenze. Als die Russen in Prag einmarschierten, sind in der Nacht auch durch unser Dorf Panzer gefahren, von der Talstraße durch den Ort, dann den Berg hoch. Meine Eltern vergessen es nie, wie selbst noch am nächsten Morgen im ganzen Tal der Dieselgestank hing. Ständig müssen wir uns die Ängste der Älteren anhören, was uns allen passieren würde.«

Magirius wusste nicht, worauf sie hinauswollte. Es gab eine tiefe Kluft zwischen den Generationen. Leute wie Magirius hatten den 17. Juni 1953 erlebt, das gewaltsame Niederschlagen von Protesten durch russische Panzer. Er und seine Altersgefährten hatten das brutale Ende des Aufstands in Ungarn 1956 vor Augen, den Mauerbau 1961, den Einmarsch in Prag 1968, die Unterdrückung Oppositioneller seit Gründung der DDR, den Rauswurf des Liedermachers Wolf Biermann und Dutzender Künstler, die Verfolgung und Benachteiligung von Christen. Das Erleben seiner Generation waren ständige Niederlagen, zerstörte Hoffnungen, Resignation.

Das waren nicht die Ängste der 17- bis 25-Jährigen, die vor ihm auf dem Boden saßen. Sie wussten um diese Ereignisse, aber sie verursachten bei ihnen kein lähmendes Gefühl in den Knochen. Die Angst vor sowjetischen Panzern schien ihnen nicht mehr real, da Gorbatschow in Moskau schon seit 1985 für Glasnost und Perestroika, Transparenz und Umgestaltung, eintrat. Auch in anderen Ländern des Ostblocks bewegte sich etwas, nur in der DDR noch nicht. Sie fühlten genau, da war mehr möglich, wenn man es nur wagen würde.

Gesine versuchte es zu erklären: »Wissen Sie, wie wir es geschafft haben, uns darüber hinwegzusetzen? Über diesen ständigen Druck aus den eigenen Reihen, den eigenen Familien? Weil wir alle dieselben Eltern haben und irgendwann ihre Ängste einordnen konnten. Und unsere Eltern haben uns trotz aller Ängste immer klargemacht, egal was ihr macht, wir sind immer solidarisch mit euch.«

Dasselbe erwarteten sie ganz offensichtlich auch von Magirius. Doch der sagte dazu nichts.

Beim Friedensgebet am Montag hielt Jochen diesmal nach den üblichen Liedern eine Predigt. Der Theologiestudent ging mit den DDR-Bürgern ins Gericht. Seine Diagnose des Zustandes der Gesellschaft packte er in einen Satz: *Die allgemeine Haltung der Verantwortlichen ist Verantwortungslosigkeit, Distanz zu unserem Staat und Gleichgültigkeit beherrschen den Rest.* Ausdrücklich schloss er die Ausreiser mit ein. *Ihr treibt nur etwas auf die Spitze. Ihr seid im gewissen Sinne konsequenter als die, die bleiben, aber nur ihre Ruhe und ihr privates Glück suchen.*

Jochen sprach vom drohenden Zusammenbruch der Gesellschaft. Ein Neuanfang sei nötig, könne aber nicht von oben verordnet werden.

Wir müssen aufwachen und unsere Straßen, unsere Kirchen und unsere Wohnungen mit neuem Leben, mit politischem Leben erfüllen. Und wir verlassen uns heute nicht mehr so sehr auf die Führung Gottes, wir überlassen ihm nicht mehr das Weltgeschick, sondern versuchen selbst zu denken, selbst etwas in die Hand zu nehmen.

Nach Jochens Predigt gab es noch etwas Besonderes, dazu Passendes zu hören. Jemand aus dem Kreis der Ausreiser hatte einen Brief an den Pfarrer der Nikolaikirche geschrieben, den Christian Führer nun zu verlesen begann:

Diesen Brief schreibe ich Ihnen, weil ich ein wenig offener und feiger Mensch bin und weil mir der Mut fehlt, meine Meinung zur rechten Zeit am rechten Ort zu äußern. Ich habe dies nie fertig gebracht und bin auch jetzt nicht dazu in der Lage.

Dieser sicher nicht alltägliche Brief soll ein Geständnis sein, eine Beichte gewissermaßen. Aber nicht vor Gott oder vor seinen Dienern, sondern vor einer Öffentlichkeit besonderer Art, vor einer Zweckgemeinde, die sich allmontäglich in der Nikolaikirche zum Friedensgebet versammelt.

Alle spitzten die Ohren. Eine Beichte?

Es ist wahr, wir sind keine oder nur halbherzige Christen und wir haben uns um die christliche Gemeinde in der Vergangenheit wenig gekümmert und wir tun dies auch in der Gegenwart nicht viel mehr. Wir haben uns nach den »Berliner Ereignissen« und der unglücklichen Rolle, die die Kirche dabei spielte, in das Leipziger Friedensgebet sinngemäß »eingeschlichen«, in der Hoffnung, von gleichen oder ähnlichen Ereignissen mit aus diesem Lande herausgespült zu werden. Wir sind aber Feiglinge, kleinbürgerliche Opportunisten, die selbst in der letzten Phase der Auseinandersetzung mit diesem Staat vorsichtig sind. Wir wollen nichts riskieren, wir wollen nur in der Nähe sein, wenn durch andere etwas passiert.

Es war mucksmäuschenstill geworden im Kirchenschiff.

Und so sitzen wir jeden Montag in der Nikolaikirche und hoffen auf die Anderen, die »Hierbleiber«, dass diese mit Staat und Gesellschaft ins Gericht gehen, beklatschen kindisch jede Äußerung, die uns »gewagt« erscheint und kommen uns dabei vor, wie Verschwörer. Wir staunen über Wortgewalt und kritische Schärfe, belächeln stumm jene Träumer, die sich um Ausgewogenheit bemühen und bedauern die, die glauben, in diesem materiell und moralisch verwahrlosten Land noch etwas ändern zu können und denken stets nur das Eine: fort, fort, fort …

Wir verlangen Abrechnung mit der DDR, aber bitte durch Andere. Wir sind Feiglinge, Anpassler in Vergangenheit und Gegenwart. Wir engagieren uns nicht ohne Abschätzung des Risikos. Wir haben unser Leben in der DDR bisher zu unserem eigenen Nutzen optimiert und wollen auch dabei bleiben.

An dieser Stelle faltete Führer den Brief zusammen. Pfarrer Wonneberger hatte aufmerksam zugehört. Er dachte, na, dass passt ja genau zu der dauernden Kritik der Kirchenleute, das Friedensgebet werde von den Ausreisern nur ausgenutzt. Doch der Brief ging noch weiter, wie er später feststellen konnte. Der anonyme Ausreiseantragsteller beschrieb das Lebensgefühl eines Großteils der DDR-Bürger: das Gefühl eines Lebens in der Lüge, wie es der tschechische Oppositionelle Václav Havel in Wonnebergers Lieblingsbuch *Versuch, in der Wahrheit zu leben* so treffend geschildert hatte. Der Rest des Briefes war eine Selbstbezichtigung aller Menschen in der DDR, die sich ein Leben lang angepasst hatten und nun trotzdem am Ende waren:

Wir haben uns dieser schmuddeligen Jugendweihe ohne Murren unterzogen, wir haben den Platz in der Leitung stets angenommen, unabhängig von Überzeugungen, wir haben Fähnchen geschwenkt, wann immer es verlangt wurde, wir haben rote Lieder gesungen, kassiert und Wandzeitungen gestaltet. Wir haben geschossen und gelogen, gelogen vom Anfang bis zum Ende und ohne die geringsten Skrupel. Wir haben die Notwendigkeit dieses absurden Bauwerks in Berlin lehrbuchmäßig begründet und kluge Arbeiten über den Sieg des Sozialismus und den Untergang des Kapitalismus geschrieben. Wir haben, wie Alle, unsere wahre Gesinnung verheimlicht und mit der Lüge nicht einmal in der eigenen Familie halt gemacht.

Wir haben aber nicht versucht, risikoreich über die Mauer zu klettern oder durch die Elbe zu schwimmen. Wir haben nur heimlich die Faust geballt und auf dem Klosett leise geschimpft. Wir haben uns nicht gegen den Wahnsinn der Militarisierung gewandt, wir haben dem primitiven Konsumdenken nicht widerstanden, wir haben auch nicht für einen aussichtslosen Umweltschutz gekämpft.

Der Sozialismus hörte an der Wohnungstür auf, die Auseinandersetzung damit fing gar nicht erst an. Und letztlich sind wir mitverantwortlich für Wahlergebnisse, die mit 99 vor dem Komma beginnen und wir haben dazu nicht einmal Stift und Kabine benötigt. Wir haben einer Partei die Treue geschworen und unsere Westverwandtschaft verleugnet und wenn hier nicht mehr aufzuzählen ist, so wurde eben nicht mehr von uns verlangt.

Aber wir haben es bis zum Golf gebracht, wir haben zwei Farbfernseher und waren mehrfach in Ungarn und Bulgarien. Wir haben eine Datsche, einen Arbeitsplatz auf Rentnerbasis und ein hübsches Konto …

Was können wir tun? Wir, die Macher, die Musterbeispiele der Anpassung des Individuums an die gesellschaftlichen Verhältnisse, sind am Ende. Es gibt nichts mehr zu optimieren. Wir sind ganz klein und kommen in die Kirche … Unser Opportunismus ist nicht mehr gefragt. Wir brauchen einfach nur Hilfe … Wir brauchen diesen Montag, auch wenn diese Andacht und die Kirche solche Art von Gästen eigentlich nicht verdient haben.

Im obersten Stock der Marianne brannte zu später Stunde noch Licht im Zimmer von Kathrin. Sie hatte Besuch von Susanne aus Berlin. Die beiden Frauen rauchten Alte Juwel und tranken schon die zweite Flasche Cabernet*, die sie aus einem kleinen Konsum am Wintergartenhochhaus besorgt hatten. Dort um die Ecke der Mariannenstraße konnte man ungewöhnlich lange einkaufen. Graubrot, Marmelade, Nudeln, Mehl, Zucker, Linsen, Schokolade, Kekse und natürlich Reudnitzer Bier. Metalltragekörbe am Eingang, Neonröhren an der Decke, beleibte Verkäuferinnen in Kittelschürze, wortkarg und muffelig. Aber bis zehn Uhr abends geöffnet, manchmal noch etwas später, wenn es voll wurde und die Arbeiter von der Spätschicht kamen und dort Schnaps und Zigaretten kauften.

Susanne erzählte Kathrin von ihrem neuen Leben in Berlin-Prenzlauer Berg. Von der starken Alternativszene, die sich dort ausgebreitet hatte, von ihrem Besuch im selbstorganisierten Café der Umweltbibliothek, gleich bei der Zionskirche. Von ihren Treffen mit Westjournalisten, die sie mit Nachrichten aus Leipzig versorgte.

Bald drehte sich das Gespräch um Thomas, den Anführer im Arbeitskreis Gerechtigkeit. Susanne war drei Jahre lang mit ihm zusammen gewesen, Kathrin erst seit drei Monaten. Mit Rainer und Kathrin war es dann außer guter Freundschaft doch nichts weiter geworden. Kathrin hatte sich, während Rainer in den Urlaub gefahren war, in Thomas verliebt.

Sie lachten gemeinsam darüber, dass Rainer oft abends auf seinem Bett mit grüner Kutte und Schal saß, anstatt zu heizen, und dass Thomas immer nur karierte Hemden trug. Die umgefärbten Malerhosen und blau-weiß gestreiften Fleischerhemden von Uwe und Frank fanden die beiden Frauen nicht wirklich eine Alternative. Kathrin verriet Susanne, dass sie selbst meist Hemden trug, die von ihrem Vater stammten. Sie zog mit der Hand ihr Kleid glatt, es war eigentlich ein langes Nachthemd aus dünner Baumwollseide. »Selbstgefärbt!«

Auch Susanne trug Sachen aus dem Kleiderschrank des Vaters. Wenn sie nicht fanden, was sie suchten, nähten sie kurzerhand selbst. Kathrin hatte sich vom Schuster Lederflicken besorgt und sich eine bunte Lederjacke daraus genäht. Susanne trug eine Bluse aus Baumwollwindeln mit angenähter Spitze. Daraus könnte man eigentlich mehr machen, fanden sie. In Berlin, erzählte Susanne, sei Selbernähen schon lange in Mode. Sie erzählte Kathrin von *Allerleirauh*, einer Gruppe von Frauen mit einer Werkstatt im Prenzlauer Berg, die schon eine Untergrund-Modenschau mit vielen Lederklamotten veranstaltet hatten.

Susanne, die 23-jährige Theologiestudentin in Westjeans

und Bluse, war nicht so brav, wie sie vielleicht auf den ersten Blick erschien. Als sie noch mit Thomas zusammen war, nahm sie ohne ihn, aber mit anderen Theologiestudenten aus Leipzig an einem wochenlangen Studienkurs im Kloster Alexanderdorf teil. Das Kloster, von Benediktinerinnen geleitet, erwies sich als ein schöner Ort, an dem sie viel Zeit hatten und bis tief in die Nacht philosophieren konnten.

Die Benediktinerinnen, erzählte sie Kathrin, stellten Susannes Bild vom Klosterleben völlig auf den Kopf. Sie lernte moderne, gebildete Frauen kennen, die den *Tod des Märchenprinzen* genauso gelesen hatten wie Simone de Beauvoir und in ihrer Gruppe eine Psychoanalytikerin zur Unterstützung der Persönlichkeitsbildung beschäftigten.

»Die Nonnen fuhren im Winter gemeinsam Ski und wirkten sehr lebenslustig, ihre gute Stimmung übertrug sich auf uns alle.«

»Und Jochen?«, wollte Kathrin nun langsam mal Genaueres wissen.

»Er hat Gitarre gespielt ... und mich mit seinem wilden Revolutionsblick gekriegt! Wir sind dauernd in die Klosterbibliothek, nicht zum Studieren, sondern um heimlich zu knutschen, es gab da so eine versteckte Ecke. Oder in den nahegelegenen Wald ...«

Sie steckte sich eine neue Zigarette an. »Wir haben viel über freie Liebe und wilde Ehe geredet.«

Als Susanne vom Studienkurs zurückkehrte, hatte sie Thomas gegenüber aus ihrer Beziehung zu Jochen kein Geheimnis gemacht und pflegte ihre Liaison mit beiden Männern gleichzeitig weiter. »Bis ich einen neuen Kerl in Berlin kennenlernte.« Susannes Augen blitzten kurz auf, und ein schelmisches Lächeln zog über ihr Gesicht.

Kathrin stieß mit Susanne an, ihre Gläser klangen lange nach.

»Ich mag Thomas immer noch«, sagte Susanne, »er ist unerschrocken und entschlossen. Er strahlt so etwas Unbedingtes aus und verbreitet das Gefühl: Es geht voran.«

Kathrin nickte. »Stell dir vor, er hat neuerdings das Pfeifenrauchen entdeckt. Und er liest mir abends vor: Nietzsche, Sloterdijk, Heidegger.«

»Sehr erotisch«, spöttelte Susanne.

Kathrin lachte. »Abends, hab ich gesagt, nicht nachts!«

Bevor sie im Mai nach Berlin zog, hatte Susanne bei Thomas in einer Zweiraumwohnung in der Meißner Straße gewohnt. Die lag gleich um die Ecke von der Marianne. Susanne liebte aber wie so viele andere Gleichaltrige auch das Nomadenleben. Wenn möglich, zog man ein und wieder aus, man besuchte sich gegenseitig, schlief bei den Leuten, die man besuchte oder kennenlernte. Es war normal, selbst bei Wildfremden zu übernachten, wo immer man auch hinkam, beim Trampen oder nach Konzerten.

Kathrin war gerade erst in die Marianne gezogen und war glücklich und auch ein bisschen stolz auf die ersten eigenen vier Wände. Sie fand es praktisch, dass Thomas so nahe wohnte, aber mit ihm zusammenzuziehen kam ihr noch nicht in den Sinn. Trotzdem fragte sie neugierig Susanne, wie das gemeinsame Wohnen mit ihm gewesen war.

Susanne kannte das ja schon vom Studentenleben in Halle. Dort hatten sie mitten in der Stadt mit dreißig Kommilitonen im Reformierten Konvikt, einer Art kirchlichem Wohnheim, sehr gemeinschaftlich gelebt. Es wurde fast immer zusammen Abendbrot gegessen, und häufig sorgte Studentenbesuch aus dem Westen für spannende Diskussionen. Susanne und Thomas fühlten sich dort wohl. Sie waren angetan vom Zusammenhalt in der Gruppe und der Atmosphäre des Aufbruchs ins Leben.

»Wir haben viel gefeiert in Halle.«

Kathrin schenkte mehr Rotwein in ihre Gläser.

»Weißt du, wie wir russische Feten veranstaltet haben? Also«, Susanne rückte näher, »jede Menge Wodka, dazu Zwiebeln, Speck, Knoblauch und Senf aufs Brot. Jochen hat schon damals dazu prima Gitarre spielen können. Mal haben wir Verkleidungspartys gemacht, mal eine Fete nur mit Grönemeyer-Musik vom Band. Einmal gab es in Halle ein Livekonzert mit Konstantin Wecker. Eigentlich hatten wir keine Chance auf eine Karte. Wir wussten aber, wie man von hinten in den Konzertraum gelangen konnte. Noch eine Tür und noch eine, und plötzlich standen wir auf der Bühne. Das Konzert hatte schon angefangen, der erste Song war grad vorbei. Der Wecker war schon ganz verschwitzt und guckte etwas irritiert, machte dann eine Handbewegung. Wir liefen an ihm vorbei und sprangen von der Bühne direkt hinunter zum Publikum.«

Unvermittelt fragte Susanne: »Hat dir Thomas was von seiner Familie erzählt?« Kathrin schüttelte den Kopf.

Susanne drückte energisch ihre Zigarette im Aschenbecher aus.

»Wir hatten drei verdammt lange Jahre eine Beziehung, ohne dass ich jemals bei seinen Eltern in Karl-Marx-Stadt war. Er wollte keinen Kontakt, warum auch immer. Was da los ist, habe ich bis heute nicht von ihm erfahren.«

Kathrin fand, dass man nach drei Monaten Beziehung noch nicht bei den Eltern gewesen sein musste. Aber es stimmte, Thomas sprach nie über seine Familie, das hatte sie auch schon gewundert.

Die beiden schwiegen einen Moment. Von unten war das Schlagen der Haustür zu hören.

Kathrin wechselte das Thema und erzählte, in welchen Konflikt sie wegen ihrer Eltern geraten war. Bei einer Aktion der Arbeitsgruppe Menschenrechte hatte sie ein paar Briefe an mehrere Alters- und Pflegeheime verschickt, in denen sie um Unterstützung für einen zivilen Wehrersatzdienst geworben hatte.

»Zur Friedensdekade* gab es eine Ausstellung in der Reformierten Kirche, dort habe ich eine Tafel über die Zustände in Altersheimen gemacht. Die sind wirklich furchtbar. Deshalb liegt mir der Soziale Friedensdienst so am Herzen. Unseren Aufruf dazu habe ich zusammen mit einem persönlichen Anschreiben an einige Leipziger Heime geschickt, auch an das, in dem ich mal als Schülerin gearbeitet hatte. Ich dachte, die müssten doch eigentlich ein Interesse daran haben, wenn es ein paar Soldaten weniger und stattdessen Ersatzdienstleistende gäbe. Denen fehlen jede Menge Pflegekräfte, das habe ich ja selbst erlebt.«

Kathrin hatte sich als Schülerin ein Praktikum in einem Altersheim ausgesucht und danach in den Ferien immer wieder in solchen Häusern gearbeitet. In der 9. Klasse verfasste sie einen Aufsatz über ihre Erfahrungen. Sie war schockiert über die Situation der Alten. Es waren Menschen, schrieb sie, die *sich einsamer und überflüssiger fühlten als je zuvor in ihrem Leben.* Sie stand neben Pflegern, die weder Zeit noch Lust hatten und bei geringsten Problemen die Alten anbrüllten: *Ey, hör auf, sonst hack' ich Dir die Hände ab.* Kathrin wurde Augenzeugin täglicher Schikanen, bettlägerige Frauen klammerten sich in Angst und Not an sie. *Menschenwürdig,* schrieb die 14-Jährige im Schulaufsatz, *war das alles nicht.* Die Lehrerin gab ihr eine Eins. Kathrin fühlte sich ermuntert, ihr Engagement fortzusetzen. Sie wollte sogar Sterbebegleiterin werden. Für die kirchliche Ausbildung zur Krankenschwester brauchte sie mit sechzehn eine Ausnahmegenehmigung, die sie vom Berliner St.-Stephanus-Stift auch erhielt.

»Weißt du, was passiert ist, nachdem ich die Briefe verschickt hab? Ich musste zur Aussprache zum Bezirksbürgermeister von Leipzig-West in die Rietschelstraße. Der drohte mir, ich hätte mich staatsschädigend verhalten. Meine Argumente waren dem völlig egal. Aber schlimmer war es, was mit meinen Eltern geschah. Sie wurden in ihren Betrieben auf Druck der Stasi vorgeladen.«

Weil das Engagement ihrer Tochter sie seit Monaten sorgte, hatte ihre Mutter für den Vater einen Zettel vorbereitet, den er immer bei sich trug – für den Fall, dass er aus Parteikreisen auf Kathrins Aktivitäten angesprochen würde. Nun war es so weit. Ohne Vorwarnung wurde er in seiner Baumaschinenfabrik vor die Parteikontrollkommission geladen und schaffte es gerade noch, die Argumentationsempfehlungen seiner Frau zu lesen: Er habe durch die anstrengende Arbeit im Betrieb den Kontakt zu seiner 17-jährigen Tochter verloren und nicht gewusst, was sie alles treibt.

»Mein Vater, der nach dem Krieg im Osten geblieben ist, hat lange gebraucht, bevor er die DDR als seine Heimat akzeptieren konnte. Nur weil er überzeugende Genossen kennengelernt hatte, trat er nach langer Überlegung in die SED ein. Und ausgerechnet er wird nun von der Parteileitung völlig niedergemacht. Es hieß, er solle sich wegen meiner Briefe rechtfertigen. Wegen meiner! Sie sagten ihm, Partei und Regierung wüssten doch selbst Bescheid über fehlende Arbeitskräfte, auch in den Pflegeheimen, da brauche man keine Belehrungen durch eine schlecht erzogene Halbwüchsige. Mein Vater kam völlig fertig nach Hause und sagte den ganzen Abend kein Wort mehr. Seine Genossen wussten doch, dass er sich im Betrieb wahnsinnig aufreibt, dass er an den Wochenenden schon um vier Uhr aufsteht, um an den bescheuerten Übungen seiner Betriebskampfgruppe teilzunehmen. Aber sie haben das brutal gegen ihn durchgezogen.«

Auch Kathrins Mutter, die kein SED-Mitglied war, musste zur Betriebsleitung. Empfangen wurde sie von einer großen, mit Stasi-Leuten aufgefüllten Runde.

»Da ging es wirklich absurd zu. Als meine Mutter denen mein Anliegen, den Sozialen Friedensdienst, erklärt hatte, meinte ihre Abteilungsleiterin: Aber so etwas haben wir doch längst! Da wies der Stasi-Mann, der für den Betrieb zuständig ist, die Genossin zurecht: Mensch Renate, du guckst den falschen Sender. Nur im Westen haben sie doch so einen zivilen Ersatzdienst.«

Kathrins Vater bekam eine Verwarnung. Beide Eltern sollten Einfluss auf ihre Tochter nehmen, andernfalls gebe es weitere Konsequenzen für sie im Betrieb.

»Weißt du, Susanne, damit konnten sie mich kriegen. Ich gehe jetzt erst mal aus der Arbeitsgruppe Menschenrechte raus. Meine Mutter hat mich nicht darum gebeten, aber ich will nicht, dass meine Eltern für mein Engagement bestraft werden. Ich mach jetzt nur noch bei der Umweltgruppe mit – bis Dezember. Da werde ich 18 und dann können sie meine Eltern nicht mehr für mein Handeln zur Verantwortung ziehen.«

Die Geschichte machte Susanne wütend. Sie hatte Ähnliches erlebt.

»Meine Eltern wurden zum Kreisschulamt bestellt und sollten sich von mir lossagen – weil ich Theologie studieren wollte, dabei nicht mal an einer kirchlichen Ausbildungsstätte, sondern an der staatlichen Uni Halle. Mein Vater ist Lehrer, meine Mutter Kindergärtnerin. Ihnen wurde vorgehalten, sie beide seien ja Vertreter der sozialistischen Volksbildung, und wenn sie bei ihrer eigenen Tochter versagen, dann seien sie ihrer Stellung nicht würdig.«

»Und?«, fragte Kathrin, »was haben sie ...?«

»Haben sich natürlich nicht losgesagt von mir, ist ihnen auch nichts passiert.«

Der kurze Brief zum langen Streit

Das letzte Friedensgebet vor der Sommerpause fand an einem Montag Ende Juni statt. Pfarrer Wonneberger war verantwortlich und die Initiativgruppe Leben für die Gestaltung zuständig. Bei der gemeinsamen Vorbereitung hatten Micha, Uwe und Frank mit ihm zusammen beschlossen, dass die Kollekte für die Ordnungsstrafe bestimmt sein sollte, die den jungen Leipziger Jürgen Tallig getroffen hatte. Er hatte im Februar aus Protest gegen die Verhaftungen in Berlin Parolen an die Wände eines Fußgängertunnels am Leuschnerplatz in Leipzig geschrieben. Unübersehbar mit roter Lackfarbe auf einer Länge von zweiundzwanzig und einer Höhe von eineinhalb Meter: *NEUES DENKEN – auch nach Innen! Wir brauchen Offenheit, Demokratie – wie die Luft zum Atmen! M. Gorbatschow.* Dazu die Zeile *Hoch Lenin!* Ein Zitat aus dem Gedicht »Die unbesiegliche Inschrift« von Bertolt Brecht.

Der Tunnel wurde stundenlang gesperrt. Den Leipzigern log man vor, man habe dort eine Leiche gefunden. Talligs drei mit daran beteiligte Freunde blieben unerkannt, er galt als alleiniger Täter. Seine Ordnungsstrafe betrug 6145 Mark, von seiner Arbeitsstelle in einer Buchhandlung wurde er suspendiert. Grund genug, ihn zu unterstützen, fand auch Pfarrer Wonneberger, der allerdings darum bat, keinen Klingelbeutel zu verwenden, weil es keine Sammlung für die Kirche sei.

Die Nikolaikirche war mit rund 500 Besuchern gut gefüllt. Wonneberger trat zur Begrüßung vor und wies kurz auf das

Vorhaben des Vorbereitungskreises hin: »Es sind heute so viele Leute hier, da können wir doch nachher für einen Betroffenen von staatlichen Ordnungsmaßnahmen sammeln. Das ist dann nicht nur wie sonst immer nur eine verbale, sondern auch mal eine ganz konkrete Fürbitte.«

Dann ging das Friedensgebet seinen üblichen Gang, mit Liedern, Gebet, Predigt, Fürbitten. Gegen Ende traten Frank und Uwe ans Mikrofon, berichteten von Tallig und forderten die Anwesenden auf zu spenden. Uwe borgte sich von einem Mann, der an der Seite stand und den er für einen Stasi-Beobachter hielt, kurzerhand den Hut aus und ließ ihn durch die Kirchenbänke gehen. Die Kollekte brachte immerhin 1000 Mark.

Der anwesende Stellvertreter von Superintendent Magirius distanzierte sich noch während der Sammlung von dieser Aktion. Er war richtig aufgebracht, erhob sich aus der ersten Bankreihe und rief, auf der Stufe vor dem Altar stehend: »Was hier gerade geschieht, ist nicht im Sinne der Kirche. Zu dieser Sammlung muss Ihnen ergänzend gesagt werden, sie ist nicht mit dem Kirchenvorstand abgesprochen worden. Es ist die private Aktion der Gruppenmitglieder und wird von diesen allein verantwortet.«

Wonneberger verbat sich das: »Ich leite hier das Friedensgebet, nicht Sie!«

Nach dem letzten Orgelspiel suchte Uwe den Stellvertreter unter den Herausströmenden, konnte ihn aber nicht mehr entdecken. Frank hatte noch mitbekommen, dass er empört gemurmelt hatte: »So weit ist es gekommen, eine Kollekte sammeln ohne Absprache, für einen Straffälligen.« Sie wollten ihm die Sammlung für Tallig noch einmal erläutern, da er sie wohl nicht richtig verstanden habe.

Am Ausgang standen Thomas, Jochen und Kathrin. Sie zogen einen hektografierten Text aus ihren Umhängetaschen und verteilten die Blätter. Unter der Überschrift *Neues Handeln* ging es darin um den unerhörten Vorschlag, im Mai kommenden Jahres zu den Wahlen erstmals eigene Kandidaten aufzustellen. Den Text hatten Berliner Oppositionelle verfasst, er war durch Susanne und Rainer nach Leipzig gebracht worden. Uwe überflog den Text beim Hinausgehen:

Die Gestalt unserer Gesellschaft muss im freien und öffentlichen Dialog und nicht mehr autoritär-ideologisch und administrativ von oben herab bestimmt werden... erst ein realer Meinungspluralismus in der Gesellschaft ... wird die schöpferischen Energien der Menschen freisetzen. Eine Reform des politischen Systems der Mitverantwortung einschließlich des Wahlsystems und -verfahrens... Gründung von Bürgerinitiativen, Zeitschriften... erscheint uns unumgänglich.

Nach diesem Friedensgebet kam es wegen der Kollekte zu scharfen Auseinandersetzungen zwischen Pfarrer Wonneberger und der Leipziger Kirchenleitung. Wonneberger verbat sich die öffentliche Intervention gegen ein von ihm zu verantwortendes Friedensgebet. Man könne so etwas hinterher klären, nicht aber im Lauf der Veranstaltung vor der Gemeinde.

Für Magirius, auf den von staatlicher Seite in den vergangenen Monaten immer wieder Druck ausgeübt worden war, brachte die aus seiner Sicht illegale Kollekte das Fass zum Überlaufen. Er hatte den ständigen Ärger mit den Gruppen bei den Friedensgebeten mehr als satt. Er fasste einen einsamen Entschluss, den er wegen der bevorstehenden Pause bei den Friedensgebeten vorläufig für sich behielt.

Den Sommer nutzten die Aktivisten in den Basisgruppen auf ganz unterschiedliche Art. Gesine trampte mit ihrer Freundin Anita gen Süden. Thomas und Rainer besuchten in Prag ihre Freunde von der Charta 77* und anderen Oppositionsgruppen. Bernd knüpfte für den Arbeitskreis Gerechtigkeit

Kontakte nach Tallinn, Riga und Leningrad. Uwe, Theo und Frank gingen auf Tramptour nach Rumänien.

Kathrin, Rainer und Thomas luden Mitte August zu einem Gedenkgebet über die Gefahren der Atomkraft in die Michaeliskirche von Jugendpfarrer Klaus Kaden ein. Und unbemerkt von der Stasi gelang Thomas, Rainer, Bernd und Kathrin mitten im Sommer ein wichtiger Coup: Sie organisierten gemeinsam mit dem Berliner Oppositionellen Peter Grimm das erste landesweite Treffen der Macher von Untergrundzeitungen, Betreiber alternativer Bibliotheken mit verbotenen Büchern sowie der Vertreter von Friedens- und Umweltgruppen aus fünfzig Orten. Das von nun an monatlich stattfindende Treffen unter dem harmlosen Namen Sonnabendkreis* war das Ergebnis ihrer seit Monaten laufenden Bemühungen um ein funktionierendes Informationsnetz in Ostdeutschland. Eingeladen wurde grundsätzlich nur persönlich, niemals schriftlich. Getarnt mal als Geburtstagsfeier im Konvikt des Theologischen Seminars, mal als Gemeindeveranstaltung bei Pfarrer Turek in den Räumen der Markusgemeinde, später in den Räumen der Lukaskirche von Pfarrer Wonneberger, wurden diese Treffen in ihrer Bedeutung von der Stasi weitgehend verkannt.

Die Marianne war hin und wieder gut besucht, wenn Freunde und Bekannte aus der ganzen Republik vorbeischauten. Zu anderen Zeiten flatterte die Wäsche der alten Frau Lepschy im verwaisten Hof allein in der Sommerhitze. Die Sonnenblumen wuchsen längst über die Backsteinmauer hinaus, aus dem einst verwahrlosten Hof war fast ein kleiner Garten geworden.

Als sich gegen Ende August alle wieder in Leipzig eingefunden hatten, schlug eine Nachricht wie ein Blitz aus heiterem Himmel ein.

Rund um den Tisch im Hof der Mariannenstraße saßen Frank, Anke, Uwe, Anita, Christian und Michaela. Der Topf mit Kartoffelsuppe von der Mariannen-Hunger-Hilfe war restlos geleert worden. Frank erzählte schon eine Weile von den Erlebnissen, die Uwe und er bei ihrer Tramptour durch Rumänien gehabt hatten.

»Wir waren dort, wo sie begonnen haben, ganze Dörfer abzureißen, um stattdessen agroindustrielle Zentren zu bauen. Den Dorfbewohnern nehmen sie Hof und Garten weg und stecken sie in Plattenbauten rund um die Industrieanlagen. Tausende Orte sind von der Einebnung betroffen, in der Parteizeitung nennen sie den rigorosen Abriss *Auflassung* oder *Systematisierung.* Die Dorfbewohner verlieren dadurch sämtliche Existenzgrundlagen. Wir haben mit Frauen gesprochen. Früher konnten sie sich und die hungernden Verwandten in den Städten mit ihrer Ernte versorgen. Jetzt hungern beide, sie und die Verwandten. Auf die jüngeren Frauen wird immenser Druck ausgeübt, sie müssen Kinder gebären, Rumänien soll wachsen. In der Hauptstadt Bukarest wurde ein ganzes Altstadtviertel abgerissen, 40 000 Bewohner vertrieben, um einen Herrschaftssitz von Staat und Partei und davor ein Aufmarschgelände für eine halbe Million Menschen zu haben ...«

Frank merkte, dass ihm alle gebannt zuhörten. »Leute, wir müssen unbedingt einen Rumänienabend machen!«

Die Eingangstür klackerte, und kurz darauf standen Rainer und Kathrin im Hof. »Schaut mal, was wir haben, das hat Wonni Thomas gegeben.« Ohne weiteren Kommentar drückten sie Uwe einen Brief in die Hand.

Die anderen rutschten an ihn heran, er überflog den Brief und las einige Passagen laut vor: *Die Nikolaikirchgemeinde übernimmt nach der Sommerpause Durchführung und Verkündigung der Friedensgebete selbst ... Einige Gruppen haben sich ohnehin nicht mehr an der Gestaltung beteiligt, anderen scheint die Aufgabe belastend zu sein ... bitte ich darum, dass die Gruppen in der nächsten Zeit sich verstärkt ihren spezifischen Aufgaben zuwenden … Denn gemeinsam mit allen, die hier bleiben, wollen wir doch verantwortlich das Leben in unserer Gesellschaft verändern und verbessern … mit besten Grüßen, Schalom Magirius.*

Frank schüttelte den Kopf und griff nach dem Papier. »Waaas, die wollen uns das Friedensgebet nicht mehr gestalten lassen. Das ist doch nicht wahr …?«

Rainer machte eine dämpfende Handbewegung und sagte, das sei noch längst nicht alles. »Wonni hat von Magirius noch einen weiteren Brief erhalten, an ihn persönlich …«

Lieber Bruder Wonneberger …, ahmte Kathrin den pastoralen Tonfall von Magirius nach und las aus dem zweiten Schreiben vor: *Wie Ihnen bekannt ist, hat mein Stellvertreter Ihnen im Zusammenhang mit dem letzten Friedensgebet vor der Sommerpause erklärt, dass Sie sich selbst durch Ihre Handlungsweise Ihre Kompetenz für die Funktion der Koordinierung genommen haben. Wir haben unterdessen eine neue Gestaltung der Friedensgebete für die nächsten Wochen vorbereitet.*

Meinerseits stelle ich noch einmal fest, dass Sie damit von Ihrer bisherigen Aufgabe entbunden sind … Ihr Friedrich Magirius Superintendent.

Frank sprang auf. »Wonni von seinen Aufgaben entbunden? Das Friedensgebet ohne uns und die anderen Gruppen? Die wollen uns ins Abseits drängen?«

»Es soll in Zukunft unter alleiniger Regie des Kirchenvorstandes von St. Nikolai stattfinden«, sagte Kathrin. »Wonni war noch in Urlaub, als der Brief an ihn kam. Magirius stellt ihn und uns vor vollendete Tatsachen.«

Uwe starrte vor sich hin.

»Wir müssen handeln, möglichst schnell. In einer Woche ist wieder Montag, Friedensgebet. Lasst uns eine Erklärung …«

Frank ging um den Tisch herum und baute sich vor den anderen auf. »Erklärung? Nee, Leute … wir ketten uns an die Nikolaikirche, an die Fenstergitter …«

»Oder wir besetzen die Kirche, durchgehend, Tag und Nacht!«

»Das ist es. Wir müssen uns Ketten besorgen ... Eisenketten ... in Connewitz gibt es einen alten Eisenwarenladen.«

»Und Sicherheitsschlösser! Die Ketten durch die Fenstergitter ziehen, abschließen und die Schlüssel ...«

»Die Schlüssel bitte nicht runterschlucken. So eine Aktion dauert länger als 24 oder 48 Stunden, vielleicht sogar noch länger. Etwas zu essen und zu trinken könnte man sich vorbeibringen lassen, aber irgendwann muss man einfach mal aufs Klo gehen, was dann?«

Alle lachten.

»Dann bietet sich die beste Gelegenheit, uns festzunehmen. Nein, länger anketten funktioniert wahrscheinlich nicht. Aber wie könnte man eine Kirchenbesetzung organisieren?«

Sie diskutierten noch eine Weile hin und her, erwogen Alternativen und Alternativen zu den Alternativen. Ihre Empörung war groß, da die Gruppen sich schon im Frühjahr zu Kompromissen mit Magirius bereit erklärt hatten. Sie stellten seither eine halbe Stunde vor Beginn der Friedensgebete einem Gremium von Mitgliedern der sächsischen Kirchenleitung, dem Superintendenten und dem Gemeindepfarrer deren Inhalt vor. Das war für sie bereits genug Zensur.

Rainer war am wenigsten überrascht davon, dass Magirius Pfarrer Wonneberger und die Basisgruppen vom Friedensgebet fernhalten wollte. Seit Januar waren an jedem Montag um fünf immer mehr Leute in die Nikolaikirche geströmt. Es waren die Gruppen mit ihren offenen Worten bei den Fürbitten, nicht die Psalmen, Lieder oder das Orgelspiel, die aus einem unauffälligen Treffen von zehn Leuten ein politisches Ereignis mit Hunderten von Besuchern und immer stärkerer Ausstrahlungskraft gemacht hatten. Wonneberger hatte das Politische Nachtgebet*, das während der Studentenbewegung von Dorothee Sölle und anderen kritischen Christen in Köln veranstaltet worden war, den Verhältnissen in Ostdeutschland angepasst und es Friedensgebet genannt. Er war der wichtigste Mann hinter den Friedensgebeten, und er wollte eine politische Veranstaltung, kein frommes Gebetstreffen.

Die Besucher kamen längst nicht mehr nur aus der Leipziger Alternativszene. Die Kirchenbänke füllten sich im Lauf des Jahres 1988 vor allem mit Menschen, die das Leben in der DDR satthatten und einen Ausreiseantrag gestellt hatten. Kathrin hatte wieder und wieder ein 61 Seiten dickes Infoheft über die Abwicklung der Ausreise und die Eingliederung von DDR-Bürgern in Westdeutschland per Schreibmaschine abgetippt, das dann in der Kirche vom Arbeitskreis Gerechtigkeit verteilt wurde. Thomas sah in den Ausreiseantragstellern Menschen, die keinerlei Hoffnungen mit dem Regime mehr verbanden, die protestwillig waren und bereit, auf die Straße zu gehen. Er und seine Mitstreiter warben deshalb auf vielen Veranstaltungen und Treffen unter den Ausreisern für den Besuch des Friedensgebetes.

Thomas hatte mit Rainer, Jochen, Kathrin, Gesine und den anderen im Arbeitskreis Gerechtigkeit darüber gesprochen, dass es einen Ort im Land geben müsse, an dem der Unmut sich Luft machen könne. Einen Treffpunkt wie den Wenzelsplatz in Prag oder in Danzig die Brigittenkirche. Das Friedensgebet in der Nikolaikirche könnte dieser Ort werden, davon war er überzeugt. Die Berliner Gruppen waren nach den Verhaftungen und Ausweisungen geschwächt. Dort zeigte sich auch ein halbes Jahr später noch kein neues Zentrum. Anders als Gethsemane- oder Zionskirche in der weitläufigen Hauptstadt der DDR lag die Nikolaikirche strategisch günstig in der Stadtmitte Leipzigs, umgeben von belebten Passagen, Einkaufs- und Flaniermeilen, dem Hauptbahnhof und dem Markt. Ständig waren Passanten in der Nähe, auch nach Arbeitsschluss. Darum war ihnen die Gestaltung der Versammlung in der Nikolaikirche so wichtig. Und nun wollte die Leipziger Kirchenleitung ihnen und den anderen Gruppen das Friedensgebet entziehen?

Die Kirchenleitung war bisher auch nicht ihrem Wunsch nach einem Kommunikationszentrum aller Leipziger Basisgruppen entgegengekommen. Seit Monaten hatten sie auf den verschiedensten Ebenen der Kirche über einen geeigneten Raum verhandelt. Sie waren Kompromisse eingegangen, wurden aber nur hingehalten. Bisher war noch nichts dabei herausgekommen. Wozu hatten sie mit den Kirchenvertretern immer wieder diskutiert? Es musste etwas geschehen.

Gegen Mitternacht ging Kathrin zu Thomas in die Meißner Straße. Er war gerade erst heimgekommen und bester Laune.

»Du glaubst nicht, was ich hier habe ...«

Er wedelte mit ein paar Blättern.

»Sag schon.«

»Komm, wir gehen erst runter auf die Straße.«

Sie folgte ihm das Treppenhaus hinunter. Auf dem spärlich beleuchteten Bürgersteig schaute er sich um, dann entschied er sich für eine Richtung, und sie gingen los.

»Es hat ein geheim gehaltenes Treffen zwischen Staat und Kirche gegeben, auf höchster Ebene, im Berliner Staatsratsgebäude. Es ging dabei um Berlin, Dresden und auch um uns hier in Leipzig. Was Magirius jetzt gemacht hat, ist kein Zufall. Sie machen heftig Druck auf die Bischöfe wegen des Missbrauchs der Kirche durch die Gruppen.«

»Wer sind SIE?«

»Jarowinsky als Beauftragter des Politbüros und Klaus Gysi, der für Kirchenfragen zuständig ist, der Vater von diesem Anwalt. Sie haben den Leuten vom Kirchenbund gedroht, mit einem gemeinsamen Standpunkt von Partei und Staat.«

»Woher weißt du das alles so genau?«

»Weil ich das Protokoll habe. Nicht nur das vom Treffen im Staatsrat, auch den vertraulichen Vermerk der Kirche dazu.«

»Das ist nicht wahr! Was steht denn noch drin?«

»Jarowinsky hat gesagt, die Kirche würde von oppositionellen Gruppen als trojanisches Pferd benutzt. Es dürfe aber auch in der Kirche keine rechtsfreie Zone geben. Es müsse endlich Schluss damit sein, dass die Kirchen zu Oppositionslokalen gegen den Staat gemacht werden. Die Grenzen des Zumutbaren seien überschritten, der Bogen überspannt. Jarowinsky hat direkt das angesprochen, was wir im Frühjahr bei Wonneberger machen konnten. Es dürfe nicht sein, dass sich aus Pfarrhäusern und Gemeinderäumen Leute am Telefon als *Kontakt- und Koordinationsgruppe* oder *Solidaritätsbüro* melden.«

»Und? Was sagt die Kirche dazu?«, wollte Kathrin wissen.

»Sie würden alle Vorwürfe prüfen, hat der Bischof erwidert. Jarowinsky forderte aber ein klares Signal, etwas Deutliches gegen die Grenzüberschreitungen.«

Den Rest könne Kathrin noch oft genug beim Abtippen lesen, meinte Thomas, und was Magirius jetzt verboten habe, wisse sie ja. Sie beide müssten nun möglichst schnell die Protokolle mit einem Kommentar vervielfältigen, um sie allen Besuchern in der Nikolaikirche bekanntzumachen.

»Noch was. Stell dir vor, als der Bischof fragte, ob er die Erklärung von Jarowinsky in die Hand bekomme, bekam er eine Abfuhr, wie ein kleiner Schuljunge: Der Staat gebe sie nicht aus der Hand, der Bischof und der ihn begleitende Oberkonsistorialrat dürften nur den Geist und Inhalt übermitteln.«

»Na, das hat bei der Leipziger Kirchenleitung bestens geklappt.«

Thomas fand es unnötig, andere einzuweihen, und wollte das Papier auch nicht bei einem befreundeten Pfarrer »zum innerkirchlichen Dienstgebrauch« getarnt drucken, sondern eine seiner heimlichen Druckmöglichkeiten nutzen. Nur Kathrin sollte ihm dabei helfen. Die wusste, dass es sinnlos war, ihren Freund zu fragen, wie er an die Protokolle gekommen war. Thomas hatte mal angedeutet, spezielle Beziehungen zu haben. Zu Kirchenoberen? Zu SED-Mitgliedern? Sein Jarowinsky-Protokoll, so stellte Kathrin bei näherer Betrachtung später fest, war jedenfalls eines der Exemplare, das an die 1. Sekretäre der SED-Bezirks- und Kreisleitungen gegangen war.

Wenige Tage später sollte das erste Friedensgebet nach der Sommerpause stattfinden. Das Verbot von Magirius hatte sich in den Basisgruppen der Stadt herumgesprochen. Leute aus verschiedenen Gruppen hatten sich zusammengesetzt und eine kurze Protesterklärung verfasst. Darin beschwerten sie sich vor allem über die Umstände der Entscheidung des Superintendenten: *Wir fordern Offenlegung der tatsächlichen Hintergründe Ihrer uns unverständlichen Entscheidung, Wiederherstellen der Möglichkeit für die Leipziger kirchlichen Basisgruppen die Friedensgebete in Eigenverantwortung unzensiert zu gestalten.*

Magirius ließ über andere Mitarbeiter das Versprechen verbreiten, es werde am Montag in der Nikolaikirche eine Diskussion über die neue Form der Friedensgebete geben.

Fünfhundert Besucher füllten am Montag pünktlich um 17 Uhr das Kirchenschiff. Pfarrer Führer trat vor den Altar, schaltete das Mikrofon ein und sprach die Begrüßung: *Am 27. Juni habe ich Sie zur Sommerpause verabschiedet und heute am 29. August habe ich die Freude, Sie wieder hier in unserer Kirche St. Nikolai zu begrüßen. In der Sommerpause galt es, über Inhalt und Form unserer Zusammenkünfte nachzudenken.*

Nicht nur in der Gruppe um Uwe, Frank, Thomas, Jochen,

Gesine, Kathrin und die anderen, die hinten standen, wurde es unruhig.

Unser Kirchenvorstand hat an die Vorsitzenden der Gruppen ein Schreiben gesandt mit der Bitte um entsprechendes Nachdenken. Lag es nun an dem Sommer, oder woran auch immer, viel Anregungen sind nicht gekommen – genauer gesagt: gar keine.

Empörte Zwischenrufe mit dem Hinweis auf das Protestschreiben waren zu hören. Führer sprach weiter ins Mikrofon, ohne darauf einzugehen.

Inzwischen war nicht genug Zeit, um mit den beteiligten Gruppen alles ausgewogen zu erörtern. So führen wir heute eine neue Ordnung ein, die sich einerseits wieder der ursprünglichen Form des Friedensgebetes annähert, andererseits mit der uns möglichen Weise von Auslegung, Lied, Gebet und Segen dem besonderen Anliegen eines Großteils unserer Zuhörer widmet.

Das Orgelspiel setzte ein, eine Antwort auf die Worte Führers zu geben war unmöglich. Die Gruppenmitglieder wollten, dass während des Friedensgebetes der Brief von Magirius an sie verlesen und dann eine Diskussion darüber begonnen werde. So hatte es die Stadtkirchenleitung ihnen versprochen. Doch sie warteten vergeblich. Magirius stellte sich vor den Altar.

Wir wollen das Friedensgebet beschließen mit einigen Informationen und mit der Bitte um den Segen Gottes.

Nach einer guten halben Stunde sprach Magirius bereits das Schlusswort.

Wir sind Gott dankbar, dass es in unserem Land eine klare Trennung von Staat und Kirche gibt. Das schafft uns einerseits Freiräume, Möglichkeiten zum Denken, zum Handeln, die wir immer wieder versucht haben, bis zum Äußersten auszuschöpfen. Das bindet uns anderseits allein an die Botschaft der Bibel und an die Gesinnung Jesu.

Frank blickte zu Uwe und verzog das Gesicht. Magirius redete weiter.

Als unser Friedensgebet größere Öffentlichkeit erlangte, haben wir darum gebeten, dass die Gruppen ihre Verkündigung und Gebete verantwortlich mit einem Pfarrer vorbereiten und absprechen … Da dieser Versuch nicht immer gelungen ist, die Teilnehmer oft mit anderen Erwartungen kamen, haben wir als die Verantwortlichen unserer Nikolaikirchgemeinde für die nächste Zeit die heute vorgestellte neue Ordnung für unsere Friedensgebete beschlossen.

Frank rief dazwischen: »Darüber müssen wir reden!« Magirius blickte nur kurz in seine Richtung und erhöhte seine Lautstärke.

Wem nützt es, wenn es zu einer Spannung kommt zwischen Basisgruppen und Ortsgemeinden? Wem nützt es, wenn es zu Spannungen kommt zwischen Menschen, die hierzulande Verantwortung tragen wollen, und denen, die unser Land verlassen? Wem nützt es, wenn wir uns drängen lassen zwischen denen, die hier für dieses Gotteshaus Verantwortung tragen und die Friedensgebete weiterführen wollen, und denen, die anderer Auffassung sind? Nehmen Sie uns bitte alle ab, dass wir es uns nicht leicht gemacht haben mit dieser Entscheidung, dass sie weder eigenmächtig noch überheblich oder in irgendeiner Abhängigkeit getroffen wurde, sondern einzig und allein als eine Gewissensentscheidung.

Während seiner Ansprache gingen die beiden Theologiestudenten Jochen und Thomas langsam nach vorne, bis sie fast bei Magirius waren, weil sie endlich die vereinbarte Diskussion beginnen wollten. Der Superintendent hob schon die Arme.

Wir wollen zum Segen aufstehen!

Da trat Jochen entschlossen ans Mikrofon und begann, den Brief von Magirius und die Erklärung der Gruppen vorzutragen. In Sekundenschnelle eskalierte die Situation. Magirius machte einen Satz zu dem versteckten Schalter, mit dem er das Mikrofon abstellen konnte, dann richtete er sich wieder auf und gab dem Kirchenmusikdirektor auf der Empore ein Zeichen zum Spielen.

Jochen versuchte mit seiner lauten und kräftigen Stimme auch ohne Mikrofon weiterzureden, doch die dröhnend einsetzende Orgel übertönte ihn. Andreas von der Initiativgruppe Leben hielt das nicht länger aus. Er flitzte die Treppe hinauf zum Organisten. Er wusste, wo die Sicherung für das Gebläse war, und schaltete sie kurzerhand ab. Die Orgel verstummte.

Als jemand Andreas durch das Absperren der Zugangstür am Verlassen der Empore hindern wollte, sprang er ins Kirchenschiff hinab und über zwei, drei Kirchenbänke zurück in den Gang. Die Versammelten trauten ihren Augen und Ohren nicht, so unfriedlich war es noch nie bei einem Friedensgebet zugegangen.

Im Kirchenschiff gingen die Stimmen durcheinander, einige Besucher standen auf, andere blieben sitzen. Jochen versuchte noch einmal durchzudringen. Magirius bewachte weiterhin den Mikrofonschalter. Im Durcheinander sprang plötzlich auch noch Christian Führer, der Pfarrer der Nikolaikirche, auf eine Kirchenbank und rief in den Tumult:

Liebe Zuhörer, falls Sie jetzt weiter hierbleiben, wird das bedeuten, dass das Friedensgebet nicht weitergeht ... Superintendent Magirius wird mit den Gruppen noch sprechen. Er hat dies auf alle Fälle zugesagt. Uns geht es hauptsächlich darum, dass Sie weiter in unsere Nikolaikirche kommen können. Es wird sonst eine Entscheidung geben, die Sie wahrscheinlich und uns alle betroffen macht. Deshalb bitte ich jetzt, dass wir miteinander die Kirche verlassen.

Führer erntete Pfiffe und Protestrufe. Er las, etwas wackelig auf der Kirchenbank stehend, den Brief über den Ausschluss der Gruppen vom Friedensgebet vor. Dann rief er in den Kirchenraum:

Sie haben mich vorhin verstanden. Das sind keine Leute von uns. Wenn Sie hier weiter bleiben, arbeiten wir nur dem Staat in die Hände, der das Friedensgebet je eher je lieber aufhören lassen will. Wenn Sie jetzt nicht die Kirche verlassen, wird das vermutlich Konsequenzen haben.

Uwe, Jochen, Frank, Gesine und die anderen forderten die Anwesenden dagegen auf, zu bleiben und zu diskutieren. Sie sammelten Unterschriften unter ihre Protesterklärung. Mehr als 200, zählten sie später, bekamen sie zusammen.

Am Ausgang der Nikolaikirche rief ein Besucher, der zu den Ausreiseantragstellern gehörte, den Leuten zu, man wolle sich am nächsten Sonntag frühmorgens mit Fahrrädern vor der Nikolaikirche treffen und von der Innenstadt als Fahrradcorso ins Grüne nach Beucha fahren. Als Kennzeichen solle ein weißes Band am Lenker des Rades befestigt werden.

Fahrradcorso ins Grüne? Das klang harmlos, doch jeder wusste, dass am Sonntagvormittag Erich Honecker die Leipziger Messe eröffnen würde. Und die Strecke führte am Messegelände vorbei.

Thomas betrachtete das Durcheinander im Kirchenschiff. Seine Augen suchten Pfarrer Wonneberger. Der saß auf einer Bank und verfolgte ruhig den Tumult. Thomas war zufrieden, als er ihn entdeckte, er wusste, dass neben Wonneberger eine Stofftasche lag, in der schon die ganze Zeit ein Tonband mitlief. Thomas plante, nicht nur das Protokoll des Geheimtreffens im Staatsrat, sondern auch die Geschehnisse hier öffentlich zu machen. Schon nächste Woche würden viele Journalisten aus dem Westen in Leipzig eintreffen. Sie würden sich zur Berichterstattung von der Eröffnung der Herbstmesse durch Erich Honecker beim Außenministerium akkreditieren lassen, aber in Wahrheit die Gelegenheit nutzen, das wusste er von Susanne in Berlin, um am Montag zur Nikolaikirche zu kommen. Die Hausherren in Nikolai, Führer und Magirius, hassten die Westkameras, obwohl die wenigen zugelassenen Fernsehjournalisten aus dem Westen außerhalb der

Messezeiten selten nach Leipzig reisen durften. Magirius und Führer verweigerten Kamerateams und Fotografen generell den Zutritt zum Friedensgebet in der Kirche, schließlich wisse man ja nicht, was mit den Aufnahmen geschehe. Und wenn sie ihre Objektive beim Verlassen auf die Besucher richteten, sei es, als würde man in Maschinengewehre laufen.

Die meisten Besucher der Friedensgebete sahen das anders als die Pastoren, die davon sprachen, der Presse im Westen, der sei auch nicht zu trauen, die müssten ihre Produkte verkaufen und würden daher immer alles aufbauschen. Den Ausreiseantragstellern waren Westkameras sogar hochwillkommen, um ihrem jahrelangen Warten auf eine Entscheidung der DDR-Behörden durch Statements im Westfernsehen schneller ein Ende zu setzen.

Thomas, Uwe und die meisten anderen in den Basisgruppen sahen in den von der DDR zugelassenen Journalisten aus dem Westen die Chance auf eine größere Öffentlichkeit, die ihre Anliegen, ihre im Untergrund hektografierten Erklärungen und Berichte weithin bekannt machen konnten. Gleichzeitig bot der Kontakt mit Westmedien einen Schutz, der dem Staat Repressionen erschwerte. Sie hatten sich mehrmals bei der Stadtkirchenleitung dafür eingesetzt, dass ARD und ZDF das Friedensgebet filmen dürften, oder wenigstens den Beginn mit der vollbesetzten Nikolaikirche. Dies wurde immer wieder abgelehnt mit dem Argument, eine Drehgenehmigung für kirchliche Veranstaltungen werde innerhalb der Landeskirche prinzipiell nicht erteilt.

Thomas und andere *Zugeführte* hatten aber bei ihren Vernehmungen gemerkt, dass es etwas gab, was die Herrschenden ganz besonders fürchteten: öffentliche Bloßstellung und Transparenz. Ihre Macht beruhte nicht nur auf Polizei und Stasi, sondern ganz besonders auf Geheimhaltung und Unterdrückung von Informationen.

Thomas freute sich schon auf den nächsten Montag. Bis dahin würden Kathrin und er den Text vom geheimen Treffen zwischen Staat und Kirche vervielfältigt haben, so dass sie ihn beim Friedensgebet unter die Leute bringen könnten.

Über den Tumult in der Nikolaikirche hatten inoffizielle Mitarbeiter ihrem Geheimdienst ausführlich berichtet, der wiederum hatte die Genossen der SED-Bezirksleitung, die sich niemals selbst in die Kirche wagten, genauestens ins Bild gesetzt.

Da zu den Hauptakteuren des Tumultes Theologiestudenten zählten, zitierten die Genossen vom Rat des Bezirkes die Leitung des Theologischen Seminars zu sich. Zur Vorbereitung des Gespräches trafen sich der Rektor und zwei Dozenten mit Magirius. Als sie den Parteigenossen gegenübersaßen, hagelte es schwere Vorwürfe. Nun seien die Fronten klar, hieß es. Man stimme doch wohl darin überein, meinten die SED-Genossen, dass man nicht zulassen könne, dass ein Superintendent in der Kirche von Theologiestudenten politisch angegriffen werde. Magirius distanzierte sich von den Leuten aus den Basisgruppen und beteuerte, so notierten es sich die Staatsvertreter, es handele sich um *Gewaltgebrauch von Theologiestudenten im gottesdienstlichen Raum gegen das Hausrecht der Gemeindeverantwortlichen.*

Die Genossen beruhigte die Nachricht, dass Pfarrer Wonneberger und den Gruppen die Gestaltung des Friedensgebetes entzogen worden war. Inzwischen war der Alleingang von Magirius nachträglich vom Nikolai-Kirchenvorstand abgesegnet worden. Einstimmig, konnte Magirius berichten, habe man eine neue Ordnung beschlossen, die ab sofort gelte: Begrüßung durch den Nikolaipfarrer – Lied – Schriftlesung – Auslegung – Gebet/Kyrie – Information/Abkündigungen – Sendungswort – Lied.

Die Genossen vom Rat des Bezirkes verabschiedeten sich

von den Kirchenmännern, sie waren erleichtert, dass das Friedensgebet in Zukunft nicht mehr politisch, sondern rein theologisch sein würde. Genosse Hartmut Reitmann schrieb abends einen Brief nach Berlin an den Staatssekretär für Kirchenfragen, in dem er Magirius für dessen *wohlüberlegte, gewissenhafte Entscheidung* lobte. *Es besteht Übereinstimmung darüber, dass es nicht zugelassen werden kann, dass im kirchlichen Raum Studenten des Theologischen Seminars einen Leipziger Superintendenten politisch angreifen.* Es stelle *eine Verletzung des kirchlichen Regelwerkes* dar.

Jochen und Thomas erhielten gleich am Tag darauf vom amtierenden Rektor einen *»Verweis im Sinne einer Mahnung«*. Rainer war von Magirius ebenfalls als Störer genannt worden, doch er konnte nachweisen, dass er an diesem Montag gar nicht in Leipzig, sondern in Prag war. Das war ein bisschen peinlich für den Superintendenten. Selbstverständlich verriet Rainer dem Rektor nicht, dass er in Prag für den Arbeitskreis Gerechtigkeit unterwegs gewesen war und Oppositionelle von der Charta 77 aufgesucht hatte. Die Bande waren enger geworden. Alle paar Wochen fuhr inzwischen jemand aus der Leipziger Gruppe nach Prag. Den Berliner Mitstreitern war das schon seit Jahren nicht mehr möglich, sie wurden an der Grenze abgewiesen.

Handeln und beten
September 1988

Die Basisgruppen waren nun ausgeschlossen von der Gestaltung des Friedensgebetes. Aber die Mitglieder durften natürlich weiterhin teilnehmen. Für sie war das Ringen mit der Leipziger Kirchenleitung längst nicht entschieden. Magirius' Verbot hatte sie alle näher zusammenrücken lassen: den Arbeitskreis Gerechtigkeit mit Thomas und Kathrin, die Initiativgruppe Leben mit Uwe und Frank und den Arbeitskreis Menschenrechte von Pfarrer Wonneberger. Acht Leute aus diesen drei Gruppen, darunter Uwe, Frank, Rainer, Jochen und Gesine, setzten sich zusammen und formulierten einen offenen Protestbrief an den Landesbischof Johannes Hempel.

... Durch die Art des Umgangs, die Superintendent Magirius in dieser Sache als auch in verschiedenen anderen Angelegenheiten der letzten Zeit gezeigt hat, hat er unseren Respekt als kirchenleitende Persönlichkeit, unser Vertrauen auf seine geistliche Kompetenz und unseren Glauben an seine moralische Integrität verloren. Wir gewinnen den Eindruck, dass Magirius bewusst Missverständnisse schafft und Voreingenommenheit bei Pfarrern gegen unsere Arbeit erzeugt, um unser Engagement zu behindern. Wir müssen uns immer wieder die Frage stellen, ob diese Vorgehensweise wirklich einer christlichen Motivation entspringt oder ob Superintendent Magirius andere Interessen vertritt ... Um irgendeinen Erfolg unserer Arbeit zu ermöglichen, müssen wir viele Menschen erreichen und dürfen nicht ausschließlich zwischen

den Gruppen oder mit Kirchenvertretern im Gespräch stehen. Wir brauchen die Öffentlichkeit. Wir sehen uns als Gruppen nun nicht mehr nur von staatlicher, sondern auch von kirchlicher Seite ins Abseits gedrängt ...

Sie baten den Bischof um ein klares Wort zum Umgang mit den Gruppen.

Am Sonntag, einen Tag vor dem nächsten Friedensgebet, eröffnete Erich Honecker die Leipziger Herbstmesse. Etwa 50 Ausreiseantragsteller fuhren diszipliniert in Zweierreihe, wie es die Straßenverkehrsordnung vorsah, als Fahrradcorso am Messegelände vorbei, ohne Plakate oder Transparente, aber unübersehbar. Die Volkspolizei hatte keine Erfahrung, wie sie darauf reagieren sollte. Einige Teilnehmer wurden nach dem Ende der Fahrt festgenommen, verhört und wieder freigelassen. Sie beharrten darauf, nur einen Ausflug ins Grüne gemacht zu haben. Thomas beobachtete die Aktion, sprach mit einigen Teilnehmern und schrieb noch am gleichen Abend für die im Westen erscheinende *taz* einen Bericht, den er der zur Messe erschienenen Reporterin der Zeitung übergab. Die Kontakte zu ein, zwei Westjournalisten, die über Susanne in Ost-Berlin liefen, waren inzwischen so gut, dass er über sie immer öfter Briefe, Erklärungen oder Flugblätter vorbei an der Postkontrolle der DDR über die Grenze transportieren lassen konnte.

Thomas und auch Rainer fuhren oft zu Susanne und übernachteten in ihrer Wohnung in der Greifenhagener Straße. Sie hatte dann immer die aktuellsten Untergrundzeitungen besorgt, die in der Umweltbibliothek oder anderswo heimlich gedruckt wurden, damit sie in Leipzig und im ganzen Süden der DDR verbreitet werden konnten. Nicht nur ein paar, sondern manchmal Hunderte Exemplare vom *Grenzfall*, *Kontext*, den *Umweltblättern* oder den *Dialog-Heften*.

Die Gegenöffentlichkeit zu den staatlich gelenkten Medien wurde immer stärker ausgebaut. In West-Berlin gab es seit dem vergangenen Jahr ein von jungen Leuten betriebenes alternatives UKW-Programm, in dessen Sendungen die DDR-Opposition mit eigenen Radiobeiträgen zu Wort kam. Tonbandaufnahmen wurden von Ost nach West geschmuggelt, die Musik lieferten junge Liedermacher, Independent- oder Punkgruppen. Das Programm nannte sich »Radio Glasnost – außer Kontrolle«. Da der Sender nicht überall in der Republik zu empfangen war, kursierten in der ostdeutschen Jugendszene zahlreiche Mitschnitte der Sendungen. Thomas nutzte auch diese Möglichkeit. Gemeinsam mit Kathrin hatte er inzwischen ein kleines Infoheft mit den Protokollen des Geheimtreffens zwischen Staat und Kirche gedruckt und geheftet. Kathrin hatte erstmals versucht, eine größere Überschrift hinzubekommen, und hatte die Buchstaben »Die Kirche« mit Hilfe einer Stricknadel groß auf die Wachsmatrizen geschrieben. Thomas hatte ein Vorwort verfasst: *Das hier vorliegende Heft will öffentlich machen, worüber zu reden nur im Flüsterton erlaubt ist.*

500 Exemplare verbreiteten sie unter Vertretern von Basisgruppen in der ganzen DDR, einige gingen auch an Westjournalisten. In »Radio Glasnost« wurden umfangreiche Passagen der von Thomas übermittelten Geheimprotokolle vorgetragen.

Mit den anderen 500 Exemplaren standen Thomas und seine Freundin Kathrin am Montag nach dem Friedensgebet in der Nikolaikirche und verteilten sie an die Besucher, die noch miteinander diskutierten. Magirius hatte über die sogenannte Friedensgrenze* zu Polen gepredigt und wieder kein Wort zum schwelenden Konflikt gesagt.

Kathrin hoffte, nach dem Lesen der geheimen Jarowinsky-Protokolle würde nun jeder begreifen, welches Spiel zwischen

Staat und Kirche lief und wessen Interessen die Entscheidung von Magirius diente.

Auch Gesine, Rainer, Uwe und Frank gingen durch die Reihen und verteilten hektografierte Blätter mit dem offenen Brief an Bischof Hempel. 650 Besucher verließen langsam die Kirche. Draußen regnete es in Strömen. Trotzdem blieben die meisten auf dem Nikolaikirchplatz stehen und diskutierten weiter. Jochen dachte: Die Gelegenheit!

Er stellte sich auf ein paar Betonplatten, die wegen einer Dauerbaustelle vor der Kirche aufgestapelt waren, und begann, so laut er konnte, zu reden.

Wir, das heißt einige Mitglieder der Leipziger kirchlichen Basisgruppen, machen heute noch einmal den Versuch, uns an die Öffentlichkeit zu wenden. Bisher hatten wir die Möglichkeit, das in der Kirche zu tun. Vor zwei Wochen wurde uns die Sprecherlaubnis entzogen. Entgegen den öffentlichen Beteuerungen des Superintendenten und des Pfarrers dieser Kirche, dass ihre Entscheidung allein vor ihren Gewissen und vor Gott getroffen ist, wissen wir, dass massiver äußerer Druck zur Absetzung des Friedensgebetes der Gruppen geführt hat. In den Gebeten sind öfter Stimmen laut geworden, die hier im Land nicht an die Öffentlichkeit dürfen; Unzufriedenheit mit Kirche und Staat – Protest gegen Unterdrückung – Aufruf zur Solidarität. Damit soll jetzt Schluss sein!«

Die Menschen in Hörweite klatschten Beifall. Andere kamen näher.

Wir sehen uns als Christen und als Leute, die die Wahrheit lieben, verpflichtet, hier zu protestieren. Wir rufen alle Verantwortlichen dazu auf, die wahren Hintergründe ihrer Entscheidung offenzulegen und wenigstens in ihren Räumen das Recht der freien Meinungsäußerung aufrecht zu erhalten. Wir bitten um Solidarität aller, die so empfinden wie wir. Wir bitten all jene, denen die Freiheit der Kirche und die Freiheit der Meinungsäußerung in diesem Land am Herzen liegen, sich zu Wort zu melden.

Aus dem großen Kreis um Jochen bildete sich eine Kette mit Uwe, Gesine, Jochen, Kathrin und Anita. Kathrin und Anita hakten sich unter und setzten sich in Bewegung. Unter den Augen von schaulustigen Passanten, Westjournalisten und Stasi-Beobachtern schlossen sich mehr als zweihundert Menschen dem spontanen Schweigemarsch an. Von der Nikolaikirche ging es über den Boulevard zum Markt. Nachdem zuerst einige der zivilen Anoraktträger von Partei und Stasi seitlich in den Zug drängten, versuchten ihre Kollegen, die Spitze des Zuges auseinanderzunehmen. Unter Rufen wie »Geht nach Hause« oder »Wir werden doch alle nass« zerrten sie die vordersten Teilnehmer in alle Himmelsrichtungen. Doch die Kette bildete sich neu – stärker als zuvor. Der Zug wuchs auf dem Weg zum Markt dank der vielen Begleiter sogar erheblich an. Beim Versuch, dort einen Kreis zu bilden, griffen Stasi-Kräfte gewaltsam ein. Von allen Seiten rissen sie die Leute auseinander, bis sie vom Markt vertrieben waren. Verhaftet aber wurde niemand.

Der Ärger der Gruppen verschwand nicht. Sie waren nach wie vor nicht bereit, ihren Rauswurf aus der Nikolaikirche widerstandslos hinzunehmen. Superintendent Magirius und Christian Führer verweigerten weiterhin jegliche Diskussion über die Beteiligung am Friedensgebet.

Eine plakative Aktion in der Kirche war fällig. Eine, bei der man nicht ums Mikrofon kämpfen musste, um seine Meinung kundzutun. Sie organisierten Mundschutztücher, wie sie Ärzte bei einer OP tragen. Jemand von den Ausreisern hatte Beziehungen zu vietnamesischen Näherinnen, die ihnen die Tücher nähten. Rainer brachte sie zur Nikolaikirche mit und verteilte vor Beginn des Friedensgebetes zwei Dutzend Tücher. Sie streiften den Mundschutz über und stellten sich demonstrativ an den Eingang. Alle Besucher mussten an ihnen vorbeigehen. Es war ein stummer, aber deutlich sichtbarer Protest. Jeder konnte das Wort lesen, das sie in großen Lettern daraufgeschrieben hatten:

REDEVERBOT

Einige von den Ausreiseantragstellern wollten sich ebenfalls Mundtücher überstreifen. Rainer ärgerte sich, dass sie zu wenige hatten. Von da an wiederholten sie die Aktion Woche für Woche und brachten noch mehr Mundtücher mit. Irgendwann musste sich doch etwas im Konflikt mit der Kirche bewegen.

Im Hof der Marianne frühstückten Christian, der im Zimmer gegenüber von Rainer wohnte, und sein alter Freund Rico zusammen in der Sonne. Sie saßen vor den üppig blühenden Sonnenblumen an der Mauer zum Nachbargrundstück. Wenn man morgens sehr früh aufstand oder nachts sehr spät nach Hause kam, konnte man vor den Kaufhallen etwas frische Milch und andere Lebensmittel mitnehmen, die dort von Lieferanten vor dem Eingang abgestellt worden waren. Brot, Butter, Wurst. Die Kartoffeln ließen sich einzeln aus dem Gitterkäfig befreien. Das machten viele der jungen Leute und Studenten, die in den heruntergekommenen Stadtvierteln Leipzigs schwarzwohnten. Im ganzen Land verschwanden brauchbare Dinge in den Betrieben und wurden mit nach Hause genommen. Volkseigentum eben. Niemand hatte deswegen ein schlechtes Gewissen. Entsprechend üppig war heute ihr Frühstück ausgefallen. Der 21-jährige Rico kam aus Thüringen und studierte in Leipzig Theologie. Doch richtig ernst war es ihm damit nicht. Er wollte Musiker werden. Blues war seine Leidenschaft. Er hatte sich eine Gitarre organisiert und sich das Spielen selber beigebracht. Seine Töne gehörten mittlerweile zur Atmosphäre in der Marianne. Er saß gern im Hof und übte. Gerade gab es den Plan zu einem Straßenmusikfestival, das erhöhte seinen Eifer. Von Jochen kam die Idee, möglichst viele Musiker aus dem ganzen Land für einen Tag nach Leipzig einzuladen und mit ihnen im nächsten Sommer in allen Straßen der Innenstadt aufzutreten.

Die Luft war warm und drückend. Quer über den Hof spannte sich die Wäscheleine mit den riesigen weißen Schlüpfern und Leibchen, den grauen Kitteln und Handtüchern der alten Frau im zweiten Stock. Die Witwe mit Dauerwellenfrisur und die neuen Mitbewohner hatten sich gut arrangiert. In der winzigen Toilette auf halber Treppe, die sich die jungen Frauen im obersten Stock mit ihr teilen mussten, hatte jeder seine eigene Klopapierrolle mit Namensschild. Die Dame namens Lepschy sächselte ungemein, guckte ausgesprochen viel Westfernsehen. Sie erzählte manchmal davon und galt ihnen als ehrliche Haut. Aber angesichts der Ausmaße ihrer Unterwäsche wandelten sie ihren Nachnamen etwas ab. Irgendwann hieß sie nur noch »Oma Läppchen«.

Plötzlich verschwand die Sonne hinter dunklen Wolken, und Wind ließ die Wäsche auf der Leine flattern. Rico achtete nicht darauf, er versuchte sich an Zappas Song von Bobby Brown. Christian drehte sich eine Zigarette. Es wurde noch dunkler.

Oma Läppchen erschien im Hof, löste die Klammern von ihrer Wäsche, mahnte die Jungs hineinzugehen, denn gleich gehe es los, und verschwand mit dem Weidenkorb im Haus. Die Jungs harrten weiter aus. Im offenen Küchenfenster stand plötzlich Saskia und hörte ihnen zu. Rico blickte zu dem hübschen Mädchen mit Stirnband und schulterlangen Locken. Sie trug Hippiekleidung, ein kurzes, rotes Batikkleid, das sie sich aus einem alten Bettlaken selbst zusammengenäht und in einem Eimer gefärbt hatte. Die ersten Tropfen fielen. »Bobby Brown« klappte immer besser, Rico wollte nicht aufhören. Christian sog den Rauch tief ein, mit einer Hand zupfte er an seinen lang herabhängenden Locken.

Die Tropfen wurden schnell größer. Wo sie im Dreck des Hofes aufprallten, spritzten sie hoch. Plötzlich roch es intensiv nach Sommer, Staub und warmem Regen. Schlagartig prasselte es los. Rico reichte die Gitarre zu Saskia durchs Küchenfenster hinein. Er drehte sich um. Was machte Christian da? Der hatte sich das Hemd abgestreift und in das offene Fenster seines Zimmers geworfen. Jetzt löste er den Gürtel. Rico lachte und griff nach seinen Hemdknöpfen. So schnell wie möglich streiften beide ihre Klamotten ab und warfen sie durch Christians Fenster ins Trockene. So standen sie mitten im Hof nackt im Sturzregen, die Gesichter den herabfallenden Tropfen zugewandt.

Es war unwahrscheinlich laut, der Regen trommelte auf die Mülleimer aus Blech, auf den Holztisch, auf das Dach der Remise. Christian kletterte kurzentschlossen in die Küche und gleich wieder hinaus, ein Stück Seife in der Hand. Der Weg ins Ostbad war heute überflüssig. Die beiden Männer seiften sich von oben bis unten ein und ließen den Schaum vom Regen wieder abspülen.

Jetzt rannte auch Saskia in den Hof. Sie hatte Christians Plattenspieler angeworfen, dessen Lautsprecher gegen den prasselnden Wolkenbruch ankämpfen musste.

Sie tanzten und lachten, und der Regen wollte nicht aufhören.

Die Eroberung der Stadt
Oktober 1988

Das Sommergefühl hielt in diesem Jahr bis weit in den Herbst an. Selbst die Plattenbauten von Grünau wirkten an diesem strahlenden Tag mit wolkenlosem Himmel nicht so deprimierend wie sonst. Es war ein Tag, den man ausnutzen musste, vielleicht der letzte, an dem sie sich draußen am Kulkwitzer See treffen konnten. Die Felder waren längst abgeerntet, die Blätter der Bäume und Sträucher leuchteten gelb, rot und rostbraun, die ersten begannen abzufallen. So saßen sie noch einmal in großer Gruppe zusammen.

Gesine und Anita hatten zwei Flaschen bulgarischen Rotwein von ihrer Tramptour aufgehoben. Frank und Uwe hatten Obstwein von den Verkaufsständen in Rötha organisiert. Dort konnte man ihn aus riesigen Plastiktanks literweise in Eimer oder Kannen abfüllen lassen. Ein kleines Feuer flackerte am Seeufer.

Gesine hatte den Entwurf einer Einladung für eine Veranstaltung über Rumänien dabei, die Ende des Monats im Gemeindehaus Mockau stattfinden sollte. Sie hatte die Erfahrungen von Frank und Uwe mit eingearbeitet und wollte wissen, ob die damit einverstanden wären. Die Einladung war mehrere Seiten lang und fasste viele Informationen über die Lage unter Staatschef Ceauşescu zusammen, über die in den DDR-Medien nichts zu finden war. Das gefiel den beiden sehr, sie freuten sich auf den Rumänienabend.

Anita saß neben Jochen und Uwe. Sie redete mit ihnen über ihren Frust, weil sie wegen ihrer Ausbildung immer die ganze Woche aus Leipzig fort sein musste. Aber der Gedanke an die Freunde, die Vertrautheit, die Orte, die sie liebgewonnen hatte, lasse sie das langweilige Potsdam aushalten, bis sie es Freitag kurz nach eins endlich verlassen könne. Dann stelle sie sich zum Trampen immer an eine Ausfallstraße Richtung Süden.

»Darum bin ich inzwischen Vegetarierin geworden.«

Jochen und Uwe guckten sie ratlos an.

»Da stehe ich am Straßenrand immer direkt neben einem Schlachthof und sehe, wie die Tiere von den Transportern auf der einen Seite abgeladen werden. Auf der anderen Seite kann ich in die Halle mit den aufgehängten Schweinehälften hineinsehen. Manchmal weht da so ein süßlicher Geruch …«

Uwe wollte gerade etwas dazu sagen, da stieß ihn Jochen in die Seite und zeigte auf ein paar Gestalten, die sich nicht weit von ihnen am See niedergelassen hatten. Erst dachte Uwe, es sei eine Gruppe Punks, aber als noch drei weitere mit Nachschub an Bier in Eimern an ihnen vorbeiliefen, sah er, dass ihre Haare kurzgeschoren waren und einer von ihnen eine glänzend grüne Bomberjacke trug.

Eine Gruppe junger Nazis am Kulkwitzer See. »Geht das jetzt hier auch los?«, knurrte Uwe gereizt. In der Leipziger Innenstadt konnte man schon länger die eine oder andere Glatze sehen. Am Naschmarkt etwa, mitunter saßen dort ein paar von ihnen im Freisitz, wie die Biertische auf der Terrasse genannt wurden. Christian war neulich wegen seiner langen Haare angepöbelt worden. Dass es junge Leute gab, die anders drauf waren als sie selbst, wussten sie, auch wenn sie das nicht verstehen konnten. Mit Schrecken hatten sie vor einem Jahr von dem brutalen Überfall einer Gruppe Rechter auf die Besucher eines Rockkonzertes in der Berliner Zionskirche gehört, das von Oppositionellen organisiert worden war. Gespielt hatten die Ost-Berliner Punkband Die Firma und – ohne offizielle Erlaubnis – die West-Berliner Gruppe Element of Crime.

Tausend Besucher hatten damals gerade die Kirche verlassen, da sprangen dreißig alkoholisierte Nazis in der Kastanienallee aus der Straßenbahn und schlugen und traten die Jugendlichen brutal nieder, drangen unter »Sieg Heil«- und »Judenschweine«-Rufen in die Zionskirche ein und schlugen mit Eisenketten um sich. Sie verletzten etliche Besucher. Die alarmierte Volkspolizei, mit einem Streifenwagen sogar direkt vor dem Eingang präsent, griff nicht ein.

»Habt ihr schon die jüngste Ausgabe der *Streiflichter* bekommen?«, fragte Kathrin. Sie gehörte der Redaktion an. »Wir haben einen Artikel abgedruckt, der in der Berliner Kirchenzeitung nicht erscheinen durfte: Gefahr von rechts.«

Frank zog ein Exemplar der *Streiflichter* aus seinem Beutel. *Es gibt noch immer und es gibt wieder Faschisten unter uns, sie hassen Punks, Ausländer und Schwarze und wollen sie heraus haben aus Deutschland*, las er vor.

»Neulich hat die Volkspolizei zum ersten Mal Gummigeschosse gegen Nazis bei einem Spiel Lok Leipzig gegen Dynamo Berlin eingesetzt.«

Alle wussten etwas.

»200 Skins sollen schon in unseren Knästen sein.«

»Im April haben fünf Faschos in Halle zwei junge Schwarze niedergeschlagen.«

»Kurz vor Dresden wurde ein Afrikaner von jungen Arbeitern angepöbelt und aus dem fahrenden Zug geworfen. Er wurde schwer verletzt.«

In der DDR gab es ein unübersehbares Naziproblem, doch wie bei fast allen anderen Problemen auch – niemand packte es an. Es wurde nicht einmal benannt. Nazis, die einen jüdischen Friedhof schändeten, wurden Friedhofsschänder genannt. Nazis, die langhaarige Jugendliche niederschlugen, waren lediglich Rowdys.

»Wir müssen etwas zum 50. Jahrestag der Pogromnacht am 9. November auf die Beine stellen«, schlug Gesine vor.

Jochen hatte eine Idee: »Es gibt doch den Gedenkstein an der ehemaligen Synagoge. Das wäre nur etwas weiter als am Messemontag, wo wir es bis zum Markt geschafft haben.« Mehr sagte er nicht und schlug seine Gitarre an. Die anderen schwiegen nachdenklich. Das Feuer war beinahe niedergebrannt. Frank legte noch etwas trockenes Holz nach.

Mit der neuen Ordnung der Friedensgebete waren auch die bis dahin üblichen Nachgespräche in den Nebenräumen von Nikolai abgeschafft worden. Es gab keinerlei konkrete Fürbitten mehr, in denen die Namen von verhafteten Ausreiseantragstellern genannt werden konnten. Weil sie in der Kirche nicht mehr zu Wort kamen, entschieden sich die Gruppenmitglieder, ihre Stellungnahmen und Informationen einfach vor der Kirche zu verlesen, so wie es Jochen beim ersten Auszug aus der Nikolaikirche vorgemacht hatte. Trotz der von der Stasi oder der SED-Stadtverwaltung eingerichteten Dauerbaustelle unmittelbar vor der Kirche blieb genügend Platz für die nach dem Friedensgebet herausströmenden Menschen, um auf dem Nikolaikirchplatz stehen zu bleiben und den Kundgebungen zuzuhören. Das Baumaterial bot sogar eine ausgezeichnete Bühne. Mal stellten sich Gesine und Rainer auf die aufgestapelten Betonplatten, mal Thomas und Uwe und lasen Protestbriefe und Erklärungen vor.

Rainer brachte jedes Mal beutelweise Kerzen mit. Weiße, große Haushaltskerzen, die er gekauft hatte, obwohl sie relativ teuer waren. Er verteilte sie an die Umstehenden, als ein Zeichen der Gemeinsamkeit. Er machte das hinter dem

Rücken der Verantwortlichen der Nikolaikirche und gegen den Willen von Pfarrer Führer. Ein Oberkirchenrat aus Dresden, der jeden Montag als Abgesandter des sächsischen Bischofs Johannes Hempel zur Beobachtung nach Leipzig kam, drohte ihm – ohne wirklich Argumente zu haben – mit Konsequenzen für sein Studium. Der Oberkirchenrat hatte stets ein besonderes Auge auf alle im Arbeitskreis Gerechtigkeit aktiven Theologiestudenten, sprach sie immer wieder an und versuchte sie einzuschüchtern.

Obwohl Hunderte von Menschen auf dem Nikolaikirchplatz standen, ihnen zuhörten und über die Lage im Land diskutierten, hielten sich Polizei und Stasi weitgehend zurück. Die Versammelten waren ein Querschnitt der Leipziger Bevölkerung. Das registrierten auch die Geheimdienstoffiziere in der Runden Ecke. Nach der Auswertung ihrer Fotos und Spitzelberichte über die *Zusammenrottung Niko** standen hier Menschen mit Berufen wie Schlosser, Gießer, Kraftfahrer, Kellner, Straßenbahnfahrer, Bauingenieur, Programmierer, Bestatter, Fotomodell, Jurist, Mitarbeiter der Staatsbank oder Denkmalpfleger.

Im Lauf des Septembers und Oktobers wurden die Kundgebungen zu einer Dauereinrichtung. Die Teilnehmerzahl wuchs von zweihundert auf über fünfhundert, der Platz war damit dicht gefüllt. Diese Wochen waren ein Einschnitt. Ab jetzt ging es nicht mehr darum, was *in* der Kirche, sondern, was *vor* der Kirche passierte, nach dem Friedensgebet. Informiert wurde anfangs über den Konflikt zwischen Gruppen und Stadtkirchenleitung, dann über Neuigkeiten aus dem ganzen Land, die in keiner Zeitung zu finden waren. Ob über die Eröffnung einer alternativen Untergrundbibliothek in Zwickau oder über einen versuchten Protestmarsch in Berlin gegen die staatliche Zensur der Kirchenzeitungen. Gegen die Pressezensur wurde ein Protestschreiben an den

Staatssekretär für Kirchenfragen in Berlin verlesen. Trotz des Verbots von Unterschriftensammlungen setzten 274 Menschen auf dem Platz ihren Namen drunter.

Mit diesen Meetings, wie Thomas sie nannte, die von Ende August bis in den Oktober weitgehend unbehelligt von Polizei und Stasi stattfinden konnten, wurde der Nikolaikirchplatz zum ersten von ihnen eroberten öffentlichen Ort mitten in Leipzig.

Am 21. Oktober musste Magirius vor dem Rat des Bezirkes erscheinen. Es ging um die *Aktionen von Mitgliedern alternativer Gruppen* auf dem Platz vor der Nikolaikirche und um seine Meinung zur *Installierung eines »Kommunikationszentrums« im kirchlichen Raum.* Der SED-Protokollant notierte sich: *Im Gespräch brachte Superintendent Magirius zu den aufgeworfenen Problemen sinngemäß zum Ausdruck: Er habe in der letzten Zeit immer mehr die Erfahrung machen müssen, dass mit den Initiatoren solcher Aktionen nicht mehr zu reden ist. Sie lassen sich nicht mehr disziplinieren. Er vertrete nunmehr den Standpunkt, dass man diese Leute staatlicherseits zur Verantwortung ziehen sollte. So habe man zwar versucht Einfluss zu nehmen, aber die Ansammlung vor der Nikolaikirche konnte nicht verhindert werden. Er bleibe bei seiner Haltung zu Inhalt und Form der montäglichen Friedensgebete, auch wenn er dadurch vielen Anfeindungen ausgesetzt ist. Er habe vor diesen Leuten keine Angst. Dabei werde für ihn auch die ausschließlich politische negative Profilierung einiger Gruppen immer deutlicher.*

Zum Kommunikationszentrum vertrat Magirius die Meinung, dass dies verhindert werden muss. Vor einem Jahr hätte er dies noch befürwortet. Die sich vollziehende innerkirchliche Entwicklung und die politische Profilierung einiger Gruppen lassen erkennen, dass damit das Staat-Kirche-Verhältnis weiter belastet werden könnte. Zur Veranstaltung der Initiativgruppe Leben und der

Arbeitsgruppe Menschenrechte über einen sozialen Friedensdienst in der Lukaskirche angesprochen und der Plakatierung dazu meinte Magirius, dass Pfarrer Wonneberger bewusst den Intentionen solcher Kräfte folgt und sie auch unterstützt. Auch hier helfe nicht mehr anderes, als dass man diese Leute staatlich zur Verantwortung zieht.

Ohne von diesem Treffen zu wissen, trugen die Gruppen ihren Protest drei Tage später erneut in die Kirche. Die Verantwortung für das Friedensgebet hatte diesmal der katholische Kaplan Friedel Fischer von der Liebfrauen-Gemeinde in Lindenau, der den Basisgruppen offen und tolerant begegnete. Der Jugendseelsorger hatte die einzige katholische Friedensgruppe weit und breit ins Leben gerufen und war in seiner Kirche eine Ausnahmeerscheinung. Er war ein furchtloser Freigeist und hatte seinem protestantischen Kollegen Magirius nach dem Ausschluss der Gruppen einen Protestbrief geschrieben und die Aufhebung der Entscheidung angemahnt.

Gleich zu Beginn zogen fünf Leute mit Kerzen in den Händen vor den Altar. Kaplan Fischer begrüßte jeden Einzelnen von ihnen freundlich mit Handschlag. Magirius saß in der ersten Reihe und blickte skeptisch. Gesine, Frank, Rainer, Anita und Uwe stellten sich nebeneinander auf. Sie hatten außer den Kerzen, die sie abstellten, noch etwas unter den Arm geklemmt, was sie jetzt entrollten. Es waren Papierplakate, auf die sie ihre Forderungen geschrieben hatten: die Wahrheit sagen und danach handeln, mündig werden und zivilen Ungehorsam leisten, an die vielen Menschen denken, die gehen mussten. So standen sie eine Weile ganz ruhig und beinahe feierlich wie eine Mahnwache hinter dem katholischen Kaplan, der mit seiner Predigt begann.

Fischer erinnerte daran, dass die Teilnehmer des Friedensgebetes, bis die Gruppen auf den Plan traten, nur ein verlorener Haufen gewesen waren. Jetzt sei die Kirche zwar voll, aber ihm sei schon klar, dass es den meisten nicht um den Glauben, sondern um ihre Situation in der Gesellschaft gehe.

Nicht wenige unter uns sind hier, weil sie enttäuscht sind, weil sie durch das Erleben erfahrener Ohnmacht entmutigt und verbittert sind oder weil sie sich entmündigt fühlen.

Nicht wenige unter uns sind hier, weil sie den Eindruck haben, dass in unserem Land eine Öffentlichkeit fehlt, in der die Probleme, vor denen wir stehen, und ihre Lösungsmöglichkeiten in einem umfassenden Dialog von Politikern, Fachleuten und Betroffenen ehrlich besprochen werden müssen …

Einige Menschen in den Kirchenbänken nickten zustimmend.

Ich beklage die Ratlosigkeit und Hoffnungslosigkeit, auf die ich so häufig auch in unseren Kirchen stoße. Wir sind hier aus Liebe zum Leben und aus Sorge um das Leben … Dazu gehört für mich auch, dass wir offen und ehrlich im Umgang miteinander sind, dass wir nun nicht auch noch unter uns selber Abgrenzung und Ausgrenzung praktizieren. Ich sage dies auch deswegen, weil ich bestürzt bin über das Gerangel um dieses Friedensgebet. Es macht mich tief traurig, dass ein sachliches Gespräch zur Klärung dieses Konflikts anscheinend von einigen daran Beteiligten nicht mehr für möglich gehalten wird.

Fischer blickte nun in Richtung Magirius.

Um es klar und deutlich zu sagen: Auch ich halte den Entschluss, das Friedensgebet der bisherigen Trägerschaft zu entziehen, für eine verhängnisvolle Fehlentscheidung. Dialogverweigerer gibt es in diesem Land genug. Da müssen wir diese Zahl nicht noch größer machen.

Nachdem er mit seiner Predigt fertig war, griff Gesine nach dem Mikrofon. Doch Magirius, der in der ersten Kirchenbank als Zuhörer saß und schon wegen der hochgehaltenen Plakate ganz unruhig geworden war, sprang sofort auf und stellte es ab. Wieder kam es zu tumultartigen Szenen in der Nikolaikirche. Jochen versuchte es noch ohne Mikro, doch es war zwecklos.

Die Gruppe zog nach draußen, verteilte die von Rainer mitgebrachte Kerzen an die Passanten und nutzte wieder mal die Betonplatten vor der Kirche als Rednertribüne. Nach wie vor hatte sich hier kein einziger Bauarbeiter gezeigt. Frank dachte, prima, dass die Stasi uns hier eine Bühne gebaut hat.

Während Jochen von dort aus redete, standen die fünf mit ihren Plakaten im Halbkreis hinter ihm, gut zu sehen für alle auf dem Platz.

Es ist Zeit sich zu engagieren!, rief Jochen den Menschen zu, die ihn erwartungsvoll ansahen. *Weil wir jetzt leben und nicht lediglich auf Veränderungen in der Zukunft hoffen können. Die Kluft zwischen persönlichem Denken und Fühlen und dem Handeln nach Normen und gesellschaftlichen Ansprüchen nimmt immer mehr zu. Angst und Zwiespalt zerstören Lebenssinn und menschliche Beziehungen. Wir können dem nur durch gemeinsames, bewusstes »Neues Handeln« und Umsetzung unserer Erkenntnisse begegnen. Unsere Forderungen nach Veränderung müssen in der gesellschaftlichen Öffentlichkeit sichtbar werden.*

Nach dem letzten Satz brandete Beifall auf.

Ein paar Tage später klingelte es Sturm bei Anita in Grünau, gleichzeitig klopfte es. Zwei Herren standen vor ihrer Tür. Sie verstand nur etwas von Sachverhalt klären und mitkommen. »Einen Moment«, sagte sie, »ich muss noch den Herd ausstellen.« Unbeobachtet schrieb sie noch schnell eine Nachricht für Gesine, der sie einen Schlüssel für ihre Wohnung gegeben hatte: *Zuführung. Sie haben mich heute um 15 Uhr abgeholt.*

Dann schnappte sie sich ihren Walkman, zog den Kopfhörer über und ging zu den Herren hinaus. Als einer sie am Arm anfassen wollte, wehrte sie das ab. Sie wollte möglichst autonom bleiben und sie das spüren lassen. Sie ging zwei Schritte vor ihnen die Treppe hinunter, stieg in den Wartburg und hörte auf der ganzen Fahrt zum Stasi-Gebäude ihre selbst zusammengestellte Musikkassette. Nach ihrer Vernehmung und der Ankündigung, es werde eine Ordnungsstrafe auf sie zukommen, durfte sie wieder gehen. Seitdem nannte Anita diese Kassette ihren Freunden gegenüber nur noch *meine Zuführungsmusik*.

Sie war die Letzte von den fünf, die mit den Plakaten in Nikolai demonstriert hatten und zwei Tage danach zugeführt wurden. Frank hatte schon am Vormittag in dem engen und stickigen Raum einem Stasi-Hauptmann gegenübergesessen.

Ihnen wird mitgeteilt, dass Sie durch das Untersuchungsorgan der Bezirksverwaltung für Staatssicherheit Leipzig zur Klärung eines Sachverhaltes hinsichtlich öffentlichkeitswirksamer Handlungen am 24.10.1988 vor der Nikolaikirche einer Befragung unterzogen werden. Haben Sie diese Mitteilung verstanden?

Frank sah ihn an. *Ich habe dies zur Kenntnis genommen.*

Sein Gegenüber war zufrieden. *Wo hielten Sie sich an diesem Tag zwischen 17 und 19 Uhr auf?*

Frank zögerte einen Moment. *Ich nahm an dem Friedensgebet in der Nikolaikirche in Leipzig teil. Ich kam eine Minute vor 17.00 Uhr an. Etwa 17.35 Uhr habe ich die Kirche mit anderen Personen verlassen. Vor der Kirche auf dem Nikolaikirchhof hatte ich ein Plakat mit der Aufschrift: »Mündigkeit verpflichtet – ziviler Ungehorsam« entrollt, welches ich 10 bis 15 Minuten hoch hielt. Weiterhin wurde dieses Plakat von einer weiblichen Person gehalten, deren Namen ich nicht nennen werde. Es haben noch weitere Personen, deren Namen ich ebenfalls nicht nennen werde, solche Plakate getragen.*

Der Geheimdienstoffizier räusperte sich mehrmals, machte sich eine Notiz und setzte die Vernehmung fort. *Unter welchen Umständen kam es zur Erstellung der Plakate?*

Frank: *Da die Gestaltung der Friedensgebete durch die Basisgruppen von der Kirche verwehrt wurde, wollte ich auf die Meinung der Kirchenvorgesetzten Einfluss nehmen, die meiner Ansicht nach gemeinsame Sache mit dem Staat machen. Wir wollten erreichen, dass die Kirche wieder Rückgrat zeigt und uns wieder den Spielraum zubilligt, den wir bereits hatten. Das Plakat wurde von mir am Sonnabend in einer Wohnung in Leipzig angefertigt. Ich verwendete dazu die Farben der Anarchie – schwarz und rot.*

Der Vernehmer zog seine Augenbrauen etwas hoch.

War Ihnen bekannt, dass es sich dabei um eine nichtgenehmigte Handlung in der Öffentlichkeit handelt?

Frank: *Mir ist zwar bekannt, dass derartige Veranstaltungen in der Öffentlichkeit genehmigt werden müssen. Durch die spontane Entscheidung hatte ich nicht daran gedacht, außerdem war auch keine Zeit mehr, eine Genehmigung dafür einzuholen.*

Frank und alle anderen konnten nach den Vernehmungen gehen, doch es gab tatsächlich hohe Ordnungsstrafen. Gesine, Uwe und Rainer sollten 400 Mark zahlen, Frank 500 und Jochen 1000. Die Stasi nannte dies *differenziertes Vorgehen.*

Im Rat der Stadt herrschte große Unzufriedenheit mit der Entwicklung um die Nikolaikirche. Magirius, Führer und die Stadtkirchenleitung hatten die Situation nicht, wie in den vorangegangenen Gesprächen gefordert, beruhigen können. Anfang November stand ein erstes Treffen mit Vertretern der Kirche wegen des geplanten Leipziger Kirchentages im Juni des folgenden Jahres an. Dies wollten die Genossen der SED nutzen.

Wir erkennen die Bemühungen leitender Amtsträger der Kirche zur Beruhigung der Lage an, begann der zweite Chef der Abteilung Inneres seinen Vortrag, *aber die Aktivitäten von Studenten des Theologischen Seminars, weiterer kirchlicher Mitarbeiter und auch eines katholischen Geistlichen heizen die Situation weiter an und machen massiv Front gegen die Entscheidung, die Basisgruppen nicht mehr das Friedensgebet gestalten zu lassen. Denken Sie nur an den Verlauf des vergangenen Montags! Wenn diese Kräfte nicht durch Sie, das Landeskirchenamt und andere realistische leitende Amtsträger der Kirche diszipliniert werden, dann besteht staatlicherseits die Sorge, dass sie während des Kirchentages massiv oppositionell auftreten werden. Die Kirche muss jetzt schon entscheiden, ob und wie die alternativen Gruppen den Kirchentag mitgestalten. Diese Entscheidung darf nicht erst im Juni fallen. Wir erwarten endlich eine wirksame Disziplinierung, natürlich auch in drei Tagen schon, wenn die einwöchige Friedensdekade der Kirche am 6. November mit täglichen Friedensgebeten beginnt, damit es zu keiner weiteren Eskalation kommt. Ich brauche wohl nicht extra zu betonen, dass von einer Disziplinierung dieser Kräfte auch unsere Verhandlungen über die Durchführung Ihres Kirchentages beeinflusst werden.*

Die Kirchenfunktionäre gaben dem Druck nach. Zufrieden wurden ihre Antworten in der *Dienstsache 41/88* festgehalten. Der für den Kirchentag zuständige Mann der Landeskirche versicherte den Staatsvertretern, man werde versuchen, mit den Personen zu sprechen, die den Hut in der jeweiligen Gruppe aufhatten. *Die Leipziger Superintendenten hätten den Wildwuchs beizeiten beschneiden sollen.* Ein Oberlandeskirchenrat warf ein, *jetzt sei eine Disziplinierung im kirchlichen Raum schwierig und kompliziert, aber es müsse ein Stück Konsequenz geben.*

Wenn wir mit den Gruppen sprechen, setzte sein Landeskirchenkollege seine Versprechungen fort, *werden wir deutlich machen, dass nur die Gruppen am Kirchentag teilnehmen können, deren Engagement und Anliegen von der Bibel her und damit vom Glauben getragen ist. Die Nikolaikirche würde während des Kirchentags nur für Kirchenmusik genutzt. Das ist schon entschieden.*

Die Mienen der SED-Genossen hellten sich sichtbar auf.

Herzklopfen
November 1988

Einige Tage später saßen ein paar Bewohner und Freunde im Hof der Mariannenstraße zusammen und hörten dem Bericht von Anita und Kathrin zu. Die beiden waren bei einem Gespräch mit Magirius gewesen, das auf Vermittlung von Pfarrer Fischer zustande kam. Kathrin hatte alles stenografiert und erzählte, Magirius habe sie mit Vorwürfen überschüttet. Für die Kirche sei die Dokumentation, die sie und Thomas über den Konflikt der letzten Wochen herausgebracht hatten, eine schwere Belastung. Vor allem die Veröffentlichung des Jarowinsky-Papiers über das Geheimgespräch zwischen Staat und Kirche sei ein *ungeheurer Vertrauensbruch* gewesen. Das Landeskirchenamt sehe *im unkontrollierten Verteilen von Blättern die Grenze des Zumutbaren und Verantwortlichen überschritten.* Nikolaipfarrer Führer habe gemeint, die Basisgruppen müssten nicht ständig zeigen, dass sie Mut hätten. Sie könnten wieder innerhalb der Kirche ihre Informationen verbreiten, nur müssten sie diese vorher zur Kontrolle einer Vorbereitungsgruppe geben. Die würde dann entscheiden, was ins Friedensgebet reinpasse und was nicht.

»Kommt nicht in Frage«, sagte Frank. »Nicht mehr jetzt. Wir sind weiter.« Wenn, dann wollten sie unzensiert die Friedensgebete mitgestalten. »Es klang am Ende des Gespräches ein wenig so«, sagte Kathrin, »als wollten sie uns bloß wieder vom Nikolaikirchplatz zurück in die Kirche holen.«

»Vielleicht sollten wir den Platz eher in die andere Richtung verlassen«, erwiderte Gesine, »statt zurück in die Kirche weiter hinein in die Stadt!«

Sie wussten, dass sich die Situation in der Nikolaikirche mit der Friedensdekade zumindest für zehn Tage zu ihren Gunsten ändern würde. Diese im ganzen Land alljährlich im November von der evangelischen Kirche organisierten Friedensgebete bedeuteten für Leipzig ein tägliches statt wöchentliches Friedensgebet in Nikolai – ohne Kontrolle durch Magirius. Die Hauptverantwortung während dieser zehn Tage lag bei Klaus Kaden vom Jugendpfarramt, der enge Beziehungen zu den Gruppen pflegte und auf dessen Druckmaschine die *Streiflichter* und manches andere produziert werden konnte.

Gleich am Montag, zu Beginn der Dekade, übernahmen Thomas und Bernd vom Arbeitskreis Gerechtigkeit vor 500 Besuchern den Fürbitt- und Informationsteil beim Friedensgebet. Sie nutzten ihn, um über die Unterdrückung Jugendlicher in anderen Städten des Landes zu informieren. In Berlin waren vier Schüler von der Carl-von-Ossietzky-Schule geworfen worden, weil sie ihre Meinungen auf einer Wandtafel kundgetan hatten. Sie hatten es geschafft, eine Speakers' Corner einzurichten, um dort unzensiert Kommentare anbringen zu können. Das ging schief, gleich am ersten Tag. Ihr Mitschüler Carsten Krenz, Sohn des Politbüromitglieds Egon Krenz, entfernte den Artikel von der Wandzeitung.

In einem anderen Artikel plädierte ein Schüler für den Verzicht auf Militärparaden und hatte dafür bereits 38 Unterschriften seiner 160 Mitschüler gesammelt. Das führte zu Diffamierungen, Verhören, FDJ-Abstimmungen in den Klassen zur Verurteilung der kritischen Schüler und tribunalgleichen Versammlungen. Eine große Welle der Solidarität mit den drangsalierten Schülern entstand. Die Forderung der Berliner

Gruppen nach kirchlichen Aktionswochen wurde allerdings von den dortigen Amtsträgern der Kirche abgelehnt.

Thomas fand die Verbreitung solcher Informationen äußerst wichtig. Nicht nur weil er spürte, wie bei den Zuhörern die Empörung wuchs, wenn sie darüber berichteten. Er wollte die Erfahrungen derartiger Auseinandersetzungen weitergeben. Die Menschen sollten wissen, dass es trotz Repression an immer mehr Stellen im Land brodelte, und sich dadurch ermutigt fühlen.

Als die Fürbitten an der Reihe waren, sprachen Thomas und Bernd das harte Vorgehen gegen Punks an. In Dresden und Weimar mussten solche Jugendlichen Ordnungsstrafen zahlen. Und ihnen wurde verboten, sich in den Städten, in denen sie lebten, in der Innenstadt, am Bahnhof oder anderen beliebten Plätzen zu zeigen. Die Begründung fand Thomas unglaublich. Auf den amtlichen Verfügungen stand: wegen ihres *unästhetischen Aussehens.* Ein Raunen ging durch die Reihen.

Die täglichen Friedensgebete beflügelten die Gruppen. Plötzlich konnten sie wieder mitgestalten, mehr als zuvor. Drängende Themen gab es genug. So hatte auch der abends am Kulkwitzer See gefasste Plan, etwas gegen die Ausbreitung neonazistischen Gedankengutes unter jungen Leuten zu unternehmen, inzwischen konkreter Gestalt angenommen.

Zum 50. Jahrestag der Pogromnacht, der in die Zeit der Friedensdekade fiel, hatten sie eine Erklärung vorbereitet, die in der Kirche bekanntgemacht werden sollte. Nach dem Gottesdienst, draußen auf dem Vorplatz, wollten sie Kerzen verteilen und die Menschen zu einem Schweigemarsch bis zur ehemaligen Synagoge bewegen. Ihr Gedenken an die Ereignisse im faschistischen Deutschland sollte anders sein als das starre, floskelhafte Ritual, wie es die Partei alljährlich praktizierte – ohne jeden Bezug zu den heutigen Problemen. *Wir erleben in unserem Land*, schrieben sie in ihrem Flugblatt, *wie Menschen mit konstruktiv-kritischen Meinungen kriminalisiert und als Staatsfeinde verfolgt werden. Wir erleben Ausgrenzung und Diskriminierung. Wie lange werden wir als mündige Bürgerinnen des ersten sozialistischen Staates auf deutschem Boden noch zusehen: Wenn Skinheads und einige Fußballfans neonazistische Parolen schreien? Wenn verfassungswidrige Ausländerfeindlichkeit gerade auch gegen das leidgeprüfte polnische Volk um sich greift?*

Damit waren nicht nur die überall in der DDR kursierenden Polenwitze gemeint. *(Wie heißt schwedischer Stahl? Schwedenstahl. Wie heißt polnischer Stahl? Diebstahl.)* Die staatlichen Medien bedienten oft Vorurteile über eine angebliche »polnische Wirtschaft« und schrieben viel Negatives über Polen, um sich vom Solidarność-Bazillus abzuschotten. In Dresden hatte sich in den vergangenen Monaten nach verschiedenen ausländerfeindlichen Übergriffen im Umfeld der unangepassten, nichtkirchlichen Jugendgruppe *Wolfspelz** eine selbständige Antifa-Gruppe gebildet, die den Kampf gegen junge Neonazis radikaler führen wollte. Auch Thomas und Gesine mochten nicht mehr länger mit vorsichtigen Floskeln drum herumreden. Sie formulierten klare Worte:

Wir protestieren gegen neostalinistische Tendenzen in der Gesellschaftsstruktur der DDR. Wir protestieren gegen neonazistische Tendenzen im Denken und Handeln einiger Menschen dieses Landes. Wir fordern die Regierung der DDR auf, die Kriminalisierung und Ausgrenzung von Andersdenkenden … zu beenden. Wir fordern einen öffentlichen Dialog … über alle Problemfelder dieses Landes.

Sie wollten bei diesem Aufruf nicht direkt mit dem Namen ihrer Gruppe in Erscheinung treten, um den Konflikt mit der Kirche nicht auf die Spitze zu treiben. Thomas und Gesine dachten sich für diese Aktion den Namen einer neuen Gruppe aus, den sie unter die Erklärung setzten. Einer Gruppe, die es so nicht gab: *Initiative zur gesellschaftlichen Erneuerung der DDR*. Die Idee hierfür hatte Rainer von seinen Besuchen bei der Charta 77 aus Prag mitgebracht. Er erzählte, dass es in Prag eine Gruppe mit ähnlicher Bezeichnung gebe, *Demokratische Initiative*, zu der er Kontakt aufgenommen hatte. Thomas fand, der daran angelehnte Name solle verdeutlichen, dass es sich um eine Bewegung außerhalb der Kirchen handele, die eine offene Diskussion und öffentliche Proteste im Land durch einzelne Aktionen wolle. »Die Aktion, die wir vorhaben, ist ja eine Initiative zur gesellschaftlichen Erneuerung. Es ist der Name für Menschen, die handeln«, sagte Thomas, »ich hoffe, wir können ihn für demonstrative Aktionen immer wieder verwenden.« Es könne doch vielleicht ein weiterer Zündfunke sein, der die Leipziger in Bewegung und auf die Straße brächte.

Gesine hatte vor Beginn des Friedensgebetes das Flugblatt auf alle Kirchenbänke gelegt. Sie hatte etwas Herzklopfen, weil sie zum ersten Mal in aller Öffentlichkeit ein illegal gedrucktes, politisch brisantes Flugblatt verteilte. Gespannt beobachtete sie, wie die Leute es nahmen und lasen oder einsteckten. Es funktionierte.

Knapp die Hälfte der Teilnehmer zog nach dem Ende schweigend mit Kerzen von der Nikolaikirche an der Thomaskirche vorbei in die Gottschedstraße zu der Stelle, an der einst die große Leipziger Gemeindesynagoge stand und die jetzt von der Stadt zur profanen Nutzung als Parkplatz freigegeben war. Es war ein feierlicher, beeindruckender Umzug. Weder Stasi noch Volkspolizei trauten sich, in diesem Moment etwas zu unternehmen. Am mehrspurigen Dittrichring standen Volkspolizisten, sie stoppten für die unangemeldete Demonstration sogar den Verkehr und ließen den Zug passieren. Die mitgebrachten Kerzen wurden am Gedenkstein für die Synagoge abgestellt. Einen Moment standen die Menschen noch still davor, dann gingen sie nach Hause.

Die SED-Parteigenossen im Rat der Stadt und des Bezirkes schäumten vor Wut. Hatte ihnen Superintendent Magirius nicht versprochen, die Friedensgebete zu entschärfen? Jetzt hielten die Gruppen nicht nur Kundgebungen vor der Kirche ab, jetzt brachten sie die Menschen schon auf die Straße, wenngleich wenige. Sie hatten nicht ganz verstanden, dass Magirius während der Friedensdekade kaum Einfluss hatte. In ihren Berichten an die Parteizentrale in Ost-Berlin über die Lage in Leipzig verschwiegen sie gerne die Zahlen oder spielten sie herunter. Auch verwendeten sie Formulierungen wie *... die Provokation wurde nicht öffentlichkeitswirksam.* Aber sie selbst dachten, unsere Gespräche mit Magirius reichen wohl nicht mehr. Sie beschlossen, in der Kirchenhierarchie höher zu gehen, informierten Landesbischof Hempel über die Vorfälle seit Beginn der Friedensdekade und forderten ihn auf, dafür *Sorge zu tragen, das die Leipziger Nikolaikirche nicht länger Ausgangspunkt für nichtgenehmigte Demonstrationen ist.*

Aber noch war Friedensdekade, und die Gruppen wollten diese Ausnahmesituation nutzen. Am nächsten Tag, dem Donnerstag, hatte der Arbeitskreis Gerechtigkeit die Verantwortung für das Friedensgebet. Jochen sprach die Begrüßungsworte:

Die Gitarre zu Beginn des Friedensgebetes kündigte schon an, dass wir heut' mal ein Friedensgebet in einer anderen Form halten wollen... Deshalb heut' mal keine Orgelmusik oder Ähnliches, wir wollen unser Anliegen durch einen anderen Sound unterstreichen. Das nicht nur, um hier was Fetziges loszumachen, nein, es soll ein Versuch sein, etwas mehr Wirklichkeit hier in die Kirche reinzubringen, Alltagswirklichkeit.

Jochen, der atheistische Theologiestudent, hatte eine Band organisiert, die den Rest des Friedensgebetes ausfüllte. Einer der Musiker war Sänger und Gitarrist der seit zwölf Jahren verbotenen Renft-Combo, in den frühen siebziger Jahren eine der führenden Bands in der DDR. Die Texte von Gerulf Pannach und Christian Kunert über Einsamkeit, Rebellion und Flucht gefielen der Partei überhaupt nicht.

Die Musik ließ die Stimmung sehr emotional werden. Das verstärkte sich, als Rainer, Jochen und die anderen aus der Gruppe Kerzen an alle austeilten, mit denen sie sich auf den Platz vor die Kirche stellen sollten. Doch vorher wollte ihnen Jochen noch seine Gedanken mit auf den Weg geben.

Wir wissen, dass mit ein paar kritischen Liedern und mit verbalem Protest allein nicht viel geholfen ist, uns nicht und dem Land hier auch nicht. Das hier kann höchstens ein Anstoß sein, wir müssen mit unseren Anliegen schon raus in die Gesellschaft, breitere Schichten ansprechen. Na ja, wir haben alle Angst, aber es ist trotzdem ein schönes Gefühl, neben sich ein paar Leute zu wissen, die ähnlich denken und das Gleiche vorhaben. Bei einem Stasi-Verhör fragte mich der Beamte, was denn bei uns eine brennende Kerze bedeuten soll, was das für ein Symbol ist? Nun, ich sagte, ich weiß nicht. Ich glaube, die Kerze brennt eben einfach so für sich. Er fragte: Bedeutet die Kerze vielleicht nicht Zusammenhalt oder so etwas Ähnliches? Vielleicht hat er Recht.

Als ich 1983 in Leipzig das erste Mal ganz zufällig in die Nikolaikirche kam, war hier gerade Friedensdekade. Die Kirche war voller junger Leute, und viele hatten eine Kerze mit. Dann geschah Folgendes: Ein Jugendpfarrer stellte sich vor und forderte alle auf – mit dem Spruch: Messer, Schere, Licht gehör'n in Kinderhände nicht – die Kerzen vorn in der Kirche abzugeben. Der Grund: Die Polizei warte vor der Kirche und wolle alle Kerzenträger abtransportieren oder mit Geldstrafen versehen. Das könne er nicht verantworten. Ich war entsetzt: Statt einfach laut gegen diese Ungeheuerlichkeit zu protestieren, machte dieser Pfarrer seinen Einfluss auf die Jugendlichen im Interesse derer geltend, die nur Eines wollen: Ruhe im Land, eine Ruhe, die sie dann Frieden nennen.

Nun, inzwischen sind 5 Jahre vergangen, und wir sind etwas erwachsener geworden. Statt Kerzen einzusammeln, wollen wir welche ausgeben. Wenn wir dann hier in der Kirche die Kerzen entzünden, heißt das nicht nur Zusammenhalt. Mit unseren brennenden Kerzen wollen wir in die Finsternis leuchten, die uns umgibt, die brennende Kerze soll Wärme geben, zuerst uns, dann aber auch denen draußen, die in dieser kalten Jahreszeit an den Straßenecken herumstehen und keine richtige Arbeit haben, auch sie werden etwas Wärme nötig haben. Also, ich wünsche allen, nachdem wir noch ein Musikstück gehört haben, einen friedlichen Nachhauseweg.

Susanne, die aus Berlin zu Besuch war, klatschte als Erste Beifall. Andere schlossen sich an, bis das ganze Kirchenschiff von Beifall widerhallte. Die Leute klatschten und klatschten, bis sich die Gitarren der Band wieder durchsetzten. Am Ende dieses Abends verwandelte sich der Platz vor der Nikolaikirche in ein Lichtermeer.

Gleich am nächsten Morgen um neun Uhr saß Magirius mit dem Stellvertreter des Oberbürgermeisters für Inneres zusammen, um über die Friedensgebete der vergangenen Tage zu sprechen. Der SED-Genosse Rudolf Sabatowska war schier außer sich. Er überzog Magirius mit Vorwürfen: »In der Nikolaikirche sind Flugblätter verteilt worden von einer Initiative zur gesellschaftlichen Erneuerung der DDR. Das ist doch reine politische Provokation. Was hat das denn noch mit dem Friedensgebet und der Friedensdekade zu tun? Und dann dieser ungenehmigte Schweigemarsch mit Kerzen vor zwei Tagen! Man sah sogar einen Pfarrer mitlaufen!« Am Ende habe die Stadt extra Reinigungskräfte abstellen müssen, so verschmutzt worden sei der Gedenkstein für die Synagoge durch dort abgestellte Kerzen. »Wir stehen jetzt vor einer kritischen Situation der Staat-Kirche-Beziehungen.«

Was Magirius ihm antwortete, beruhigte Sabatowska. Der Stellvertreter des Oberbürgermeisters schrieb in sein Protokoll: *Der Superintendent sehe das mit dem Flugblatt genauso wie er, eine reine Provokation. Doch sei es nicht in der Kirche, sondern vor der Kirche verteilt worden. Die jungen Leute aus den Basisgruppen, die man wegen der Plakataktion in und außerhalb der Kirche zugeführt und vernommen habe, würden tatsächlich alle Möglichkeiten nutzen, bei Friedensgebeten und anderen Veranstaltungen provokativ aufzutreten, um ihre Ziele durchzusetzen. Man habe neulich auch auf einer Konferenz unter Pfarrern über die Herausbildung einer zahlenmäßig kleinen, aber ernst zu nehmenden politischen Opposition gesprochen, die Konfrontation und Umsturz zum Ziel habe. Dazu habe Pfarrer Wonneberger gesagt: »Na, man muss es nicht gleich Umsturz nennen, es wäre genauso gut, wenn man es Reformierung nennen würde.«*

Magirius wäre bereit, politische Angriffe abzubiegen, aber was auf der Straße passiert, darauf könne er keinen Einfluss ausüben, der Staat solle dort Ordnung schaffen.

Damit gingen die beiden Männer auseinander.

Am nächsten Tag fand der Abend für den Frieden statt. Magirius hatte dem SED-Mann gesagt, dass er zunächst nicht dabei sein könne, obwohl weitere Vorfälle nicht auszuschließen seien. Nach Begrüßung und Gebet ergriff deshalb Nikolaipfarrer Führer das Wort: *Am Anfang steht eine Erklärung, die seit spätestens gestern Abend nötig geworden ist. Wer regelmäßig von Sonntag bis gestern die Friedensgebete besucht hat, wird die eigenständigen Beiträge und Inhalte sowie die sehr unterschiedlichen Besucherzahlen registriert haben. Kein Pfarrer, auch ich nicht, hat sich in das Geschehen eingemischt. So konnte sich jeder Hörer sozusagen ein »unverfälschtes« Bild davon machen, was unter dem Begriff »Friedensgebet« geschah.*

Erstens: Inwieweit die Informationen vom Sonntag und Montag einer konstruktiven kritischen Absicht entsprangen oder gar dem Frieden dienten, möge jeder selbst entscheiden.

Zweitens: Am Tag des Pogromgedenkens, Mittwoch, wurden am Ende des Friedensgebetes Blätter verteilt, ohne dass wir von dieser Tatsache, geschweige denn vom Inhalt auch nur andeutungsweise informiert worden sind. Wir können uns davon nur distanzieren. Einige scheinen unsere Kirche mit einem Warenumtauschplatz zu verwechseln.

Drittens: Was wir gestern Abend hier erlebten, lässt auch bei weitherzigster Auslegung den Begriff »Friedensgebet« nicht mehr zu. Bibeltext, Gebet, Glaubensbezug überhaupt: Fehlanzeige. Stattdessen gab es – neben einem guten Einstieg und zwei inhaltlich durchdachten Beiträgen – einen bösen Angriff auf den vorherigen Jugendpfarrer, eine völlig sinnentstellte Darstellung der Vorgänge von 1983 und ein sogenanntes Fürbittengebet, das zur Propagierung des Unglaubens, zu Tipps für das Verhalten bei der nächsten Wahl und zu provokativ-politischen Appellen entartete. Wobei ich bei Provokationen dieser Art nach wie vor nicht weiß, von wem sie eigentlich kommen. Man kennt diese Menschen gar nicht … Die Kirche wurde zum Plenarsaal herabgewürdigt. Sicherlich ist nun die Handvoll Personen, die unter dem Deckmantel einer Gruppe die Entchristlichung des Friedensgebetes betrieben, dicht vor ihrem Ziel. Andere wohl auch.

Führer griff mit allem, was er sagte, die Basisgruppen massiv an, vor allem das von Jochen gestaltete Friedensgebet. Die Sympathien in der vollbesetzten Kirche waren aber nicht auf seiner, sondern auf ihrer Seite, das war deutlich zu spüren, und es ließ sie lässig die Angriffe des Pfarrers ertragen. Selbst als Führer kurzerhand Fotos von der Informationstafel entfernte, die zwei Leute vom Arbeitskreis Gerechtigkeit von der gewaltsamen Niederschlagung einer Demonstration auf dem Prager Wenzelsplatz aufgehängt hatten, blieben sie gelassen. Jugendpfarrer Kaden hatte es ihnen zuvor erlaubt.

Leipziger Osten 1988, Blick in die Ernst-Thälmann-Straße, heutige Eisenbahnstraße (Ernst Demele)

Rainer im August 1989 vor dem Eingang zur Mariannenstraße 46
(Siegbert Schefke/Archiv Bürgerbewegung Leipzig)

Das Nachbarhaus der Mariannenstraße 46 mit zwei »Krause Duo«
(Siegbert Schefke/Archiv Bürgerbewegung Leipzig)

Frank 1988 im Hof der »Marianne«, Wäsche von »Oma Läppchen«
(Frank Sellentin/Archiv Bürgerbewegung Leipzig)

Frank, Gesine und Katti in der Küche der Marianne
(Fred Kowasch)

Stasi-Beobachter vor der Mariannenstraße 46
(Frank Sellentin/Archiv Bürgerbewegung Leipzig)

Hausfassade im Leipziger Osten mit »Schmuck« anlässlich des
40. Jahrestag der DDR am 7. Oktober 1989
(Burkhard Starke/Archiv Bürgerbewegung Leipzig)

Neujahrsgrußkarte von Christoph Wonneberger und Familie für Freunde und Bekannte mit dem Symbol der Friedensbewegung
(Christoph Wonneberger)

Der 1. Pleiße-Gedenkumzug am 5. Juni 1988 mit rund 230 Demonstranten
(Christoph Motzer/Archiv Bürgerbewegung Leipzig)

Micha mit Wasser aus der verschmutzten Pleiße beim 1. Pleiße-Gedenkumzug (Christoph Motzer/Archiv Bürgerbewegung Leipzig)

»Umweltwallfahrt« in Deutzen bei Leipzig, 12. Juni 1988
(Christoph Motzer/Archiv Bürgerbewegung Leipzig)

Straße im Leipziger Osten, 1988
(Roland Quester/Archiv Bürgerbewegung Leipzig)

Leipzig-Volkmarsdorf, Blick Richtung Lukaskirche, 1988
(Roland Quester/Archiv Bürgerbewegung Leipzig)

Abriss nach Verfall im Leipziger Osten, 1989
(Michael Arnold)

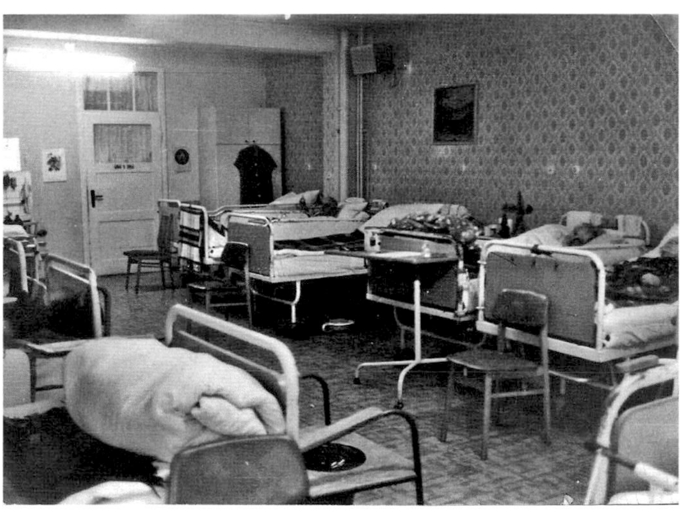

Zimmer im Altenheim Albert-Schweitzer-Haus, 1988
(Frank Sellentin/Archiv Bürgerbewegung Leipzig)

Jochen wird wegen ungenehmigter Straßenmusik kontrolliert,
neben ihm in der Hocke Uwe, 1989
(Martin Jehnichen/Archiv Bürgerbewegung Leipzig)

Rainers »Wandzeitung« im Rahmen seines Fahrrads. Auf dem Rad »Rübe«, ein Freund Rainers, aufgenommen 1987 in Frohburg (Rainer Müller)

Freya Klier und Stephan Krawczyk mit dem Programm »Wieder stehen«
in Leipzig-Leutzsch, 25. Oktober 1987
(Frank Sellentin/Archiv Bürgerbewegung Leipzig)

Theo, Frank, Rainer, Anita und Uwe (v. l.) in der Nikolaikirche, 24. Oktober 1988;
vor Anita der katholische Priester Friedel Fischer
(Christoph Motzer/Archiv Bürgerbewegung Leipzig)

Die Capitol-Filmbühne, wo am 28. November 1988 während der Dokumentar- und Kurzfilmwoche die Luftballonaktion stattfand
(Rainer Kühn/Archiv Bürgerbewegung Leipzig)

Smog in Leipzig an einem Wintertag, 1988
(Norbert Vogel)

Auf der Mauer am Eingang zur Untergrundmessehalle ruft Fred zur Demonstration für Presse- und Versammlungsfreiheit auf, 15. Januar 1989
(unbekannt, BStU)

Fred bei seiner Rede auf der Mauer, 15. Januar 1989
(Archiv Bürgerbewegung Leipzig)

Spitze des Demonstrationszuges mit Anita, Christian und Fred auf dem Weg zum Liebknecht-Haus in der Braustraße, 15. Januar 1989
(Gerhard Gäbler)

Der Zug schwillt in der Petersstraße auf rund 800 Teilnehmer an, 15. Januar 1989
(Archiv Bürgerbewegung Leipzig)

Die Zweinaundorfer Straße 20a, mit der Wohnung von Micha und Bine und dem illegalen Nachtcafé, Anfang 1989
(Michael Arnold)

Es herrschte den ganzen Abend ein buntes Treiben in der Kirche, viele Gruppen präsentierten sich mit kleinen Ständen, die Schmalzstullen und Gurken anboten, Zigarren, Grog oder Kaffee. Neben hektografierten Schriften wie *Streiflichter*, *Umweltblätter* oder Siegfried Lenz' Rede zur Verleihung des Friedenspreises lag auch eine Unterschriftenliste der Aktion »1 Mark für Espenhain« aus und eine weitere, die für einen neuen Antarktisvertrag warb. Im Mittelpunkt des Abends stand eine lange Podiumsdiskussion mit zwei Pfarrern und einem Superintendenten über das Thema Kirche und Macht. Magirius war nicht dabei, im Gegensatz zu Thomas. Faktisch ging es sehr bald um das Thema: Wie verhält sich die Kirchenleitung zu Basisgruppen? Dabei wurde heftige Kritik von den Mitgliedern der Basisgruppen wie der Ausreiseantragsteller vorgetragen.

Pfarrer Führer fand es unverschämt, dass er am Ende eine Kerze überreicht bekam mit der Aufforderung, sich mit vor die Kirche zu stellen. Er murmelte, sein Platz sei in der Kirche, er werde sich überlegen müssen, wie die Friedensgebete weitergehen.

Die Hälfte des Blattes war schon beschrieben, aber Frank war richtig wütend wegen der Ordnungsstrafen nach ihrer Plakataktion in der Nikolaikirche, und seine Beschwerde an den Leiter des Volkspolizeikreisamtes sollte noch länger werden.

Mir ist nicht bekannt, dass eine Beschwerde von Bürgern, die sich im »sozialistischen Zusammenleben« beeinträchtigt fühlten, gegen mich vorliegt. Ich empfinde es als normal, dass die Friedensgebetsbesucher nach dem Verlassen der Kirche zusammenstehen und sich austauschen. Wieso wird mir diesbezüglich vorgeworfen, die »öffentliche Ordnung und Sicherheit« beeinträchtigt sowie das »sozialistische Zusammenleben der Bürger« gestört zu haben?

Frank saß zusammen mit Anke vor der Schreibmaschine in seinem Zimmer. Es war schon spät, kurz vor Mitternacht. Rainer hatte nebenan den ganzen Abend auf seinem Bett gesessen, ein Buch in der Hand, die Kutte übergezogen, denn es war lausekalt. Jetzt hatte er seinen Beutel genommen, das Rad aus dem Hof geholt und sich in die dunkle Stadt aufgemacht. So spät zog er öfter los. Die anderen Bewohner wussten nie so genau, wo er in der Nacht noch hinfuhr. Aber was Rainer mit Thomas und den anderen in seiner Gruppe machte, musste nicht jeder wissen.

Frank hatte unter das Briefpapier noch ein Kohlepapier mit in die Maschine eingezogen, um einen Durchschlag zu behalten. Er wollte den Wortlaut seiner Beschwerde mit den anderen absprechen, damit alle gleich argumentieren könnten.

Neben ihm hatte Anke in der Verfassung der DDR geblättert und begann zu diktieren:

Im Artikel 28 der Verfassung der DDR heißt es, dass alle Bürger das Recht haben, »sich im Rahmen der Grundsätze und Ziele der Verfassung friedlich zu versammeln«. Weiter heißt es im Artikel 28: »Die Nutzung der materiellen Voraussetzungen zur unbehinderten Ausübung dieses Rechts, der Versammlungsgebäude, Straßen und Kundgebungsplätze ... wird gewährleistet.«

Frank überlegte einen Moment. Anke merkte, wie es in seinem Kopf ratterte. Sie fand, er hatte eine liebenswerte Sensibilität, aber auch einen Dauerfrust tief in sich, der ihn oft alles in Frage stellen ließ. Er machte keinen Hehl aus seiner Meinung und ließ sich nicht aus Furcht vor möglichen Konsequenzen von seinen Vorhaben abhalten. Er liebte es, Eingaben zu schreiben, Beschwerdebriefe an Ämter und Behörden, er wollte und suchte die Auseinandersetzung:

Ich sehe eine Diskrepanz zwischen diesen verfassungsmäßigen Grundsätzen und der von Ihnen ausgesprochenen Ordnungsstrafmaßnahme. Es muss doch möglich sein, dass die in der Verfassung gegebenen Garantien auch für jeden Bürger persönlich erfahrbar sind, ohne dass er benachteiligt wird, wenn er von diesen verbürgten Rechten Gebrauch macht. Hiermit bitte ich um Aufhebung der mir verkündeten Ordnungsstrafmaßnahme. Gleichzeitig protestiere ich gegen das willkürliche Bemessen von unterschiedlichen Ordnungsstrafmaßnahmen gegen einzelne Teilnehmer.

Zwei Wochen später kam die Antwort des Chefs der Leipziger Volkspolizei:

Werter Herr! Die von Ihnen eingelegte Beschwerde gegen die Ordnungsstrafverfügung wurde durch die Bezirksbehörde der Deutschen Volkspolizei Leipzig einer gründlichen Überprüfung unterzogen. Sachliche bzw. rechtliche Mängel wurden weder bei der Bearbeitung des Ordnungsstrafverfahrens noch im Zusammenhang mit der Entscheidung festgestellt. Deshalb wird folgendes verfügt:

Die ausgesprochene Ordnungsstrafe wird aufrechterhalten. Diese Entscheidung ist endgültig. Begründung: Sie haben am 24. 10. 1988 an einer Zusammenkunft mitgewirkt, die geeignet war, gesellschaftliche Interessen zu missachten bzw. die öffentliche Ordnung und Sicherheit zu beeinträchtigen. Zu dieser Handlungsweise haben Sie sich bewusst entschlossen, obwohl Sie die Möglichkeit zum pflichtgemäßen Verhalten hatten. Damit handelten Sie vorsätzlich.

Weder Frank noch die anderen zahlten die Ordnungsstrafen, und lange Zeit hörten sie nichts mehr davon.

Im großen Konferenzraum der Runden Ecke waren am 14. November die Mitglieder der Bezirkseinsatzleitung des Ministeriums für Staatssicherheit zusammengekommen. Zu ihr gehörten alle geheimdienstlichen, staatlichen und Parteikräfte, die für die Aufrechterhaltung der bedrohten Macht zuständig waren. Vom Polizei- bis zum Partei- und Stasi-Chef des Bezirkes. Ihre wichtigsten Aufgaben: Niederschlagung von feindlichen Provokationen wie Streiks, Demonstrationen, Aufruhr und Revolten. Entstanden waren die Einsatzleitungen aus den Erfahrungen des Volksaufstandes am 17. Juni 1953. Zu ihren besonderen Aufgaben gehörte die Einrichtung von Isolierungslagern. Die Herren sprachen über die Bedrohungslage durch die Konterrevolution, über Bereitstellungs- und Mobilmachungsstufen und die B-Kader – das waren die ausgewählten Kräfte für den Ernstfall.

Der Leipziger Stasi-Chef Manfred Hummitzsch referierte die Lage aus seiner Sicht:

Insgesamt muss eingeschätzt werden, dass die Kirchenleitung der Sächsischen Landeskirche bemüht ist, ihre Amtsträger zu disziplinieren. Im Verhältnis zu den Basisgruppen und subversiven Kräften hat sie jedoch kein wirksames Konzept gefunden, um sich vor dem Missbrauch der Religion und der Institution Kirche zu schützen.

Er und die anderen wussten, in den Panzerschränken der weit über 200 MfS-Kreisdienststellen lagen versiegelte Briefumschläge mit der Aufschrift *Kz 4.1.3.* mit exakt ausgefüllten Personalunterlagen. Diese Papiere konnten auf ein zentrales Codewort hin geöffnet werden und würden den bewaffneten Verhaftungskommandos den Weg weisen. Tausende sollten so bei Gefahr für den Staat in Internierungslager geschafft werden. Im Dezember 1988 hatte die Stasi im ganzen Land 85 939 Personen in diesem *Vorbeugekomplex* erfasst. Auch viele Mitglieder der Leipziger Basisgruppen standen auf den Internierungslisten, auf einer der Listen war Uwe ganz oben, dann folgten 114 weitere Leipziger. Die Berliner Zentrale der Stasi wollte aber nicht auf den Tag X und die Umschläge mit Kz 4.1.3. warten.

Stasi-Chef Erich Mielke hatte die Entwicklung in Leipzig in den letzten Wochen besorgt verfolgt und einen Arbeitsstab eingesetzt, der die Zerschlagung der Gruppen sowie die Inhaftierung von Gesine, Thomas, Rainer, Uwe, Frank und etlichen anderen planen sollte. Einige inoffizielle Mitarbeiter in Leipzig waren beauftragt, dafür zu sorgen, dass das Friedensgebet in Nikolai wieder mit den Gruppen stattfinden könne, da sich sonst alles bei Wonneberger in der Lukaskirche konzentriere. Hummitzsch stellte zur Bearbeitung von Micha, Rainer, Thomas und Kathrin zunächst einmal je einen zusätzlichen hauptamtlichen Mitarbeiter ab. Eine vorrangige Aufgabe der Leipziger Stasi im kommenden Jahr 1989 – so wurde es Hummitzsch von Berlin auferlegt – müsse die Zerschlagung des Arbeitskreises Gerechtigkeit sein.

Einige Entwicklungen in dieser Gruppe hatten der Leipziger Stasi-Chef und seine Spitzel noch nicht mitbekommen. Thomas war seit August und Rainer seit seiner Exmatrikulation Anfang November Vollzeitbeschäftigter des Arbeitskreises Gerechtigkeit. Beide bestritten ihren Lebensunterhalt –

etwa 120 Mark der DDR – aus der Gruppenkasse. In die flossen Spenden der Mitglieder.

Zudem hatten Thomas und Pfarrer Wonneberger im September eine enge Zusammenarbeit zwischen dem Arbeitskreis Gerechtigkeit und der Arbeitsgruppe Menschenrechte verabredet. Die Verschmelzung und Professionalisierung beider Gruppen sollte über einen Koordinierungskreis, eine gemeinsame Kasse und später die Vollzeitbezahlung von Kathrin und anderen Mitgliedern vorangetrieben werden.

Von September bis Dezember 1988 begannen sie mit dem Ausbau von Büroräumen im Pfarr- und Gemeindehaus der Lukaskirche in der Juliusstraße. Zwölf Leute einer Partnergemeinde in Stuttgart halfen, die Mauern trockenzulegen, Thomas entfernte den Lack von den Fenstern und setzte sie instand, andere aus der Gruppe schliffen die Dielen ab, strichen die Wände, tapezierten. Wonneberger hatte, bevor er Pfarrer wurde, Schlosser gelernt und den ganzen Keller voller Werkzeug. Wonni baute auch Möbel selbst. Sogar die riesigen Lautsprecher für Konzerte in der Lukaskirche hatte er selbst konstruiert.

Das frei in einem Garten stehende Gebäude war für ein Hauptquartier des Widerstands sehr geeignet. Im Erdgeschoss lagen der Gemeinderaum, das Gemeindebüro und ein Raum, den sie zu einer Untergrundbibliothek mit in der DDR verbotenen Büchern machten. Aber nach außen gaben sie ihr den Namen »Gemeindebibliothek«. Dieser Raum wurde auch Gruppenraum genannt und stand prinzipiell für jedermann offen.

Im ersten Stock lag die Wohnung des Pfarrers, in der Wonneberger mit Frau und Tochter lebte. Daneben war ein Raum, in dem eine Druckmaschine stand, zu diesem hatten außer Wonneberger nur fünf Leute Zutritt, dazu gehörten Kathrin, Thomas und Rainer. Das Papier lagerte in Regalen, die rundherum angebracht waren. Weil Thomas immer so viel Pfeife rauchte, bohrte Wonneberger, der um das Wohl seiner Tochter fürchtete, ein Loch in die Wand, so dass im Druckereiraum bei Bedarf sein Telefon über eine Verlängerungsschnur mitbenutzt werden konnte.

Alternative Druckmöglichkeiten wurden ständig ausgebaut. Ein Diakon, der im Gemeindehaus der Nathanaelgemeinde wohnte, ließ Computer und Nadeldrucker heimlich mitbenutzen. Pfarrer Wonneberger war schon früher kreativ gewesen. Er hatte sich mal von einer westdeutschen Partnergemeinde aus Hannover-Engelbostel eine einfache Vervielfältigungsmaschine in Einzelteile zerlegen lassen. Die kamen dann als Weihnachtspäckchen (»Geschenksendung, keine Handelsware«) in einem Altenkreis an. Der Pfarrer sammelte noch vor Heiligabend sämtliche Teile bei den Senioren ein und setzte sie wieder zusammen. Das Ding funktionierte noch immer.

Thomas ließ nach und nach über einige in Ost-Berlin akkreditierte Westjournalisten, die ohne Kontrolle über die Grenze fahren konnten, Druckmaschinen, Kopierer, Fotoapparate transportieren. Gespendet von ausgereisten Leipzigern, Schriftstellern oder einzelnen persönlichen Bekannten bei den Grünen. Eine Druckmaschine hatte er lange Zeit im Zimmer der Theologiestudentin und Gruppensprecherin Katti im Konvikt der weiblichen Theologiestudentinnen in der Seeburgstraße untergebracht. Dort stand sie in einem Karton verpackt, darüber ein Deckchen, das Ganze sah aus wie ein Tisch.

Thomas wollte noch konspirativer als die Stasi sein. Im Arbeitskreis Gerechtigkeit gab es verdeckte Mitglieder, die ausschließlich technische oder organisatorische Aufgaben wahrnahmen und sich in der Öffentlichkeit nicht als Mitglieder zu erkennen gaben. Sie erschienen auch nicht bei den wöchentlichen Treffen der Gruppe. Sie fotografierten und dokumentierten aus sicherem Abstand Aktionen. Sie stellten Fahrzeuge für konspirative Transporte zur Verfügung. Drei Leute bereiteten Übergaben von Büchern, Zeitungen, Materialien aus dem Westen auf den Parkplätzen der Transitstrecken vor.

Es gab noch einen weiteren Vorteil. Die verdeckten Mitglieder konnten – anders als die meisten offen Mitarbeitenden – die Grenze nach Polen, Ungarn oder zur Tschechoslowakei passieren. Die Gruppe konnte bei ihnen in der Wohnung Sachen deponieren, und sie fungierten als Postanschrift, stellten Druckmaschinen ohne kirchliche Lizenznummer bei sich auf und übernahmen Schreibarbeiten oder Übersetzungen von russischen, polnischen oder tschechischen Oppositionspapieren sowie konspirative Transporte von Untergrundzeitungen in größeren Mengen. Es gab also eine arbeitsfähige Infrastruktur, und Thomas hatte sogar Notquartiere bei verdeckten Mitgliedern und Sympathisanten verabredet, falls es zu Verhaftungswellen käme oder zur Verhängung des Kriegsrechts, wie es in den Nachbarstaaten geschehen war. »Eine Diktatur kann man nicht als Einzelkämpfer, sondern nur mit einem diszipliniert arbeitenden Team überwinden«, hatte er einmal im kleinen Leitungskreis seiner Gruppe gesagt. Der traf sich seit Oktober zweimal in der Woche, prinzipiell im Freien. Es war der eigentliche Kern des Arbeitskreises Gerechtigkeit. Dazu gehörten Gesine, Rainer, Thomas, Kathrin und Bernd.

Die Friedensdekade in Nikolai war noch nicht vorbei, da fand in der Reformierten Kirche mit 500 Besuchern ein »Tag für Espenhain« statt, zur Aufklärung über den größten Umweltverschmutzer in der Region. Die eingeladenen Vertreter aus dem Rathaus und dem VEB Braunkohleveredelungswerk waren nicht erschienen. Die Arbeitsgruppe Umweltschutz, das Umweltseminar Rötha und einige Leute vom Arbeitskreis Gerechtigkeit, darunter Kathrin aus der Mariannenstraße, hatten den Tag vorbereitet. Die Umweltgruppe war in den Augen des Staates längst nicht mehr so harmlos, wie Uwe und Frank sie noch erlebt hatten. Das spiegelte sich auch in einem Artikel von Kathrin für die *Streiflichter*, das Infoblatt ihrer Gruppe: *Jedes Engagement für unsere Umwelt wird früher oder später politisch: in einem Land, wo kontinuierlich wirtschaftliche Entscheidungen auf Kosten der Ökologie getroffen werden. In einem Land, wo kein Bürger, nicht einmal die Betroffenen, eine Information über Schadstoffkonzentrationen bekommen. In einem Land, wo zwar laut Verfassung die Freiheit der Presse garantiert ist, die Menschen dies in der Praxis allerdings völlig anders erleben.*

Nach der Veranstaltung setzte sich Kathrin an ihre Schreibmaschine und verfasste eine Eingabe, die sie an den Rat der Stadt und an das Umweltministerium schickte: *Gegenüber dem VEB Braunkohleveredelung Espenhain erkenne ich Kleingärten. Gemüse wird angebaut. Wer dies isst, muss lebensmüde sein … Ich halte den Verschmutzungsgrad der Luft in unserem Gebiet für unzumutbar für die Bevölkerung im Raum Leipzig und darüber hinaus. Ich sehe deshalb die unbedingte Notwendigkeit entweder der Stilllegung des VEB Braunkohleveredelungswerk Espenhain oder seiner Sofortrekonstruktion. Dies halte ich für wesentlich dringlicher als viele andere Bauvorhaben. Was wird diesbezüglich geplant? Wenn ich mir die ökologischen Zustände in unserem Gebiet ansehe, kann ich wirklich nicht von einem verantwortlichen Umgang mit den Bürgern dieses Landes reden. Noch dazu wissen nicht einmal die Betroffenen, wie es um sie steht. Keine Informationen über Krankheiten, die durch die wahnsinnige Luftverschmutzung hervorgerufen werden, keine Veröffentlichung von Umweltdaten.*

Ich höre immer wieder, dass das Engagement jedes Einzelnen gefragt ist. Wirklich mitdenken und mitreden lässt sich aber nur, wenn die nötigen Informationen allen frei zugänglich sind. Die Aufhebung dieser Anordnung ist ein notwendiger Schritt zur Offenheit in unserem Land.

Ist dieser Schritt in Sichtweite? Wie wird die Umweltpolitik in der DDR zukünftig aussehen? Ich bitte um ausführliche Antwort.

Kathrin bekam keine.

Der offene Brief der Basisgruppen an Landesbischof Hempel vom September war nicht ohne Wirkung geblieben. Am 21. November fand endlich ein Gespräch zwischen Gruppen und Kirchenleitung statt, wie es seit dem Eklat um den Brief von Magirius Woche für Woche unter Protest gefordert worden war. In einem schmucklosen Raum des Theologischen Seminars trafen Gesine, Thomas, Jochen, Rainer und einige andere Mitglieder der Gruppen auf Superintendent Magirius, Nikolaipfarrer Führer, einen Vertreter des Landeskirchenamtes sowie Bischof Hempel. Jugendpfarrer Kaden und Studentenpfarrer Bartels nahmen ebenfalls an der Runde teil.

Die Vertreter der Kirche wirkten angespannt, als Gesine und die anderen ihnen vorhielten, wie sie den Ausschluss von der Mitgestaltung des Friedensgebetes erlebt hatten. Hempel war erregt. Er warf den Gruppen vor, dass sie ihn wiederholt hintergangen und ohne Absprachen die Öffentlichkeit gesucht hätten: *Es ist unwahr und unwissend, uns Amtsträger als angepasste Leute zu bezeichnen. Aber ein Friedensgebet, das Symptome einer Parteiversammlung hat, muss ich verbieten – oder als Bischof zurücktreten.*

Die alten Männer der Kirche wirkten tief gekränkt. Ihr Selbstbild war ein gänzlich anderes, als es ihnen die jungen Leute vorhielten. Sie verstanden sich als die einzigen Gönner und Schutzpatrone der jugendlichen Oppositionellen, jetzt aber saßen sie auf der Anklagebank.

Beide Seiten schoben sich gegenseitig Schuld zu, die Argumentation drehte sich im Kreis. »Ihr instrumentalisiert diesen Ort für eure Interessen«, kam von der Kirchenseite. Gesine erwiderte: »Ihr selbst sagt doch, die Nikolaikirche ist offen für alle!« Hempel gab zurück: »Ja, offen für alle, aber nicht für alles.« Dann wurde der Bischof überraschend deutlich: »Man kann sich doch nicht einfach vorne in der Kirche hinstellen und sagen: ›Alles ist Scheiße‹, dann noch ein ›Amen‹ hinterherschicken und behaupten, das ist ein Friedensgebet!«

Edgar, der junge Vikar aus der Gruppe *Hoffnung für Nicaragua*, sperrte die Augen auf und fragte sich: Hat mein Bischof gerade »Scheiße« gesagt? Damit war ein Punkt erreicht, an dem eine Pause zur Beruhigung der Gemüter notwendig wurde. Jede Fraktion sollte sie zu einer Besprechung nutzen. Die Mitglieder der Gruppen gingen auf den Flur hinaus.

Edgar saß noch ganz verdattert am Tisch, da kam Magirius auf ihn zu und meinte: »Unser Bruder Edgar weiß nicht, wo er sich zuordnen soll, bei den Gruppen oder den Amtskirchen?«

Edgar stand auf.

Gesine, Thomas und die anderen wollten über die Notwendigkeit von Öffentlichkeit, Toleranz und die indirekte Gewalt der Kirche sprechen. Der Bischof und seine Leute wollten über die Grenzen des Möglichen sprechen. Für ihn sei es eine Grenzüberschreitung, meinte er, wenn gesellschaftliche und politische Wahrheiten ohne Deutung nur benannt und anonyme Druckerzeugnisse in der Kirche verteilt würden. Wer Mundtücher mit der Aufschrift »Redeverbot« anlege oder die Orgel abschalte, habe diese Grenze ebenfalls fast erreicht. Es könne doch nicht so weitergehen, dass er jeden Dienstag nach dem montäglichen Friedensgebet von den Genossen einbestellt werde und sich rechtfertigen müsse.

Gesine wollte dem Bischof die Motive für die Aktivitäten der Gruppen erklären. Sie zog einen Zettel hervor.

Unser Engagement erwächst aus dem alltäglichen Erleben einer komplexen Wirklichkeit, die wir mit den meisten Menschen im Lande teilen. Wir glauben im Falle Leipzigs kann man von einer beginnenden Verslumung mancher Stadtgebiete sprechen. Die Menschen leiden unter diesen Auswirkungen, aber durchschauen die Komplexität der ökonomischen, sozialen, politischen und psychischen Realität zum überwiegenden Teil nicht. Wir sehen, dass der größte Teil der Bürger unseres Landes diese Situation ausschließlich in seinen Auswirkungen, wie soziales Gefälle, Isolation, Kriminalität, Gewaltverbrechen und Alkoholismus erlebt. Wir sind der Meinung, dass das die Folge einer von den Machthabern dieses Landes durch Medienmanipulation und das Erziehungs- und Bildungssystem bewusst erzeugten Unmündigkeit ist. Dadurch entsteht eine sich ausbreitende Hoffnungslosigkeit und Apathie, die uns durch ihre Irreversibilität bestürzt. Unser Engagement findet durch diese Erkenntnisse seine politische Zielrichtung. Die Kirche dürfe nicht länger *die Lügen dieses Landes mittragen. Wenn es zu keiner Veränderung dieser Entwicklung kommt, sehen wir auch für die Kirche in der DDR keine Zukunft.*

Die Annäherung schien fast unmöglich, aber am Ende war zumindest eines klar: dass alle weiter am Friedensgebet festhalten wollten. Der deutliche Unmut vieler Besucher in den vergangenen Wochen war auch Hempel, Magirius und den anderen Kirchenvertretern nicht entgangen. Ohne Wonneberger und die Gruppen hatten die Predigten und Ansprachen nicht mehr den richtigen Ton getroffen. Die Leute standen nach den pastoralen Friedensgebeten maulend und unzufrieden im Nikolaikirchhof.

Am gleichen Abend nahm Thomas mit einigen Mitgliedern des Bezirkssynodalausschusses an einer Sitzung des Kirchenvorstandes der Nikolaikirche teil. Dabei deutete sich auch dort im Gespräch ein Ende der Ausgrenzung an.

Zu Beginn des neuen Jahres, hieß es, könnten Magirius und Führer die Gruppen wieder an der Gestaltung der Friedensgebete beteiligen.

Es war noch früh am Tag. In der Zingster Straße bei Anita klingelte es. Wenig später stand Gesine vor ihrer Wohnungstür im vierten Stock des Plattenbaus. Die beiden Freundinnen umarmten sich, Anita zog die Besucherin hinein.

»Sag mal, den Zettel da hast du wohl übersehen, der lag heruntergefallen vor deiner Tür.«

»Was für ein Zettel?«

Gesine las vor:

Liebe Anita! Ich habe mir vorgestellt, wenn ich nichts rauche bis zu Dir, dann bist Du da. Aber es hat nichts geholfen. Nun gehe ich … Henri.

»Her damit!« Entschieden griff Anita nach dem Zettel.

»Wer ist das denn? Hast du einen neuen Verehrer, von dem ich nichts weiß?«

Anita lächelte nur.

Gesine ging zum Schreibtisch und schüttete ihre Tasche aus. Bunte Luftballons türmten sich zu einem Haufen.

»Und?« fragte sie ihre Freundin »Wie viele hast du bekommen?«

Anita sagte nichts und zog eine kleine Schublade auf. Gesine schaute hinein und schmunzelte. Die Lade war randvoll. Auch schwarze Filzstifte waren da. Damit hatten sie alles, was sie brauchten. Aber erst einmal wollte Gesine die Badewanne nutzen. Die Neubauwohnung war gut geheizt, und die beiden Frauen unterhielten sich durch die offene Badezimmertür. Anita beantwortete auch jetzt keine Fragen zu Henri. Sie setzte Kaffeewasser auf den Herd, räumte ihr Matratzenlager auf dem Fußboden zurecht und stellte etwas zum Frühstücken zusammen.

»Uwe kam gestern Abend noch zu mir«, versuchte Anita das einlaufende Badewasser zu übertönen, »weil sich vor seinem Haus dunkle Gestalten rumdrückten. Er wollte lieber hier pennen. Um sechs musste er aber schon wieder weg zur Frühschicht ins Schweitzer-Haus. Er glaubt, die Stasi hat jetzt einen Beobachtungsstützpunkt direkt vor seinem Haus in einem Bauwagen eingerichtet.«

Gesine streckte sich in der Wanne aus. »In der Mariannenstraße stehen sie auch dauernd mit dem Wartburg vor der Tür. Frank hat sie von drinnen heimlich fotografiert.«

»Dann fehlen die zum Glück wenigstens heute beim Capitol«, ulkte Anita.

Gesine ließ noch etwas heißes Wasser nachlaufen, Anita klapperte in der offenen Küche mit dem Geschirr. Das Capitol-Kino in der Petersstraße gehörte zu Leipzig wie das Völkerschlachtdenkmal. Seit 1929 pilgerten Generationen von Leipzigern in den riesigen Kinosaal der Filmbühne, und jedes Jahr fand dort eine internationale Dokumentarfilmwoche statt.

Heute war Eröffnungstag des Filmfestivals. Das wollten sie für eine Protestaktion ausnutzen, zu der sich die beiden Frauen spontan entschlossen hatten. Der Grund: Mehrere sowjetische Filme, die in einigen Kinos bereits gezeigt worden waren, wurden über Nacht von der Partei im ganzen Land verboten. Und am Kiosk und in den Briefkästen der Abonnenten fehlte die sowjetische Zeitschrift *Sputnik*. Die durchaus beliebte deutschsprachige Zeitschrift war seit Gorbatschows Antritt vor drei Jahren richtig interessant geworden. Im *Sputnik* konnte man schon länger von Glasnost und Perestroika, von Offenheit und Umgestaltung der Gesellschaft und sogar von den Verbrechen Stalins lesen, während sich in der DDR noch immer nichts bewegte.

Das Verbot der Filme und des *Sputnik* hatte in den letzten Tagen in anderen Städten bereits Proteste hervorgerufen.

Man war an das Verbot von Westzeitungen gewöhnt, aber von Kindesbeinen an hatte die Partei den Menschen im Land die ewige Freundschaft mit der Sowjetunion eingebläut. Und nun das? Ein Kopfschütteln ging durchs Land. In einigen Betrieben und Universitäten waren Eingaben und Resolutionen verfasst und öffentlich aufgehängt worden.

Die Leipziger Buchhandlung »Das sowjetische Buch« ließ ein Werbeplakat für die abgesetzten fünf Filme, für jedermann sichtbar, trotzig im Schaufenster hängen – bis Stasi-Leute kamen und es ohne Begründung beschlagnahmten.

Gesine kannte Leute aus der Leipziger Alternativszene, die schon 1983 eine Protestaktion beim Dokumentarfilmfestival gewagt hatten. Zwei Dutzend Jugendliche hatten sich damals schweigend mit Kerzen in der Hand vor dem Capitol getroffen, als Zeichen für Abrüstung in Ost und West. Ihre Kerzen wurden von Volkspolizisten zertreten, ein schwangeres Mädchen an den Haaren über die Straße geschleift, etliche von ihnen zu langen Haftstrafen verurteilt.

Das war fast auf den Tag genau fünf Jahre her. Anita und Gesine wollten die zu dieser Gelegenheit vorhandene internationale Öffentlichkeit in Leipzig ausnutzen und machten sich keine Sorgen, dass ihnen das Gleiche geschehen könnte. Die Zeiten hatten sich geändert. Kerzen waren ihnen allerdings zu wenig. Es musste etwas Provokativeres sein, eine einfache, schnelle Aktion.

Ihre wöchentlichen Kundgebungen auf dem Nikolaikirchplatz waren bisher ohne ernste Folgen geblieben. Der erste kleine, aber dauerhafte demonstrative Schritt in die Innenstadt hinein hatte alle beflügelt. Nicht nur Gesine und Anita hatten das Gefühl, man müsse jetzt nachlegen, immer weiter nachlegen. Sie hofften, auch gegenüber der Stasi einen Handlungsdruck zu erzeugen, so dass diese nicht mehr hinterherkam. Zuführungen schreckten sie schon längst nicht mehr.

Befragung, Protokoll und fertig. Ordnungsstrafen zahlten sie nicht. Der Wille nach öffentlichen Aktionen war stärker geworden, die Möglichkeit dazu größer. Jeder befeuerte jeden ständig mit neuen Ideen.

Gesine hatte sich nach so einer Stimmung schon lange gesehnt. Sie kannte viele Leute in der Stadt, nicht nur in den Basisgruppen oder der Ausreiserszene rund um Nikolai. Als eines von sechs Geschwistern war sie in einem lebendigen, offenen Pfarrhaus aufgewachsen. Über ihre älteren Brüder und Schwestern lernte sie schon als junges Mädchen die prickelnde Dresdener und Ost-Berliner Subkulturszene kennen. Aber auch die Risiken. Ihr großer Bruder Eckhardt hatte vor zehn Jahren ein im SPIEGEL veröffentlichtes oppositionelles Manifest abgeschrieben und verteilt. Er war zu eineinhalb Jahre verurteilt worden und saß bis zu seiner Ausreise in den Westen im berüchtigten Stasi-Gefängnis Hohenschönhausen.

Anita hatte keine Geschwister und mit elf Jahren beide Eltern verloren. Sie hörte Gesine gerne zu, wenn sie von ihrer Pfarrersfamilie erzählte oder davon, wie Gesine bereits in der Schule eine Grüne Zelle gegründet hatte. Sie und die Mitschüler gaben sich das Logo GZ und trotzten dem Direktor das Anlegen eines Naturlehrpfades ab. Zuvor hatte Gesine schon einen heimlichen Lesezirkel gegründet, später einen Jazzclub, der in der Schulaula und im FDJ-Club gegen allerlei Widerstände Konzerte organisierte. Gesine hatte wirklich viel Erfahrung damit, Leute zu versammeln, sich durchzusetzen und Aktionen zu machen.

Nach dem Schulabschluss hatte sie vor fünf Jahren in Leipzig Unterschlupf bei ihrem Bruder Dietrich gefunden und sich in der Künstler-, Literaten- und Musikszene herumgetrieben. Gleichzeitig ging sie zur Jungen Gemeinde von Nikolaipfarrer Führer, den sie anfangs noch viel offener erlebt hatte. Doch von seiner Jungen Gemeinde sagte sie sich los, nachdem Führer es abgelehnt hatte, einen offenen Treff für Jugendliche in der Nordkapelle von Nikolai einzurichten, wo sie Konzerte und Themenabende hätten organisieren können. Gesine war gern überall in Leipzig dabei. Im Freisitz auf dem Naschmarkt hatte sie Punker, Autonome und Freigeister aller Art kennengelernt. Auch Fred war einer aus dieser Szene. Ihm hatte sie erst gestern von der heutigen Aktion erzählt. Und sie hoffte darauf, dass er noch den einen oder anderen seiner Kumpel mitbringen würde.

Gesine hatte die Badewanne verlassen und saß jetzt auf Anitas Matratzenlager, ihre Freundin am Schreibtisch. Auf Anitas Plattenspieler drehte sich Tracy Chapman, »Talkin' 'bout a Revolution«. Jeder Luftballon musste aufgeblasen werden, um ihn mit einem Namen der verbotenen sowjetischen Filme beschriften zu können. Das Zimmer füllte sich allmählich mit Dutzenden der bunten Ballons, auf denen die Schrift trocknete.

Die Reue stand auf einem, auf einem anderen *Der kalte Sommer des Jahres* 53. Es gab noch welche mit *Morgen war Krieg, Das Thema* oder *Mehr Licht!* Auf etliche hatten sie einfach nur das Wort *Sputnik* geschrieben. Zufrieden blickten sie auf ihr Werk.

Draußen war die Sonne durch die Wolken gebrochen, und der Tag war für Ende November ungewöhnlich mild. Anita legte eine neue Scheibe auf. Procol Harum, »A Whiter Shade of Pale«. Gesine öffnete die Tür, setzte sich auf den Balkon und steckte sich eine Montecristo an, die schwarze kubanische Zigarette mit Papier aus Zuckerrohr. Anita blieb rauchend im Türrahmen stehen. Sie schwiegen und schauten über die Plattenbauten in die Ferne und hörten Musik.

Als alle Ballons beschrieben und getrocknet waren, ließen sie die Luft wieder raus, packten sie in ihre Beutel und machten sich auf den Weg. Um fünf spätestens wollten sie in der Nikolaikirche sein.

Während die beiden Frauen von Grünau aus mit der Straßenbahn in die Innenstadt fuhren, war Fred mit einigen Freunden in der Blaufuchsbar. Vor den Friedensgebeten saß er dort gerne am Fenster und schaute, wer alles vorbeikam und was sich zusammenbrauen könnte. Er hatte mit der Kirche nichts im Sinn und kam lieber etwas zu spät, wenn Orgelvorspiel, Psalm und Gebet vorbei waren. Zu viele Jutebeutelträger und Jesuslatschen. Im Song »Leipzig in Trümmern« der Leipziger Punkbandlegende Wutanfall hatte deren Texter Ray für Leute wie Fred die Zeile gedichtet: *Die Opposition kriecht hinter Kirchenpforten.*

Fred gehörte keiner Basisgruppe an. Mit seinen kurzen Haaren, Turnschuhen und rot-schwarzen Klamotten ordnete er sich selbst irgendwo zwischen Punk und Anarcho ein. Er hatte am Naschmarkt Freunde von rechts bis links gefunden und las die in seiner Szene kursierenden Texte von Rudi Dutschke, Ulrike Meinhof und der RAF. Schon als Jugendlicher ging er zu den Camus-Vorträgen der Leipziger Bloch-Schülerin Inge Berndt im »Offenen Keller« einer Gemeinde in Stötteritz. Eines Abends fiel ihm Gesine am Naschmarkt auf. Er mochte sie auf Anhieb mit ihren langen Haaren, ihrer abgetragenen Lederjacke und der engen rot-schwarz gestreiften Hose.

Fred hatte eine Leidenschaft für die wenig bekannte Druckschrift *nl konkret* aus dem Ost-Berliner Verlag Neues Leben. Die wandte sich an Jugendliche. Das Heft Nummer 49 hatte er dabei und schon die Hälfte der 200 Seiten zum Thema *Verlockung der Gewalt. Linksradikalismus, Anarchismus, Terrorismus* verschlungen.

Die Blaufuchsbar lag unweit der Nikolaikirche auf dem Weg zum Bahnhof. Von außen wirkte sie unauffällig, aber wenn man hineinging, fand man sich in einer überraschend schicken kleinen Bar, in der das gut eingeschenkte Glas Stierblut zwei Mark zwanzig kostete. Den Wein trank Fred dort gern auch mit ein paar Freunden aus der Leipziger Untergrundmusikszene. Fred hatte viele Talente und war sehr sportlich. Mit dreizehn absolvierte er schon Zehnkämpfe, sprang mit fünfzehn fast sechs Meter weit. Die erste Punkband, bei der er mitmachte, trennte sich von Fred, weil dessen Texte den anderen zu radikal waren. Seine eigene Band existierte nur so lange, bis der Staat den Gitarristen zur Armee einzog. Er selbst verweigerte den Wehrdienst. Fred hatte sich inzwischen von den Punks entfernt. Er suchte Leute, die weniger trinken und mehr handeln, und die fand er dort nicht.

Als Gesine ihn gestern auf die Protestaktion am Capitol angesprochen hatte, sagte er ihr sofort zu. Fred hatte dort noch vor wenigen Tagen den sowjetischen Film *Die Reue* gesehen, eine Abrechnung mit dem Stalinismus. Er fand den Film toll und war empört, dass ihn nun niemand mehr sehen durfte. Und er kannte jemand von den *Peacern**, wie er sie nannte, denen 1983 übel zugesetzt worden war.

Das Friedensgebet hatte schon begonnen. Fred zahlte, verließ die Blaufuchsbar und ging durch den Seiteneingang in die Kirche. Er sah Gesine und Anita mit anderen ganz hinten stehen. Gesine lächelte ihm zu. Er gesellte sich zu ihr und betrachtete die neben ihr stehenden Freunde, die er vom Sehen her schon kannte: Anita, Anke, Jochen, Rainer, Uwe und Frank. Sind das die Verrückten, die ich suche?, fragte er sich.

Das Friedensgebet dauerte nicht mehr lange, und alle strömten hinaus auf den Platz. Dort standen die Menschen herum und warteten auf mehr, wie seit Wochen. Diesmal stellten sich Rainer und Jochen auf die Betonplatten und redeten zu den Leuten, die nicht nach Hause gehen wollten.

Die Aufforderung, zum Capitol mitzukommen, verbreiteten Gesine und Anita währenddessen eher diskret unter ihren

Freunden. Spontan sagten einige zu. Als die Kundgebung vor der Nikolaikirche vorbei war, gingen sie in kleineren Gruppen den kurzen Weg Richtung Markt und Kino.

Das Foyer im Capitol war mit Besuchern gut gefüllt. Niemand schien sie zu beachten. Zur Eröffnung des Filmfestivals waren unter den vielen Gästen aus dem Westen auch etliche Journalisten angereist. Stasi-Leute waren nicht zu sehen.

Anita, Gesine und knapp ein Dutzend weitere Mitstreiter standen nun gegenüber dem Capitol-Haupteingang in der Passage Petersstraße. Die beiden Frauen verteilten kurzentschlossen die Ballons an Fred, Uwe, Frank, Anke, Jochen, Katti und einige andere. Jetzt galt es, die Dinger so schnell wie möglich aufzublasen, zuzuknoten und in die Menge vor dem Kino zu werfen.

Die Umstehenden fanden die bunten Ballons lustig. Sie stießen sie in die Luft, und die Luftballons flogen unerwartet hoch über die Köpfe. Immer mehr Leute begannen sie spielerisch hin und her zu stoßen. Die Namen der verbotenen Filme tanzten über den Festivalbesuchern, die allmählich begriffen, dass hier gerade eine Protestaktion stattfand. Einige zeigten deutlich ihre Zustimmung durch aufmunternde Zurufe.

Aber schon kamen zivil gekleidete sportliche Herren herbeigeeilt, die zur Überwachung des Festivals herumlungerten. Sie versuchten, die Luftballons einzufangen, doch die Besucher begriffen das nicht sofort, nahmen sie ihnen wieder weg und stießen sie erneut in die Luft. Ein Stasi-Mann versuchte die Ballons mit der Spitze seines Regenschirms zu zerstechen. Das sah ziemlich lächerlich aus.

Währenddessen lieferte die Gruppe ständig Ballonnachschub. Fred wurde wütend, als ihn einer der Herren anrempelte und die Ballons aus der Hand reißen wollte, und er brüllte ihn an: »Das machst du nicht noch mal!«

Die Luftballonjäger der Stasi, inzwischen erheblich mehr geworden, kamen auf eine neue Idee, sie steckten sich Zigaretten an, hielten die Glut an die Ballons und brachten sie so zum Platzen.

Es sah wie Slapstick aus, fand Gesine, wie die Männer der Staatssicherheit hinter den leuchtend bunten Luftballons mit den Namen der verbotenen sowjetischen Filme und der Zeitschrift *Sputnik* herhechteten, mit der Absicht, sie zu zerstören. Die Festivalbesucher staunten. Solch eine Form des Protestes hatten sie in der DDR nicht erwartet.

Ein Teil der Gruppe konnte unerkannt verschwinden, acht von ihnen konnten die Geheimdienstleute aber in der Passage einkesseln. Ihre Personalien wurden festgestellt, dann aber ließ man sie gehen.

Anita und Gesine mussten immer wieder lachen, als sie mit den anderen in Richtung Bahnhof liefen. Hinter der Blechbüchse, am Ende der Hainstraße, überquerten sie den Ring auf dem Blauen Wunder. So hieß die Fußgängerbrücke, weil sie aus blauem Metall war. Anita beschloss, mit der Straßenbahn nach Grünau zurückzufahren.

»Komm doch besser mit uns mit, willst du jetzt wirklich allein ...?«

»So ein Quatsch, lasst mal, Leute, ich schaff das schon!«

Anita stieg in die nächste Bahn Richtung Grünau. Während der Fahrt beschlich sie allerdings zunehmend ein dummes Gefühl. Dieser Mann da hinten, der blieb sitzen, fast alle anderen waren schon ausgestiegen. An der Haltestelle Kleinzschocher hatte sie eine Idee. Hier in der Rolf-Axen-Straße wohnte ihre Großmutter. Nichts wie raus!

Der Mann stieg ebenfalls aus.

Wenn sie stehenblieb, blieb auch er stehen und tat so, als ob er in seiner kleinen Tasche krame. Sie kannte sich in der Straße gut aus und ahnte, dass er herausfinden wollte, wo sie wohnte. Das hätten sie doch wie bei den anderen mit einer Ausweiskontrolle herausfinden können, dachte sie und wurde wütend. Es ging wohl auch um Einschüchterung. Als sie um eine Hausecke bog, drehte sie sich gleich wieder um und ging entschlossen zurück. Der Kerl prallte fast mit ihr zusammen, sie brüllte ihn an, ob er nicht besser aufpassen könne und was er überhaupt von ihr wolle: »Verpiss dich!«

Der Mann erschrak und pöbelte zurück. Anita lief bis zur nächsten Ecke, wartete in einem Kellereingang, bis er vorbeirannte, und gelangte schließlich zum Wohnhaus ihrer Großmutter. Sie blieb eine ganze Weile bei ihr, bevor sie sich in ihre Grünauer Wohnung aufmachte.

Später erfuhr sie, dass ihre Großmutter am nächsten Morgen Besuch bekam. Ein Stasi-Mann stand vor ihrer Tür und fragte, ob hier eine junge Frau wohne, und beschrieb Anita. Ihre Großmutter war die Hausbuchführerin des Wohnblocks und damit eine gute Anlaufstelle. Er wusste aber nicht, dass Anita ihre Enkelin war. Anitas Großmutter machte sich einen Scherz daraus und sagte ihm, die Beschreibung passe vielleicht auf die Tochter des Volkspolizisten aus dem Erdgeschoss.

Thomas war sauer über die Ballonaktion, die mit ihm und dem Arbeitskreis Gerechtigkeit nicht abgesprochen worden war. Auf einem Treffen der Gruppe Ende November ging es deshalb hoch her. Diskutiert wurde die Frage, ob man sich zurücknehmen müsse des größeren Zieles wegen oder ob jeder jederzeit aus dem Bauch heraus handeln dürfe. Thomas geriet vor allem mit Jochen aneinander, der Handlungsfreiheit haben wollte. Katti warf er vor, bei ihr im Zimmer stehe doch eine wertvolle Druckmaschine, die dürfe man nicht durch spontane Teilnahme an Demonstrationen riskieren. Katti beruhigte ihn, sie habe die Maschine bei einer der zwei amerikanischen Austauschstudentinnen im Theologischen Seminar in Sicherheit gebracht.

»Wenn von mir das Versprechen erwartet wird«, meinte Katti dann noch, »im Falle einer Zuführung oder Verhaftung nicht zu reden, dann sage ich euch, dass ich nicht etwas versichern kann, von dem ich nicht weiß, ob ich es einhalten kann. Weil ich nicht voraussehen kann, wie es im Gefängnis sein wird, wie viel Angst ich haben werde, welchem Druck ich ausgesetzt bin.«

Leute wie Katti, Gesine und Jochen wollten mit Aktionen Gesicht zeigen. Nur so könne man die Menschen gewinnen, über die Anhänger der Gruppen hinaus. Katti wandte sich noch einmal an Thomas: »Wenn niemand sagt: Hier bin ich und das mache ich, dann wird es niemand anderen geben, der dem Ersten vertraut und es nachmacht. Es wird sich niemand auf der Straße wirklich in Bewegung setzen. Es muss meiner Meinung nach jemanden geben, der als Erster rausgeht und sagt: Das sind wir und dahin gehen wir.«

Thomas und auch einige andere in der Gruppe sahen die Oppositionsarbeit mehr wie ein Schachspiel: »Weißt du, im Arbeitskreis Gerechtigkeit haben wir so und so viele Schachfiguren. Da können wir es uns einfach nicht erlauben, eine davon zu verlieren. Das heißt, ich bin dagegen, dass du öffentlichkeitswirksame Aktionen machst, ich will das nicht.«

Jochen blieb bei seiner Haltung: »Wenn ich es richtig finde, gehe ich los.«

Thomas sog aufgeregt an seiner Pfeife: »Das ist extrem leichtsinnig. Wir haben uns doch hier klare Regeln gegeben.«

»Wenn eine Oppositionsgruppe«, versuchte es Katti noch einmal, »die eine Diktatur auflösen möchte, selbst diktatorisch, extrem hierarchisch und unoffen arbeitet, wie kann eine solche Gruppe dann eine offene Gesellschaft anstreben und eine Demokratie? Das ist ja wohl ein Widerspruch?«

Thomas erwiderte, dass eine Diktatur gespiegelt werden müsse und auch nur dadurch bekämpft werden könne. »Wir müssen das Risiko klein halten.«

Der Abend endete damit, dass Gesine, Jochen und Katti nicht mehr Mitglied der Gruppe sein wollten. Thomas fand, dass sie es nicht mehr sein konnten, ohne die Existenz der Gruppe zu gefährden.

Auf dem Heimweg dachte Katti, wahrscheinlich können beide Positionen richtig sein. Sie würden sich ungeachtet aller Meinungsverschiedenheiten weiter gegenseitig unterstützen und bei Aktionen zusammenarbeiten. Der konspirativ arbeitende Arbeitskreis Gerechtigkeit war die einzige Oppositionsgruppe in Leipzig, die im Kern wohl nicht von der Stasi unterwandert war, aber genauso richtig war, dass Protest nur dann politisches Gewicht erhielt, wenn die Protestierenden im öffentlichen Raum ihr Gesicht zeigten.

Ein gebrauchter Weihnachtsbaum
Januar 1989

Micha blickte durch das Abteilfenster auf eine winterlich kahle Landschaft. Im fernen Dunst waren die Höhenzüge des Erzgebirges kaum noch zu erkennen. Schon bald würden Rainer und er wieder in Leipzig sein. Das Wochenende in Prag bei den Freunden der Charta 77 hatte sich gelohnt. Micha hing seinen Gedanken nach, Rainer las ein Buch.

Sie hatten sich mit Anna Šabatová und ihrem Mann Petr Uhl getroffen und lange Gespräche über die Situation in ihren Ländern geführt – in Cafés und Bierstuben, denn es war besser, nicht in die Wohnungen der bekannten Oppositionellen zu gehen. Dort hatte der Geheimdienst eine Überwachungskamera direkt auf den Hauseingang in der Anglická Nummer 8 gerichtet, ganz offen und bedrohlich, fest an einem Laternenmast montiert. Uhl war ein wichtiger, international bekannter Kontaktmann der Charta 77.

Anna hatte geschwärmt, dass gerade in der Woche vor dem Besuch der Leipziger die erste Demonstration der Prager Opposition genehmigt worden war.

Mehr als 3000 Menschen hatten am 10. Dezember, dem Tag der Menschenrechte, auf einem Platz mitten in der Stadt demonstriert. Sie durften zwar nicht zum Wenzelsplatz ziehen, doch die Polizei hatte sich nicht eingemischt und nur den Verkehr geregelt. Alles war anders als bei Michas Prag-Besuch im September, drei Monate zuvor. Da hatte er gesehen, wie die Uniformierten auf der alten Moldaubrücke in der Dämmerung brutal auf die Demonstranten eingeschlagen hatten. Und im Juni hatten Polizisten ein von der Charta organisiertes internationales Friedensseminar gestürmt und alle Teilnehmer verhaftet.

Die tschechische Opposition, sagte Uhl, sei inzwischen stärker geworden: »Immer mehr erwachen aus der Apathie und überwinden ihre Angst.«

Dieser Satz war Micha ganz besonders in Erinnerung geblieben.

Er wandte den Blick von der Landschaft und schaute auf Rainer, der ihm direkt gegenüber saß und vollkommen in seinem Buch versunken war, in das er Papiere der Charta so eingelegt hatte, dass sie die anderen Reisenden im Abteil nicht sehen konnten. Rainer versuchte schon seit längerem, Tschechisch zu lernen, und wollte einige der Dokumente übersetzen, abschreiben und von Leipzig aus verbreiten. Anna und Petr hatten ihm eine ganze Menge Samisdat-Zeitungen mitgegeben, die er im Futter seiner Reisetasche vor der Grenzkontrolle versteckt hatte.

Micha musste lachen, als er daran dachte, wie unsanft sie heute Morgen geweckt worden waren. Zum Übernachten waren sie einfach in ein Miethaus in der Altstadt gegangen und das Treppenhaus bis zum letzten Absatz vor der Tür zum Dachboden nach oben gestiegen. Dort oben war es leidlich warm, und die Tauben gurrten. In der Früh wurden sie von Hausbewohnern aufgescheucht, die dachten, die beiden bärtigen Männer wären womöglich Obdachlose.

Rainer blickte hoch und sah ihn etwas irritiert an. Als sie in Leipzig ankamen, hatte Micha einen Plan.

Zwei Tage waren es nur noch bis Heiligabend. Gesine und Uwe standen vor dem Café Wilhelmshöhe und blickten in die schwache Dezembersonne. Gesine hatte Uwe vom Ärger erzählt, den sie und Jochen mit Thomas wegen der spontanen Luftballonaktion bekommen hatten. Weil niemand im Arbeitskreis Gerechtigkeit vorher informiert worden sei, die Absicherung gefehlt habe und man im Falle von Verhaftungen nicht gut hätte reagieren können. Genau so sei es ja auch schon bei der Plakataktion in und vor der Nikolaikirche am 24. Oktober gewesen. Sie hätten lange gestritten, aber am Ende ihre Mitarbeit in aller Freundschaft aufgeben müssen. Sie und Jochen seien beide entschlossen, in Zukunft lieber bei ihm in der Initiativgruppe Leben mitzumachen.

Plötzlich tauchte Micha vor ihnen auf und sagte, er müsse mit ihnen reden, aber nicht hier. Sie folgten ihm in die Zweinaundorfer, gingen aber nicht in seine Wohnung, in der er mit Bine und ihrer gerade erst geborenen Tochter Johanna wohnte. Micha öffnete für Gesine und Uwe in der gleichen Etage die gegenüberliegende Tür zu einer verlassenen Wohnung des Hauses. In den Räumen standen nur noch wenige Möbel: ein Tisch, eine alte Couch, ein paar Stühle und Kisten als Sitzgelegenheiten. Micha hoffte, dass sie nicht abgehört wurde. Sie setzten sich um den Tisch.

Er erzählte von Prag und der geglückten Demonstration. Beeindruckt habe ihn, dass der französische Präsident Mitterrand bei seinem Staatsbesuch Václav Havel, Petr, Anna und einige andere Charta-Mitglieder zum Frühstück in seine Botschaft eingeladen hatte.

»Diese Geste hat der Opposition den Rücken gestärkt. Sie bedeutet auch einen gewissen Schutz.«

»Willst du jetzt Bundespräsident Weizsäcker dazu bringen, uns zum Frühstück in die Ständige Vertretung einzuladen?«, scherzte Uwe.

Gesine guckte spöttisch: »Oder möchtest du lieber mit Helmut Kohl frühstücken?«

»Wär mal was anderes«, lachte Uwe, »aber jetzt sag endlich, worum es geht.«

»Ich hab eine Idee. Wir haben doch bald den 15. Januar, das Luxemburg-Liebknecht-Gedenkritual mit Demonstrationen der Partei wie jedes Jahr.«

»Du meinst …«

»Ja!«

»Wir rufen in Leipzig zu einer unabhängigen Demonstration auf.«

Uwe beugte sich zustimmend vor.

»Wir mischen uns auf keinen Fall mit eigenen Losungen unter eine Gedenkfeier der Partei!«

Micha berichtete, dass die Freunde in Prag am gleichen Tag eine Demonstration für Freiheit und Demokratie am Wenzelsplatz vorhätten. Sie wollten auch Blumen für Jan Palach ablegen, den Studenten, der sich vor zwanzig Jahren dort aus Protest gegen die Niederschlagung des Prager Frühlings, gegen Zensur und Unterdrückung selbst verbrannt hatte.

»In beiden Ländern Demonstrationen am gleichen Tag! Und in Prag und Leipzig gehen die Informationen darüber gleichzeitig an die internationale Öffentlichkeit.«

Micha musste nicht mehr viel reden, die beiden anderen waren schon überzeugt. Er zog etwas aus der Tasche. »Ich hab schon den Entwurf zu einem Aufruf gemacht …«

»Zeig mal her!«

Er gab Gesine das Blatt in die Hand. Uwe rutschte heran, und sie lasen gemeinsam. Gesine ließ den Text sinken, sah Uwe an, sah Micha an und nickte. »Das klingt doch schon ganz gut. Ich glaub, das ist wirklich eine gute Möglichkeit, und ich finde, es ist an der Zeit, mehr zu wagen …«

Uwe las den Zettel noch einmal durch und gab ihn Micha zurück. »In dieser Stadt muss sich endlich für alle sichtbar etwas bewegen! Wir machen das.«

Lange Diskussionen waren nicht ihr Ding. Sie akzeptierten Michas Entwurf, bis auf einen Satz, über den sie dann doch eine Weile diskutierten. »Reisefreiheit für jeden Bürger, das ist doch so nicht Inhalt des Kampfes von Luxemburg gewesen«, wandte Gesine ein. Diese Demo dürfe nicht von Ausreiseantragstellern dominiert werden. Im Vordergrund stünden Versammlungs- und Vereinigungsfreiheit, Presse- und Meinungsfreiheit. Und dafür sollten die Leipziger vom Markt aus in einem Schweigemarsch mit Kerzen bis zum Geburtshaus von Karl Liebknecht in der Braustraße gehen. Micha sah das anders, in seinen Augen gehörte die Freiheit, seinen Aufenthaltsort zu bestimmen, ebenfalls zu den Grundrechten.

Es war nicht mehr viel Zeit bis zum 15. Januar. Sie überlegten, was sie alles noch tun mussten. Sie brauchten erstmals eine wirklich große Menge Flugblätter. 5000? Oder vielleicht 10 000? Sie einigten sich auf 10 000. Eine solche Menge musste auf mehrere Druckgelegenheiten verteilt werden. Da würde die übliche Art der Herstellung nicht reichen. Mit den einfachen Ormig-Matrizen schafften sie gerade mal dreißig lesbare Abzüge, manchmal vielleicht ein paar mehr, dann aber wurde es unleserlich. Ihre Wäschemangelmethode, bei der man jedes Blatt einzeln durchziehen musste, war auch viel zu langsam. Die Druckfarbe war ebenfalls ein Problem, davon gab es immer zu wenig. Rainer aus der Marianne hatte schon versucht, sie mit abgekratztem Ofenruß und etwas Öl zu strecken.

Micha versprach, Thomas zu fragen, der Zugang zu einer besseren Maschine in einem Versteck außerhalb von Leipzig hatte. Als weitere Möglichkeit fassten sie die Markusgemeinde ins Auge. Pfarrer Turek wollten sie allerdings raushalten, um ihn nicht zu belasten, falls etwas schiefginge.

Micha hatte sich überlegt, die Flugblätter vier Tage vor dem 15. zu verteilen. »Wenn wir wirklich so viele Flugblätter drucken, brauchen wir eine größere Gruppe zum Verteilen.« Er wollte einige Freunde und Bekannte ansprechen und im Übrigen Jochen fragen, ob er seine Wohnung als Treff- und Ausgangspunkt für den Abend der Verteilung zur Verfügung stellen würde.

Papier war nicht das größte Problem. Sie hatten schon immer welches auf Vorrat gekauft. Wer eine Packung im Schreibwarengeschäft entdeckte, griff zu. Papier war immer knapp oder wurde knapp gehalten. Matrizen aber gab es nirgendwo zu kaufen. Ein paar hatten sie bei Pfarrern abgezweigt, die sie über die Kirche erhielten. Um Tausende von Seiten zu drucken, musste der Text allerdings Dutzende Male auf Matrizen getippt werden. Für die Maschine von Thomas benötigten sie bessere und ergiebigere Wachsmatrizen, solche, mit denen pro Exemplar bis zu 1000 Abzüge gemacht werden konnten. Vielleicht könnte ja Thomas selbst welche besorgen?

Dann war da auch noch das Problem der Zwischenlagerung der Flugblätter. Bis zur Aktion sollten die gedruckten Seiten bei einer unverdächtigen Person, die nicht wie sie unter Beobachtung stand, verwahrt werden. Micha hatte schon jemanden im Blick. Und er hatte eine Idee, wer als Redner auftreten könnte. Ein Redner? Auf einer unabhängigen Demonstration? So etwas hatte es seit Jahren, wahrscheinlich seit Jahrzehnten in der DDR nicht mehr gegeben ...

Bevor sie auseinandergingen, besprachen sie noch etwas. Wie kann die Aktion im ganzen Land bekannt werden? Und was, falls es doch zu Festnahmen käme?

Micha plante mit Hilfe von Thomas je ein Flugblatt noch vor dem Verteilen einigen bekannteren Oppositionellen wie Lutz Rathenow, Ludwig Mehlhorn oder dem Pfarrer Hans-Peter Schneider in Berlin zukommen zu lassen. Die Berliner hatten viele Beziehungen zu anderen Gruppen im ganzen

Land – und zu Westjournalisten. Weitere Exemplare sollten vorab nach Prag, eins an enge Freunde im Kreis von Wehrdienstverweigerern gehen.

»Das ist unsere Überlebensversicherung. Nur wenn möglichst viele Bescheid wissen, haben wir eine Chance, jemals wieder rauszukommen.«

Es gab noch etwas, was für die Aktion günstig war. Darüber hatten Micha und Rainer mit den Charta-Freunden in Prag geredet. Derzeit tagte in Wien die KSZE-Konferenz, die Konferenz für Sicherheit und Zusammenarbeit in Europa, dabei ging es um die Gewährung von Menschenrechten in den Mitgliedstaaten, auch in Osteuropa. Die DDR war an internationaler Anerkennung interessiert und würde kaum daran vorbeikommen, die Abschlusserklärung zu den Menschenrechten mit zu unterschreiben.

Micha fragte Uwe noch nach einer Lieblingsidee seines Freundes Frank, über die Uwe und Frank mal an einem langen Abend im Hof der Mariannenstraße gesprochen hatten: den spektakulären Flugblattabwurf vom Dach eines Hauses in der Leipziger Innenstadt. Das könnten sie doch diesmal am Tag nach der nächtlichen Verteilaktion realisieren.

»Am besten nachmittags, wenn die Einkaufsstraßen voller Menschen sind.«

Drei Jahre zuvor waren 200 Flugblätter einer »Aktion jetzt« während der Leipziger Frühjahrsmesse von einem Dach in der Hainstraße herabgefallen. Die Passanten hatten keine fünf Minuten Zeit, sie zu greifen, so schnell sperrten Sicherheitskräfte die Einkaufszeile ab. Die Vorrichtung zum Abwurf der Flugblätter baumelte noch 28 Stunden bedrohlich über der Hainstraße, bis sie verschwand.

Frank kannte die Geschichte und hatte die Technik der Abwurfkippe häufiger durchdacht. Er wusste leider nicht, wer sie damals in der Hainstraße installiert hatte. Auf der einen

Seite eines Brettes die Flugblätter in einem oben geschlossenen Holzrahmen, auf der anderen Seite ein oder zwei Kanister voller Wasser, das durch kleine Löcher nach und nach ablief. Wegen der zunehmenden Neigung des Brettes rutschten die Flugblätter schließlich aus dem Rahmen und segelten auf die Straße herunter. Frank hatte wohl schon einige Experimente gemacht und ein Hausdach in der belebten Hainstraße als möglichen Abwurfort ausgeguckt. Es schien aber nicht ganz einfach zu sein. Uwe versprach, nachzufragen, ob Frank die Kippe noch realisieren könnte.

Heiligabend brannte überall Licht im Leipziger Osten, jedenfalls dort, wo noch Menschen in den Häusern wohnten, nicht aber in der kalten, ungeheizten Marianne. Dort waren alle zu Besuchen bei ihren Familien ausgeflogen und kehrten erst während der Feiertage zurück. Einer von ihnen fand auf der Straße einen entsorgten Weihnachtsbaum und brachte ihn mit. Sie stellten ihn oben bei den Frauen auf, in den einzigen Räumen, die durch die einfallende Wintersonne und die wenigen vorhandenen Briketts in den Kachelöfen etwas wärmer wurden. So gab es einen dritten und sogar vierten Weihnachtstag in der Marianne, an denen sie mit Rotwein und Resten der Festessen von zu Hause feierten. Später wurde der Baum verheizt.

Von Pfarrer Wonneberger hatten sie zum Jahreswechsel eine selbstgemachte Grußkarte bekommen. Seine »Mail art« verschickte er jedes Jahr. Die Karte sah witzig aus, war aber hintergründig. Er und seine Frau wühlten auf dem Bild im Dreck, ohne das richtige Werkzeug dafür zu haben. *Hoffnung schöpfen* hatte Wonni den hundertmal selbst abgezogenen Fotos per Siebdruck hinzugefügt. Aus nichts etwas machen.

Die Tage bis zum Jahresende waren ungewöhnlich sonnig und mild.

Das Abtippen teilten sie sich auf. Gesine spannte Matrize um Matrize auf ihrer alten Rheinmetall-Maschine ein, genauso wie Micha auf seiner museumsreifen Mercedes-Schreibmaschine aus den zwanziger Jahren. Uwe hatte etwas Moderneres: Gesine hatte ihm eine Erika-Reiseschreibmaschine aus den sechziger Jahren besorgt. Seine eigene gut sechzig Jahre alte Maschine hatte unverkennbare Schrifttypen, und sie hatten sie schon oft für ihre Aktionen verwendet. Damit wären sie als Urheber allzu schnell identifizierbar gewesen. Um beim Druck Papier zu sparen, schrieben sie den Text gleich zweimal auf eine Seite.

Kurz vor Silvester trafen sich Gesine, Uwe und Micha in der Nähe des Markts in der Milchbar Pinguin – berühmt für den »Schwedeneisbecher«: Vanilleeis mit Apfelmus und Eierlikör. Die Schlange der Wartenden war an diesem Tag kürzer als sonst. Sie mussten nicht lange warten, bis sie sich an einen der kleinen Tische im hinteren Teil des Raumes mit Blick zum Innenhof setzen konnten. Es gab wichtige Zusagen. Jochen hatte sich bereit erklärt, seine Wohnung zur Verfügung zu stellen, und Thomas hatte versprochen, wenn er genug beschriebene Matrizen bekäme, sei der Druck selbst einer großen Menge kein Problem für ihn.

Micha wollte in der abhörsicheren Milchbar weiter am Plan zur Verteilung der Flugblätter in der Nacht feilen. Angesichts der Dauerobservation und eventuell eingeschleuster Spitzel sei es klüger, die Wohnung von Jochen an dem Abend besser nicht direkt aufzusuchen. Mögliche Teilnehmer sollten erst einmal in Michas Wohnung in der Zweinaundorfer kommen. »Dort stellen wir ihnen den Wortlaut des Flugblatts vor, dann können sie sich entscheiden, ob sie mitmachen möchten oder nicht. Wer ablehnt, kommt mit den gedruckten Flugblättern gar nicht in Kontakt und weiß, wenn er verhaftet wird, auch nicht, wie sie verteilt worden sind.« Während Uwe und Gesine die Flugblätter aus ihrem Versteck abholten, könnten die, die sie verteilen wollen, sich dann zur Wohnung von Jochen begeben.

Der Druck begann in den ersten Tagen des neuen Jahres. Micha und Gesine fuhren nach Reudnitz zu Pfarrer Turek. Sie klingelten, und er kam mit einem Becher Tee in der Hand an die Tür. Sie wünschten sich ein gutes neues Jahr. Seine Einladung, einen Tee mit ihm zu trinken, lehnten sie dankend ab. Micha erklärte, sie hätten es eilig und würden gerne das Arbeitspapier zum Sozialen Friedensdienst drucken. »In Ordnung«, sagte Turek, »hier habt ihr den Schlüssel. Ihr wisst ja Bescheid.«

Gesine und Micha kannten sich aus. Pfarrer Turek kontrollierte sie nicht. Er wollte eigentlich nie so genau wissen, was sie gerade vorhatten. »Die Sachen sind mir anvertraut, also muss ich sie einsetzen«, hatte Turek mal zu ihnen über seine Räume und Geräte gesagt.

Das war keine Selbstverständlichkeit unter Pfarrern, das wussten sie. Turek gehörte zu den wenigen Ausnahmen in Leipzig. Er war allerdings ein Pfarrer ohne Kirche, denn Turek verfügte nur noch über ein Gemeindehaus. Der einst repräsentative Kirchenbau war nach dem Krieg nicht mehr ordentlich saniert und schließlich 1978 gesprengt worden. Der Schutt wurde auf dem der zehn Jahre zuvor gesprengten Universitätskirche abgeladen. Das übrig gebliebene Gemeindehaus mit dem großen Saal stellte Turek regelmäßig den Aktivisten der Basisgruppen zur Verfügung.

»Seien Sie doch vernünftig, Herr Turek«, musste sich der bärtige Pfarrer, der ursprünglich mal zur See fahren wollte, deswegen immer wieder von SED- und Stasi-Leuten vorhalten lassen, »und nehmen Sie sich ein Beispiel an Ihrem staatstreuen Kollegen von der Thomaskirche, da finden keine Gegner unserer sozialistischen Gesellschaft Unterschlupf.«

Im Keller machten sie sich an die Arbeit. Nach einer Weile stieß Frank zu ihnen. Er hatte noch mehr Papier aufgetrieben, brachte aber auch die schlechte Nachricht mit, dass es mit der Abwurfkippe wohl nichts werden würde. Wenn, dann müsste er sie perfekt bauen und ausprobieren, das dauere jetzt zu lange. Im Übrigen würde der Verdacht sofort auf ihn als Tischler fallen. Es wäre einfacher, mehr Leute zum Verteilen zu gewinnen.

Als Erstes druckten sie tatsächlich das Arbeitspapier zum Sozialen Friedensdienst, falls Turek doch herunterkäme – gebraucht wurde es sowieso, und ganz hintergehen wollten sie den Pfarrer auch nicht. Anschließend war ihr Aufruf zur Demo dran. Zu dritt kamen sie gut voran. Eine Matrize nach der anderen wurde in die Walze eingespannt. Einer kurbelte, einer stapelte, einer passte auf – bis das Papier aufgebraucht und 6000 Flugblätter fertig waren, vergingen mehrere Stunden.

Draußen war es längst dunkel geworden, ein leichter Nebel hing in der Luft. Man roch, dass in der Umgebung kräftig mit Braunkohle geheizt wurde.

Da sie prüfen wollten, ob sie jemand beobachtet hatte, machte sich Frank mit einem kleinen Stapel des Friedensdienstpapiers allein zu Michas Wohnung in die Zweinaundorfer auf. Sollte ihm jemand folgen, würde er zum Gemeindehaus zurückkehren und die anderen warnen, ansonsten aber die Exemplare des Arbeitspapiers bei Michas Frau Bine abliefern. Selbst bei einer heimlichen Durchsuchung der Stasi wäre Michas Wohnung sauber, niemand würde dort Flugblätter finden können, nur die erlaubte kirchliche Schrift.

Frank kehrte nicht zurück. Micha und Gesine räumten auf, packten die Flugblätter in einen alten Reisekoffer und zwei Lederbeutel und schleppten ihre Last vorsichtig aus dem Keller. Gesine brachte Pfarrer Turek den Schlüssel zurück und schlug erneut die Einladung zum Tee aus. Sie gab ihm ein Exemplar des Arbeitspapieres. Das hatte wie immer auf jeder Seite eine entscheidende Fußzeile: *Nur für den innerkirchlichen Dienstgebrauch.* Genau so verlangte es die staatliche Vorschrift.

Ein Flugblatt mit einem Aufruf zur Demonstration mitten in Leipzig war allerdings dreister als alles bisher Dagewesene – und es hatte nichts mehr mit der Kirche zu tun. Es war weder ein »Pilgerweg« noch ein »Spaziergang« oder »Kreuzweg für den Frieden«, und es trug auch nicht die Fußzeile *Nur für den innerkirchlichen Dienstgebrauch.*

Auf der Straße war niemand zu sehen. Sie nahmen die Straßenbahn, stellten sich in den letzten Wagen und beobachteten durchs Fenster, ob ihnen ein Auto folgte. Dann trennten sie sich. Micha stieg aus und machte sich auf den Weg zu einem Treffen der Leipziger Basisgruppen. Dort hoffte er noch weitere Flugblattverteiler anwerben zu können, vor allem aber Thomas zu treffen, der ihm die passenden Matrizen für seine Maschine versprochen hatte.

Gesine fuhr mit den Flugblättern weiter zu Constanze, einer Krankenschwester, die sie über Micha kennengelernt hatte. Bei ihr sollten alle Flugblätter gesammelt und erst in der Nacht der Verteilung abgeholt werden.

Constanze war dafür eine gute Wahl. Sie gehörte zwar zur kirchlichen Alternativszene, war aber kein Mitglied einer politischen Basisgruppe und damit auch nicht unter ständiger Beobachtung. Sie wohnte zudem allein, etwas abseits der anderen. Constanze und Micha hatten sich bei einer Zahnbehandlung kennengelernt. Ihr alter Zahnarzt war in den Westen ausgereist, und in der Poliklinik erhielt sie keinen Termin. »Nicht mehr in diesem Jahr!« So landete sie bei Micha in der Lehrklinik der Zahnmedizinstudenten, wo er unter Aufsicht einer Zahnärztin erstmals Patienten behandeln durfte.

Niemand war Gesine gefolgt, alles lief glatt. Ihr Herzklopfen legte sich.

Ein paar Tage drauf wurde sie 24 Jahre alt. Ihr Geburtstag ging fast unter, bei all den heimlichen Vorbereitungen für die Aktion. Am Abend kamen dann aber doch noch etliche Freunde in ihre Einraumwohnung in der Wielandstraße, die sie trotz vieler Besuche in der Marianne noch nicht aufgegeben hatte. Kathrin, Anita und Micha gratulierten ihr. Sie brachten Rotwein und Bier, Brot und etwas Käse mit, rauchten, hörten Musik und redeten bis tief in die Nacht über die vergangenen Monate und darüber, was das neue Jahr wohl alles bringen würde. Gesines Stimmung war aufgekratzt und angespannt. Bisher wussten nur wenige Leute von dem, was in einer Woche bevorstand.

Die bisher gedruckten 6000 Flugblätter reichten noch lange nicht. Micha hatte inzwischen von Thomas neue Matrizen bekommen. Er gab sie an Uwe weiter, der sich sofort an die Arbeit machte und bis tief in die Nacht tippte. Am nächsten Morgen erhielt Thomas die beschriebenen Matrizen zurück. Auf ihn war Verlass: Nur zwei Tage später lieferte er weitere 4000 Flugblätter bei Micha ab, schön ordentlich mit einer Kordel zu dicken Bündeln zusammengeschnürt. Niemand wusste, wo Thomas das alles gedruckt hatte. Thomas wiederum wusste umgekehrt nichts von ihrer Flugblattproduktion und vom Zwischenlager bei Constanze.

Es war klar, dass Thomas nicht beim Verteilen mitmachen würde. Micha brauchte ihn gar nicht erst zu fragen. Thomas hatte seine Prinzipien aus Büchern über die Geschichte illegaler KPD-Arbeit: »Wer druckt, verteilt nicht. Wer verteilt, der druckt nicht.«

Rainer aus der Mariannenstraße mahnte öfter etwas Ähnliches an: »Man muss nicht alles wissen. Was man nicht weiß, kann auch niemand bei einem Verhör aus einem herausholen.«

Thomas und Rainer planten daher, ohne Wissen der anderen als heimliche Verschwörer zusammenzuarbeiten. Die beiden hatten von langer Hand für illegale Druckmöglichkeiten gesorgt. Nicht nur, dass Rainer im Keller der Marianne etliche alte Wäschemangeln gesammelt hatte, aus denen sich einfache Essig-Spiritus-Abziehgeräte herstellen ließen. Er hatte auch auf dem Dachboden seiner Ausbildungsstätte, dem Theologischen Seminar, zwei ausrangierte Wachsmatrizen-Druckmaschinen entdeckt. Eine davon hatte er schon herausgeschmuggelt und bei einer guten Bekannten in Leipzig abgestellt. Dort musste das schwere Teil nun abgeholt werden. Rainer hatte zwar einen Führerschein, aber wie alle jungen Leute kein Auto. Er fragte erst seine Eltern, dann einen Freund. Schließlich knatterte Rainer mit einem ausgeliehenen Trabi durch Leipzig. Er nahm ausreichend Papier mit, das er auf Vorrat besorgt hatte. Rainer machte es nichts aus, dass er einmal mit dem ergatterten Packen Papier beim Verlassen des Schreibwarengeschäftes ganz unverfroren von Stasi-Mitarbeitern gefilmt worden war, wohl um Beweise festzuhalten.

Gemeinsam mit Thomas holte Rainer die Druckmaschine ab, lud sie auf den Rücksitz und warf noch eine Decke darüber. So verließen sie Leipzig. Da sie den Eindruck hatten, verfolgt zu werden, fuhren sie öfters über Kreuzungen kurz bevor die Ampel auf Rot umsprang oder warteten eine Weile in einer Seitenstraße ab.

Spätabends kamen sie auf Umwegen über kleine Landstraßen in Mölbis an. Der Ort, ein Dreihundert-Seelen-Nest südlich von Leipzig, hatte den Ruf, das dreckigste Dorf der DDR zu sein. Es lag inmitten der Mondlandschaft, die zurückblieb, nachdem der Braunkohletagebau Dörfer, Äcker und Wälder beseitigt hatte. Der Ruß fiel täglich aufs Dorf herab, direkt aus der Abgasfahne der kaum einen Kilometer entfernten Braunkohleschwelerei Espenhain. »Es hat gedreckt«, sagten die Mölbiser am Morgen, wenn der Staub nachts besonders arg herabgerieselt war. Dann hinterließen sie beim Gehen Spuren auf ihren Wegen und schalteten die Scheinwerfer ihrer Autos auch tagsüber an.

Rainer blieb mit dem Trabi vor einem alten Fachwerkhaus stehen und stellte den Motor ab. Es war ein alleinstehendes Pfarrhaus mit Hofgebäuden. Rainers Heimatort Borna lag ganz in der Nähe, daher kannte er die Gegend und auch den Landpfarrer, der hier wohnte. Er hatte Thomas auf der Fahrt einiges über den jungen Kerl mit langen Haaren erzählt, der lieber Jeans statt Talar trug. Pfarrer Dallmann war vor zwei Jahren freiwillig hierher gezogen. Seitdem hatte er wiederholt in den Garten seines Pfarrhauses zu Veranstaltungen mit Umweltgruppen eingeladen. Junge Menschen aus der ganzen Region waren stets in Scharen gekommen. Das zog die Aufmerksamkeit sämtlicher Sicherheitsorgane auf sich. »Wollen Sie Mölbis etwa zum Zentrum des Umweltprotestes machen?«, fragte ihn der Abschnittsbevollmächtigte nach einer dieser Veranstaltungen.

Sein Pfarrhaus war sicher eines der gut überwachten in der Region. Aber Rainer fand, genau deswegen denken sie nicht daran, dass wir ausgerechnet hier Flugblätter drucken könnten. »Im Auge des Zyklons ist es windstill«, sagte er mit einem verschmitzten Blick zum eher skeptisch dreinblickenden Thomas. Er zog die Handbremse an und öffnete die Wagentür. Es war stockdunkel um sie herum. Sie klopften an die Tür.

Karl-Heinz Dallmann hatte auf sie gewartet und wies ihnen den Weg zu einem Raum, in dem sie ihre Druckmaschine aufbauen konnten. Der Pfarrer wusste, was sie vorhatten, stellte aber keine Fragen. Nachdem Rainer ihn zwei

Tage zuvor besucht und angedeutet hatte, worum es ging, hatte er mit seiner Frau lange diskutiert: Machen wir es oder machen wir es nicht? Lassen wir sie bei uns Flugblätter drucken? Irgendwann entschieden sie sich. Gut, wir machen es, sagten sie, es muss ja endlich was passieren!

Es war schon spät, und er brachte ihnen zu essen und zu trinken. Rainer und Thomas hatten vor, die ganze Nacht zu arbeiten. Damit kein Licht nach außen drang, stopften sie das Fenster in ihrem Raum mit einer Menge Klamotten aus dem Abstellraum vollständig zu. Dann streiften sie Gummihandschuhe über und machten sich an die Arbeit. Gegen vier Uhr morgens wurden sie müde. Überraschend kam der Pfarrer zu ihnen und bot an, sie abzulösen. Die beiden schliefen zwei Stunden, dann übernahmen sie wieder und kurbelten weiter.

Als das letzte Blatt gedruckt war, säuberten sie ihren Arbeitsplatz von allen Spuren der Druckerfarbe, verbrannten im Ofen die Matrizen, die Fehldrucke sowie die Handschuhe mit Druckerfarbe und brachten die Maschine zurück in den Trabi. Thomas blieb im Pfarrhaus, er sollte nicht wissen, wo sie nun deponiert würde. Die Flugblätter steckten sie in einen Rucksack. Mit dem Wagen fuhr Rainer alleine den kurzen Weg von Mölbis nach Benndorf, wo er die Maschine im alten Pfarrhaus seiner Eltern versteckte. Unter ihrem Schlafzimmer gab es einen kleinen, leeren Raum im Erdgeschoss, der eigentlich unzugänglich, nur mit einer Bretterwand abgetrennt war. Dort war sie sicher und würde auch nach seiner Verhaftung bei einer Hausdurchsuchung kaum entdeckt werden. Nur sein Freund Hartmut, der sich um die Wartung der alten Druckmaschinen kümmerte, kannte den Standort, damit sie im Notfall auch ohne Rainer zur Verfügung stehen könnte. Dann stellte Rainer den geborgten Trabi ab und lieh sich das Moped aus dem Schuppen einer Freundin. Thomas stieg in Mölbis hinten auf, den Rucksack auf dem Rücken, umklammerte seinen

Freund, und so ging es im dunklen Wintermorgen zurück nach Leipzig. Dort lieferte Thomas die Flugblätter bei Micha wie versprochen ab.

Micha nahm die Bündel mit den frisch gedruckten Flugblättern mit in die Zahnklinik, wo seine Ausbildung tägliche Anwesenheit erforderte. Er brachte sie nach dem Dienst in Constanzes Wohnung in die Miltitzer Straße. Insgesamt waren nun 10 000 gedruckte Flugblätter sicher gelagert. Und auch ihn hatte offenbar niemand beobachtet. Micha machte sich mit einem guten Gefühl auf den Weg in die Innenstadt.

Es war schon beinahe Abend geworden, das Friedensgebet gerade vorbei. Doch vor der Nikolaikirche standen noch etliche Leute herum. Micha erkannte Gesine schon von weiten an ihren langen Haaren und ging zu ihr. Er wollte mit ihr noch einen Kaffee trinken, und beide verließen langsam den Platz vor der Kirche. Eine Frau aus dem Pulk drehte sich nach ihnen um. Es war Michaela aus der Marianne. Sie winkte ihnen hinterher und rief laut zu ihnen quer über den Platz: »Bis übermorgen dann! Wir sehen uns ja bei dir, Micha, zur Aktion!«

Gesine war wie vom Donner gerührt, versuchte aber, sich ihr Entsetzen nicht anmerken zu lassen. Sie nickte Michaela nur wortlos zu. Der Treff übermorgen war doch nur für wenige Eingeweihte, nichts, was man vor der Nikolaikirche über die Straße brüllen durfte. Als sie mit Micha im Café saß, regte sie sich immer noch auf: »Was war das denn? Weiß hier inzwischen jeder davon?« Micha war auch verunsichert, versuchte aber Gesine und sich selbst zu beruhigen. Es habe sich bestimmt nicht überall herumgesprochen. Michaela gehöre zwar zum engeren Kreis, kenne aber keine Einzelheiten.

»Ich hab einigen Leuten einen Zettel gegeben.«

Gesine sah ihn fragend an.

»Diesen hier.«

Er zog ein kleines Stück Papier aus seiner Tasche hervor und reichte es ihr. *Ich lade Euch anlässlich der Geburt meines ›Sohnes‹ herzlich für den 11. 1. 89, 21.30 Uhr in die Zweinaundorferstr. 20a ein. Ich bitte Euch, eine Umhängetasche und viel Zeit mitzubringen.*

Gesine, die gerade noch ernst dreinsah, lächelte.

»So, so – dein Sohn!?«

»Klar! So weiß jeder, dass es um was anderes geht. Alle wissen doch genau, dass wir vor acht Wochen eine Tochter bekommen haben.«

Micha und Sabine hatten bereits Verantwortung für eine Familie, ohne verheiratet zu sein.

»›Umhängetasche und viel Zeit mitbringen‹, da kann man sich aber schon einen Reim drauf machen. Was geschieht, wenn die uns alle verhaften?«

»Das kann natürlich passieren.« Micha teilte ihre Sorge. Bisher waren sie immer glimpflich davongekommen. Aber diesmal hatten sie dafür gesorgt, dass andere Informationen über die Aktion verbreiten konnten, gerade auch dann, wenn es zu Festnahmen käme. Sie erinnerten sich gut an die Proteste nach den Verhaftungen in Berlin vor genau einem Jahr. Der beste Schutz für die Opposition, so dachten Micha, Gesine, Uwe, Rainer, Thomas und die meisten ihrer Freunde in den Gruppen, war Öffentlichkeit: durch das eigene Kontaktnetz im Land und vor allem durch Westmedien. Über die von der SED kontrollierten Medien konnten sie niemanden erreichen. »Ab acht Uhr abends, wenn die *Tagesschau* beginnt, leben die meisten DDR-Bürger sowieso im Westen«, hatte Gesine es einmal auf den Punkt gebracht. Außerdem hatten sie über Rainer und Thomas gute Kontakte nach Prag und Polen.

»Micha, auch wenn es zu Verhaftungen kommt ...«

»Klar, das Risiko besteht, aber wir müssen endlich ein deutliches Signal für eine Opposition außerhalb der Kirche geben.

Wenn wir es schaffen, wie in Prag, die Angst und Apathie der Leute zu überwinden, kann Leipzig zu einem Ort werden, der im ganzen Land Veränderungen anstößt.«

»Von alleine«, sagte Gesine, »kommen die Leute nicht auf die Straße. Aber es hat ja immer wieder funktioniert, das haben wir doch selbst ein paar Mal erlebt.« Sie hatte sich über Michaelas Verhalten wieder beruhigt. »Ich dachte vorhin nur, der Nikolaikirchplatz ist nicht gerade der beste Ort, um die Dinge hinauszuposaunen. Wer mitmacht, muss sich allerdings im Klaren sein, wir verteilen die Flugblätter auch unter der Gefahr, verhaftet zu werden.«

Bisher waren sie nur ein kleiner Kreis gewesen. Für die Aktion musste der Kreis erweitert werden, damit wurde es aber auch immer riskanter. Sie hatten einen Moment geschwiegen, nun beugte sich Micha zu Gesine. »Weißt du, was ich Silvester um Mitternacht zu Bine gesagt habe? 1989 wird das Jahr der Demonstrationen, auch bei uns!«

Gesine sah Micha herausfordernd an. »Na, das wird sich zeigen. Bin gespannt, wer übermorgen zum Treffen kommt und wer sich dann traut mitzumachen.«

Sie trank den Rest ihres Kaffees in einem Zug aus, winkte nach der Kellnerin, doch die sah es nicht. Gesine legte etwas Geld auf den Tisch, stand auf, grinste und sagte etwas lauter: »Wir sehen uns ja bei dir, Micha, zur Aktion!«

An den nächsten beiden Tagen hielten sich Gesine und Uwe in der Wohnung von Constanze auf. Sie hatten einen Papierabschneider besorgt, wie man ihn verwendet, um große Fotos zu beschneiden. Anders als bei den von Thomas gelieferten Flugblättern war der Aufruf auf den von ihnen produzierten zweimal abgedruckt. Stundenlang legten sie das Papier zum Halbieren unter das fallbeilähnliche Gerät. Aus einer Seite wurden zwei Flugblätter.

»Wir erfüllen damit einen wesentlichen Parteiauftrag«, meinte Uwe irgendwann zu der still vor sich hinarbeitenden Gesine.

»Welchen genau?«, fragte sie, ohne vom scharfen Messer aufzusehen.

Uwe schnipste mit den Fingern: »Weniger Materialeinsatz bei höherer Effektivität!« Das war die Losung der Partei, die man stets auf Wandzeitungen in Betrieben lesen konnte.

»Das Problem der Partei ist nur«, erwiderte Gesine, »dass sie oft gar kein Material zur Verfügung hat – im Gegensatz zu uns hier.«

Die Januarnacht

Am Tag der Flugblattverteilung regnete es in Strömen. Es war Mittwoch. In der Stadt liefen nur wenige Menschen durch die Straßen. Die Buden des Weihnachtsmarktes waren längst abgebaut, und der Markt am Alten Rathaus war wieder ein weiter, offener Platz. Uwe traf sich nach der Arbeit mit Theo vor dem Capitol-Kino. Sie wollten *Die Aufsässigen* sehen, einen Film über einen amerikanischen Lehrer, der für Reformen im Schulsystem kämpft. Solche Streifen aus dem Westen liefen selten in den hiesigen Kinos, meist nur, wenn sie die Ungerechtigkeiten des Kapitalismus und den Kampf dagegen zeigten.

Die Vorstellung um 17.30 Uhr war ausverkauft und so beschlossen sie, ins nahe gelegene »Jothal« zu gehen. Das Kleine Joachimsthal, wie es vollständig hieß, lag nur ein paar Schritte vom Coffe Baum entfernt in der Kleinen Fleischergasse. Es gehörte zu den wenigen Treffpunkten außerhalb ihrer Wohnungen. Als sie eintraten, schien es, als sei nirgendwo mehr ein Platz frei. Es war laut, und dicke Rauchschwaden durchzogen den Raum. Da entdeckte Theo in der hintersten Ecke seine Freundin Carola im Gespräch mit einer Bekannten. Theo beugte sich zu ihr herunter, gab ihr einen Kuss, und die Männer setzten sich zu den beiden Frauen an den Holztisch. Sie orderten zwei halbe Liter Sternburger. Carola verabscheute Bier. Sie bestellte sich noch einen weiteren »Falckner«, ohne Cola, ohne Eis. Der einzige in der DDR hergestellte Whiskey. Uwe zog übertrieben erstaunt die Stirn hoch, dann lachte er. Sie stießen zu viert an. Carolas Freundin nahm ihre Juwel-Packung aus der Tasche, Theo und Uwe griffen zu und zündeten sich auch eine Zigarette an.

Carola freute sich über das Zusammentreffen. Sie nahm einen kräftigen Schluck aus ihrem Glas und erzählte von ihrer Arbeitsstelle in der Verwaltung des Marthahauses, eines kirchlichen Pflegeheims, ähnlich Uwes Albert-Schweitzer-Haus. Nach der Schule hatte sie zunächst bei VEB Polygraph Industriekauffrau gelernt. Doch da sie dort später Auslandskontakte gehabt hätte, war es zu Gesprächen mit der Stasi gekommen und am Ende zu einem Auflösungsvertrag: »Wenn Sie sich nicht gegen uns stellen, stellen wir uns nicht gegen Sie! Aber geben Sie endlich Ihre alternative Lebenseinstellung auf! Und Ihre Freunde sind auch nicht alle die richtigen.«

Da blieb für sie nur noch ein Job bei der Kirche. Als Sachbearbeiterin saß sie jetzt mit im Büro des Heimleiters.

»Weißt du was, Uwe? An der Wand hängt unser Schichtdienstplan. Links auf dem Millimeterpapier ist die Spalte mit allen Namen, rechts die mit den Einsatzzeiten. Davor steht heute der Chef, du weißt, der mit der rot eingefärbten Latzhose. Ich gucke hin, und da sehe ich, wie der anstelle von Einsatzzeiten hinter einen Namen wieder nur eine Abkürzung einträgt: ›B. a. w. a. D.‹ Weißt du, was das heißt?«

Uwe zuckte mit den Schultern.

»Bis auf weiteres außer Dienst!«

»Ach, das sind alle Ausgereisten?«

»Genau, die Abkürzung für alle, die schon weg sind. Es ist zum Heulen. Es werden wirklich immer mehr. Das hört echt nicht mehr auf.«

Als ihre Freundin zur Toilette ging, zeigte Uwe Carola den Inhalt seiner Tasche. Einmalhandschuhe aus Latex, die er von seiner Arbeit im Schweitzer-Haus mitgebracht hatte.

Sie sah ihn etwas ratlos an. »Wozu denn ...?«

»Carola, wir haben etwas Wichtiges vor ...«

Im Lärm der vielbesuchten Kneipe weihte Uwe nun auch noch Carola in das bevorstehende Treffen ein. Er musste nicht lange reden. Carola hatte eine Umhängetasche und heute Nacht viel Zeit und war sofort bereit mitzukommen.

Der Regen hatte endlich aufgehört, als Carola, Theo und Uwe direkt vom Jothal aus am späten Abend die Zweinaundorfer Straße im Leipziger Osten erreichten. Das Kopfsteinpflaster war noch nass und glänzte im Licht der Gaslaternen. Es war mitten im Winter, doch seit Wochen schon viel zu warm. Ein milder Wind wehte um die Häuser. Und als hätte er gefallenen Schnee weggetaut, gab er den dreien ein Gefühl unheimlicher Leichtigkeit.

Gegenüber der Einmündung des Kohlgartenwegs, kurz nach einer Kohlenhandlung und einem Konsum, gab eine Lücke zwischen den vorderen Häusern den Blick auf ein weiter hinten liegendes Gebäude frei. Durch diese kurze Sackgasse gingen sie zu einem etwas versteckt liegenden Wohnhaus. An der Seite waren Trabis, Ladas und ein ziemlich verbeulter Barkas geparkt. Der Weg mündete in einen kleinen Hof.

Zu ihrer Rechten zeichneten sich die Umrisse einer großen Garage gegen die schnell dahintreibenden Wolken ab. Eine private Autowerkstatt. Doch um diese Zeit arbeitete dort niemand. Erst jetzt hatten sie freien Blick auf das ganze Haus. Nur ganz oben links unter dem Dach brannte Licht in einer Wohnung. Die drei beschleunigten ihren Schritt. Bevor Uwe die schwere Haustür öffnete, sah er sich noch einmal prüfend um. Gefolgt war ihnen offenbar niemand.

Carola drängte sich an ihm vorbei und drückte im Flur auf den rot glimmenden Lichtschalter. Ein funzliges Licht ging an. Das laute Ticken der Schaltuhr begleitete sie im Treppenhaus über alle Stockwerke bis nach oben.

Uwe war gespannt, wer und wie viele wohl zum Treffen kommen würden. In den vergangenen Tagen hatte auch er noch ein paar Leute angesprochen, denen er am ehesten über den engeren Kreis hinweg vertraute.

»Wir haben eine wichtige Sache vor«, hatte er einfach nur gesagt. »Wir treffen uns am Mittwochabend ab neun in der Zweinaundorfer.« Er fand, das musste reichen.

Als ihnen im obersten Stockwerk Micha die Tür öffnete, begrüßte er sie mit den Worten, jetzt seien wohl alle da. Die anderen saßen oder standen schon in dem kleinen vom Tabakqualm und dem defekten Kachelofen verräucherten Wohnzimmer von Micha und Bine. Uwe schaute sich um. Das konnten doch nicht alle sein. Wo blieben die anderen? Ein paar Handschläge zur Begrüßung, und sie fanden noch einen Platz am warmen Kachelofen. Michas Frau Bine schwieg. Johanna, ihr Baby, war erst seit wenigen Wochen auf der Welt, und Bine fand das Risiko dieser Aktion unkalkulierbar.

Micha verschwand und kam kurz darauf wieder zurück ins Zimmer. Er hatte etwas geholt und trat damit in die Mitte des Raumes. Alle Augen richteten sich auf das kleine Blatt in seiner Hand. Man sah, dass es eng beschrieben war.

»Darum geht's heute Nacht.«

Micha redete lieber nicht so viel. Als er am frühen Abend mit dem Fahrrad nach Hause gekommen war, hatte er einige Gestalten bemerkt, die wahrscheinlich das Haus überwachten. Er ließ den Zettel herumgehen. Es wurde still im Raum. Jeder las, manchmal zwei oder drei Nebeneinanderstehende gleichzeitig. Das Blatt wanderte langsam von Hand zu Hand.

Es war Michas ursprünglicher Entwurf, auf seiner Schreibmaschine geschrieben. *Aufruf an alle Bürger der Stadt Leipzig* lautete die Überschrift.

70. Jahrestag der Ermordung zweier Arbeiterführer – Rosa Luxemburg und Karl Liebknecht. Und wieder werden Tausende Werktätige verpflichtet, einer Kundgebung »beizuwohnen«, bei der die Redner die jährlich wiederkehrenden Ansprachen halten.

Die beiden seien doch für *ein ungehindertes Vereins- und Versammlungsleben, für eine freie und ungehemmte Presse, für allgemeine Wahlen und den freien Meinungskampf* eingetreten. *Menschen, die dieses Vermächtnis unter Berufung auf die Verfassung unseres Landes nach 40 Jahren DDR-Geschichte in Anspruch nehmen, werden immer wieder kriminalisiert. Der Tag der Ermordung von Rosa Luxemburg und Karl Liebknecht soll uns Anlass sein, weiter für eine Demokratisierung unseres sozialistischen Staates einzutreten. Es ist an der Zeit, mutig und offen unsere Meinung zu sagen. Schluss mit der uns lähmenden Teilnahmslosigkeit und Gleichgültigkeit. Lassen Sie uns gemeinsam eintreten*

– für das Recht auf freie Meinungsäußerung,

– für die Versammlungs- und Vereinigungsfreiheit,

– für die Pressefreiheit und gegen das Verbot der Zeitschrift »Sputnik« und kritischer sowjetischer Filme.

Die Frechheit stand am Schluss des Flugblattes, getarnt als Höflichkeit gegenüber der Partei:

Um nicht die offizielle Kundgebung in ihrem eigenen Anliegen zu stören, rufen wir Sie auf, gemäß Artikel 27 und 28 der Verfassung, sich am 15. Januar 1989 um 16 Uhr auf dem Markt vor dem Alten Rathaus zu versammeln. Anschließend ist ein Schweigemarsch mit Kerzen zur Gedenkstätte in der Braustraße vorgesehen.

Initiative zur demokratischen Erneuerung unserer Gesellschaft.

Alle hatten gelesen, niemand sagte etwas. Micha warf eine einfache Frage in den Raum: »Wer ist heute Nacht mit dabei?«

Matthias, der am längsten auf den Text gestarrt hatte, gab ihm das Blatt zurück. »Leute, dafür landen wir alle im Knast! Das geht doch auf keinen Fall gut. Die Stasi steht wahrscheinlich schon längst unten vor der Tür. Wir kriegen womöglich zwei, drei Jahre Knast oder mehr. Ich kann das nicht machen ohne Abstimmung mit meiner Frau. Bei zwei kleinen Kindern, kann ich nicht plötzlich für Jahre im Knast verschwinden, ohne vorher darüber mit ihr gesprochen –«

Micha unterbrach ihn: »Ist in Ordnung, Matthias. Niemand muss heute Nacht dabei sein, niemand muss sich gedrängt fühlen. Wer die Aktion nicht vertreten kann, der braucht nicht mitzukommen. Ich dachte, es ist richtig, genau diesen Gedenktag für Luxemburg und Liebknecht zu nutzen.«

Micha bückte sich, öffnete die Klappe des Kachelofens und verbrannte den Zettel. Er richtete sich wieder auf.

»Freiheit ist immer die Freiheit der Andersdenkenden, der Satz von Rosa Luxemburg gilt doch wohl zuerst unter uns?«

Niemand widersprach.

»Der Satz tut den Genossen schon lange leid«, meinte Rainer, »seit vergangenem Januar in Berlin ganz besonders.«

Alle wussten, was er damit meinte. Nach den Verhaftungen in Berlin vor einem Jahr gab es bei den anschließenden Protesten Losungen wie »Freiheit für Andersdenkende« oder »Luxemburg im DDR-Gefängnis«. Das musste den Parteigenossen wehgetan haben.

Immer wieder ging Micha zum Fenster, um hinauszuspähen. Die Dielen knarrten unter seinen Füßen. Keiner der Anwesenden wusste, dass er vor der Aktion unter den Brettern seine Geheimbibliothek versteckt hatte: hektografierte Untergrundschriften aus der ganzen DDR, Flugblätter und Abschriften verbotener Bücher und Texte.

Micha wandte sich wieder den anderen zu: »Ich hab euch zu mir eingeladen, damit wir in Ruhe reden können, bevor es losgeht. Hier in meiner Wohnung sind die Flugblätter nicht. Wer heute Nacht verteilen will, holt sie woanders ab. Niemand muss ein schlechtes Gewissen haben, wenn er jetzt geht.«

Jemand fragte, ob sich die Leipziger wohl trauen würden, zu einer ungenehmigten Demo in die Innenstadt zu kommen.

Micha erinnerte an die vielen Teilnehmer beim Pleißemarsch im vergangenem Jahr, die Aufbruchstimmung auf dem Platz vor der Nikolaikirche und den Schweigemarsch zur ehemaligen Synagoge. »Wir sind viel weiter als vor einem Jahr. Eine Demo vom Markt aus könnte der Zündfunke sein. Heute Nacht können wir Tausende Leipziger erreichen. Klar, wir wissen nicht, ob es klappt, und es ist riskanter als die Friedensgebete hinter den Türen der Nikolaikirche. Aber mit denen kommen wir nicht mehr weiter. Wir müssen richtig auf die Straße, wenn sich was ändern soll.«

Matthias wollte noch etwas klarstellen. »Ganz ehrlich, Leute, ich stehe voll und ganz hinter dem Inhalt des Flugblattes. Aber bei der Verantwortung, die ich für meine Familie hab, ist mir die Aktion einfach zu heiß.«

Gesine konnte das gut verstehen: »Jeder entscheidet hier für sich selbst.«

Das Gespräch ging nicht mehr lange hin und her. Viel Zeit blieb nicht, wenn die Verteilung heute Nacht noch klappen sollte. Matthias verabschiedete sich, die anderen blieben, fest entschlossen, mitzumachen.

Uwes Anspannung wich, sie waren auf jeden Fall genügend Leute. Die fertig gedruckten Flugblätter lagen immer noch bei Constanze. Sie zu holen war seine und Gesines Aufgabe.

Die anderen sollten nach und nach Michas Wohnung wieder verlassen und für mögliche Beobachter den Eindruck erwecken, als gingen sie nach Hause.

In Wahrheit sollten sie sich auf verschiedenen Wegen durch die Stadt zu Jochens Wohnung in der Schletterstraße begeben, gut fünf Kilometer entfernt. Die lag näher am Stadtzentrum. »Erst wenn alle wieder da sind, machen wir dort die eigentliche Einweisung!«

Um die Lage zu prüfen, verließ Micha als Erster das Haus und traf unten in der kleinen Sackgasse auf Matthias, der noch gedankenverloren herumstand. Micha fiel auf der anderen Seite der Zweinaundorfer erst eine, dann eine zweite Gestalt auf, die wohl zur Überwachung dort stand. Micha wollte noch ein paar Worte mit Matthias wechseln, doch in diesem Moment kam zufällig ein Schwarztaxi vorbei, das sie an der zögerlichen Fahrweise erkannten. Auf einen Wink hin stoppte es vor ihnen. Weil staatliche Taxis knapp waren, kurvten immer etliche Leipziger Autobesitzer mit ihrem Privatwagen durch die Stadt, um sich etwas Geld dazuzuverdienen – das war verboten, aber geduldet. Micha stieg mit drei anderen, die inzwischen aus der Wohnung gekommen waren, in den Wagen. Der schwarzglänzende russische Wolga rauschte den Beobachtern Richtung Stadtzentrum davon. Micha dirigierte den Fahrer auf ein paar Umwegen bis in die Nähe der Schletterstraße. Den Rest erledigten sie unbeobachtet zu Fuß.

Drei weitere Teilnehmer des Treffens in Michas Wohnung liefen zunächst durch ein paar Straßen der Umgebung, um zu sehen, ob ihnen jemand folgte. Sie gingen in eine Gaststätte, tatsächlich kamen zwei Leute hinter ihnen her. Sie verließen die Eckkneipe, sprangen in ein Taxi und hängten ebenfalls ihre Beschatter ab.

Auch Uwe und Gesine erwischten unten auf der Straße ein Schwarztaxi. Sie fuhren auf Umwegen zu Constanze, in einem Moskwitsch mit einem sächselnden Fahrer, der unentwegt über die vielen Schlaglöcher schimpfte. Am Ziel verlangte der Mann zwar kein Geld, schaute aber erwartungsvoll seine Mitfahrer an. Gesine drückte ihm stillschweigend einen Schein in die Hand.

Sie klingelten Constanze aus ihrer Wohnung. Die 10000 Flugblätter waren in einem alten Holzkoffer und zwei Lederbeuteln im Keller versteckt. Dort roch es feucht und schimmelig, nach fauligen Kartoffeln und nach Braunkohle. Das verrostete Vorhängeschloss an der Tür des Holzgatters knarzte erbärmlich, bevor es den Weg in einen Verschlag voller Gerümpel freigab. Koffer und Taschen standen neben einem alten Sessel und waren so ziemlich die einzigen nicht verstaubten Gegenstände hier unten.

Constanze zog den Koffer hervor und wuchtete ihn hoch. »Lass uns schon alles in kleinere Bündel aufteilen!« Uwe nahm die Einmalhandschuhe heraus, und jeder streifte sich ein Paar über, um keine Spuren zu hinterlassen. Jeweils fünfhundert Flugblätter wickelten sie in Papier der *Leipziger Volkszeitung* ein, die Constanze von einem Altpapierstapel aus der Nachbarschaft besorgt hatte.

Die Träume von Rosa und Karl sind in der DDR Wirklichkeit geworden, diese Schlagzeile stand auf dem ersten Päckchen, das Gesine fertig machte. »Ach sieh mal hier«, stieß Uwe sie an. Er hielt seine Zeitung ins Licht. *Präsident Mitterrand zum bevorstehenden Besuch Erich Honeckers*, las er vor. *Beim traditionellen Neujahrsempfang für die Presse im Elysée-Palast sagte Mitterrand, die DDR sei ein aktiver, starker und letztlich ziemlich benachbarter Staat …*

Er ließ das Blatt sinken und sah Gesine an: »Na, das wird wohl nicht so schnell was mit einer Frühstückseinladung für uns …«

Die fertigen Päckchen wanderten in die beiden Beutel, ein paar *Volkszeitungen* noch obendrauf. Falls irgendein Vopo sie kontrollierte, wäre das besser als gar keine Tarnung. So war es auf den ersten Blick lediglich Altpapier, das man bei der Oma abgeholt hatte, um es am nächsten Tag gegen etwas Geld bei der Altstoffannahmestelle abzugeben. Der Koffer samt ein paar Flugblättern für den Tag der Demo blieb im Keller zurück.

Mit der brisanten Ladung machten sie sich auf den Weg

durch die Leipziger Nacht. Die beiden Frauen mit den Ledertaschen per Straßenbahn, Uwe hinterher mit dem Fahrrad.

In Jochens Wohnung in der Schletterstraße waren inzwischen alle eingetroffen, die beim Verteilen helfen wollten. Frank und Rainer waren direkt zu Jochen gekommen. Mit Uwe und Gesine, die noch unterwegs waren, waren sie dreizehn Leute.

Micha berichtete von den Leuten, die er abgeschüttelt hatte. Andere hatten auf ihrem Weg hierher ebenfalls festgestellt, dass sie beobachtet wurden.

»Woher wissen die das nur schon wieder?« Micha war ratlos, wütend und verzweifelt. Allen war klar, dass die ganze Aktion auf der Kippe stand. Solche Gestalten lungerten ja oft vor ihren Wohnungen herum, das kannten sie gut. Meist nur als Protokollanten des Geschehens. Doch Beobachter konnten sie heute Nacht nun wirklich nicht gebrauchen.

»Schmeißen wir es? Ist alles zu riskant, oder sollen wir die Sache durchziehen?«, fragte Micha.

Bisher hatte alles wunderbar geklappt, auch alles drum herum. Micha, Rainer und Thomas hatten dafür gesorgt, dass die Basisgruppen in der ganzen DDR von ihrer Aktion erfahren würden. Sie hatten sichergestellt, dass Westpresse und -fernsehen über den Inhalt des Flugblattes berichten konnten, und auch ihre Freunde von der Charta 77 in Prag wussten Bescheid. Als die ersten Flugblätter gedruckt waren, hatte Micha eines davon abgezweigt, es in einen Umschlag gesteckt und dazu einen Brief an Petr Uhl in Prag geschrieben, damit es dort von den Oppositionellen noch vor dem 15. Januar öffentlich gemacht würde. Also morgen oder übermorgen. Mit dem Umschlag hatte sich Katrin Dorn, eine Mitstudentin von Sabine, im Zug auf den Weg nach Prag gemacht. Katrin studierte dort ein Auslandsemester Psychologie und kannte die Szene in der Stadt.

Und jetzt? Alles sein lassen? Alles abblasen?

»Was meint ihr, gehen wir das Risiko ein?«

Rainer antwortete als Erster: »Ich weiß, wo ich lebe und was ich riskiere. Es besteht immer die Gefahr, verhaftet zu werden.«

»Es ist nicht das erste Mal«, sagte Frank »dass ein Flugblatt verteilt wird.« Die anderen sahen ihn an. »Gut, es sind diesmal ein paar mehr.« Er musste lachen, und ein befreiendes Lachen ging durch die ganze Runde.

»Warum sollte es nicht klappen? Klar, dass wir auffliegen, kann passieren. Ich hab meine Zahnbürste dabei. Wenn sie uns verhaften, dann aber bitte erst, wenn wir alles verteilt haben. Lasst uns bald damit anfangen, bis jetzt haben wir noch freie Hand.«

Theo meldete sich zu Wort.

»Du hast recht. Ich bin seit sechs Uhr auf den Beinen. Morgen früh beginnt meine Schicht in Espenhain auch wieder um sechs. Also, ich hab keine Zeit zu verlieren.«

Micha sah sich um. Es war klar, dass es vor Sonntag für sie sonst keine andere Möglichkeit mehr gab, die Flugblätter zu verteilen. Gesine, Uwe und Constanze würden wohl bald mit ihnen eintreffen. Er sagte, mehr zu sich selbst als zu den anderen: »Ich will mein Handeln nicht länger von denen bestimmen lassen!«

Und irgendwie war es damit entschieden.

Micha ging in den Nebenraum und spähte durch das Fenster in die Dunkelheit. Vor dem Haus war nichts zu sehen. Er stellte zwei brennende Kerzen auf das Fensterbrett. Das war das vereinbarte Zeichen für die Transporteure, dass sie die Flugblätter nach oben bringen konnten. Die anderen standen über einen Stadtplan von Leipzig gebeugt und grenzten die Gebiete ab, in denen sie verteilen wollten.

Keiner sollte alleine unterwegs sein, immer mindestens zwei zusammen. Die Flugblätter sollten möglichst flächendeckend verteilt werden, aus Vorsicht zeitgleich ab Mitternacht von den äußeren Stadtgebieten her in Richtung Zentrum. Zentrale Plätze, Passagen und Orte wie die Moritzbastei wollten sie meiden. Wenn jemand mit den Flugblättern in der Hand kontrolliert würde, konnte er immer sagen, man habe sie in der Straßenbahn gefunden.

Eigentlich wusste jeder selbst, was er mit den Flugblättern zu tun hatte, und unterwegs würde sich schon der Rest von alleine ergeben. Aber Micha zählte noch mal auf: »Einzeln in Briefkästen, kleine Stapel auf Fenstersimse oder in Telefonzellen, ein paar mehr in Wartehäuschen oder in die Straßenbahn legen.«

Die Stadtbezirke und die Verteiltrupps standen bald fest. Leipzig-Mitte, Gohlis, Schönefeld, Thekla, Mockau, Stötteritz, Anger-Crottendorf, Plagwitz, Grünau und die Bezirke Süd, Südost und West. Carola ging mit Theo, Ulli mit Micha, Michaela mit Jochen, Andreas mit Andree, Gesine mit Uwe, Rainer mit Frank und der Theologiestudentin Katti. Constanze brachte zwar die Flugblätter, würde aber nicht mehr mit verteilen.

Eine besondere Rolle bei der Aktion hatte Anita ihrer Tante Jutta zugedacht. Jutta war fast wie eine Freundin für sie, denn als Anita achtzehn Jahre geworden war, zogen die beiden Frauen zusammen in eine Connewitzer Wohnung, bis jeder von ihnen wegen der Baufälligkeit des Hauses eine eigene zugewiesen bekam. Jutta war unverdächtig und besaß privat eines der seltenen Telefone, dank Schwiegervater bei der Reichsbahn. Sie hatte keine Angst vor möglichen Folgen. Sie hing nicht besonders an ihrer Arbeitsstelle und lebte entspannt nach dem Motto, wenn etwas nicht mehr sein soll, dann tun sich eben andere Türen auf. Das wusste Anita.

Sie hatte mit Jutta ausgemacht, dass jeder, der beim nächtlichen Flugblattverteilen mitmachte, am nächsten Tag bei ihr anrufen würde. Micha schrieb daher noch schnell für Jutta eine Liste mit den Vornamen der nun endgültig feststehenden Verteiler auf und hinter jeden Namen eine Nummer. 12 für Gesine, 1 für Jochen, 4 für Carola, 6 für Uwe. Jeder sollte bis 18 Uhr, von welchem Telefon auch immer, einfach in Leipzig die 57484 anrufen und dann – ohne seinen Namen zu nennen – diese Nummer durchgeben. So wäre schnell klar, ob jemand erwischt worden war.

Es war spät geworden. Sie mussten endlich loslegen.

Micha wunderte sich, warum die Flugblätter noch nicht eingetroffen waren. Er ging noch einmal in den Nebenraum. Die Kerzen brannten noch. Vor dem Haus war niemand zu sehen. Sie müssten doch längst hier sein, dachte er und beschloss hinunterzugehen. Doch auf der Schletterstraße sah er auch niemanden. Er wartete. Da kam plötzlich Constanze auf der anderen Straßenseite auf ihn zu. Sie ging an ihm vorbei, ohne Kontakt aufzunehmen. Er begriff, dass er ihr folgen sollte. In einer Seitenstraße verschwand er mit ihr in einen Hauseingang, der offen stand.

Sie berichtete, dass eigentlich alles geklappt habe. Uwe und Gesine würden bald folgen und hätten alle Flugblätter dabei. Micha blieb mit ihr im Schutz des Hauseinganges und beobachtete die Straße und den schwer überschaubaren Platz mit der Peterskirche. Tatsächlich tauchten Gesine und Uwe wenige Minuten später aus dem Dunkel des Platzes auf. Sonst war niemand zu sehen.

Gesine erzählte Micha, sie seien auf dem Weg ziemlich sicher von Stasi-Leuten verfolgt worden, zeitweise sogar mit einem Lada. Es hatte länger gedauert, sie abzuschütteln. Angesichts der Lage beschlossen sie, die Flugblätter nicht in Jochens Wohnung zu bringen. Micha kannte einen nahegelegenen Hinterhof an der Ecke Liebknechtstraße. Er war weitläufig und hatte Zugänge von mehreren Seiten. Dort sollten sie mit den Flugblättern warten. Die anderen würden dann alle fünf Minuten in Zweiertrupps zu ihnen kommen. Micha drückte Constanze noch rasch die Telefonliste mit allen Vornamen in die Hand und nannte ihr die Anschrift von Jutta. Dann sah er sich kurz nach allen Seiten um und ging vorsichtig zurück zu den anderen in Jochens Wohnung.

Das Eckhaus an der Liebknechtstraße war kaum bewohnt. Gesine, Constanze und Uwe betraten den Eingang, ohne das Licht anzustellen. Sie mussten sich in der Dunkelheit erst ein paar Stufen hochtasten, um über einen Absatz wieder hinunter zur Tür in den Hof zu gelangen. Auf dem Absatz standen ein paar Kinderwagen und – sie staunten nicht schlecht – ein Klavier.

Vor ihnen lag ein halb abgerissenes Hinterhaus, das wirkte unheimlich. Offene, schwarze Fensterhöhlen starrten auf sie herab.

Sie versteckten die Päckchen zwischen den alten Blechmülltonnen. Constanze machte sich mit den leeren Taschen auf den Weg zu Jutta, schob Michas Zettel unter der Wohnungstür durch und fuhr zurück nach Hause. Ihre Aufgabe in dieser Nacht war erledigt.

Gesine und Uwe blieben alleine im dunklen Hof zurück. Und warteten. Plötzlich wurde es hinter ihnen laut.

Zur traditionellen Jagd anlässlich des Jahreswechsels hatte der Generalsekretär des Zentralkomitees der SED und Vorsitzende des Staatsrates der DDR, Erich Honecker, das Diplomatische Korps für Freitag in den thüringischen Bezirk Erfurt eingeladen …

Irgendwo hörte jemand bei offenem Fenster Radio DDR.

»Der einzige Volkspolizist weit und breit genießt seinen Feierabend«, flüsterte Uwe Gesine zu.

Die Nachrichten zogen sich hin. Beide lauschten in die Dunkelheit.

Wie alle Jahre im Januar ziehen am kommenden Sonntag, dem 15. Januar, Hunderttausende Berliner zur Gedenkstätte der Sozialisten unter der Losung: Wir ehren Karl Liebknecht und Rosa

Luxemburg durch hohe Leistungen zur Stärkung des Sozialismus und des Friedens! Vorwärts zum 40. Jahrestag der DDR!

Uwe stieß Gesine an: »Was glaubst Du, wie viele es bei uns am Sonntag sein werden?«

Micha war inzwischen zurück in Jochens Wohnung. Die anderen hatten sich schon um ihn gesorgt. Er erklärte ihnen, wie es jetzt laufen sollte. Endlich ging es los.

Gesine und Uwe standen im Durchgang zum Hof und achteten auf jedes Geräusch. Der mutmaßliche Volkspolizist hatte noch immer sein Radio an, jetzt aber mit fröhlicher Tanzmusik. Irgendjemand in der Nachbarschaft machte sich noch zu später Stunde eine Pfanne Bratkartoffeln mit Speck. Der Duft verdrängte den Braunkohlemief der Ofenheizungen und zog durch den ganzen Hof. Uwe merkte, dass er schon lange nichts mehr gegessen hatte.

Kurz vor Mitternacht erschien der erste Zweiertrupp im Hof. Es waren Carola und ihr Freund Theo. Uwe bückte sich hinter eine Mülltonne und kam mit zwei *Volkszeitungs*-Päckchen und Einmalhandschuhen zurück. Die Dinge wechselten ihren Besitzer, Uwe flüsterte: »Viel Glück!« Dann verschwanden die beiden in die Nacht. Sie hatten nur einen Gedanken: die heiße Ware sinnvoll, aber vor allem so schnell wie möglich wieder loswerden.

Bald erreichten sie die erste Straße, die zu ihrem Gebiet gehörte. Sie drückten eine schwere Haustür auf – und waren enttäuscht über die wenigen Briefkästen, die benutzt wurden. Die meisten Häuser in dieser Gegend waren nur noch teilweise bewohnt. Aber dafür gab es auch kaum verschlossene Haustüren. Die Schlösser waren seit Jahren defekt und nie repariert worden.

Sie liefen weiter, von Haus zu Haus. Carolas Herz klopfte schneller als gewöhnlich. Sie wusste, dass sie bei einer

Kontrolle nicht gut wegrennen konnte, denn sie hatte seit ihrer Geburt ein Hüftproblem, verschieden lange Beine, die ihr keinen Sprint erlaubten.

Jedes Mal, wenn sie mit Theo wieder aus einem Eingang hinaustrat, schauten sie rechts und links die Straße entlang. Kam da jemand? Hörte sich das nicht nach einem nahenden Auto an? Steht da vielleicht einer hinter der Tür? Oh, verdammt, da funktioniert ja ausnahmsweise mal Licht im Treppenhaus, da können wir jetzt nicht rein ...

Was sie nicht bemerkten, war ein Mann, der sie von seinem Balkon aus beobachtete. Sie gingen gerade am Chausseehaus von Haustür zu Haustür. Dem nächtlichen Raucher kam das verdächtig vor. Er war inoffizieller Mitarbeiter der geheimdienstlich arbeitenden Abteilung K1 der Transportpolizei, wähnte sich selbst nach Feierabend noch im Dienst und ging hinunter auf die Straße.

»Sucht ihr hier was?«

Obwohl der Mann urplötzlich vor ihnen stand, nannte Theo geistesgegenwärtig einen ausgedachten Namen: »Der ... Bornschneider muss hier irgendwo wohnen!«

»Hmmh ... Bornschneider? Kenn ich hier nicht.«

Der Mann verschwand wieder. Die beiden machten weiter.

Als sie gerade mit Handschuhen an den Händen und Flugblättern im Beutel aus einer Haustür kamen, versperrten ihnen zwei Volkspolizisten den Weg.

»Zeigen Se mal, was Sie da in der Tasche haben!«

In Theos Beutel waren noch 102 Flugblätter. Keine fünf Minuten später saßen sie schon in einem Funkwagen, der sie zur Dimitroffstraße brachte. Dort wurden sie voneinander getrennt die ganze Nacht verhört.

Im Hof traf tatsächlich alle fünf Minuten ein Trupp nach dem anderen ein. Das klappt ja perfekt, dachte Gesine.

Micha erschien mit Ulli. Mit ihren Flugblättern suchten sie sich in der nächsten Hauptstraße ein Schwarztaxi und fuhren damit bis zum Völkerschlachtdenkmal. Von dort aus liefen sie durch Stötteritz, immer auf der Suche nach offenen Haustüren.

Nach drei Stunden hatte Micha das Gefühl: »Hier stimmt doch was nicht.« Ständig war am Ende der Straße eine Gestalt zu sehen, immer darauf bedacht, gleichbleibenden Abstand zu ihnen zu halten. Micha schlug seinem Begleiter vor, über den Ostfriedhof und das Gewirr der Gräber zu entkommen, um anschließend auf der Hauptstraße im letzten Moment in eine der frühen Straßenbahnen zu springen. Es funktionierte. Micha und Ulli verteilten den Rest einfach woanders weiter, bis gegen fünf Uhr morgens und unbeobachtet.

Mit dem letzten Päckchen, das sie hinter den Mülltonnen hervorzogen, machten sich Uwe und Gesine auf den Weg. Bis drei Uhr nachts hatten sie sich durch die menschenleeren Straßen von Plagwitz gearbeitet. Gesine kannte sich dort gut aus, sie hatte im Leipziger Westen als Jugendliche jahrelang Zeitungen ausgetragen. Da immer noch einige Flugblätter übrig waren, aber die ersten Leipziger schon zur Frühschicht aufstanden, brachte Uwe den Rest in Sicherheit, um ihn in der nächsten Nacht zu verteilen. Bevor er in seine Wohnung ging, versteckte Uwe den Packen im Keller seiner Mutter, die im gleichen Haus lebte. Gegen vier Uhr legte er sich schlafen.

Der Morgen danach

Uwes Nachtruhe war kurz. Nach nur zwei Stunden klingelte sein Wecker – wie immer um sechs Uhr morgens. Eine Stunde später musste er pünktlich zur Arbeit im Schweitzer-Haus erscheinen.

Während Uwe die alten Frauen aus dem großen Schlafsaal eine nach der anderen badete, klingelte bei Anitas Tante das Telefon am Donnerstag ungewöhnlich häufig.

Hier Jutta Schumann. Guten Morgen! … und?

Guten Morgen … die Drei ist wieder da.

Ende des Gesprächs. Die Drei war Andree. Im Laufe des Tages meldeten sich zehn Beteiligte bei Jutta zurück. Die letzte Anruferin war Nummer 7, Katti. Nur Carola und Theo meldeten sich nicht.

Doch davon wusste am Morgen noch keiner. Und niemand ahnte, dass Ulli, kaum hatte er sich nach dem gemeinsamen nächtlichen Verteilen der Flugblätter von Micha verabschiedet, bei seinem Führungsoffizier Hoffmann anrief und ihm die Namen fast aller Beteiligten durchgab. Hoffmann war erfreut, denn sein Mann und andere inoffizielle Mitarbeiter hatte ihm bis dahin nur mitteilen können, *dass am 11. Januar irgend etwas passiert.* Er und seine Leute wollten den Beteiligten eine Straftat nachweisen und hatten die Aktion deshalb auch nicht verhindert, sondern nur verstärkt observiert. Bis auf die zufällige Festnahme von Theo und Carola waren die anderen Beteiligten der Stasi in dieser Nacht immer wieder entwischt. Durch Ullis Verrat konnten sie wenigstens im Nachhinein zuschlagen. Hoffmanns Leute hatten nicht geschlafen, sondern waren seit Stunden damit beschäftigt, Flugblätter mit langen Pinzetten wieder aus den Briefkästen herauszufischen. Sie versuchten es jedenfalls.

Katti, die mit Rainer und Frank in der Nacht in Schönefeld unterwegs gewesen war, hatte sich von den beiden am Morgen verabschiedet und wollte sich in ihrer Wohnung endlich schlafen legen. Die Aktion hatte sie ziemlich mitgenommen, der Stress war von ihr noch nicht abgefallen. Sie lief eine Weile wie ziellos durch die Straßen. Um mögliche Verfolger loszuwerden, sprach sie einen offenbar obdachlosen Mann an und tauschte ihren bunten Strickpulli gegen dessen dunklen Parka ein. Irgendwann waren es nur noch ein paar Schritte bis zur Meißner Straße. Als sie um die Ecke bog, sah sie eine Nachbarin am offenen Fenster stehen. Die Frau winkte, und Katti ging auf sie zu.

»Du musst dich von hier wegmachen! Heute Morgen waren schon mehrfach die Eierschaukler da.«

So nannte sie die Stasi-Männer, die öfter stundenlang vor ihrer Wohnung herumlungerten und nach Ansicht der Nachbarin nichts Gescheites zu tun hatten.

Katti stand jetzt genau vor ihrem Fenster, die Frau blickte sie ernst an.

»Mach dich weg! Die stehen gleich wieder vor deiner Tür!«

Sie hielt die Nachbarin, die gerne auf dem Bürgersteig saß und rauchte, zwar für etwas verrückt, nahm die Warnung aber ernst. Anstatt in ihre Wohnung zu gehen, suchte sie sich einen Weg durch die Hinterhöfe des Viertels, das sie gut kannte. Ihr Ziel war das Theologische Seminar auf der anderen Seite der Innenstadt.

Als sie es bis dorthin geschafft hatte, traf sie auf Rico und andere Mitstudenten, die sich schon Sorgen um sie gemacht hatten. Gemeinsam berieten sie, wie man die Kommilitonin angesichts der drohenden Verhaftung aus der Stadt schaffen könnte. Sie baten den Dozenten Ernst Koch und Rektor Ulrich Kühn um Hilfe.

Katti fand sich schließlich unter einer Decke auf dem Rücksitz des Autos von Ernst Koch wieder, der sie zu einer Familie außerhalb Leipzigs brachte. Sie bekam weder mit, wohin er sie fuhr, noch, zu wem. Der Dozent erzählte der Familie nur etwas von einer Notsituation, das reichte. Sie stellten keine weiteren Fragen, und Katti musste auch nichts erzählen. Wer auch immer das vermittelt hatte, sie wurde gastfreundlich aufgenommen und bekam ein Zimmer, in dem sie bleiben konnte. Katti verließ ihr Versteck bis auf weiteres nicht.

Micha hatte sich frühmorgens zu Bine und seiner zwei Monate alten Tochter ins Bett gelegt. Seine Frau hatte das Baby gerade erst gestillt und war noch wach. Er murmelte, falls irgendjemand fragen würde, solle sie sagen, er sei ab Mitternacht zu Hause gewesen. Sabine war zwar immer noch verärgert, aber auch froh, dass Micha heil wieder zurück war und schlang ihre Arme um ihn. Für beide war die Nacht kurz. Am Morgen ging Micha wie immer zur Arbeit in die Zahnklinik der Universität. Kaum hatte er angefangen, erschien Ulli bei ihm. Der hatte sich schon zu Beginn der Woche mit Micha zu dieser Zahnbehandlung verabredet. Nach dem Telefonat mit Führungsoffizier Hoffmann um acht Uhr morgens wollte er jetzt, nur zwei Stunden später, wenn möglich noch mehr Informationen abschöpfen. Ulli setzte sich auf den Zahnarztstuhl, stellte trotz der Behandlung Fragen und hörte aufmerksam zu.

Auch Gesine war in den frühen Morgenstunden todmüde nach Hause gekehrt. Sie legte noch rasch ihre Einmalhandschuhe hinter eine »Fit«-Geschirrspülflasche in ihrer Küche und fiel ins Bett. Als sie um acht Uhr zur Arbeit ging, sah sie einen Wartburg mit zwei Männern vor ihrem Haus. Da schwante ihr, dass vielleicht doch etwas schiefgegangen sein könnte, und machte sich auf eine Verhaftung gefasst. Doch sie gelangte unbehelligt mit der Straßenbahn zu ihrem Musikverlag. Von dort rief sie bei Anitas Tante Jutta an und meldete sich zurück.

Uwe war am Donnerstag von der Arbeit gegen drei Uhr nachmittags nach Hause geradelt. Vor dem Eingang traf er zufällig seine Mutter, die ebenfalls gerade Dienstschluss hatte. Er grüßte sie kurz und verschwand in den Fahrradkeller. Genau in diesem Moment fuhren drei Herren in einem Lada vor. Sie fingen Uwes Mutter vor der Haustür ab und fragten, ob sie wisse, wo ihr Sohn sei. Nichts Böses ahnend, erklärte sie, dass der gerade sein Rad in den Keller auf der Rückseite des Wohnhauses bringe.

Als Uwe die Treppe zum Hof wieder hinaufkam, empfingen ihn auf dem obersten Absatz drei Männer, die sich ohne große Umschweife vorstellten: »Ministerium für Staatssicherheit. Folgen Sie uns in Ihre Wohnung.« Sie nahmen Uwe in ihre Mitte und gingen wortlos mit ihm bis zu seiner Wohnungstür in den vierten Stock. Dort hieß es barsch: »Öffnen!« Einer von ihnen klingelte Uwes 80-jährige Nachbarin Ida heraus. »Wir brauchen Sie als Zeugin für die Wohnungsdurchsuchung.« Dann fragten sie Uwe: »Haben Sie hier im Haus noch andere Räume?« Uwe schüttelte den Kopf.

Die grauhaarige Ida trippelte aufgeregt zwischen ihm und den Stasi-Männern hin und her und wiederholte ständig die Frage: »Was ist denn hier bloß los?« Die drei Herren waren sichtlich genervt. Aber sie blieben schweigsam und machten sich bereits in Uwes einzigem Zimmer zu schaffen. Einer fotografierte alles, anschließend machte er sich am Schreibtisch zu schaffen, ein anderer am Regal.

Uwe sagte, er müsse noch mit seiner Mutter sprechen, damit sie sich um seine Katze kümmere. Daraufhin führte ihn einer der Herren die zwei Treppen zu seiner Mutter hinunter und wartete im Treppenhaus. Uwe nutzte diese Chance, schrieb die Telefonnummer von Anitas Tante auf einen Zettel und bat seine Mutter, dort mitzuteilen, er sei von der Stasi abgeholt worden. Dann ließ er sich aus dem Haus führen.

Der Geheimdiensttrupp inspizierte nicht nur sein Zimmer und seinen Keller sondern am nächsten Tag auch den Keller seiner Mutter. Dort fanden sie die von ihm versteckten Flugblätter. In Uwes Einraumwohnung zogen sie seine Ausweise ein, beschlagnahmten ein paar Briefe, selbstgemachte Plakate und Wandzeitungen zum Sozialen Friedensdienst, seinen Kalender, benutztes Durchschlagpapier, unbenutztes Schreibpapier und die Mundbinden von der Protestaktion in der Nikolaikirche. *Aufschrift: »Redeverbot«, 8 x 17 cm,* notierte der Herr von der Stasi sorgfältig in sein Beschlagnahmeprotokoll.

Vor dem Haus drückten sie Uwe auf die Rückbank eines Wartburg und fuhren los. Sie kamen nicht weit. Der Motor versagte, der Wartburg blieb liegen. Doch keiner der Herren stieg aus.

Hinter ihnen wurde gehupt, sie standen mitten auf der Straße. Der Wartburg war nicht als Stasi-Auto zu erkennen, keiner der anderen Autofahrer zeigte Respekt.

Die Geheimdienstoffiziere wurden nervös und fluchten. Dann stiegen sie aus und forderten auch den festgenommenen Uwe auf, herauszukommen, um den Wagen gemeinsam von der Straße zu schieben. Uwe drückte mit beiden Händen gegen das Heck, links und rechts flankiert von den Herren des Geheimdienstes, die im Gesicht rot anliefen. Mit vereinten Kräften rollten sie die Karre von der Straße und stiegen wieder ein. Der Fahrer setzte mehrere Funksprüche ab, aber es dauerte eine ganze Weile, bis ein fahrtüchtiges Stasi-Auto kam. Es ging zum Gebäudekomplex von Polizei und Stasi in der Dimitroffstraße. Uwe wurde dort von zwei Vernehmern erwartet.

»Wo waren Sie gestern Abend? Was genau haben Sie in den vergangenen 24 Stunden gemacht? Mit wem waren Sie zusammen?«

Da er nicht viel erzählte, brach man das Verhör ab. Ein Uniformierter führte ihn in den Flur. Ein Fehler. Denn Uwe sah dort Theo sitzen. In sich zusammengesunken, völlig fertig, offenbar schon die ganze Nacht im Verhör, dachte Uwe. Doch bevor er Theo ansprechen konnte, riss ihn der Uniformierte zurück ins Vernehmungszimmer.

»Hände auf den Rücken!«

Später, nach einem längeren Verhör und Vorführung beim Haftrichter, brachte man ihn über einen direkten Gang in die Stasi-Untersuchungshaftanstalt. Was hatte der Richter da gerade mit monotoner Stimme verlesen? Erwiesene Tatbeteiligung, Höchststrafe fünf Jahre, Haftbefehl erlassen? Unterwegs sah er kleine Ampeln an den Kreuzungen der Gänge, bei Rot hieß es mit dem Gesicht zur Wand warten.

Das Stasi-Untersuchungsgefängnis lag von außen nicht erkennbar neben dem normalen Polizeigefängnis im Hof des Gerichts- und Polizeigebäudes in der Dimitroffstraße. Uwe wurde in einen vergitterten Käfig eingesperrt. Er musste sich nackt ausziehen, ein Wachmann untersuchte – Beine auseinander! – seinen Hintern und kontrollierte, ob er dort oder – Öffnen! – im Mund etwas versteckt habe. Sie reichten ihm eine Emailschüssel, in die er seine Sachen ablegen musste. Dann gab es Haftkleidung und Belehrungen, von denen er nur einzelne Worte mitbekam.

»Der Beschuldigte hat in der Nacht ... Flugschriften im Format A4 mit der Aufforderung ... ungenehmigte Ansammlung auf dem Leipziger Markt … andere Personen veranlasst … schwerwiegende Missachtung der Gesetzlichkeit.«

Mit der Schüssel ging es in einen Flur bis zu einem vergitterten Fenster. Dahinter stand ein Uniformierter. Uwe musste ihm jeden Gegenstand aus der Schüssel einzeln übergeben. Der Uniformierte hielt alles hoch, sprach eine Bezeichnung aus, die er sorgfältig protokollierte: »ein Feuerzeug«, »ein Paar Socken«, »ein Schlüpfer«, »ein Baumwollhemd, rot«. Am Ende der Prozedur musste Uwe die Liste unterschreiben. Von nun an sei er »Gefangener Nummer 125«, wurde er belehrt. Dann führten sie ihn in eine Zelle. Zwei Betten, zwei Hocker, ein Tisch, undurchsichtige Glasfliesen anstelle eines Fensters, Waschbecken und die Toilette frei im Raum.

In diesem Moment begriff Uwe: Das ist keine der vielen Zuführungen, jetzt wird es wirklich ernst. Ob ich hier je wieder herauskomme? Sie wussten ja nie, was bei diesen Befragungen, Zuführungen oder Verhaftungen am Ende passierte. Die Unsicherheit gehörte zum Spiel. Was drohte nun? Er war ganz offensichtlich nicht der Einzige, den sie festgesetzt hatten.

Uwe beobachtete die Tür. Ein kleiner Spion, eine Klappe. Alle zehn Minuten schaute jemand durch den Spion, dabei knipste er jedes Mal das grelle Licht an. »Das Gesicht nicht bedecken und zur Tür liegen!« Es war mitten in der Nacht. Vor 24 Stunden noch hatte er mit Gesine die Päckchen mit den Flugblättern verteilt. Ihre Verabredung heute Abend hatte sich erledigt. Was wohl mit Gesine und den anderen war?

Im Gegensatz zu Uwe, Theo und Carola war Gesine und den anderen bis zum Freitag, zwei Tage nach der Aktion, noch nichts geschehen. Gesine war erneut unbehelligt zur Arbeit gegangen. Dort wählte sie am späten Vormittag die Nummer von Constanze in der Uniklinik. Am anderen Ende der

Leitung hieß es lapidar, die sei »momentan nicht mehr im Dienst«.

Mist, dachte Gesine, Constanze hat man womöglich von der Arbeit abgeholt. Genaueres über ihr Schicksal und das der anderen würde Gesine erst nach der Arbeit erfahren können. Tatsächlich war Constanze um elf Uhr verhaftet worden. Während der Chefarztvisite hatte sie den Telefondienst auf der Station übernommen. Über den langen Gang hörte Constanze Schritte näherkommen, dann standen zwei Herren in knirschenden Kunstlederjacken in der offenen Tür ihres Stationsbüros. Sie verwies empört auf ihren Telefondienst, daher mussten die beiden Gestalten noch eine ganze Weile im Flur auf das Ende der Visite warten, bevor sie Constanze endlich mitnehmen konnten.

Gesine war wie fast jeden Freitagnachmittag mit ihrer Freundin Anita, die unter der Woche zur Ausbildung in Potsdam war, im Café Wilhelmshöhe verabredet. Gesine wollte mit ihr die Lage besprechen und darüber reden, wie es am Sonntag mit der Demo werden könnte.

Doch als sie sich trafen, gab es nur schlechte Nachrichten. Uwes Mutter hatte schon gestern bei Anitas Tante angerufen und gesagt, sie wisse zwar nicht, bei wem sie sich da eigentlich melde, sie wolle nur Bescheid geben, Uwe sei »von der Stasi abgeholt worden«. Bei Jochen hatten sie schon am Freitag um sechs Uhr morgens an die Wohnungstür gehämmert. »Anziehen! Mitkommen!«

Frank passten sie nach der Arbeit im Schweitzer-Haus vor der Mariannenstraße ab. Thomas, der Rainer dort treffen wollte, platzte mitten in die Durchsuchung ihrer Zimmer. Bei Rainer beschlagnahmten sie gerade *eine Verfassung der DDR mit Anstreichungen* und seine Schreibmaschine Marke »Groma«. Doch die Stasi-Leute durchsuchten strikt nur das Zimmer von Rainer und Frank und interessierten sich zum Glück nicht für Thomas. Sie hielten ihn für einen unbeteiligten Nachbarn. Er ging über den Flur zu Christian ins Zimmer, das sie nicht weiter beachteten. Dort warf Thomas seelenruhig einige Blätter aus seinem Kalender in den brennenden Ofen und verschwand so schnell wie möglich aus der Marianne, um die anderen zu informieren.

Gesine und Anita zählten nach: Sieben von ihnen verhaftet oder vermisst. Die beiden verließen das Café Wilhelmshöhe und trennten sich rasch. Gesine eilte zu ihrer Wohnung, und da niemand weit und breit zu sehen war, ging sie hinein, um zu überprüfen, ob sie angesichts einer drohenden Durchsuchung alles Belastende entfernt hätte. Danach wollte sie raus aus Leipzig und zum Pfarrhaus ihrer Eltern aufs Land fahren.

Sie kontrollierte ihren Schreibtisch. Schweren Herzens riss sie aus ihrem Kalender einige Blätter vom Januar heraus und verbrannte sie. Gesine sah den Flammen zu. Da klopfte es an der Wohnungstür. Sie öffnete. Einer der Geheimdienstoffiziere roch das Feuer, stürzte sofort zum Ofen und versuchte noch etwas Papier vor den Flammen zu retten. Doch die Kalenderblätter waren schon verbrannt.

Während Gesine und Anita noch im Wilhelmshöhe saßen, liefen gleichzeitig weitere Verhaftungen. Rainer, der sich bis dahin trickreich durchgeschlagen hatte, wurde um 17 Uhr auf offener Straße im Stadtteil Lindenau überfallen. Er hatte die Marianne gemieden, war vorübergehend bei einem Freund in Lindenau untergeschlüpft und plante, auf dem parkähnlichen Gelände des evangelischen Diakonissenkrankenhauses unterzutauchen. Dort lag das Internat der Schwesternschülerinnen. Rainer wusste, dass es einige leere Zimmer und Betten gab und wie man an der alten Diakonisse an der Pforte vorbeikam.

Der alte Backsteinbau war schon zum Greifen nah, doch als er von der Georg-Schwarz- in die Ahlfeldstraße bog, näherte sich plötzlich ein Auto mit überhöhtem Tempo. Der Wagen stoppte direkt neben Rainer, drei Männer sprangen heraus und schnitten ihm den Weg ab. Er widersetzte sich dem Zugriff, er wollte es ihnen nicht einfach machen, nicht in ein Zivilfahrzeug einsteigen, auch wenn ihn die ebenfalls nur Zivilkleidung tragenden Männer jetzt sehr bestimmt aufforderten.

»Mitkommen!«

Wer sind Sie, was wollen Sie von mir?

Einer, der direkt vor ihm stand, zeigte ihm daraufhin für eine Sekunde den Klappausweis des MfS.

Rainer rief seine Frage so laut, dass Passanten stehenblieben: *Ist das eine Verhaftung oder eine Zuführung?*

Sie antworteten nicht.

Rainer rief noch lauter: *Aus welchem Grund wollen Sie mich mitnehmen? Haben Sie einen Haftbefehl? Können Sie mir den zeigen?*

Sie konnten nicht.

Die Passanten kamen näher. Rainer ließ sich einfach auf den Boden fallen. Die drei Männer mussten ihn vor den Augen der Umherstehenden an Händen und Füßen in ihren Wagen zerren.

Einer der Zuschauer, der dem davonrasenden Wagen hinterhersah, war empört über das, was er da erlebt hatte. Er schrieb noch am gleichen Tag eine Beschwerde an die Abteilung Inneres der Leipziger Stadtverwaltung.

Heute ist Freitag, der 13. Januar, dachte Micha, ein richtig schwarzer Freitag. Er wusste von den Verhaftungen und hatte sich morgens auf den Weg zur Wohnung von Constanze gemacht, ohne sie anzutreffen. Auf der anderen Straßenseite stand ein Mann herum, vor einem Laden, der geschlossen hatte. Micha wurde nervös. Da er annahm, die restlichen Flugblätter im Koffer seien noch bei ihr, warf er einen Zettel in ihren Briefkasten mit der Nachricht: »Bring bitte ... in ein

Schließfach am Bahnhof und den Schlüssel dann zu mir. Es muss unbedingt heute noch sein!«

Dann ging er zurück Richtung Innenstadt. Unterwegs bemerkte er, dass er verfolgt wurde. Die Herren schienen sich abzulösen und immer zahlreicher zu werden. Als sie dicht an ihn herankamen, machte er etwas eigentlich Paradoxes. Er sprach vor ihren Augen einen gerade herumstehenden Verkehrspolizisten an und bat ihn angesichts der unheimlichen Verfolger um Hilfe. Der Uniformierte gab ihm mit ernstem Gesicht den überraschenden Rat, die Männer doch einfach in einem Kaufhaus abzuschütteln. Und tatsächlich gelang es ihm, sie im Gewirr der Leipziger Innenstadtpassagen noch einmal loszuwerden. Er kam unbehelligt in die Zahnklinik und machte sich an eine liegengebliebene Laborarbeit.

Als er am Nachmittag nach Hause wollte, hefteten sich neue Bewacher auf seine Fersen, diesmal sogar unterstützt von einem Fahrzeug. Kurz entschlossen flüchtete er ins Café Orient in der Zweinaundorfer, als er dort vorbeikam. Er wusste, dass die Stasi es vermied, in aller Öffentlichkeit zuzuschlagen. Im Café gab es zudem ein Münztelefon und damit eine gute Gelegenheit, Anitas Tante anzurufen. Doch er entschied sich, das Café durch einen anderen Eingang gleich wieder zu verlassen und nach Hause zu gehen, um Sabine nicht länger warten zu lassen.

Sabine war erleichtert, dass er kam, denn sie musste selbst noch einmal raus in die Stadt, um einzukaufen. Sie hatte gerade Besuch von ihrer Schwester Anett und einer Freundin aus Finsterwalde. So bat sie Micha, auf Johanna aufzupassen, die nach dem Stillen gerade in der Wiege eingeschlafen war. Es dauerte nicht lange, dann pochten drei Männer an die Wohnungstür.

»Wir fordern Sie auf, uns Folge zu leisten, zur Klärung eines Sachverhaltes!«

Micha verschwieg den Besuch und erklärte ihnen, dass er allein sei, auf seine Frau warte und solange einen Säugling zu versorgen habe. Die Herren waren erst etwas ratlos, ließen ihn aber, nachdem er ihnen Johanna gezeigt hatte, gewähren und warteten im Treppenhaus.

»Sie dürfen das Haus aber unter keinen Umständen verlassen!«

Nach einer Stunde wurden sie allerdings ungeduldig und klopften erneut. In diesem Moment kam Bine zurück. Sie hatte schon vor dem Haus ein ungutes Gefühl gehabt und im Treppenhaus fremde Stimmen gehört.

Zwei der Herren packten Micha links und rechts und führten ihn an ihr vorbei. Ihre Blicke trafen sich, aber sie konnte in diesem Moment nichts sagen. Sie war entsetzt und gelähmt, dabei hatte sie doch durchaus damit gerechnet. Aber so dicht hatte sie die Männer der Stasi noch nie erlebt. Sonst hielten sie ja immer Distanz, wenn sie sich vor ihrem Haus aufhielten oder auf der Straße hinter einem hergingen. In ihre Empörung darüber, was diese Leute mit ihrem Freund taten, mischte sich Neugier.

Micha war fort, andere Stasi-Leute begannen mit der Hausdurchsuchung. Der Älteste machte sich mit einer Reiseschreibmaschine am Wohnzimmertisch breit, um eine Liste mit den beschlagnahmten Gegenständen zu erstellen.

Wie selbstverständlich dieser Kerl von unserem Sofa Besitz ergreift, dachte sie. Mit welcher Besessenheit sie in das Private eindringen.

»Die Küchenschränke öffnen!«, brüllte es über den Flur.

Bine spürte, dass diese Männer es genossen, ihre Macht über sie zu zeigen. Sie verbarg ihre Angst, so gut es ging. Sie folgte den Anweisungen und Befehlen mit weichen Knien und unbewegtem Gesicht. Sie sollten nicht sehen, dass sie Angst hatte. Diese Genugtuung gönnte sie ihnen nicht.

Die kleine Johanna schrie, als sie in das Schlafzimmer eindrangen. Bine wollte zu ihr eilen, wurde aber zurückgestoßen. Die Stasi-Leute packten Johannas Wiege und trugen sie ins Wohnzimmer, einer hob noch prüfend die Decke hoch, in die das Baby eingehüllt war.

Es war eine merkwürdige Stimmung, ihre Schwester und deren Freundin standen die ganze Zeit stumm im Raum, die Wohnungstür war offen und ein Nachbar kam herein, sah sich um und ging wieder, ohne von den Männern angesprochen zu werden.

Bine musste den Jüngsten von den Stasi-Leuten in ihren Keller begleiten. Auf dem Weg hinunter fragte sie ihn, wie denn einer wie er auf den Gedanken komme, für die Stasi zu arbeiten. Er prahlte, dass man sich bewähren müsse und dass es doch eine Ehre sei, sich an vorderster Front für sein Land einzusetzen. Sabine fragte nicht mehr weiter.

Im Kohlenkeller nahm er eine Kohlengabel in die Hand und schaufelte die Briketts um, in der Hoffnung, etwas Verstecktes zu finden. Sie sei doch so ein hübsches Mädel, sagte er und stellte die Gegenfrage: »Wie kommt so ein Mädchen wie Sie dazu, sich mit solchen Typen einzulassen?«

Sie antwortete ihm nicht. Es staubte. Sie sah auf ihre Hände. Sie waren dunkel vom Dreck der Braunkohle.

Als sie wieder zurück in die Wohnung kam und endlich die Tür hinter den Eindringlingen zufiel, tauschte sie mit ihrer Schwester einen langen Blick. Anett war kreidebleich. Bine wusste, dass sie selbst kaum anders aussehen konnte. Sie hob Johanna aus der Wiege und drückte sie an sich. Ihr Blick fiel auf den Fußboden. Was für ein Glück, dass keiner der Männer auf die Idee gekommen war, die Dielenbretter anzuheben.

Andree überrumpelten sie Samstagmorgen um halb acht, kurz bevor er abtauchen wollte. Eine Tasche mit brisanten Sachen hatte er da schon zu einem Freund gebracht. Michaela, die als 18-jährige angehende Krippenerzieherin samstagvormittags Unterricht hatte, ließen sie unter einem Vorwand vom Direktor aus dem Klassenzimmer holen. Sie scheuten auch in ihrem Fall den öffentlichen Zugriff. Michaela ging arglos mit, bis sie im Zimmer des Direktors von den dort lauernden Männern ergriffen wurde.

Außer der versteckten Studentin Katti waren damit elf Beteiligte einen Tag vor der Demonstration in Haft. Ulli, der Verräter, blieb von der Stasi verschont, war aber aus der Stadt verschwunden. Damit niemand Verdacht schöpfte, hatte ihm sein Führungsoffizier geraten, er solle ihnen erzählen, er sei bei seiner Oma abgetaucht.

Auf dem Weg zum Vernehmungszimmer musste Gesine endlose Kellergänge entlanglaufen. Diesen Teil des MfS-Gebäudes hatte sie noch nie gesehen. Auch sie hatte nur einen Gedanken: Hier kommst du nicht mehr raus.

Wenig später stand ein Mikrofon vor ihr auf dem Tisch, und ein übertrieben gebräunter, verlebt wirkender Kettenraucher mit tiefen Gesichtsfurchen drückte auf die Aufnahmetaste eines Tonbandgerätes. Die nächsten zehneinhalb Stunden saß sie ihm gegenüber.

Soso, Sie sind Gesine Oltmanns. Ist das richtig?

Gesine nickte: *Mhmm.*

Frau Oltmanns, wo Sie sich hier befinden wissen Se?

Einen Moment zögerte Gesine, dann sagte sie: *Ich möchte eine Erklärung dazu!*

Der Mann beugte sich vor.

Sie möchten eine Erklärung dazu ... eins nach dem anderen. Sie befinden sich hier in der Untersuchungshaftanstalt des Ministeriums für Staatssicherheit.

Gesine schaute ihn an: *Könnte ich jetzt erst mal Ihren Namen erfahren?*

Der Vernehmer ging auf sie nicht ein: *Lassen Sie das, verfahren wir so –*

Gesine fiel ihm ins Wort: *Ich denk, die Ordnung ist so richtig: Sie haben gefragt, wer ich bin, dann möchte ich auch gern wissen, wer Sie sind!*

Der Mann stutzte. *Das ist hier keine übliche Unterhaltung, wie man sie so landläufig in eener Gaststätte pflegt oder am Kaffeetisch. Wenn man Sie hier reinholt, will man erst mal wissen wer Sie sind, nicht? So. Ich sagte Ihnen, dass Sie sich hier in der Untersuchungshaftanstalt des Ministeriums für Staatsicherheit befinden und ich werd Ihnen auch sagen, aus welchem Grund. Gegen Sie wurde ein Ermittlungsverfahren eingeleitet, weil Sie eine Handlung begangen haben, die im Sinne des §214, Absatz eins und Absatz zwei, begründet liegt, der überschrieben ist: Beeinträchtigung staatlicher und gesellschaftlicher Tätigkeit.*

Können Sie mir das vorlesen?

Selbstverständlich! Kann ich Ihnen gern vorlesen!

Der Vernehmer las ihr den Paragraphen vor, betonte dabei genüsslich den Unterschied zwischen Absatz eins und zwei: *Wer die Tätigkeit staatlicher Organe durch Gewalt oder durch Drohungen beeinträchtigt und zur Missachtung der Gesetze auffordert wird mit Freiheitsstrafe bis zu drei Jahren bestraft. Absatz zwei: Wer dies zusammen mit anderen macht, wird mit Freiheitsstrafe bis zu fünf Jahren bestraft. Sie haben jetzt die Möglichkeit, sich zu dieser Beschuldigung zu erklären.*

Gesine antwortete ihm: *Ich möchte von meinem Recht auf Verteidigung Gebrauch machen! Bevor ich nicht mit meinem Anwalt Schnur gesprochen habe, verweigere ich jegliche Aussage.*

Der Vernehmer horchte auf. *Wolfgang Schnur ist Ihr Anwalt? Seit wann?*

Ich verweigere jegliche Aussage!, schoss Gesine zurück.

Sie verweigern jegliche Aussage. Worüber wollen Sie sich dann mit Ihrem Anwalt unterhalten?

Ich möchte ihn sprechen. Sie haben die Pflicht, ihn anzurufen.

Nee, die Pflicht hat das Untersuchungsorgan nicht. Und glauben Se, dass der alles stehen und liegen lässt, um Ihnen zu helfen?«

Dann schreib ich ihn an.

Wir erledigen für Sie aber nicht die Korrespondenz!

Lesen Sie mir den Paragraphen über das Recht auf Verteidigung vor!

Da steht nicht drin, dass wir für Sie die Korrespondenz erledigen.

Ich weise alle Beschuldigungen zurück und möchte mich bei der Staatsanwaltschaft beschweren!

Worüber woll'n Se sich denn beschweren? Sie sind in keiner beglückenden Lage …

Von Gesine kam keine Antwort mehr.

Nach einer langen Pause stellte der Vernehmer fest: *Ich hab Zeit, das ist mein Beruf.*

Immer wieder Verhöre, die gleiche Szene, die gleichen Fragen, die gleichen Tricks.

Bekennen Sie sich endlich zu der Tat!, wurde Uwe angebrüllt. *Warum haben Sie es gemacht, wenn Sie jetzt nicht dazu stehen?*

Eine wunde Stelle. Er stand zu dem, was er gemacht hatte. Nichts hatte Uwe in den letzten Wochen so beschäftigt wie der bevorstehende Tag. Der Sonntag. Er wusste, dass er sich in einen Teufelskreis begab, wenn er anfing zu reden.

Noch ist keine Entscheidung getroffen. Sie haben die Chance mit zu entscheiden.

Freundliche Worte. Sie merkten seine Irritation und bohrten weiter nach. Irgendwann gab er die Tat zu, nannte Namen. Ja, er hat Flugblätter verteilt. Ja, mit den anderen. Es erleichterte ihn.

Schlaf gegen drei Uhr nachts in der Zelle. Morgen um sechs holten sie ihn wieder. Fotografieren, von allen Seiten und im Stehen, dann Fingerabdrücke. Beim Gefängnisarzt eine Tauglichkeitsprüfung. Tauglich wofür? Keine Antwort.

Erneutes Verhör. Uwe sagte, er wisse sonst von nichts.

Warum lügen Sie immer noch? Wir wissen alles!

Er versuchte die Aktion zu begründen, zu argumentieren, zu reden. Irgendwann erkannte er die Sinnlosigkeit seiner Versuche. Die Vernehmung wurde abgeschlossen, er hatte alles gesagt, was er glaubte, sagen zu können, es war zu viel, er hatte Namen bestätigt und fühlte sich elend und beschissen.

Der Geheimdienst durchsuchte die Wohnungen der Verhafteten und war auf der Jagd nach denen, die ihnen bisher entwischen konnten. Thomas wunderte sich darüber, dass sie nicht auch zu ihm kamen. Seine Freundin Kathrin war nicht in Leipzig. Sie war mit Anita zu einem Basisgruppentreffen in Karl-Marx-Stadt gefahren.

Thomas war in Freiheit. Sein Leitsatz »Wer druckt, verteilt nicht« hatte sich bewährt. Nicht einmal seiner Freundin Kathrin hatte Thomas erzählt, dass er einen Teil der Flugblätter gedruckt hatte. Er war am Tag nach der Aktion gleich nach Berlin gefahren, um dort mit Susanne, Berliner Oppositionellen und Westjournalisten zu sprechen. Als er zurück nach Leipzig kam, hielt er es für besser, nicht zu Hause zu bleiben, und machte sich auf zur Juliusstraße, ins Gemeindehaus von Pfarrer Wonneberger. Der überließ ihm und allen anderen, die am nächsten Tag dazustießen, das Telefon.

Kathrin, Thomas, Bernd, Silke, Andreas und bis zu seiner Festnahme auch noch Andree bildeten am Freitag den ersten Informationsstab, der pausenlos damit beschäftigt war, die Nachricht von den Verhaftungen und den Inhalt des Flugblattes von Micha und Gesine zu verbreiten. Die Gruppe tagte im Gemeindesaal, während Thomas einen Stock höher telefonierte, um eine Solidaritätsbewegung aufzubauen. Er und seine Freundin Kathrin durften sogar im Gemeindehaus übernachten. Wonneberger fand das besser, als sie nach Hause und damit womöglich in die Hände der Stasi zu schicken.

Aber nicht nur die Freunde der Verhafteten kümmerten sich um sie. Als Michas Mutter Christa im 100 Kilometer entfernten Coswig erfahren hatte, dass ihr Sohn unter den Verhafteten war, machte sie sich sofort nach Leipzig auf, um herauszufinden, wo er denn überhaupt festgehalten wurde. Denn darüber waren nicht einmal die Angehörigen informiert worden. Alle waren verschwunden, wohin, konnte man bestenfalls ahnen. Sie hatte große Angst um ihren Sohn und wollte ihm, wie auch immer, beistehen. Sie arbeitete seit über zwei Jahrzehnten als Mathematiklehrerin an einer sozialistischen Schule. Vor einiger Zeit hatte sie dort überraschend Besuch erhalten. Der Direktor hatte sie ins Lehrerzimmer gebeten. Dort warteten zwei Herren der Stasi aus Leipzig auf sie. Sie erzählten, dass ihr Sohn sich negativ entwickelt habe.

»Wissen Sie eigentlich, was Ihr Sohn neben seinem Studium so alles treibt?« Sie erzählten es ihr. Er arbeite dem Feind in die Hände. Sie galt in der Schule als überzeugte Rote, war aber zu Tode erschrocken und wollte sich selbst ein Bild von den konterrevolutionären Umtrieben ihres Sohnes machen und besuchte ihn häufig. Micha nahm sie mit zu den Friedensgebeten und erklärte ihr alles. Manches war ihr fremd, sie fand jedoch am Ende nicht besonders staatsfeindlich, was Micha und seine Freunde unternahmen. Aber jetzt ging es um ihren Sohn, nicht um die Person, die er in den Augen der Stasi war.

Nachdem Christa als Erstes bei Sabine und dem Kind vorbeigeschaut hatte, klapperte die resolute Frau ein paar Kirchenleute ab. Sie wunderte sich, wie reserviert Christian Führer sie an seiner Haustür abfertigte und behauptete, er kenne ihren Micha überhaupt nicht. Schließlich ging sie einfach zur Runden Ecke. Sie wollte einen Verantwortlichen von der Staatssicherheit sprechen. Doch man wies sie brüsk ab. Sie wurde wütend und brüllte den wachhabenden Offizier am Eingang an: »Wenn ich bis morgen früh nicht weiß, wo mein Sohn ist, häng ich hier drüben an diesem Baum vor eurem Haus!« Dann drehte sie sich auf dem Absatz um und stapfte davon.

Michas Mutter war schwer empört über die Genossen. Sie hatte als Kind 1949 die Gründung der DDR erlebt. Einer ihrer Lehrer begeisterte Christa so sehr mit seinen selbsterlebten Geschichten vom Kampf der Arbeiterklasse und der

Kommunisten gegen die Nazis, dass sie schon mit 16 Jahren einen Aufnahmeantrag in die SED stellte. Obwohl noch ein Jahr zu jung für die Mitgliedschaft, waren die Parteigenossen von ihrer Eintrittsbegründung so angetan, dass sie eine Ausnahme machten. Das war 1956. In dieser Januarnacht, 33 Jahre später, ging sie durch die Straßen von Leipzig und dachte darüber nach, wann eigentlich ihre damalige Begeisterung auf der Strecke geblieben war. Sie hatte sich oft mit ihrem Sohn gestritten und versucht, ihn von seinem politischen Engagement abzubringen. Einmal hatte sie es sogar mit Bestechung versucht. Er könne ihren Trabi haben, auf den er als Familienvater sonst eine halbe Ewigkeit warten musste. Micha und Bine wollten nicht.

Christa kehrte noch einmal in die Zweinaundorfer zurück. Bine hatte von einem Pfarrer eine Vollmacht beglaubigen lassen. Falls auch sie festgenommen würde, solle Johanna zu Bines Mutter nach Fürstenwalde kommen. Ihr Baby sollte die Stasi nicht einfach in ein Heim stecken können.

Bine hatte einen Auftrag für Christa. Sie bat sie, einen Koffer mitzunehmen, den sie in der Wohnung ein Stock tiefer hinter dem Klo versteckt hatte. Darin war eine kleine Siebdruckvorlage des Abzeichens Schwerter zu Pflugscharen, die Micha selbst gefertigt hatte. »Wenn sie die hier finden«, sagte Bine zu ihr, »dann nehmen sie mich auch mit.« Obwohl vor dem Haus noch Beobachter herumstanden, packte sich Christa den alten Koffer, trug ihn das Treppenhaus hinunter und schob ihn unter den Augen der Späher in den Trabi ihrer Freundin, die sie aus Coswig hergefahren hatte.

Die beiden Frauen machten sich auf den Rückweg und hielten Ausschau, ob sie verfolgt würden. Sie überlegten, den Koffer samt Druckvorlage in der Elbe zu versenken. Weil der Inhalt ihr aber doch zu wertvoll erschien, brachte Michas Mutter ihn in ein Kellerversteck bei einem Onkel in Coswig.

Als sie am frühen Morgen in den Briefkasten sah, lag ein Brief vom Leipziger Bezirksstaatsanwalt Kurzke drin – ohne Briefmarke, er war noch nachts gebracht worden. Mit einem Termin für sie, bei dem sie Genaueres über den Verbleib ihres Sohnes erfahren könne.

Ein einziges Kontakttelefon reichte, die zweitgrößte Stadt der DDR mit dem Rest der Welt zu verbinden. Thomas war es in dieser Situation völlig egal, ob da jemand mithörte. Das Gemeindehaus bot ihm einen gewissen Schutz. Mit der Kirche wollte sich der Staat nicht öffentlich anlegen. Er entging dort tatsächlich seiner Verhaftung, denn sie standen irgendwann auch vor seiner Wohnung in der Meißner Straße und mussten unverrichteter Dinge wieder abziehen.

Am Telefon informierte er zuerst Berliner Oppositionelle wie Werner Fischer, Peter Grimm, Lutz Rathenow und Gerd Poppe. Endlich ging auch seine Exfreundin Susanne an den Apparat. Sie hatte den Auftrag mit auf den Weg nach Berlin bekommen, sich dort mit den Oppositionellen rund um die Umweltbibliothek gut zu vernetzen und enge Kontakte mit den wenigen Westjournalisten aufzubauen, die in Ost-Berlin Büros und Wohnungen haben durften, um aus der DDR zu berichten. Das hatte Susanne auch gemacht, sie traf sich seit Monaten mit den Journalisten der ARD und anderen Westsendern im Wiener Café in der Schönhauser und hielt sie über Leipzig auf dem Laufenden.

Thomas, der sonst voller Misstrauen und Sorge vor Überwachung war, vertraute Susanne ganz besonders und freute sich, als er sie endlich am Telefon hatte.

Susanne, es sieht schlimmer aus, als ich gedacht habe. Bitte lass dir was einfallen. Sie sind wild geworden. Überall haben die Leute Polizei vor dem Haus stehen.

Wirst du denn auch beobachtet, Thomas?

Ja, bei mir hab ich drei Typen gesehen. Allein um die Mariannenstraße sind vielleicht 50 Mann im Einsatz. Die Hausdurchsuchung bei Frank haben acht Leute gemacht, dabei hat der nur ein kleines Zimmer. Es muss jetzt dringend was passieren.

Susanne wusste, was er damit meinte. Aus der DDR konnte man nicht einfach in den Westen telefonieren, das war für sie in Ost-Berlin leichter. Thomas hätte direkte Gespräche in den Westen anmelden müssen. Susanne informierte einfach Westjournalisten wie Ingo in Ost-Berlin und über ihn vor allem Frank Wolfgang in West-Berlin, mit dem sie den Arbeitskreis Gerechtigkeit in Leipzig gegründet hatte. Es gab einzelne Ex-Leipziger, die so wie er auch nach ihrer Ausreise über die Grenze hinweg mit ihren alten Freunden am Telefon oder bei Treffen in Prag die Verbindung hielten. Frank Wolfgang verbreitete schon am Freitagmorgen einen *Dringenden Appell von ehemaligen Leipziger Bürgern* an bundesdeutsche Parteien und Organisationen. Sie sollten sich mit Protestschreiben direkt an den Staatsanwalt des Bezirkes Leipzig richten. Dessen Adresse lieferte er im Appell mit. Es war der Gebäudekomplex, in dem auch die Inhaftierten saßen.

Dann rief Thomas der Reihe nach seine Kontakte in der ganzen DDR an, Gruppen in Halle, Zwickau, Dresden, Wismar oder Rostock. Er gab die Information über Flugblatt, Demo und Verhaftungen auch an einzelne evangelische Pfarrer weiter und wandte sich schließlich an Superintendent Magirius, mit der dringenden Bitte, die Kirche möge etwas zur Solidarität in Leipzig beitragen. Magirius hörte ihm zu und ließ sich die Namen der Verhafteten geben.

Dann wählte Thomas eine Nummer in Prag. Es kratzte, es knisterte, es dauerte, bis ein Rufzeichen kam. Endlich nahm jemand ab. Er war Petr Uhl, der Michas Umschlag mit dem Flugblatt von Katrin, der Leipziger Botin, tatsächlich schon erhalten hatte. Sie besprachen, dass die Charta einen Appell an die in Wien tagenden Minister der KSZE-Konferenz veröffentlichen sollte. Natürlich fiel kein Wort über die am Sonntag bevorstehende Demonstration auf dem Wenzelsplatz in Prag. Aber der letzte Satz von Petr Uhl stimmte Thomas hoffnungsvoll: *Ich verspreche Euch außerdem, die polnischen und ungarischen Oppositionsgruppen zu benachrichtigen, um internationale Solidarität auszulösen.*

Das Kommunikationsnetz funktionierte.

Die Berliner *Kirche von Unten* nutzte ein schon länger geplantes Treffen der Berliner Gruppen als Informationsveranstaltung zur Situation in Leipzig. Die Teilnehmer informierten wiederum ihre Freunde in anderen Gruppen außerhalb der DDR-Hauptstadt. Werner Fischer verbreitete Bilder und Biografien der Verhafteten, die in Leipzig vorsorglich bereitlagen. Er benachrichtigte Manfred Stolpe vom DDR-Kirchenbund und Petra Kelly von den Grünen in Bonn.

Das Schneeballsystem löste eine Welle der Solidarität aus. Binnen 48 Stunden ging die Nachricht innerhalb der DDR von Mund zu Mund. Noch vor der Demo am Sonntag wurden Gruppen in Weimar, Zwickau, Jena, Saalfeld, Erfurt, Halle, Bautzen, Ilmenau, Naumburg, Meißen, Quedlinburg, Magdeburg und Dresden aktiv. Die Zwickauer Gruppe richtete sogar ein eigenes Kontakttelefon ein, um die Leipziger zu unterstützen.

So wurden die Namen der Verhafteten, das Flugblatt und der Demonstrationstermin einer immer breiteren Öffentlichkeit bekannt. Zeitgleich begannen die Meldungen im Westfernsehen und -radio. Am Samstagabend brachte die *Tagesschau* – nicht zuletzt dank Ingos Meldungen – einen Beitrag über die Verhaftungen und zitierte den Aufruf zur Demonstration am 15. Januar, sogar mit genauer Angabe von Ort und Zeitpunkt: 16 Uhr auf dem Leipziger Markt. Jetzt wusste ein Millionenpublikum Bescheid – auch im Osten.

Thomas wollte in Erfahrung bringen, was die Kirche in

Leipzig vorhatte. Er telefonierte am späten Samstagabend mit dem evangelischen Landeskirchenamt. *Wir rufen nicht zur Fürbitte auf*, gab ihm der Oberlandeskirchenrat zu verstehen. *Wir stellen es jedem frei, Fürbitte zu halten, aber bitte in gottesdienstlicher Form.* Thomas fragte, ob er das öffentlich verwenden dürfe. Er bekam grünes Licht, reichte aber nur den ersten Teil des zweiten Satzes an die Westmedien und Gruppen weiter: *Die Kirche stellt es jedem frei, Fürbitte zu halten.*

Wenn Thomas und die anderen gerade mal einen Moment lang nicht telefonierten, klingelte das Telefon meist umgehend, und Westjournalisten, Berliner Freunde und Mitglieder von Basisgruppen im ganzen Land erkundigten sich nach dem Stand der Dinge.

Petra Kelly, die prominente Gründerin der westdeutschen Grünen, saß gerade am Schreibtisch in ihrem Bonner Haus und überarbeitete eine Rede für den Bundestag, als sie von Werner Fischer erfuhr, was in Leipzig geschehen war. Sie gehörte zu den wenigen in der Bundeshauptstadt, die enge Beziehungen zur DDR-Opposition pflegten. Schon seit Anfang der achtziger Jahre hatte sie die Ost-Berliner Kreise um Bärbel Bohley, Ralf Hirsch, Wolfgang Templin und Werner Fischer immer wieder besucht. Als es zur ersten offiziellen Begegnung der frisch in den Bundestag gewählten Grünen mit Erich Honecker kam, trug Petra Kelly demonstrativ ein T-Shirt mit dem Symbol der oppositionellen DDR-Friedensbewegung Schwerter zu Pflugscharen. Trotz ihrer Provokation druckte das *Neue Deutschland* auf Seite eins ein Foto des deutsch-deutschen Politikertreffens mit dem deutlich erkennbaren Symbol der Protestbewegung.

Petra Kelly schob ihre Bundestagsrede beiseite und verfasste ein persönliches Telegramm an Honecker. Sie hatte über die Jahre immer Kontakt zu ihm gehalten. Sie wusste, dass er sie irgendwie persönlich mochte.

Die *beschämenden Verhaftungen unserer Freunde und Freundinnen* von Leipzig, *nur weil sie sich ... für gesicherte Menschenrechte engagieren*, empfinde sie als »Schlag ins Gesicht«. Sie könne nicht glauben, *dass Sie mit dem, was in den letzten Tagen in der DDR geschehen ist, einverstanden sind.* Sie verlange von Honecker *unverzüglich ein Ende der Schikanen, die sofortige Freisetzung aller Inhaftierten ... im Interesse des internationalen Ansehens Ihres Landes.*

Dann ging sie zu ihrem Mann Gert Bastian und bat ihn, auch seinen Namen unter das Telegramm zu setzen. Bastian war ein ehemaliger Bundeswehrgeneral, der die Alternativ- und Friedensbewegung im Westen unterstützte. Seine Gruppe *Generäle für den Frieden* arbeitete ganz im Sinne der DDR kritisch gegen die NATO und wurde von Honecker heimlich unterstützt.

Es war nur ein Telegramm, aber es erreichte das Zentrum der Macht.

Das internationale Ansehen bedeutete der DDR viel. In Wien stand die Folgekonferenz für Sicherheit und Zusammenarbeit in Europa nach monatelanger Tagung kurz vor ihrem Abschluss. Die Meldungen über Leipzig waren unübersehbar für die Teilnehmer der Konferenz aus 35 Staaten.

Die Freunde der Verhafteten in Prag, Petr Uhl und Anna Šabatová von der Charta 77, verfassten gemeinsam mit polnischen Oppositionellen eine Erklärung, die sie auch in Wien öffentlich machten: *Sie sind 20 bis 28 Jahre alt und gehören zu den Hunderten und Tausenden in der immer stärker werdenden, unabhängigen Bewegung, die die Hoffnung des Landes ist ... Mit diesem Schritt ... ist die DDR angetreten nur ein paar Tage vor der Unterzeichnung des Ergebnisdokuments des Wiener Nachfolgetreffens der KSZE. Wir rufen deshalb die Regierungen von 34 Ländern auf, die zusammen mit den Repräsentanten der DDR diese Dokumente unterzeichnen sollen, dass sie an die DDR-Regierung appellieren, damit sie die elf Inhaftierten auf der Stelle entlässt, die Strafverfahren einstellt und mit der Kriminalisierung und Aussiedlung der Andersdenkenden aufhört.*

Währenddessen gingen in der Dimitroffstraße die Verhöre weiter. Die Stasi wollte Geständnisse von allen Beteiligten, wollte Ziele und Motive wissen und die genauen Umstände der Flugblattproduktion in Erfahrung bringen. Manchmal mit einem, oft auch mit zwei Vernehmern. Micha zeigten sie den Zettel, den er bei Constanze in den Briefkasten gesteckt hatte. Sie sagten ihm, alle Beweismittel lägen vor. Er dachte über zwei Varianten möglichen Verhaltens nach. Entweder vollständiges Schweigen oder alles offen erklären und die Aktion auf sich nehmen. Er merkte, sie wussten alles, und entschied sich gegen das Schweigen. Anders Rainer. Dessen Kaltschnäuzigkeit machte sein Gegenüber ziemlich wütend.

Was haben Sie zu der Beschuldigung zu sagen?

Ich weiß nicht, was ich dazu sagen soll.

Was machten Sie in der Nacht zum 12. Januar?

Vielleicht habe ich geschlafen.

Was heißt vielleicht?

Weil ich es nicht mehr genau weiß.

Dem Untersuchungsorgan ist bekannt, dass Sie sich gegen 22 Uhr nicht in Ihrer Wohnung aufgehalten haben. Äußern Sie sich dazu!

Vielleicht werde ich in einem anderen Bett in dieser Nacht geschlafen haben.

Ich frage Sie nochmals, wo Sie sich an diesem Abend aufgehalten haben!

Ich möchte mich erst einmal mit einem Seelsorger in Verbindung setzen, da ich Christ bin.

Ihnen wird bekanntgegeben, dass dies nicht möglich ist, da dafür seitens des Staatsanwaltes des Bezirkes Leipzig keine Genehmigung vorliegt.

Dann möchte ich sofort den Staatsanwalt telefonisch um eine Genehmigung ersuchen.

Ihnen wird bekannt gegeben, dass dies um 21.10 Uhr nicht möglich ist. Außerdem wird Ihnen mitgeteilt, dass Seelsorger in der Untersuchungshaftanstalt nicht gestattet werden.

Als Vermerk notierte sich Rainers Vernehmer: *Der Beschuldigte antwortet nicht. Ihm wurde gegen 2.30 Uhr die Gelegenheit gegeben, sich auf eine Liege schlafen zu legen. In der Zeit von 3.50 bis 4.45 las der Beschuldigte sich das Protokoll durch, ohne dieses jedoch zu unterschreiben. Als Begründung führte er an, dass er mit seiner Vernehmung als Beschuldigter nicht einverstanden ist. Die Vernehmung wurde um 6 Uhr fortgesetzt.*

Auch an Frank verzweifelte der Untersuchungsführer, denn er schwieg, oft viele Minuten lang.

Wer gehörte denn noch dazu?

Schweigen.

In welcher Beziehung stehen Sie denn beispielsweise zum Rainer?

Langes Schweigen. Dann eine kurze Antwort von Frank: *Ich weiß nicht, warum ich auf etwas antworten soll, was eigentlich bekannt sein dürfte.*

Es steht doch nicht zur Debatte, was wir wissen, sondern, was Sie wissen. Also, kennen Sie den Rainer?

Fünf Minuten vergingen. Frank: *Die Frage dürfte sich auch erübrigen.*

Ich habe 'ne Frage gestellt, darauf kann es auch 'ne Antwort geben – Kennen Sie den Rainer?

Nach zehn Minuten Schweigen antwortete Frank: *Wenn wir gemeinsam in einer Wohnung wohnen, dann läuft man sich schon mal über den Weg.*

Und wann haben Sie ihn das letzte Mal gesehen?

Diesmal kam Franks Antwort direkt: *Vielleicht wissen das die beiden Herren, die ihm den ganzen Tag hinterhergelaufen sind.*

Ich möchte es aber von Ihnen wissen.

Frank schwieg und starrte an die Decke.

Keine Antwort. Na gut, ist auch 'ne Möglichkeit. Nichts sagen ist aber keine Wahrheit. Damit dokumentieren Sie, dass Sie nicht wollen. Nicht, dass Sie nicht können, sondern, dass Sie nicht wollen!

Frank nach einer Weile: *Ich glaube Ihre Schlüsse über das Verhalten von Menschen können Sie in Zukunft für sich behalten.*

Na schön – wenn Sie nicht wollen, bitte! Aber damit müssen Sie leben – nicht ich.

Nach einer langen Pause sagte Frank noch einmal etwas: *Werten Sie es als Zeichen meines Protestes gegen dieses Verfahren und die Verfahrensweise.*

Der Sprung auf die Mauer
Januar 1989

Der Deutschlandfunk, der viele Zuhörer in der DDR hatte, berichtete am Wochenende besonders ausführlich. In den Nachrichten wurde das Flugblatt zitiert und – wie in der *Tagesschau* – Ort und Zeit der Demonstration genannt: 16 Uhr auf dem Marktplatz.

Am Morgen des 15. Januars wusste wohl jeder Bewohner in Leipzig Bescheid, auch die, die kein Flugblatt in ihrem Briefkasten vorgefunden hatten. Und selbst die, die aus Angst vor oder aus Treue zum Staat das Flugblatt verbrannt oder es als »Hetzschrift« oder »Postwurfsendung mit feindlichem Inhalt« in ihren Betrieben oder bei der Volkspolizei abgeliefert hatten.

Fred brauchte weder Radio noch Fernsehen, er hatte eigene Informationsquellen. Den ganzen Freitagabend war er in der Moritzbastei. In die Studentenkneipe wurde man eigentlich nur mit einem Ausweis der Karl-Marx-Universität eingelassen. Aber Fred fand immer jemanden, der ihn mit hineinschleuste. Er hatte dort Andreas getroffen und sich alles erzählen lassen. Andreas wusste mehr als andere, denn er wohnte im selben Haus wie Micha.

Es war spät geworden, eine Band spielte noch, und beide hatten ziemlich gebechert. Fred hatte Sorgen. Er betrieb seit dem Herbst eine illegale Bar in seinem Wohnhaus und hatte eine große Silvesterparty veranstaltet. Hundert Leute waren gekommen, und die Stimmung war bestens gewesen. Später, weit nach Mitternacht, gerieten jedoch einige der aus Berlin angereisten Punks außer Kontrolle. Sie tranken unheimlich viel, rempelten herum, und irgendein Idiot zündete im Übermut mit seinem Feuerzeug auch noch ein *Neues Deutschland* an, das sich von der Decke gelöst hatte und halb herunterhing. Da Fred Ärger mit dem Hauswart vermeiden wollte, hatte er Decken und Wände der Bar mit Schaumstoff gedämmt, und weil er fand, dass es blöd aussah, hatte er die Decke und Teile der Wände mit dem SED-Zentralorgan, dem FDJ-Blatt *Junge Welt* und dem Gesetzblatt der DDR tapeziert. Nun loderte nicht nur das entflammte Zentralorgan, auch der Schaumstoff fing rasant Feuer und entwickelte sofort starken Rauch. Die Feuerwehr zu einem verbotenen Treff zu rufen war ausgeschlossen.

Den Brand konnten sie Wassereimer für Wassereimer schließlich selbst löschen. Glücklicherweise war niemand verletzt worden, doch seine schöne Nachtbar hatte erheblichen Schaden erlitten, und ihre Zukunft war ungewiss. Der Traum ist vorbei, dachte Fred.

Er war deshalb auch nicht bester Laune, als er sich am Montag vor der Aktion mit Micha, Gesine, Uwe und den anderen aus den Basisgruppen in der Nikolaikirche getroffen hatte. Sie standen wie immer am Seitenausgang. Wir planen da was, flüsterte ihm Gesine während des Friedensgebetes zu. Fred ahnte, worum es gehen sollte. Flugblätter? Eine Demo? Wie viele mitmachen würden, fragte er. Ein Dutzend? Ob sie irre wären? Bei so vielen sei mit Sicherheit einer dabei, der sie verrate. Das sei gefährlich. Sie kämen alle in den Knast!

»Wenn ihr abgeht«, sicherte er dann doch Gesine zu, »dann wird es Leute geben, die das Ding durchziehen.«

Inzwischen war Sonntag, eine Woche vergangen, seine Freunde waren tatsächlich größtenteils im Knast. Sollte er sich überhaupt auf den Markt wagen?

Er hatte bei einem Freund übernachtet, das Radio war aufgedreht. Als der Nachrichtensprecher des Westsenders auf die Demonstration um 16 Uhr am Markt hinwies, gab es für Fred kein Halten mehr. Elf waren verhaftet, aber alle in der Stadt wussten von der bevorstehenden Demo, das war ihm jetzt klar. Er setzte sich sofort an einen Tisch und begann einen kleinen Zettel vollzuschreiben.

Zuerst die Erinnerung an Luxemburg und Liebknecht, dann der eigene Schweigemarsch ... aber auch ein paar Sätze zu den Verhaftungen und Hausdurchsuchungen ... und dann ...

Fred fuhr mit der Straßenbahn in die Innenstadt. Erst mal die Lage checken. So tun, als ob er Schaufenster anschauen würde. Es war kalt und diesig. Fred dachte: Allzu lange nimmt mir den Schaufensterbummel keiner ab. Er trug weiße Turnschuhe, Jeans, einen Pullover und eine Jacke in seinen Lieblingsfarben Rot und Schwarz, wie Punks und Anarchos. Die Kleidung hinter den Glasscheiben von »Mode für den Herrn« sah völlig anders aus als seine. Anoraks mit Steppnähten, Strickjacken, Hosen mit Bügelfalten.

Es war 14 Uhr. Um nicht auffällig zu werden, ging er ins Wilhelmshöhe. Er verachtete das Café sonst eher und spottete gerne über die Studenten, die dort stundenlang mit Hermann Hesses *Steppenwolf* saßen und lasen. Aber jetzt fand er den Ort strategisch günstig, er war von mehreren Seiten in der Passage zu erreichen. Als er eintrat, sah er an einem Tisch Anita und Christian, setzte sich zu ihnen und bestellte sich einen Whiskey Sour. Es war nicht Christian aus der Marianne, sondern ein Theologiestudent, der aus Jena stammte, den *Arbeitskreis Solidarische Kirche* mitgegründet hatte, für diverse Untergrundzeitschriften schrieb und Kontakte zur Opposition in Budapest und Prag hatte. Genau wie er hatten die beiden bisher keine auffällige Konzentration von Polizei rund um den Markt gesehen. Das wunderte sie. Sie konnten Fred nichts Neues über Uwe und die anderen berichten.

Fred glaubte, sie hätten heute gute Karten. Die Meldungen in den Medien, die Konferenz in Wien, die Solidaritätsveranstaltungen in den anderen Städten. Fred machte sich und den beiden anderen Mut.

»Wenn wir keine Angst mehr haben, haben die keine Chance.«

Fred verschwand mit Christian in der Toilette des Cafés. Dort waren sie einen Moment lang allein. Fred zog seinen Zettel mit der Rede heraus, seine Handschrift war zum Glück auch für andere gut lesbar.

»Einverstanden?«

Christian war einverstanden. »Ich glaub, es ist fast egal, was du gleich sagst. Hauptsache, du redest. Ich bleib in deiner Nähe, aber verschwinde, bevor sie zugreifen!«

Sie kehrten zu Anita zurück, tranken aus und gingen hinaus auf die Straße. Fred hatte vorsichtshalber noch schnell vier Bekannte zum alten Markt bestellt, Punk- und Skintypen, die sonst bei Untergrundkonzerten diverser Musikbands für Sicherheit sorgten. Einer mit Glatze, »Kojak« genannt, konnte besonders finster dreinblicken. Sie sollten jetzt so etwas wie seine persönlichen Bodyguards sein. Er konnte sie nirgends entdecken. Wo sie nur blieben? Die drei gingen noch einmal zurück zur Passage, in dem das Wilhelmshöhe lag. Diesmal lotste Fred sie lieber in eine kleine, neben dem Café liegende Bar. In der Fledermaus nahm jeder noch einen Schluck, dann ging es endgültig raus auf die Straße.

Noch immer war kein Polizeiaufgebot zu sehen. Der Platz sah auf den ersten Blick menschenleer aus, so wie an anderen Sonntagen um diese Zeit auch. Aber vor den Schaufenstern, beim Bücherkabinett, in der Mädlerpassage mit Auerbachs Keller und auch unter den Arkaden des Alten Rathauses schienen inzwischen wesentlich mehr Leute zu flanieren. Viele gingen auf und ab, ohne sich vom Markt zu entfernen. Nur ein Polizeiauto stand verloren herum, daneben ein beleibter Volkspolizist.

Jetzt war es 16 Uhr.

Fred hatte eine Ecke des Platzes im Blick, die ihm für die Rede geeignet schien. Aus der Ferne erkannte er endlich Kojak und die drei anderen. Er schaute nicht mehr rechts und nicht mehr links und steuerte zusammen mit Anita und Christian auf sein Ziel zu. Mit den Fingern suchte er seine Jeanstasche ab: Der Zettel mit der Rede war noch da.

Fred hatte als Sänger seiner Punkband Schmerzgrenze oft geprobt, ohne Mikrofon, nur mit seiner Stimme zum Publikum durchzudringen. Plötzlich schossen ihm die Bilder eines seiner Auftritte durch den Kopf. Nur sechs Songs hatten sie im Connewitzer Eiskeller damals drauf gehabt. Aber das reichte. Hauptsache, sie spielten. Das hier ist etwas anderes, dachte Fred, aber Hauptsache, ich rede. Er sah sich um, überlegte noch einmal. Was Anita in diesem Moment zu ihm sagte, bekam er nicht mehr mit.

Er löste sich von den beiden anderen, ging mit raschen Schritten zu der kleinen Mauer, hinter der eine Treppe zur unterirdischen Messehalle führte. Auf dem Boden davor flackerten ein paar brennende Kerzen. Mit einem Satz sprang er knapp eineinhalb Meter hoch auf die Mauer.

Als er dort oben über den Köpfen der Menschen stand, richteten sich die ersten Augen auf ihn. Er winkte die Umstehenden mit einer Handbewegung heran, und die ersten kamen, sie kamen tatsächlich und rückten um ihn zusammen. Er sah ihre Gesichter, erkannte aber nur wenige, es waren andere Menschen als sonst vor der Nikolaikirche, und es wurden immer mehr.

Fred zog seinen Zettel heraus und begann zu reden.

Wir haben uns heute hier versammelt, um an den 70. Jahrestag der Ermordung Rosa Luxemburgs und Karl Liebknechts zu erinnern.

Er blickte nur kurz von seinem Zettel hoch. Um ihn herum standen jetzt wohl schon fast hundert Menschen. Alle sahen ihn an und hörten ihm zu. Er sprach weiter.

Sie wurden verfolgt, weil sie sich nachdrücklich für gesellschaftlichen Fortschritt einsetzten. Wir wollen ihrer mit einem Schweigemarsch gedenken. Aber bevor wir schweigen, werden wir reden.

Für diesen Satz erntete Fred den ersten, noch verhaltenen Beifall.

Und zwar von den erneuten massiven staatlichen Eingriffen in die Freiheit der Persönlichkeit. Im Vorfeld dieser Veranstaltung kam es zu 11 Verhaftungen – Wir protestieren scharf dagegen und fordern die Einstellung der Ermittlungsverfahren. Des weiteren wenden wir uns gegen die erfolgten Hausdurchsuchungen und die zahlreichen Zuführungen. Dieses Vorgehen verdeutlicht, dass zur Zeit praktisch grundlegende Artikel der Verfassung außer Kraft gesetzt sind. Es betrifft im besonderen Andersdenkende, die sich für Reformen in der erstarrten Gesellschaftsstruktur der DDR einsetzen.

Fred hörte, dass die Versammelten klatschten. Sie wagten es, auf dem Leipziger Marktplatz zu klatschen! Er sah sich noch einmal um. Von der Mauer aus konnte er jetzt schon über Hunderte von Köpfen hinwegschauen, die dicht um ihn herumstanden und immer noch klatschten.

Ein Sozialismus ist ohne die uneingeschränkte Meinungs-, Presse- und Versammlungsfreiheit nicht möglich. Dies ist und bleibt eine der zentralen Forderungen Rosa Luxemburgs. Ihr, Karl Liebknecht und allen anderen wollen wir heute gedenken.

Wieder gab es Beifall, stärker als zuvor. Mit fester Stimme rief Fred dazu auf, jetzt zusammen bis zum Liebknecht-Haus in der Braustraße zu laufen. Dann sprang er herab und merkte erst dabei seine weichen Knie. Ein paar Minuten vorher war er noch nicht einmal sicher gewesen, ob er die Rede dort oben überhaupt halten könnte. Aber er spürte so viel Wut im Bauch. Wut darauf, dass seine Freunde verhaftet worden waren, Wut auf das Leben, das ihm die DDR aufzwang. Fred sah sich um. Er sah keinerlei Einsatzkräfte. Er fand Anita und Christian neben Kojak und den anderen Leibwächtern. Bisher waren sie nicht zum Einsatz gekommen.

Anita fasste sich ein Herz: Wenn es keine erste Reihe gibt, kann es nicht losgehen. So hatte sie es im Fernsehen in den Filmen über die 68er-Demonstranten gesehen. Sie hielt Fred ihren Arm hin. Christian rief laut: »Hakt euch bei euren Nachbarn ein!« Sie nahmen Fred in ihre Mitte und bildeten im Nu mit fünf, sechs anderen eine erste Reihe. Dann gingen sie langsam los, vom Markt in die Petersstraße hinein. Hinter ihnen schlossen sich die Zuhörer an. Immer noch keine Polizei. Der dicke Polizist am Markt hatte sich in seinen Wagen zurückgezogen. Viele Menschen standen abwartend am Rand, und doch schwoll der Zug der Demonstranten an.

Auch Ernst aus der Initiativgruppe Leben hatte am Königshaus neben der Mädlerpassage gestanden. Er kannte das Flugblatt, wusste von den Verhaftungen und war sich sicher: Das hier ist die größte Provokation gegen die Staatsmacht, die er je erlebt hatte. Ihm gefiel, dass es eine Aktion ganz ohne kirchlichen Hintergrund war. Er hatte die Eingriffe und Bevormundungen kirchlicher Amtsträger in den Gruppen satt.

Den ganzen Tag war er in der Innenstadt unterwegs gewesen. Am Capitol-Kino hatte er gegen Mittag die Teilnehmer der SED-Gedenkfeier eintreffen sehen. FDJler in Blauhemden, NVA-Soldaten in Uniform, ein paar Sowjetarmisten, SED-Funktionäre der Stadt. Ein Schulchor sang, und dann unterhielt das Volkskunstensemble Klampfenchor Ost die offizielle Versammlung zu Ehren Luxemburgs und Liebknechts. Ernst widerte es an, er fand es verlogen.

Als er von den Arkaden aus Fred auf die Mauer springen sah, dachte er: Wahnsinn! Wie mutig! Um die Rede besser zu verstehen, ging er näher heran. Das hier war außergewöhnlich und vor allem brenzlig. Alle wussten von den Verhaftungen, alle wussten, dass sie etwas Verbotenes machten. Ernst sah sich um. Gehören diese Männer zu ihnen? Oder sind es Stasi-Leute? Was ist mit dieser Familie da? Passanten? Ausreiser?

Aber als er mit den anderen vom Markt loszog, fühlte er sich geborgen inmitten der Menge, und alle seine Ängste verflogen. Es war merkwürdig still. Niemand rief etwas, niemand trug Kerzen. Kein Plakat, kein Transparent. Aber ein gemeinsames Gefühl. Zum ersten Mal seit langem ein offen sichtbarer Protest in den Straßen von Leipzig, der nicht aus einer Kirche kam. Hunderte von Demonstranten liefen inzwischen mit, und er gehörte dazu. So viele Menschen, die das Recht auf freie Meinungsäußerung, Versammlungs- und Pressefreiheit forderten. Er und die anderen hatten etwas geschafft, was bis vor wenigen Augenblicken in dieser Stadt, in diesem Land noch unmöglich schien.

»Ist es nicht verrückt?« Die Frau, die neben ihm ging, stieß ihn mit den Ellenbogen in die Seite. Sie konnte es genauso wenig fassen wie er.

»Die totale Offenbarung«, antwortete er.

Ab und zu riefen Männer am Straßenrand: »Dies ist eine ungenehmigte Veranstaltung! Sofort auflösen! Haltet euch an die Gesetze! Ihr seid doch kriminell! Was wollt ihr denn? Euch geht's doch gut!«

Es waren weder Polizisten noch Geheimdienstmitarbeiter, sondern »Agitatoren«, SED-Mitglieder, die sich auf einer Versammlung der SED-Stadtleitung freiwillig für diese Aufgabe gemeldet hatten. Solche Agitatoren in den Straßen von Leipzig? Waren zuletzt beim Arbeiteraufstand 1953 im Einsatz, schoss es Ernst durch den Kopf.

Doch der mittlerweile auf gut 500 Leute angeschwollene Demonstrationszug zog unbeirrt weiter Richtung Leuschnerplatz. Blitzlichter mehrerer Fotografen erhellten die Szene. Ein Parteigenosse machte ohne jeglichen Auftrag Fotos, die er der Stasi noch am Abend zukommen ließ, um ihr bei der Identifizierung des Redners und der Demonstranten zu helfen. Ein anderer Fotograf, der etwas versteckt, aus einer Telefonzelle heraus, den Demonstrationszug festhalten wollte, wurde von mehreren Zivilbeamten herausgezerrt und mitgenommen.

Anita, Fred, Christian und die anderen in der ersten Reihe blickten nur noch nach vorn, nicht nach hinten. Vorbei an der Messehofpassage, am Capitol, wo in diesem Moment die Platzanweiserin auf die Straße trat. Sie sah mit erschrockenen Augen, wie ein Stasi-Mann in Zivil einen Mann aus dem Zug herausriss, von der Hand seines Kindes und seiner Frau. Das Kind brüllte fürchterlich. Ein anderer Greifer schrie die Frau aus dem Capitol an. »Was wollen Sie hier?«

»Na, ich arbeite hier!«

»Gehen Sie rein, gehen Sie rein, verschwinden Sie!«

Zwei Männer schubsten sie, die rückwärtsgehend nur widerwillig Folge leistete, schrittweise in das Kino hinein.

Die Demonstranten zogen geschlossen weiter, vorbei an Stenzlers Hof, geradewegs auf einen Streifenwagen zu, aus dem sich die beiden Volkspolizisten nicht herauswagten. Ihre Lautsprecherdurchsagen zeigten keinerlei Wirkung, der Block der Demonstranten rückte weiter vor. Da legten sie den Rückwärtsgang ein und gaben langsam zurückweichend den Weg frei, vorbei an der Schlossgasse Richtung Ring und Leuschnerplatz.

Kurz vor Erreichen des Rings begannen Greiftrupps erneut Einzelne aus dem Zug herauszuholen. Fünf Volkspolizisten zerrten einen jungen Mann mit schwarzer Jacke, Jeans und Turnschuhen aus der ersten Reihe, den sie fälschlicherweise für den Redner hielten. Ein Pfeifkonzert erhob sich.

Am Ring und Leuschnerplatz standen vier Ellos* bereit, die Mannschaftswagen der Volkspolizei, unter deren militärgrünen Planen Uniformierte saßen, die nun mit dem Gummiknüppel in der Hand auf die Straße sprangen. Sie rückten im Eilschritt auf die erste Reihe der Demonstration zu und rissen sie auseinander. Wen sie greifen konnten, den zwangen sie auf die Ellos hinauf. Auf der Ladefläche drehte sich Fred noch einmal zur Demonstration zurück, hob den Arm, ballte eine Faust und rief: »Trotz alledem!«

Auch die zweite Reihe mit Kojak in der Mitte erwischte es. Blaulicht und Sirenen heulten, die Hunde einer Hundestaffel in der Nähe bellten unentwegt, Lautsprecher- und Megafondurchsagen plärrten blechern: »Hier spricht die Deutsche Volkspolizei! Sie befinden sich auf einer ungenehmigten Versammlung! Verlassen Sie unverzüglich das Terrain! Auseinander! Gehen Sie nach Hause!«

Fred, Anita und Christian fanden sich mit anderen Festgenommenen zusammengepfercht auf den Klappbänken der Ladefläche in einem der Ellos wieder. Fred versteckte den Zettel mit seiner Rede hinter einer Holzplanke. Anita war trotz der Festnahme glücklich und gelassen. Sie klärte die Leute, die neben ihr saßen, über ihre Rechte bei den anstehenden Vernehmungen auf.

Ein älterer Mann, der mit seiner Frau zwischen Polizei und Demonstranten geraten war, jammerte, er sei doch seit zwanzig Jahren in der Partei und in der Kampfgruppe. Ein anderer Festgenommener auf der Ladefläche flachste bitterböse zurück: »Na, da haben sie ja wenigstens einen Richtigen erwischt!«

Obwohl die ersten Reihen nun fehlten, zog ein Teil der Demonstranten weiter über Ring und Leuschnerplatz hinaus.

Dort geschah etwas Absurdes. Die Ampeln zum Überqueren der Straße sprangen auf Rot. Alle blieben stehen, wirklich alle. Demonstranten, Polizisten, zivile Stasi-Greiftrupps. Alle starrten auf die Ampeln, bis sie auf Grün umsprangen. Dann ging es weiter.

Als die Demonstration am Dimitroff-Museum auf eine Polizeikette traf, lief der bereits arg dezimierte Zug einfach seitlich an den Uniformierten vorbei. Wieder wurden von hinten Demonstranten, aber auch Unbeteiligte oder empörte Passanten auf Ellos befördert. Die Übriggebliebenen passierten den Gerichtskomplex mit der im Innenhof verborgenen Stasi-Untersuchungshaftanstalt. Angesichts massiver Polizeisperren in der Braustraße vor Liebknechts Geburtshaus zogen sie dann jedoch über den Floßplatz zur Simsonstraße. Erst dort löste sich alles auf.

Wie viele andere hatte es auch Ernst bis hierhin geschafft, ohne festgenommen zu werden. Immer wieder sah er sich um. Was er gerade erlebt hatte, konnte er kaum glauben. Er war so froh, dass es Menschen gab, die endlich mitmachten, die Mut hatten und offen zeigten: Jetzt muss etwas verändert werden. Auf dem Rückweg nach Hause hatte er das Gefühl, als ginge er von nun an durch eine andere Stadt.

Als Fred von der Mauer sprang und die Demonstration am Markt begann, saß Gesine ihrem Vernehmer gegenüber.

Nun, ist Ihnen noch was eingefallen? Warum wollen Sie nicht endlich die Möglichkeit nutzen, etwas zu Ihrer Entlastung zu sagen?

Ich will von Ihnen überhaupt nichts nutzen.

Haben Sie wirklich gedacht, Sie haben hier einen Freibrief, dass Sie bestimmen können, was hier falsch und was hier richtig ist?

Ich hab Ihnen nichts zu sagen!

Wie viele Flugblätter haben Sie denn nun verteilt?

Ich mache keine Aussagen.

Dafür gibt es Beweise, Fakten, Zeugen. Eine Matrize, die wir in Ihrer Wohnung gefunden haben. Da werden Sie sicher sagen, Sie wissen nicht, wie die in Ihre Wohnung gekommen ist? Wollen Sie der Wahrheit nicht endlich in die Augen sehen?

Langes Schweigen.

Nichts? Gar nichts? Wir wissen, dass Sie praktizierende Christin sind. Leben Sie denn auch so?

Darüber red ich nicht mit Ihnen.

Leben Sie nach allen christlichen Grundsätzen oder nur zu einem Teil? Tragen Sie Verantwortung für alle Menschen? Verantworten Sie Ihr konkretes Tun? Tragen Sie auch alle Konsequenzen, die Sie zu verantworten haben? Und stehen Sie zu der Verantwortung für das da draußen?

Der Vernehmer ging zum Fenster und öffnete es. Jetzt konnte es Gesine deutlich hören. Polizeisirenen, laute Rufe, Durchsagen. Die ersten Ellos mit Festgenommenen, die in den Hof fuhren. Gesines Herz klopfte schneller. Die Demonstration fand also statt! Der Aufruf hatte funktioniert! Und die Leute schienen es weit geschafft zu haben. Die Geräusche waren ganz in ihrer Nähe.

Hören Sie, was Sie angerichtet haben?

Gesine lehnte sich erleichtert zurück und antwortete nicht.

Hoffen Sie, dass heute Abend nichts passiert. Sie tragen die Verantwortung für die Eskalation!

Gesine hörte ihm nicht mehr weiter zu.

Von den insgesamt 500 bis 800 Demonstranten waren 53 festgenommen worden. Der Fotograf Gerhard Gäbler, den sie aus der Telefonzelle gezerrt hatten, musste in einem Vorraum auf seine Vernehmung warten. Er hatte protestiert, er sei als Fotochronist von der Fachhochschule für Grafik und Buchkunst unterwegs. Seine Ausrüstung wirkte auf sie tatsächlich professionell. Zwei Kameras in Umhängetaschen, dazu Wechselobjektive. Die Werra aus Jena war eine kleine Handtaschenkamera, die in den frühen Fünfzigern in der DDR gebaut wurde und schwer zu ergattern war. Sein Protest hatte ihm einen Moment Luft verschafft. Natürlich war er nur Student und hatte schon am Markt fotografiert. Er nutzte den unbeobachteten Augenblick, spulte seinen zweiten belichteten Film zurück, nahm ihn aus der Kamera, legte einen neuen Film hinein, spulte den etwas vor, öffnete die Kamera, um ihn durch das Raumlicht zu verderben. Das sollte vertuschen, dass keinerlei Fotos auf dem Film waren. In diesem Moment stürzte ein Stasi-Mann auf ihn, brüllte ihn an und riss ihm beide Fototaschen weg. Die Aufnahmen vom Markt waren für ihn verloren, die Bilder des Demonstrationszuges, tief in seiner Hose versteckt, blieben unentdeckt.

Fred wurde zusammen mit über zwanzig anderen in eine Art Klassenzimmer oder Schulungsraum gesperrt. Sie freuten sich, dass sie durch die Fenster hinausschauen und den weiteren Verlauf der Demonstration verfolgen konnten. Sie wurden einzeln herausgerufen, zur Person befragt und darüber belehrt, dass sie an einer staatsfeindlichen Zusammenrottung teilgenommen hätten. Fred wunderte sich, dass sie auch von ihm nicht mehr wissen wollten. Noch im Laufe des Sonntagabends wurden alle auf der Demonstration Festgenommenen wieder freigelassen. Auch Fred, den sie als Redner offensichtlich nicht erkannt hatten.

Plötzlich stand er wieder auf der Straße und verstand die Welt nicht so ganz. Er eilte zur Lukaskirche, weil er wusste, dass dort die erste Solidaritätsveranstaltung für die inhaftierten Flugblattverteiler stattfinden sollte. Die Informationsgruppe im Gemeindehaus hatte sie organisiert und noch in der Nacht zum Sonntag eine Einladung hektografiert und in Umlauf gebracht. Aus allen Basisgruppen der Stadt waren

Leute zusammengeströmt, um informiert zu werden. Die Ermittlungsverfahren gegen die Initiatoren der Demonstration waren in vollem Gang. Ihnen drohten langjährige Haftstrafen.

Fred entging der Verhaftung nicht. Er wurde am nächsten Tag mittags in seiner Wohnung abgeholt. Er wunderte sich, wie lange der Apparat gebraucht hatte, um ihn als Redner vom Markt zu identifizieren. Erst die Fotos des Parteigenossen hatten den Zugriff ermöglicht. Sie verhörten Fred gleich dreimal hintereinander.

»Welche Angaben zur Person können Sie machen? Welche Bekannte haben Sie in Berlin-West? Woher wussten Sie von der Zusammenrottung auf dem Markt?«

Fred erklärte, es habe sich allgemein herumgesprochen, auch in der Moritzbastei. Dort im Studentenclub habe er davon erfahren – von wem, könne er nicht mehr sagen.

Sie ließen nicht locker, immer wieder die gleichen Fragen.

»Wie ordneten Sie sich im Schweigemarsch ein? Wie liefen Sie mit den anderen Personen in einer Reihe? Was sprachen Sie auf dem Markt?«

Danach brachte man ihn zur Vorführung beim Haftrichter. Auf dem Weg dorthin: »Hände auf den Rücken, das Gesicht zur Wand!« An der Haftkleidung nervte Fred ein Detail ganz besonders. Er musste seine Schnürsenkel abgeben und tagelang in nicht zugebundenen Schuhen umherstolpern. »Keine Schnürsenkel, kein Selbstmord«, sagte der Wärter. Er knipste zur Kontrolle nachts immer wieder das Licht in seiner Zelle an. »Die Decke nicht hochziehen!« Am Morgen flogen Kehrblech und Handfeger durch die Luke seiner Zelle. Fred blinzelte, die trüben Glasbausteine ließen auch tagsüber kaum Licht hinein.

»Warum hielten Sie eine Rede auf dem Markt?«

»Weil mich das Schicksal der inhaftierten Mitglieder der Leipziger Basisgruppen persönlich berührt hat.«

»Warum erklommen Sie einen Steinsims?«

»Damit ich zu verstehen bin.«

»Wie reagierten die Personen?«

»Sie haben geklatscht.«

»Welche Schlussfolgerungen zogen Sie selbst daraus?«

»Keine.«

»Was entnahmen die Zuhörer Ihren Ausführungen?«

»Das weiß ich doch nicht. Müssen Sie die fragen.«

»Warum brachten Sie Ihren Protest zum Ausdruck?«

»Ohne Konsultation mit meinem Rechtsanwalt beantworte ich keine weiteren Fragen mehr.«

Die Solidaritätsmaßnahmen für die inhaftierten Flugblattverteiler liefen auf Hochtouren weiter. Fürbitten oder »Andachten mit Informationscharakter« fanden in einigen DDR-Städten täglich statt, auch die Westmedien berichteten jeden Tag und brachten Fotos und Porträts der Leipziger: »Bürgerrechtler in Leipzig verhaftet«, »DDR-Kirche ruft zu Fürbitten für verhaftete Regimekritiker auf«, »Generalabrechnung in Leipzig«, »Wie schon im vorigen Jahr in Berlin versucht die SED nun den Leipziger Protest unter Kontrolle zu bringen« und »Im Wortlaut: Leipziger Flugblatt – Mutig die Meinung sagen« lauteten Schlagzeilen. Auch auf dem Prager Wenzelsplatz hatte es gleich an mehreren Tagen hintereinander Demonstrationen gegeben, die von den Ordnungskräften brutal aufgelöst wurden. In der Jan-Palach-Gedenkwoche jagte die tschechische Polizei tagelang Tausende von Bürgern durch die Prager Innenstadt. Auch darüber berichteten die Westmedien, auch das wurde Thema auf der KSZE.

Weil Pfarrer Wonneberger Leipzig wegen einer länger geplanten Reise verließ, wechselten Thomas und Kathrin zur Markusgemeinde von Pfarrer Turek. Der Weg durch die Straßen war ein Weg voller Furcht, verhaftet zu werden. Doch sie kamen sicher an und übernachteten dort noch einmal zusammen auf dem Fußboden des Wohnzimmers. Kurz vor fünf Uhr morgens wurde Thomas wach. Draußen war es stockdunkel.

»Kathrin? Kathrin? Wach auf, wir müssen uns jetzt verabschieden. Ich werde von Freunden aus Halle abgeholt.«

Kathrin rieb sich die Augen. »Thomas, und wie geht es dann hier weiter?«

»Du rückst jetzt nach, so wie wir es in der Gruppe verabredet haben. Du bist ab sofort Sprecherin vom Arbeitskreis Gerechtigkeit.« Michael Barthels, der Pfarrer der Studentengemeinde, stelle ihnen seinen Apparat als Kontakttelefon zur Verfügung. Dort sollten sie bitte weitermachen. »Ich muss los. Nur Rainer weiß, wo ich bin. Ich komme wieder, wenn sich die Lage beruhigt hat.« Auch jetzt verriet er ihr nicht, dass er Flugblätter gedruckt hatte und deswegen in Gefahr war.

Peter Grimm von der Initiative Frieden und Menschenrechte kam aus Berlin als Verstärkung dazu. Kurz vor der Demo am Sonntag war er schon einmal für einen Tag nach Leipzig gekommen. Er hatte Fotos von den elf Inhaftierten eingesammelt und sie noch am selben Tag zum Ost-Berliner ARD-Fernsehstudio gebracht – für die *Tagesschau*.

Grimm hatte außerdem vorsorglich Fotos von der Mannschaft am Kontakttelefon gemacht. Es war durchaus möglich, dass man auch sie festnehmen würde. Die DDR hatte erst vor wenigen Jahren einen neuen Paragraphen *Landesverräterische Nachrichtenübermittlung* eingeführt. Danach konnte die Weitergabe von *Nachrichten zum Nachteil der DDR* mit Freiheitsstrafen von zwei bis zwölf Jahren geahndet werden, selbst wenn die Nachrichten nicht geheim waren. Allerdings hatten die Mitglieder der Leipziger Basisgruppen schon im Januar vor einem Jahr unbehelligt Telefone von Pfarrern benutzt, als sie wochenlang für die Freilassung der bei der Berliner

Luxemburg-Demo verhafteten Freunde eingetreten waren. Bei den Telefonen der Kirche war der Staat in der Klemme. Er müsste zugeben, dass er Anschlüsse von Pfarrern und Westjournalisten abhörte, wenn er bei einem Prozess seine Beweise präsentieren wollte. Das schien der Staat nicht zu wollen, aber sicher sein konnten sich die Beteiligten in Leipzig nicht. Die Kontakttelefone, die von der Stasi lieber abgehört als abgeschaltet wurden, blieben der wichtigste und schnellste Informationskanal für alle Aktiven und Aktionen.

In der Woche nach der Sonntagsdemo endete nach zweieinhalb Monaten Verhandlung die KSZE-Konferenz in Wien. In ihren Abschlussreden am Mittwoch protestierten US-Außenminister George Shultz und sein Bonner Kollege Hans-Dietrich Genscher entschieden gegen die Verhaftungen in Leipzig. 200 Jahre nach der Französischen Revolution müsse Europa alles tun, *damit die Menschen- und Bürgerrechte einen neuen Siegeszug auf unserem Kontinent antreten können.* Manche Ereignisse der letzten Tage, sagte Genscher, machten aber den Unterschied zwischen Anspruch und Wirklichkeit, zwischen Wort und Tat, zwischen Verpflichtung und Erfüllung deutlich. *Was in den letzten Tagen in Leipzig gegen friedliche Demonstranten geschah,* kritisierte Genscher im Plenum, *darf sich nicht wiederholen.*

Er hatte sogar DDR-Außenminister Oskar Fischer unter vier Augen darauf angesprochen. *Bei uns gelten nur unsere Gesetze,* erwiderte Fischer kurz angebunden.

US-Außenminister Shultz kam ebenfalls vor der Versammlung der 35 Staaten auf die Inhaftierung der jungen Leipziger zu sprechen und warf Honeckers Außenminister vor, diese stehe im *krassen Widerspruch* zu dessen Absichtserklärungen bei der KSZE-Konferenz. Im Saal war auch der russische KPdSU-Chef Michail Gorbatschow, der sich ohnehin für mehr Freiheiten einsetzte. Der Kalte Krieg sterbe aus, meinte

Gorbatschow in seiner Rede, die Konfrontation weiche der gegenseitigen Verständigung.

Honecker, der die internationale Anerkennung der DDR suchte, hatte sich das so nicht vorgestellt. Gorbatschow machte Druck. Er hatte Honecker mitteilen lassen, dass er die Verhaftungen von Dissidenten in der UdSSR ausgesetzt habe. Die Sowjets drängten die DDR, wie alle europäischen KSZE-Mitgliedsstaaten die Vereinbarung zu unterzeichnen. Damit musste die SED die Verwirklichung der Menschenrechte auch in der DDR zusichern. Im Gespräch mit dem russischen Botschafter meinte Honecker gequält: *Wir geben die Weisung, dieses Dokument zu unterzeichnen, werden es aber nicht erfüllen.*

Honecker saß in der Falle: Die Verhaftungen in Leipzig passten nicht in das Bild, das er Europa von der DDR zeigen wollte. Er konnte keine weiteren Schlagzeilen und erst recht keine Solidaritätsveranstaltungen mit Kerzen und Plakaten in den Kirchen und Städten seines Landes gebrauchen. Es zahlte sich aus, dass Micha, Thomas, Gesine und Uwe bereits im Vorfeld ihrer Aktion öffentliche Unterstützung organisiert hatten und das in der DDR bestehende Netzwerk von Gruppen binnen weniger Tage eine weitreichende Wirkung entfalten konnte.

Am Mittwochabend sendete das ZDF ein Interview mit Gregor Gysi, Ost-Berliner Rechtsanwalt und Sohn des lange für Kirchenfragen zuständigen SED-Spitzenfunktionärs Klaus Gysi. Auf Leipzig und die KSZE-Konferenz in Wien angesprochen sagte er: *Ich kenne die Dokumente von Wien nicht und ich kenne die Vorgänge in Leipzig nicht … Aber alles, was ich gehört habe, spricht dafür, dass es um Fragen der Störung der öffentlichen Ordnung geht, und die werden, glaube ich, von Menschenrechtsfragen nicht erfasst … Also, ohne dass ich jetzt mit Ihnen ein längeres Gespräch über die Fragen der Meinungsfreiheit in der DDR führen will, weil ich glaube, dass wir da besser sind als vielleicht der Ruf im ZDF, den wir auf diesem Gebiet genießen, wenn eine Demonstration beantragt wird, gibt es ein Verwaltungsrechtsverfahren über die Genehmigung. Und wenn eine Demonstration genehmigt wird, dann kann sie selbstverständlich durchgeführt werden.*

Den Leipziger Oberbürgermeister Bernd Seidel erreichte der Protest an seinem Schreibtisch. Schon früh am Donnerstagmorgen, dem 19. Januar, dem letzten Tag der KSZE-Konferenz, las er die *Leipziger Volkszeitung*. Angesichts der täglichen Berichte in den Westmedien stand erstmals eine Meldung zu den Vorgängen vom Sonntag auf der Lokalseite unter der Überschrift *Provokation verhindert*. Die Rede war von *einer Gruppe Personen*, die *mit einer das Gedenken an Luxemburg und Liebknecht missbrauchenden öffentlichen Zusammenkunft* Ordnung *und Sicherheit in der Leipziger Innenstadt zu stören versuchten. Diese Provokation wurde durch die zuständigen* Organe *unterbunden*. Dazu gab es einen Kommentar, der auf Genschers Rede in Wien einging. *Welcher Teufel hat ihn eigentlich geritten, sich zum Lehrmeister in Sachen Menschenrechte über andere aufzuschwingen? Ratschläge von Leuten, die von Menschenrechten sprechen und sie gleichzeitig mit Füßen treten, brauchen wir nicht.*

Es war acht Uhr, und Seidel hatte gerade die Zeitung beiseitegelegt, da wurde ihm ein Anruf aus Hannover, der Partnerstadt Leipzigs, durchgestellt. Am anderen Ende der Leitung war Oberbürgermeister Herbert Schmalstieg, ein Sozialdemokrat. Der Hannoveraner äußerte seine Besorgnis über die Vorgänge in Leipzig. Es gebe in seiner Stadt sogar schon Unterschriftensammlungen für die Inhaftierten.

Seidel schwieg.

Wir in Hannover sind sehr beunruhigt. Ich und viele Bürger Hannovers wollen deshalb wissen, wie viele Verhaftete es denn noch gibt.

Seidel antwortete, er kenne die Medienberichte nicht. Aber die örtliche Presse in Leipzig habe auch darüber berichtet.

Demnach habe eine Gruppe von Bürgern das Gedenken an Luxemburg und Liebknecht missbraucht und die öffentliche Ordnung und Sicherheit gestört.

Etwas später brachte man ihm ein Fax der Grünen-Fraktion im Rat der Stadt Hannover. Es war eine Unterschriftensammlung mit der Forderung, nicht nur die Verhafteten freizulassen, sondern auch alle Ermittlungsverfahren einzustellen. Dafür solle sich Seidel bei seiner Regierung einsetzen.

Auch beim Leipziger Bezirksstaatsanwalt in der Dimitroffstraße gingen viele Protesttelegramme und -briefe ein. Das war man nicht gewohnt. Er las in einem Schreiben der Grünen aus Gladbeck: Es müsse *doch auch in Ihrem Interesse sein, die um internationale Anerkennung bemühte DDR nicht der Lächerlichkeit preiszugeben.*

Michas Mutter nahm zur gleichen Zeit gemeinsam mit Sabine den brieflich angekündigten Termin beim Bezirksstaatsanwalt wahr. Kurzke gab ihnen mit schneidender Stimme eine schlechte Prognose für den Sohn und Familienvater mit auf den Weg. Sie fürchteten nach dem Gespräch einen Schauprozess und eine Verurteilung zu bis zu 15 Jahren Haft.

Um 9.36 Uhr am Donnerstag klingelte in der Runden Ecke, beim Chef der Leipziger Staatssicherheit, Generalmajor Hummitzsch, das Telefon. Hummitzsch war schlecht gelaunt, denn gestern erst hatte ihm Egon Krenz eine Kontrollkommission des SED-Zentralkomitees ins Haus geschickt. Krenz, für Sicherheitsfragen im ZK zuständig, hatte ihm und der Leipziger Stasi Versagen vorgeworfen. Er wollte wissen, ob es nicht möglich gewesen sei, am Sonntag die *gezielte Provokation* zu verhindern.

Es klingelte zum zweiten Mal. Hummitzsch nahm noch nicht ab, er ahnte, wer dran sein würde. Die Krenz-Leute hatten seine Entschuldigungen nicht akzeptiert. Ihm sei bis zum

Verteilen der Flugblätter entgangen, wo sie gedruckt und gelagert worden waren und wie viele letztendlich verteilt werden konnten. Beim Einsatz am Sonntagnachmittag seien zudem Funkverbindungen ausgefallen. Hummitzsch hatte der Kontrollkommission erklärt, *die eingesetzten Genossen waren mit einem derartigen Einsatz erstmals seit Jahren konfrontiert.* Doch die Genossen aus Berlin warfen dem Leipziger Stasi-Chef und einigen seiner Führungskader *unentschlossenes Handeln* vor. Es sei falsch gewesen, so wenig Kräfte eingesetzt zu haben, sagten sie, bloß *um es nicht zur gewaltsamen Konfrontation kommen zu lassen.*

Wieder klingelte es. Nun griff Hummitzsch zum Hörer. Am Apparat war sein oberster Dienstherr, der Armeegeneral und Minister für Staatssicherheit, Erich Mielke, dem der Bericht von Krenz zum Glück noch nicht vorlag.

Mielke murmelte etwas von Aktivitäten zur Diskreditierung der DDR, Informationsweitergabe an feindliche Kräfte in der BRD und West-Berlin, von reaktionären Kreisen der Kirche und *zentralen Entscheidungen.* Dann erteilte er klare Anweisungen: *Es sind alle aus der Haft zu entlassen! Die Ermittlungsverfahren aber weiter differenziert bearbeiten!*

Hummitzsch notierte sich in seinem Arbeitsbuch, was ihm sein oberster Dienstherr über die Demonstration sonst noch zu sagen hatte: *Unter uns gesagt, Manfred: Das hätte man verhindern können! Nächstes Mal bekommt ihr eine Weisung von mir, wie so etwas zu machen ist!*

Hummitzsch schwieg.

Na ja, meinte Mielke, *ist ja jetzt erledigt.*

Dann lachte der Stasi-Chef in Berlin dröhnend ins Telefon. Hummitzsch stimmte erleichtert ein.

Eine Stunde später wurden die Haftbefehle gegen alle Flugblattverteiler aufgehoben. Uwe, Gesine, Micha und die anderen wurden einzeln aus ihren Zellen geholt. Derselbe

Staatsanwalt, der die Haft wenige Tage zuvor noch angeordnet und mit Staatsgefährdung begründet hatte, saß ihnen nun wieder gegenüber und teilte mit der gleichen unbewegten Miene mit, dass *die Gründe für dessen Erlass in Wegfall gekommen sind.* Was bedeutete bloß *in Wegfall?*

Der Haftrichter, der die Haftbefehle geprüft und die Untersuchungshaft angeordnet hatte, bekam kurz darauf in *Anerkennung der gezeigten Leistungen* eine Geldprämie der Stasi in Höhe von 400 Mark. Auch für einige andere im Stasi-Apparat spendierte der Leipziger Stasi-Chef Hummitzsch Prämien. Seine Leute hatten doch gute Arbeit geleistet, und der Frust darüber, dass sie die Feinde einfach wieder laufen lassen mussten, konnte so ein wenig kompensiert werden.

Der Staatsanwalt hielt jedem der Haftentlassenen noch eine Standpauke. Er forderte sie *zur künftigen Einhaltung der Gesetze* auf und erklärte die Großzügigkeit des Staates damit, dass ihre Aktion *keine besondere Resonanz* gehabt habe.

Am Abend des 19. Januar war die KSZE-Konferenz in Wien vorbei und alle Inhaftierten wieder frei, bis auf Fred, er folgte ihnen am nächsten Morgen.

Uwe erlebte seine Freilassung am Abend wie im Nebel. Sie hatten schon morgens zu ihm gesagt: »Ihre Zellentür wird sich heute noch einmal für Sie öffnen.« Er hatte das nicht ganz verstanden, aber den ganzen Tag über wollten sie nur noch Banalitäten von ihm. Wie in einem Film, der rückwärtsläuft, empfing er wieder seine eigene Kleidung, legte die Haftkleidung in die Emailschüssel, quittierte mit seiner Unterschrift, zog sich um, wurde belehrt. Dann stand er plötzlich auf dem Bürgersteig, hinter ihm schloss sich die Eisentür mit einem Schlag, der lange nachhallte. Er stand und schaute, ging allein durch die Dunkelheit, brauchte Zeit, um zu begreifen, was passiert war.

In der Mariannenstraße saßen die anderen schon in der Küche zusammen. Rainer, Gesine, Frank, Anke, Anita. Ein Augenblick des Glücks. Umarmungen, Scherze. Uwe schaute in müde, übernächtigte Augen. Er spielte den Heiteren, obwohl er sich elend fühlte. Sie waren alle froh, es überstanden zu haben.

In der Markusgemeinde bei Pfarrer Turek, wo sie die Flugblätter gedruckt hatten, gab es eine kleine Willkommensfete. Erst jetzt wurde ihnen das Ausmaß der Solidarität bewusst. Die schlaflosen, durcharbeiteten Nächte der Freunde an der Schreibmaschine oder am Kontakttelefon, bei Fürbitten und bei Diskussionen. Turek hielt eine Andacht für sie und machte ihnen keine Vorwürfe. Für jeden, der in Haft gewesen war, hatte der Pfarrer ein Bund Weidenkätzchen besorgt. Wegen des milden Winters waren sie schon aus der Kältestarre erwacht. Sie würden bald ganz aufblühen, versprach er ihnen. Uwe war gerührt, als der Pfarrer ihm seinen Strauß in die Hand drückte. Er bewahrte ihn noch lange auf.

Am nächsten Tag begann um zehn Uhr vormittags das monatliche Treffen im Sonnabendkreis. Es hatte sich seit seiner Gründung im August des Vorjahres zum wichtigsten DDR-weiten Vernetzungstreffen der Basisgruppen entwickelt. Mehr als fünfzig Leute trafen sich an diesem Samstag in den Räumen von Pfarrer Tureks Markusgemeinde. Rainer war in seinem T-Shirt mit Gorbatschow-Bild erschienen. Wie immer hatten die Angereisten stapelweise die Untergrunddruckerzeugnisse aus ihren Städten und Regionen mit dabei und verteilten sie. Die Berliner hatten gleich mehrere tausend Exemplare eines Textes zu den im Mai bevorstehenden Kommunalwahlen mitgebracht. Die sollten für die Partei nicht mehr so ungestört wie bisher ablaufen.

Ausnahmsweise hatte jemand auch ein paar Exemplare des *Neuen Deutschland* vom Tage am Bahnhofskiosk gekauft.

Es war eine ungewöhnliche Ausgabe, die er auf einem Tisch vor den Augen der anderen ausbreitete. Der in Wien von der DDR unterzeichnete KSZE-Vertrag samt Passagen zu den Menschenrechten war darin auf mehreren Seiten im Wortlaut abgedruckt, obwohl die Staatssicherheit befürchtete, dass die eigene Bevölkerung eine Erfüllung der Verpflichtungen einfordern könnte und oppositionelle Kräfte die Veröffentlichung als Ermutigung für ihre Aktivitäten verstehen würden. Mit der Unterzeichnung in Wien hatte die DDR jedoch wie alle Länder die Pflicht übernommen, den Vertrag bekanntzumachen.

Die Zeitung enthielt noch einen eher unscheinbaren Bericht über eine Tagung zum 500. Geburtstag von Thomas Müntzer. Was Honecker dort gesagt hatte, sorgte bei Rainer und seinen Freunden für Kopfschütteln: *Die Mauer wird in 50 und auch in 100 Jahren noch bestehen bleiben, wenn die dazu vorhandenen Gründe nicht beseitigt werden.*

Uwe, Gesine, Micha, Thomas und die anderen Initiatoren der Flugblattaktion trafen sich gegen Abend in einem kleineren Kreis bei Pfarrer Wonneberger. Es waren keine leichten Stunden für sie. So groß die Freude über die Freilassung war, so heftig war auch die Kritik der älteren Berliner Oppositionellen an ihrem »Aktionismus« und ihrer »Naivität«.

Werner Fischer hielt sie für jugendliche Draufgänger, blauäugig, naiv und unbeholfen. Er überschüttete sie mit Vorwürfen. »Bei allem Respekt vor eurem Mut, ihr habt euch auf Haft und Verhöre nicht genügend vorbereitet. Da muss ganz viel vorher abgesprochen werden, damit die Vernehmer so wenig wie möglich erfahren.«

Theo, Micha und Uwe wussten, dass sie zu viel geredet hatten: »Mag sein, dass wir nicht alles bedacht haben«, meinte Uwe. »Aber wir haben gehandelt und gemerkt, wie kopflos die Stasi reagiert. Wenn die selbst so was nicht mehr hart durchziehen, dann können wir vielleicht noch viel weiter gehen!«

Zum ersten Mal hatten alle erlebt, dass der Machtapparat zurückwich und sich nicht mehr so einfach durchsetzen konnte. Sie diskutierten all dies nicht nur einmal, sondern immer wieder in den nächsten Tagen und Nächten.

Zurück im Prenzlauer Berg erzählte Werner Fischer seinem Oppositionsfreund Wolfgang Templin am Telefon, er sei froh, wieder zu Hause in Berlin zu sein. *Man hätte schon viel eher mit den Leipzigern reden müssen. Ich hab denen gesagt, was sie für Scheiße gebaut haben. Ich habe sie aufgefordert, sie sollen in sich hineinhorchen, sich selbst überlegen, woher sie kommen, wohin sie wollen, sie sollen sich ihren Standort wirklich bestimmen und na ja. Ich denke aber, es hat ein bisschen gefunkt.* Allerdings hätten sich die jungen Leipziger sehr über seine *Berliner Ignoranz und Arroganz* aufgeregt.

Die Proteste aus dem In- und Ausland verebbten nicht. Gegen alle Beteiligten liefen schließlich immer noch Ermittlungsverfahren, und die Gefahr der Verurteilung war nicht gebannt. In Leipzig, Zwickau, Erfurt, Stendal, Berlin und anderswo fanden Fürbitten zur Einstellung der Verfahren statt. Aus dem kleinen Ort Kittlitz schrieb ein Arbeitskreis Menschenrechte: *Dass die 12 Freunde wieder aus der Haft entlassen wurden, betrachten wir als einen Schritt in die richtige Richtung. Aber es ist noch Entscheidendes zu leisten zur Demokratisierung unseres Landes. Die zwölf Freunde haben dazu einen mutigen Beitrag geleistet und mehr riskiert als »nur« etwas Freiheit. Das macht Mut.*

Vertreter von Menschenrechtsorganisationen wie Amnesty International schickten Telegramme an Honecker, und auch beim Leipziger Bezirksstaatsanwalt rissen die eingehenden Protestschreiben nicht ab. Sie kamen inzwischen aus Paris, Spanien, England und der Schweiz. Solidaritätsbekundungen blieben wichtig, denn die Freigelassenen befürchteten, dass sie später, wenn der öffentliche Protest verstummt war, weiter drangsaliert werden könnten. Noch war ihnen nicht klar: War das jetzt ein Durchbruch? Oder war es ein Warnschuss? Kommt da noch was? Sie wollten darum das gut besuchte Friedensgebet in der Nikolaikirche für eine »Danksagung« nutzen – das erzählten sie Superintendent Magirius. Der verlangte, dass sie ihm ihre »Danksagung« zur Prüfung vorlegten.

Die Leipziger SED hatte ihn und andere Kirchenleute bis hin zum Landesbischof erneut unter Druck gesetzt und gefordert, den Zugang zu Druckmaschinen – insbesondere bei den Pfarrern Turek und Wonneberger – künftig zu sperren und auf die Freigelassenen stärker als in der Vergangenheit in staatlichem Sinne einzuwirken, *damit es zu keinen weiteren inszenierten öffentlichen Provokationen* käme. Das Friedensgebet in der Nikolaikirche dürfe nicht politisch sein, sondern nur kirchlich-theologische Inhalte haben. Deshalb wollte Magirius den Text unbedingt vorher lesen – und notfalls entschärfen. Er hatte allerdings keinen großen Einfluss mehr auf die Mitglieder der Basisgruppen, die mit ihrem Auszug aus der Nikolaikirche im Herbst und erst recht mit der Aktion vom 15. Januar deutlich gezeigt hatten, dass sie sich von der Kirche nicht länger gängeln lassen wollten.

Die zwölf Freigelassenen hatten am Tag ihrer Entlassung unterschreiben müssen, dass sie in Zukunft auf alle Handlungen verzichten würden, die die öffentliche Ordnung oder das Zusammenleben der Bürger störten, und dass sie in Zukunft keine *Personenzusammenschlüsse* bilden würden, die dazu geeignet wären. Außerdem mussten sie über alles schweigen, was während ihrer Haft vorgefallen war. Grammatische Konstruktion und Wortwahl der zu unterzeichnenden Erklärung konnten nicht verhindern, dass klar wurde, worum es vor allem ging. Sie sollten auf keinen Fall die Westmedien informieren: *Ich wurde außerdem beauflagt, mich jeglicher Handlungen zu enthalten, die darauf abzielen, andere Personen, Organisationen oder*

Einrichtungen innerhalb und außerhalb der DDR über mich und andere Mittäter betreffende Einzelheiten des Strafverfahrens zu informieren.

Rainer hatte seine Unterschrift verweigert, »da ich die in der Belehrung enthaltenen Probleme in keiner Weise anerkenne!« Den anderen war egal, was sie unterschrieben hatten. Sie wollten an diesem Montag nicht auf das Friedensgebet verzichten, wo sie auf einen Schlag vielleicht tausend Besucher und mehr erreichen konnten. Denn obwohl sie den Platz vor der Kirche und auch die Straßen der Innenstadt ein Stück weit erobert hatten, war die Nikolaikirche immer noch eine wichtige politische Bühne der Gruppen.

Am Sonntag trafen sich deshalb alle in der Südvorstadt, in den Räumen der Evangelischen Studentengemeinde. Sie formulierten eine Danksagung und legten sie dem Superintendenten vor. Kurz darauf stieß Thomas zu ihnen. Er hatte ein Rundschreiben der Kirche an die Leipziger Pfarrer bei sich, in dem sich die beiden Leipziger Superintendenten Magirius und Richter von ihrer Aktion am 15. Januar distanzierten. Thomas las es den anderen vor: *Politische Demonstration kann für uns nicht die geeignete Form des Zeugnisses der Kirche sein.* Respekt vor Liebknecht und Luxemburg *verbietet uns die Inanspruchnahme ihrer Ideen.*

Uwe empörte sich: »Unglaublich! Kein Protest gegen die Verhaftungen, keine Forderung nach Freilassung und Einstellung unserer Ermittlungsverfahren.« Alle anderen hatten dies verlangt, nur die Kirche in Leipzig nicht.

Franks Freundin Anke hatte einen Protestbrief an den Landesbischof geschrieben, wegen seines zurückhaltenden Einsatzes für die Inhaftierten. Die Antwort: Es sei ja am 15. Januar nicht um das Bekenntnis zu Jesus gegangen, sondern um eine politische Aktion. *Die Kirche kann sich nicht zum Sprecher einer politischen Partei und auch nicht zum Vertreter einer politischen*

Opposition machen. Wir müssen immer auch die Anliegen des Staates und seiner Vertreter bedenken.

Die Stimmung schlug um. Sie formulierten den Text für das Friedensgebet noch einmal neu. Diese Fassung gaben sie Magirius nicht mehr zu lesen.

Am Montag hielten sich rund um die Kirche deutlich mehr Sicherheitskräfte auf als sonst. Stasi und SED fürchteten sich vor einer erneuten Demonstration. 250 Polizisten und zivile Stasi-Kräfte und 400 SED-Parteigenossen postierten sich deutlich sichtbar auf dem Nikolaikirchhof. Mielke persönlich hatte seinem Mann in Leipzig am Telefon Härte befohlen: *Ihr müsst präsent sein! Wenn sie loslaufen, alle auf LKWs laden. Einmal müssen wir Ernst machen! Die müssen begreifen, dass wir das nicht dulden. Den Brüdern verpassen wir jetzt einen Denkzettel.*

Um fünf begann das Friedensgebet. Die Kirche war überfüllt. Das lag allerdings auch daran, dass mehr Stasi-Leute in den Bänken saßen als gewöhnlich. Magirius hatte wie immer Film- oder Tonaufnahmen von Westjournalisten in der Kirche verboten.

Die zwölf Freigelassenen standen am Rand. Michas Freundin Bine saß mit ihrer Tochter Johanna im Arm und einigen anderen auf dem Fußboden vor dem Altar. Die Orgel setzte ein. Als Micha dran war, trat er ein paar Schritte vor und begann, ihre Erklärung vorzutragen. Er bedankte sich zunächst für die *breite nationale und internationale Solidarität: Wir danken Euch allen für die uns tief beeindruckende Unterstützung. Die Ermittlungsverfahren werden jedoch durch die Staatsorgane fortgeführt.*

Magirius wurde nervös, wagte es diesmal aber nicht, zu unterbrechen oder gar das Mikrofon auszuschalten.

Mit der Verteilung von Flugblättern im gesamten Stadtgebiet riefen wir die Bevölkerung auf, sich am 15. Januar auf dem Markt vor dem Alten Rathaus zu versammeln. Anliegen war es, die schon vor mehr als 70 Jahren von Luxemburg und Liebknecht eingeforderten Rechte der Versammlungs- und Vereinigungsfreiheit, Meinungs- und Pressefreiheit den Menschen unseres Landes nahezubringen.

Unser Aufruf gilt der gemeinsamen Forderung nach einem Demokratisierungsprozess in unserer Gesellschaft.

Micha schaute nicht auf, er starrte unverwandt auf das Blatt in seiner Hand.

Als Voraussetzung dafür sehen wir die Überwindung politischer Teilnahmslosigkeit und Trägheit der Bürger zu bewusster Meinungsbildung und -äußerung basierend auf der gesetzlichen Garantie politischer Grundrechte. Diesen Prozess betrachten wir als eine Initiative zur demokratischen Erneuerung unserer Gesellschaft.

Da war er, der Name der Gruppe, der unter dem Flugblatt gestanden hatte. Es wurde unruhig in der Kirche. Micha machte eine kurze Pause und schaute in die Gesichter vor ihm. Er sah Interesse, Anspannung und Sympathie. Dann las er mit lauter Stimme weiter.

Wir sind der Meinung, dass politische Auseinandersetzungen nicht durch das Strafgesetz gelöst werden können. Trotz laufender Ermittlungsverfahren werden wir unsere Arbeit zu gesellschaftlichen Themen weiterführen. Wir bitten, besonders in unserer momentanen Situation, um eure weitere Unterstützung und Solidarität.

Viele klatschten Beifall, doch Micha sah auch, dass nicht wenige Plätze in den Kirchenbänken aus dienstlichen Gründen besetzt waren. Die Stasi-Mitarbeiter und SED-Genossen waren leicht an ihrer engagierten Teilnahmslosigkeit auszumachen.

Draußen vor der Kirche fiel ihr Berliner Freund Werner über Uwe und Micha her. »Ihr werdet eure Arbeit weiterführen? Seid ihr wahnsinnig, das so offen anzukündigen? Reines

Kamikaze!« Werner hatte kein Verständnis für ihre offensive Rede in der Kirche. Das war es, was Uwe rasend machen konnte. Er spürte, wie groß sein Abstand zu dieser Haltung war. Wie könnte er sein Handeln nur erklären? Micha, der neben ihm stand, reagierte schneller: »Wir lassen uns nicht mehr einschüchtern, weder von der Kirche noch vom Staat.«

Jetzt fand Uwe Worte: »Nicht einmal meine Mutter hat mich gebeten, kürzerzutreten. Dabei musste sie sich sogar von mir distanzieren, während ich im Knast war. Sie musste in der Wollkämmerei eine Erklärung unterschreiben, in der ihr Arbeitskollektiv die sozialismusfeindlichen Kräfte und deren ungesetzliches Handeln auf das Schärfste verurteilt.«

Sie alle hatten etwas erreicht, was bis dahin unmöglich schien. Jetzt, glaubten sie, war der Weg frei, das auszubauen und die Grenzen dessen, was in diesem Land möglich war, weiter zu verschieben.

Genau davor hatte an diesem Montag in Ost-Berlin Stasi-Chef Mielke in einer Einschätzung der Lage gewarnt: *Feindlich-negative Kräfte im Inneren der DDR werden versuchen, ihren Handlungsspielraum zu erweitern,* hatte er prognostiziert. *Sie werden die Gruppen der Opposition enger zusammenschließen und die Inszenierung von Konfrontationen durchsetzen.* Mielke verlangte von allen Dienststellen im Land ab sofort *erhöhte Wachsamkeit und keinerlei Unterschätzung* der Arbeit der Gruppen.

Doch es gab noch eine höhere Instanz als den Chef des Geheimdienstes. Erich Honecker, die Nummer eins in der DDR. Der hatte zusammen mit seiner Frau Margot die Leipziger Gruppe im Westfernsehen gesehen. Denn im Anschluss an ihre Danksagung hatte ein ARD-Fernsehjournalist, der in der Nikolaikirche nicht drehen durfte, die ganze Gruppe vor der Moritzbastei gefilmt. In den *Tagesthemen* waren sie dann zu sehen: Gesine, Uwe, Micha und die anderen, die Kamera schwenkte über ihre jungen Gesichter, sie redeten, rauchten und lachten. Sie triumphierten nicht, aber es war allen klar, dass es nicht sie waren, die verloren hatten in diesen Wochen im Januar.

Nur einen Tag später, am 24. Januar, klingelte beim Leipziger Stasi-Chef Hummitzsch das rote Telefon. Wieder war Mielke höchstpersönlich am Apparat. Er gab wortkarg nur eine Anordnung von Erich Honecker weiter: *Zentrale Entscheidung, Manfred! Alle Ermittlungsverfahren sind sofort einzustellen! Keine Gerichtsverhandlung mehr machen, nur noch mit Ordnungsstrafen differenziert vorgehen. Die Sache muss jetzt schnell aus der Welt.*

Diesmal lachte Mielke nicht.

Nachspiel

Für die Leipziger SED war der Ausgang der Aktion höchst unerfreulich. Sie musste den eigenen Parteimitgliedern nun erklären, wieso man erwiesene Staatsfeinde ungeschoren davonkommen ließ. Bereits am 25. Januar hatte der stellvertretende Vorsitzende des Rates des Bezirkes für Inneres, Hartmut Reitmann, Bischof Hempel ins Neue Rathaus bestellt. Der Parteigenosse hielt dem Bischof einen Vortrag über die Untaten der Aktivisten. Es müsse *alles dafür getan werden, damit Ähnliches nicht mehr passiert. Es sollte überprüft werden, ob das Friedensgebet noch weiter gehalten werden kann.*

Bischof Hempel reagierte darauf abweisend: *Die Gruppen sagen Dinge, die in der Substanz stimmen, Umweltschutz und freie Meinungsäußerungen, dasselbe, was wir seit 15 Jahren sagen. Sagen Sie bitte mehr, was konkret ist hier im Lande, mehr Wahrheiten! Auf der anderen Seite verletzen diese Leute natürlich die Formen des Umgangs, so wie wir zum Beispiel mit Ihnen, dem Staat, reden. Die Form des Gespräches – das ist unser Zwiespalt. Es gibt einzelne, mit denen ich mich nicht mehr solidarisiere. Wir haben aber Schwierigkeiten, jetzt zu sagen, Schluss mit den Friedensgebeten in der Nikolaikirche. Diese Leute haben keinen anderen Ort, etwas zu besprechen. Diese Leute meinen nicht uns, sondern Sie. Es gibt ein jahrhundertelanges Tabu der Kirchenräume, das hat die DDR von Anfang an immer respektiert!*

Reitmann unterbrach den Bischof: *Aber die Gruppen respektieren es nicht!*

Es gibt Schwierigkeiten, versuchte Hempel dem SED-Mann zu erklären, *das Friedensgebet in Nikolai abzusagen. Zum einen haben wir keine rechtlichen Möglichkeiten dazu. Es wäre schon kirchengeschichtlich ein einmaliger Akt, wenn ein Bischof einen Gottesdienst verbietet. Aus der Tatsache heraus, dass diese Leute das bei uns machen, folgere ich doch, dass Sie dann die Leute auf dem Hals haben. Verbieten hieße, das Phänomen wandert in eine andere Ecke aus. Es hängt nicht am Hause Nikolaikirche. Kern ist, dass die Leute sagen: »Geben Sie uns einen Ort, wo wir reden können.«*

Reitmann antwortete: *Wir wissen, dass jede Maßnahme gegen Erscheinungen im Inneren der Stadt zur Folge hat, dass diese sich in die Randgebiete verlagern, wie der Schwarzmarkt, den die Ausländer betreiben … Die Gruppen versuchen, die Antragsteller zu manipulieren. Es entstehen Belastungen zu den staatlichen Organen, die kaum noch regulierbar sind. Das Gebet sollte nicht politische Themen, sondern mehr theologische zum Inhalt haben. Eine Zusammenrottung von Antragstellern soll zurückgedreht werden.*

Hempel blieb sachlich, obwohl ihn das Gespräch aufregte.

Ein Gottesdienst ist keine Zusammenrottung. Ich muss aber sagen, wie ich es schon immer gesagt habe: Irgendwann kommt die Quittung für das nicht Gute. Sie sagen uns, es gibt kein Gespräch mit der Volksbildung. Wir hören es. Wir wundern uns nicht, dass junge Leute so aggressiv werden. Es wird immer wieder erklärt, was die Wahrheit ist, das haben die Leute zu schlucken. Wo können die Leute reden? Wo werden sie gehört? Wo?

Reitmann lenkte etwas ein: *Wir sagen nicht, dass alles gut ist, auch wenn das so nicht in der Zeitung steht.*

Hempel nutzte das für einen kleinen Vorstoß: *Das Volk ist klug, es sieht, was los ist! – Warum schreiben Sie das nicht? Regelmäßige Prügel gehört auch zu meiner Leitungserfahrung, ich bekomme auch Dresche wie Sie. Kirche ist nicht besser als Sie, wir verstehen die Jugend aber im Kern. Für Verbieten haben wir ein geringeres Instrumentarium, theologische Gründe haben wir auch nicht. Das geht nicht deklamatorisch. Verbieten hieße, großen Schaden anzurichten. Dann sind die Leute draußen! Ich hoffe, dass die Regierung Organe schafft, die mit den Leuten reden. Auge in Auge zu reden ist so wichtig, es muss raus aus dem Bauch.*

Sein Gegenüber wagte es nicht, darauf einzugehen: *Aber es gibt von langer Hand vorbereitete Provokationen!*

Jetzt stimmte der Bischof dem SED-Mann zu: *Dass die Gruppen ihre Informationen austauschen, ist legitim, aber die starke Kommunikation mit den Westmedien ist abzulehnen, die reden über alles, die werden dafür bezahlt.*

Reitmann fühlte sich verstanden. Er glaubte, jetzt sei der richtige Zeitpunkt für einen unmoralischen Vorschlag: *1982 verhandelten wir über vier Gruppen, jetzt sind es über 20 Gruppen in Leipzig. Der Einfluss des Landeskirchenamtes ist bei Pfarrer Führer spürbar. Aber nicht bei Pfarrer Wonneberger. Seit seinem Hiersein entwickelt sich der Nordosten Leipzigs in einer bestimmten Weise. Es wäre besser, Pfarrer Wonneberger würde aus Leipzig verschwinden.*

Hempel schaute auf und meinte: *Einen Pfarrer zu versetzen ist bei uns kaum möglich.*

Reitmann versuchte es anders: *Es geht um das Friedensgebet zur Frühjahrsmesse am 13. März. Dann ist es ein Jahr her, dass Aktivitäten aus der Kirche nach draußen getragen worden sind. Ein neuer Pleißemarsch am 4. Juni wird auch schon vorbereitet. Es sollen keine weiteren Störungen der Öffentlichkeit passieren. Im Gegensatz zu früheren Gesprächen haben die politischen Aktivitäten eine neue Qualität erreicht.*

Hempel sah Reitmann länger an und meinte schließlich: *Ich habe nur zwei Hände und einen Mund.*

Fünf Tage später bestellte Reitmann drei Vertreter der Leipziger Kirche, darunter Superintendent Magirius, ins Neue Rathaus. Dort wartete aber nicht nur Reitmann auf sie.

Überraschenderweise waren auch ein Leipziger Staatsanwalt und der Bezirksstaatsanwalt dabei, die ihnen einen nüchternen Überblick über sämtliche Details der Ermittlungen zum 15. Januar gaben, die er beim vorangegangenen Gespräch mit dem Bischof noch nicht vorliegen hatte. Von den ersten Absprachen bei Micha über den Druck der Flugblätter bei Pfarrer Turek, das Verstecken der Flugblätter im Keller von Constanze bis zu den Einzelheiten der Nacht der Verteilung und dem Rückmeldesystem unter Tarnbezeichnungen bei Juttas Tante wussten die Sicherheitsorgane inzwischen alle Einzelheiten – nur vom Druck der Flugblätter im Pfarrhaus Mölbis wussten sie nichts. Die Gruppe habe *konspirative Methoden angewendet* und *die Vernachlässigung der Kontrollpflicht kirchlicher Vervielfältigungstechnik ausgenutzt,* um ihre *Aktion bei Nacht und Nebel* durchzuführen.

Nach dem Staatsanwalt sprach Reitmann.

Wie lange soll Leuten wie Jochen ... und Co. noch Raum in der Kirche gewährt werden? Warum darf Uwe ... einen Rumänientag in der Grünauer Gemeinde machen? Warum Jochen ... in den Räumen einer Gemeinde auftreten? Brauchen wir in Leipzig 20 Gruppen? Es soll nicht sein, dass die Gruppen den Pfarrer bestimmen.

Der Bezirksstaatsanwalt schaltete sich wieder ein: *Wir bitten, vorbeugende Maßnahmen zu treffen.*

Und der Staatsanwalt, der die Haftbefehle ausgestellt hatte, meinte: *Die einzelnen Inhaftierten haben verschieden reagiert, einige sind verhärtet, und es ist damit zu rechnen, dass manche ihre Aktivitäten fortsetzen werden. Sie werden weiter provozieren. Deshalb ist die Niederschlagung der Verfahren kein Freibrief. Wir wollen Ruhe, innere Ordnung und Sicherheit.*

Die Kirche, fuhr Reitmann fort, solle sich nicht mit den Gruppen identifizieren: *Es gibt Treuepflicht gegenüber dem Staat. Die Gruppe vertritt anarchistische Tendenzen. Sie setzt Menschen unkontrolliert in Bewegung. Werden Sie nicht zum*

Sprachrohr der Gruppen! Nehmen Sie Ihre Aufsichtspflicht wahr! Pfarrer Wonneberger ist vor der Verteilung informiert gewesen, bei ihm laufen alle Fäden zusammen. Wir wollen nicht mehr oft über ihn sprechen.

Die beiden Superintendenten und der Oberlandeskirchenrat versprachen, sich mit Wonneberger *kämpferisch auseinanderzusetzen, um ihn auf den richtigen Weg zu bringen. Auch wenn sich die Kirche mit Wonneberger hart auseinandersetzt, wird sie aber auch gleichzeitig für diesen Mann bis zuletzt eintreten.*

Magirius ergänzte, die Kirche werde weiter mit den Gruppen reden, um sie nicht sich selbst zu überlassen. Man wolle alles tun, um die Friedensgebete wieder in die richtigen Bahnen zu leiten. *Gelingt dies nicht,* notiert sich Reitmann zufrieden, *wird man die Friedensgebete bis auf weiteres absetzen. Dies berge aber Gefahren in sich, denn es könne zu einer Verlagerung in andere Kirchen wie die Lukas- oder Michaeliskirche führen. So etwas kann aber nicht gewollt sein, da man dann wieder am Anfang stehe und vor noch schwierigeren Problemen.*

Dem SED-Genossen dämmerte, so wie das Jahr begonnen hatte, würde ihm und seiner Partei keine einfache Zeit mehr bevorstehen.

Februarschnee

Frank schlug die Augen auf. Für einen Moment lauschte er auf die Atemgeräusche der fünf anderen. Dann befreite er sich behutsam aus seinem Schlafsack, richtete sich auf, durchquerte den Raum, ohne über einen der in Decken und Schlafsäcken vergrabenen Schläfer zu stolpern, und öffnete vorsichtig die schwere Holztür nach draußen.

Eine dicke Schicht Schnee bedeckte alle Dächer der Häuser im Tal. Der Weg vor der Holzhütte war tief verschneit. Frank schaute nach oben in einen wolkenlos blauen Himmel, nahm den Blecheimer, der neben dem Eingang stand, ging ein paar Schritte, griff in den glitzernden Schnee und füllte den Eimer bis zum Rand.

Zurück in dem einzigen Raum der Hütte, in dem sie alle schliefen, stellte er den Eimer auf die Ofenplatte und entfachte darunter ein Feuer. Mit dem zu Wasser geschmolzenem Schnee füllte er einen alten, verbeulten Kessel. Bald duftete es nach Kaffee, und Wärme begann sich auszubreiten.

Langsam wurden die anderen wach, von Gesine und ihren langen Haaren war unter den Kissen kaum etwas zu sehen, Anita richtete sich auf und lächelte Frank an.

Sie hatten Leipzig in der ersten Februarwoche kurzentschlossen verlassen, waren ins Riesengebirge gefahren, nach Velké Svatoňovice am Fuß der Schneekoppe. Ihr einfaches Quartier ohne fließendes Wasser – die Pumpe vor dem Haus war längst eingefroren – hatte Anita organisiert. Den Tipp hatte sie von Gustav Ginzel bekommen, dem legendären Abenteurer, dessen »Misthaus«* für Tramper aus der DDR immer offenstand, wenn der Bergsteiger und Lebenskünstler nicht grad selbst unterwegs war. Anita war schon als Kind mit ihrem Vater bei ihm zu Besuch gewesen und hatte schöne Erinnerungen daran. Ginzel und seine Führungen durchs Misthaus waren längst Kult geworden. Er hatte das ehemals als Stall benutzte Gebäude mit dem Wasser eines umgeleiteten Baches von Mist und Unrat befreit und als Herberge mit allerlei Kuriositäten eingerichtet. Vor dem Ofen ein großer Holztisch, um den herum sich oft ein Dutzend Gäste und mehr versammelten. Es war ein freier Ort, offen für alle.

Anke, Gesine, Anita, Frank, Uwe und Constanze erlebten ein paar unbeschwerte Tage, in denen die Zeit stillzustehen schien. Niemand redete hier über Leipzig. Die Ängste der Verhaftungen waren ihnen nicht mehr anzumerken. Frank war immer noch ganz euphorisiert. Es war etwas passiert, wovon sie noch vor wenigen Wochen nicht zu träumen gewagt hätten. Was für ein Erfolg! Die Herrschenden hatten eine wichtige Schlacht verloren. Wie frustriert mussten die Leipziger Stasi-Leute wohl sein? Nächtelange Observationen in der Kälte, aufwendig gesammelte Beweise, Haftbefehle, stundenlange Verhöre – alles umsonst. Sie mussten die Staatsfeinde unbehelligt gehen lassen. Mehr Demotivierung – oder war es nicht schon Demütigung? – war für die Männer des Geheimdienstes kaum vorstellbar.

Mehr Ermunterung, jetzt weiterzumachen, hingegen für die Aktivisten in den Gruppen auch kaum. Die Kirche ließ sie die Montage in Nikolai wieder mitgestalten. Wichtiger noch, es standen neue Dinge an: die Kommunalwahlen, der zweite Pleißemarsch und das Straßenmusikfestival, unabhängige Aktionen in den Straßen von Leipzig. Der Kampf um den öffentlichen Raum ging jetzt erst richtig los.

Nur Anita und Frank konnten Ski fahren, was die anderen nicht daran hinderte, es auch zu probieren. Selbst wenn sie schon am Skilift scheiterten, der sie am Ende aber doch noch auf den Berg brachte. Dort oben fanden sie es seltsam, wie sich polnische und tschechische Grenzer ohne wirklich sichtbare Grenze im tiefen Schnee direkt gegenüberstanden. Ein Berg, zwischen zwei Ländern geteilt.

Sie blieben den ganzen Tag am Gipfel, Frank und Anita rasten die steilen Hänge hinab, Uwe fiel immer wieder in den Schnee, und alle freuten sich am Ende des Tages, dass zwei von ihnen schon zur Hütte vorausgegangen waren und geheizt hatten. Anita schrieb nachts in ihren Kalender: *Schneekoppe, Sonne, blauer Himmel, schneebedeckte Berge. Uns empfing eine buntgeschmückte Bude, heiße Pfannkuchen und zwei lustige Mädels. Abends ziemlich knülle, eine herrliche Bierkneipe.*

Als sie abends in der Dorfkneipe angekommen waren, liefen tschechische Schlager in beträchtlicher Lautstärke, und die Feier einer Frauenbrigade strebte ihrem Höhepunkt zu. Die laut lachenden und durcheinanderredenden Arbeiterinnen hatten die ersten Likör- und Pflaumenschnapsflaschen angebrochen. Zwei blonde Mittvierzigerinnen kamen an den Tisch der Leipziger und forderten die Männer auf, mit ihnen zu tanzen. Sie verstanden zwar kein einziges Wort von dem, was die Damen so alles redeten, aber aus der Frauenbrigade gab es an diesem Abend für Uwe und Frank kein Entrinnen mehr. Sie waren die einzigen Männer in der Kneipe. Warum das so war, verstanden sie nicht. War etwa Frauentag? Feierten die Männer woanders? Egal, die Arbeiterinnen schenkten Uwe und Frank den Schnaps in großen Gläsern ein, tranken auf Freundschaft, zogen sie zum Tanz immer wieder auf die Dielenbretter und küssten sie erst auf die Wangen, dann auf den Mund und lachten sie unverschämt an. Die beiden tranken, tranken, tranken und drehten sich im Takt der

Musik. Wie sie den Weg tief in der Nacht zurück in ihre Hütte gefunden hatten, daran konnten sie sich am nächsten Morgen nicht mehr erinnern. Mittags gingen sie alle ins Dorf. Beim Bäcker und auf der Straße fragten sich Uwe und Frank, warum sie von wildfremden Frauen angelacht und gegrüßt wurden.

Zurück in Leipzig machten sie sich gleich am nächsten Tag auf den Weg nach Dresden. Anita hoffte ihre Freundin Johanna wiederzusehen, die schon als Schülerin und junge Krankenschwester aufmüpfig und aktiv in der Friedensbewegung Schwerter zu Pflugscharen gewesen war. Bereits mit siebzehn hatte Johanna zusammen mit einer Handvoll Jugendlicher, die sich regelmäßig in der Dresdener Mocca-Stube trafen, auf eigene Faust zu einer Friedensdemonstration gegen die Aufrüstung in Ost und West an der Ruine der Frauenkirche aufgerufen. Dort wollten sie unabhängig vom Staat, der keine Gedenkveranstaltung plante, zugleich der 25000 Bombenopfer bei der Zerstörung der Stadt 1945 gedenken. Erst vervielfältigten sie den Aufruf per Schreibmaschine, dann gelang einer Freundin der illegale Satz und Druck in einer staatlichen Druckerei. Die Exemplare verbreiteten sich überall im Land. Wie in Leipzig war auch Johannas Gruppe in Dresden nicht nur mit dem Staat, sondern auch mit der Kirche in Konflikt geraten.

Um die drohende Demonstration zu verhindern, öffnete Bischof Hempel nach Absprache mit Staatssekretär Klaus Gysi die Dresdner Kreuzkirche für ein *Friedensforum.* Mehr als 5000 Jugendliche aus der ganzen DDR folgten am 13. Februar 1982 Johannas Aufruf und versammelten sich in der Kreuzkirche. Viele von ihnen zogen anschließend trotz bischöflicher Warnungen zur Ruine der Frauenkirche. Sie stellten schweigend Kerzen auf und legten Blumen und einige kleine Plakate nieder. Seitdem kam es dort an jedem 13. Februar zum demonstrativen Gedenken, mehr oder weniger stark durch die Sicherheitskräfte behindert.

Weil Bischof Hempel die Leute um Johanna als *Wölfe im Schafspelz* bezeichnet hatte, nannte sich die Gruppe seit 1985 *Wolfspelz.* Sie orientierte sich radikal pazifistisch und organisierte in Dresden eigenständige Friedenswerkstätten, Flugblatt- und Plakataktionen und war Teil des landesweiten Oppositionsnetzwerkes.

Anita war gemeinsam mit Gesine, Frank, Uwe und Theo nach Dresden gefahren und saß nun mit Rainer und anderen Leipzigern im Gedenkgottesdienst. Die Predigt fanden sie schrecklich, der Pfarrer aus Ost-Berlin lobte die Friedenspolitik der DDR, während vor dem Gotteshaus Unmengen von Stasi-Leuten lauerten, um eine Demonstration zu verhindern. Als am Ende alle Teilnehmer die Hofkirche Richtung Frauenkirche verließen, stellten die Leute aus Furcht vor der Stasi ihre mitgebrachten Protestschilder lieber am Ausgang der Kirche ab.

Als sie das sah, ermunterte Gesine ihre Freunde: »Komm, wir nehmen die jetzt und gehen damit bis zur Ruine!« Sie wollten nicht nur eine Kerze in der Hand tragen, griffen sich zwei Schilder und gingen hinaus auf die Straße, Gesine und Rainer vorneweg. Auf Rainers Protestschild stand: *Achtung der Menschenrechte und Grundfreiheiten – wesentlicher Faktor für Frieden und Gerechtigkeit.*

Die Glocken aller Dresdener Kirchen läuteten in die Nacht. Um diese Zeit hatte das verheerende Bombardement der Stadt 1945 begonnen. Sie waren mit ihrer kleinen Gruppe auf dem kurzen Weg zur Ruine gerade ein paar Schritte vorangekommen, da wurden sie schon von zwei Volkspolizisten gestellt, die versuchten, Gesine und Rainer die Schilder wegzunehmen. Genau in diesem Augenblick kam ein guter Bekannter die Straße entlang.

Fred ging auf den kleinen Tumult zu, sah sich um und stellte fest, dass sonst keine Einsatzkräfte in unmittelbarer Nähe waren. Ein Polizist versuchte das von Rainer umklammerte Pappschild Stück für Stück zu zerreißen, der andere zerrte immer heftiger an Gesine und ihrem Schild.

Fred ging kurzentschlossen dazwischen, zielte auf das Kinn des Volkspolizisten und schlug mit der Faust hart zu. Der Mann ging zu Boden, und Gesine war damit befreit. Der andere Uniformierte, vollkommen perplex, beugte sich zu seinem Kollegen hinunter. So konnten sie alle entkommen und in der Dunkelheit untertauchen. Wo die zerfetzten Teile von Rainers Schild auf dem Boden lagen, stellten vorbeikommende Leute Kerzen ab. Gesine legte ihres vor die Ruine der Frauenkirche. Sie betrachteten das Lichtermeer aus Kerzen vor den Trümmern und harrten mit den »We Shall Overcome« singenden Menschen bis ein Uhr nachts in der Kälte aus. Rainer war bei dem Handgemenge verletzt worden, das Blut auf seinen Händen war aber schon wieder getrocknet.

Am Samstagabend trafen sie sich in der Zweinaundorfer Straße. Hier war in einer leerstehenden Wohnung im Erdgeschoss ein illegales Nachtcafé entstanden. Das war vor allem das Verdienst vom »Buddhisten«, einem Dreiundzwanzigjährigen, der zusammen mit Andreas im Hausflur gegenüber wohnte und dessen Musikgeschmack dadurch prägte, dass er Tag und Nacht Musik hörte. Soul und Jazz. Der Buddhist hatte eine gute Stereoanlage und vermutlich die größte Plattensammlung Leipzigs. Er lebte davon, dass er alte Fahrräder recycelte und verkaufte.

Musik spielte auch bei den anderen Bewohnern der Zweinaundorfer eine große Rolle: André und Ilka, das Pärchen im ersten Stock, hatten ihren Sohn nach einem Bob-Dylan-Song Joey genannt, das Paar in der Wohnung neben der

Volkspolizistin aus der Meldestelle taufte sein Kind Roxanne nach einem Song von Police.

Das Nachtcafé war ein richtiger Club: eine aus Holz gezimmerte Theke, alte Sofas, Stühle und Sessel, aus verlassenen Wohnungen oder vom Sperrmüll geholt, Musik vom Plattenspieler, Platz zum Tanzen. Neben der Bar standen die Bierkästen, es gab sogar einen Grill-Toaster, mit dem Karlsbader Schnitten hergestellt werden konnten, ein Schinken-Käse-Toast. Für dreißig, vierzig Leute war Platz, und so viele kamen inzwischen auch vorbei, wenn am Wochenende geöffnet war. Die anderen Cafés in der Stadt machten um achtzehn Uhr zu, hier ging es erst um zwanzig Uhr los. Viele, die kamen, blieben bis vier, fünf Uhr morgens. Dann war die Luft zum Schneiden dick, heiß, total verqualmt.

Ärger mit der Volkspolizei hatte es bisher nicht gegeben. Das größte Problem war: Es gab kein fließendes Wasser. Gespült werden musste das Geschirr bei »Radieschen« eine Treppe höher. Aber das Sterni aus dem Leipziger Getränkekombinat, Sternburger Export für 70 Pfennig, trank man sowieso aus der Flasche. Nur für Wein gab es Becher und Tassen. Damit von außen niemand hineinschauen konnte, waren alle Fenster der umfunktionierten Wohnung verhängt worden. Eine dunkle Höhle, spärlich beleuchtet, laute Musik. Ein Freiraum zum Quatschen und Feiern, wie es ihn sonst in der Stadt kaum gab.

Getanzt wurde an diesem Abend mehr als sonst. An der Bar stand eine Gruppe um Micha und Bine, die sich darüber amüsierte, was Bine neulich mit den Stasi-Beobachtern vor ihrem Haus angestellt hatte. »Die standen sich schon seit ein paar Tagen im Schneematsch die Reifen platt. Am frühen Morgen hielten jeweils zwei Mann in zwei Autos Wache. Spätnachmittags waren sie immer noch da, aber dann saßen sie wegen der Kälte zu viert in einem Wagen zusammen. Ich bekam Mitleid und wollte sie vielleicht auch provozieren. Ich dachte, die sitzen da unten in der Kälte, wir hier oben im Warmen. Ich ging also mit einem Tablett zu ihnen und sah schon von weitem, dass ihre Fensterscheiben Eisblumen angesetzt hatten. Als ich davorstand, drehte sich der Fahrer kurz zu den anderen um. Erst als er sich rückversichert hatte, kurbelte er die Seitenscheibe runter und nahm mir die kleine Blechkanne mit heißem Kaffee, meine selbstgebackenen Plätzchen und die vier Becher ab.

Ich bin dann wieder hoch, und – ihr glaubt es nicht – nach einer Weile klingelt es, und zwei der Kerle stehen wortlos vor unserer Tür und reichen mir die leere Kanne und die Kaffeebecher zurück! Micha hat dann noch gesagt, sie könnten doch reinkommen, und einer setzte sogar schon einen Fuß in unseren Flur. Doch der andere sagte, das sei ihnen untersagt, das dürften sie auf keinen Fall. Dann salutierte der eine zum Abschied, schlug die Hacken zusammen, und die beiden verschwanden.«

Micha erzählte von einem anderen Vorfall in ihrem Haus.

Gestern kamen zwei Volkspolizisten in den Flur und bezogen Posten vor der Wand mit meiner neuen Infotafel. Eine Stunde verging, die standen die ganze Zeit still im Flur. Dann fuhr ein roter Lada-Kombi und ein grauer Barkas vor und fünf zivile Herren, mit kriminaltechnischen Utensilien ausgerüstet, betraten das Haus und begannen mit der Untersuchung der Wand im Hausflur. Ein besorgter Anwohner fragte: Ist ein Mord geschehen? Nein! Allein meine Hauswandzeitung war das anstößige Objekt.

Anfang Februar hatte Micha den ersten Versuch gemacht, auf einer Holztafel im Flur unter der Überschrift *Information – Kommunikation* ausgewählte Artikel aus den *Streiflichtern*, den *Kontakten* oder anderen Infoblättern der Gruppen auszuhängen. Nach drei Tagen war die Tafel verschwunden. Micha besserte den bröckelnden Putz aus und malte die

Umrisse einer Tafel direkt auf die Wand, die konnte nicht mehr geklaut werden. Neue Artikel und Infos klebte er mit einem besonders gut haftenden Klebstoff direkt auf den Putz: das Kinoprogramm der Woche, den Kalender aktueller Veranstaltungen in Leipzig, einen Artikel aus den Umweltblättern, Infos über die bevorstehende Kommunalwahl und den Leipziger Aktionstag zur Solidarität mit dem inhaftierten Václav Havel und anderen Mitstreitern der Charta 77.

Wenige Tage später, morgens um acht Uhr, überraschte Bine zwei zivile Herren, die versuchten, die an der Wand klebenden Papiere abzulösen. Weil das nicht klappte, schrieben sie alles sorgfältig in ihre großen Kladden ab.

Micha öffnete seine Tasche: »Ich hab darüber einen Bericht geschrieben.« Er zog ein Blatt heraus, zeigte den Titel *Tatort Zweinaundorfer 20 a – in Leipzig* in die Runde und übergab es seinen Zuhörern. Der Text endete mit Michas Unterschrift und seinem Aufruf: *Verschweigt nicht länger Euer Wissen! Teilt Euch mit! Gestaltet Hauswandzeitungen – schmückt Hauswände und Fenster! Damit ähnlichen Gelüsten, Informationen beherrschen zu wollen, jegliche Grundlage genommen wird.*

Ein neuer Plan
März 1989

Micha und Gesine saßen ein paar Tage später im Café Wilhelmshöhe zusammen und sprachen über die bevorstehenden Kommunalwahlen. Zwei Wochen zuvor hatte das *Neue Deutschland* mit dem Aufruf zur Wahl die ganze Titelseite gefüllt. Erstmals wollten Basisgruppen in vielen Städten ein Ritual ernstnehmen, das seit Jahren kaum noch einen Bürger interessiert hatte. Denn Wahlen in der DDR zeichneten sich dadurch aus, dass es nichts zu entscheiden gab. Auf dem Stimmzettel standen lediglich die Kandidaten der Einheitsliste* der Nationalen Front, und es war nicht möglich, einzelne zu wählen oder abzulehnen. Wer im Wahllokal die dekorativ in der Ecke stehende Kabine benutzte, wurde von den Wahlhelfern registriert und machte sich sofort verdächtig. Die Wahlzettel wurden normalerweise wortlos entgegengenommen, einmal gefaltet und in die Urne geworfen.

Jahr für Jahr lag die Wahlbeteiligung bei 99,8 Prozent und die Zustimmung zur Einheitsliste der Nationalen Front bei 99,7. Alle ahnten, dass da etwas nicht in Ordnung war. Mancher spottete, dass wohl bald die Zustimmung bei über 100 Prozent liegen würde. Gleichzeitig wusste man aber von Freunden und Bekannten, die nicht zur Wahl gegangen waren oder ungültig gestimmt hatten. Aber das Gefühl war kein Beweis. Darum wollten die Basisgruppen überall dafür mobilisieren, diesmal an der Stimmauszählung teilzunehmen, denn im

Wahlgesetz der DDR stand: *Die Stimmauszählung ist öffentlich.* Die Gruppen hatten sich organisiert, um die Ergebnisse der einzelnen Wahllokale zu sammeln, zusammenzufassen und auszuwerten. Dazu war eine erhebliche Koordination nötig. Die Stasi beobachtete die Vorbereitungen, ohne einzugreifen. Einzelne Gruppen riefen außerdem dazu auf, ungültig zu stimmen oder die Wahl zu boykottieren. Nur wenige Bürger wussten allerdings, wann eine Neinstimme anerkannt wurde: Dazu musste man auf der Liste jeden einzelnen Namen ohne Ausnahme durchstreichen.

Gesine wollte sich nicht allein mit der Kontrolle der Auszählung begnügen. »Können wir nicht eine Aktion machen, bei der man sich als Nichtwähler öffentlich bekennt? Vielleicht eine Urne auf dem Markt aufstellen, in die die Leute ihre Wahlbenachrichtigungen hineinwerfen? Oder nur symbolisch ein weißes Blatt Papier?«

Es war noch viel Zeit bis zum 7. Mai, dem Tag der Wahl. Doch es war klar, dass sie schon wieder – und diesmal auf neuen Wegen – ein Flugblatt herstellen und verbreiten mussten.

In der Runden Ecke brannte noch Licht. Der Leiter der Bezirksverwaltung des MfS, Manfred Hummitzsch, hatte die Chefs der wichtigsten Abteilungen der Leipziger Stasi an den Tisch im Konferenzraum 137 geholt und hielt ihnen ein langes Referat:

In den Planungen und Überlegungen feindlicher Zentren und Exponenten der Politischen Untergrundtätigkeit spielen zunehmend die Kommunalwahlen eine Rolle. Unsere Hauptaufgabe besteht darin, ein eindeutiges Bekenntnis der absoluten Mehrheit der Bevölkerung zur Politik der Partei zu organisieren! Es darf Exponenten und Sympathisanten des politischen Untergrundes nicht gelingen, ihre konzeptionellen Vorstellungen zu verwirklichen, Einfluss auf den Wahlverlauf oder den Nachweis von Verletzungen des Wahlrechts zu erbringen, um die politische Entscheidung der Wahl anzugreifen und uns international zu diskriminieren!

Hummitzsch hatte die Anweisungen über die *operative Aktion Symbol 89** auf einer Konferenz der Bezirkschefs im Hauptquartier in der Berliner Normannenstraße erhalten. Mielke hatte den Anwesenden die Erwartungen des Politbüros mitgeteilt und Hummitzsch später, nachdem sie auf den Sieg von Mielkes Lieblingsfußballclub angestoßen hatten, noch einmal beiseitegenommen. »Manfred, sie befürchten, dass Leipzig bei den Wahlen das schlechteste Ergebnis bekommen könnte. Du musst alle Hebel bewegen!«

Darum hatte Hummitzsch diese Konferenz einberufen. Er bestimmte neun seiner bewährten Männer zu Wahloffizieren, die am Tag der Wahl ab sechs Uhr morgens einen eigenen Raum mit Telefonanschluss in den Stadtbezirkswahlbüros beziehen sollten. Sie sollten die totale Kontrolle des Geschehens haben.

Genossen, schärfte Hummitzsch seinen Mitarbeitern ein, *ihr müsst alle negativen Verhaltensweisen und Provokationen, alle relevanten Erscheinungen im Vorfeld erarbeiten. Potentielle Wahlverweigerer erkennen, Eingaben zur Wahl analysieren bis hin zur Kontrolle der Sichtagitation: Fahnen, Losungen, Transparente.*

Micha hatte die kleine Johanna in einem Tragetuch vor seine Brust gebunden und spazierte mit ihr die Zweinaundorfer Straße entlang. Die Märzsonne wärmte sie schon, es war später Vormittag. Micha war gerade an einem Geschäft vorbeigeschlendert, da stutzte er plötzlich und ging ein paar Schritte zurück. Es war eine kleine Druckerei, und die wollte er sich einmal genauer ansehen. Nur eine Handvoll Leute arbeitete in den Räumen, und sie hatten gerade nicht viel zu tun. Micha zeigte sich angesichts der alten und geheimnisvoll ausschauenden Apparaturen interessiert und ließ sich vorführen, wie man mit Bleilettern einen Textblock setzte. Er fragte genau nach, wie alles funktionierte. So erfuhr er, dass die Druckerei die Bleilettern beim Leipziger VEB Polygraph bezogen hatte. Drucken lassen konnte man ohne staatliche Genehmigung in der kleinen Druckerei nichts.

Kurzerhand steckte Micha am nächsten Tag eine schriftliche Bestellung über einen kompletten Satz Bleilettern in den Briefkasten. Wenig später schrieb ihm der Volkseigene Betrieb zurück, dass er die Lettern bei ihnen abholen müsse, der Versand sei wegen ihres hohen Gewichtes nicht möglich.

Micha hatte inzwischen den Entwurf für ein Flugblatt zur Wahl fertiggestellt. Er traf Gesine in der leerstehenden Wohnung einer Theologiestudentin und gab ihn ihr zu lesen. *Wenn die Macht nicht mehr unmittelbar vom Volk ausgeht, sondern mit dem Staat das Volk geleitet wird, überlässt man das Land der Bürokratie. Sind Sie auch der Meinung, dass diese »Wahl« lediglich eine einmalige Zustimmungserklärung zur programmierten, starren und bevormundenden Politik der Partei und des Staates darstellt, dass die Kandidaten nicht ausschließlich nach ihren Fähigkeiten aufgestellt werden, dass dieses bislang bestehende Wahlsystem uns keine wahre demokratische Mitbestimmung sichert, dass echte Kommunalpolitik bei den Sorgen und Problemen des Bürgers beginnen und auf ihn zurückwirken muss?*

Dann kommen Sie am Wahltag, 7. Mai 1989, 18.00 Uhr auf den Markt am Alten Rathaus. Bringen Sie bitte statt Ihres Stimmzettels ein weißes Blatt Papier mit, als Zeichen der Ablehnung der bestehenden Wahlordnung und Wahlpraxis und der Forderung einer offenen Diskussion über die Fortführung der bislang bestehenden »Wahl«.

Leipzig, April 1989 – Initiative zur demokratischen Erneuerung der Gesellschaft

Gesine war einverstanden. Keine langen politischen Erklärungen, die Menschen diskutierten diesmal sowieso schon viel mehr über die Wahlen als jemals zuvor. Micha war es wichtig, dass der Name ihrer Initiative nach den Ereignissen in Leipzig in der Öffentlichkeit präsent blieb. In vielen Städten bereiteten sich Gruppen auf den Wahltag vor. Man hörte von über Nacht angebrachten Parolen gegen die Scheinwahl, es kursierten kritische Papiere, und bei der Vorstellung der Kandidaten der Nationalen Front erschienen plötzlich junge Leute und stellten unerwartete Fragen.

»Schau mal, was ich hier hab!«

Micha streckte Gesine seine Faust entgegen und öffnete sie. Sie musste genauer hinsehen, was auf seiner Handfläche lag. Sie erkannte einzelne kleine Buchstaben. Es waren die Bleilettern, die er beim VEB Polygraph abgeholt hatte.

»Damit können wir es diesmal drucken.«

»Brauchst du Hilfe?«

»Ja, wir treffen uns übermorgen wieder hier.«

Micha bastelte in der Zwischenzeit aus Holz einen stabilen Rahmen; eigentlich hätte er aus Metall sein müssen, wie er es in der kleinen Druckerei gesehen hatte. Doch er rückte die Buchstaben so gut es ging gerade und verkeilte sie, damit sie schön straff saßen. Beim Setzen freute er sich, dass der Buchstabensatz genügend Vokale wie a und e enthielt, aber er hatte vergessen, ausreichend Ausschluss für die Räume zwischen den Wörtern zu bestellen. Er behalf sich mit auf den Kopf gestellten Buchstaben, was dem Flugblatt am Ende ein etwas eigentümliches Aussehen gab. Schließlich besorgte Micha noch zwei Gummirollen aus einem Tapetengeschäft und etwas Ähnliches wie Druckerschwärze aus einem Schreibwarenladen. Dann trafen sie sich in der leerstehenden Wohnung.

Erst schwarze Farbe mit einer Rolle auf den selbstgefertigten Satz auftragen, dann ein Blatt Papier drauflegen und mit der zweiten, sauberen Rolle darüberwalzen. Das Ganze zweihundertfünfzig Mal wiederholt, ergab nach dem Zweiteilen fünfhundert Flugblätter.

Micha produzierte am nächsten Tag noch einen zweiten Stapel Blätter nach. Da die Zweinaundorfer unter Dauerbeobachtung der Stasi stand, wollte er die Lettern lieber loswerden und schaffte den gesetzten Text in seinem Rahmen zu Ernst von der Initiativgruppe Leben. Der war zwar gern bereit, die Sachen auf dem Dachboden aufzubewahren, nahm allerdings die Buchstaben wieder auseinander, weil er dachte, so lasse sich auf keinen Fall nachweisen, dass damit das Flugblatt gedruckt worden war.

Micha und Gesine behielten nur wenige Flugblätter, um sie an Freunde weiterzugeben. Ein Taxifahrer aus der Arbeitsgruppe Menschenrechte übernahm den großen Rest und versprach, ihn rechtzeitig in Leipzig zu verteilen.

Der Chefredakteur der *Leipziger Volkszeitung*, die keinen Tag ohne einen Artikel über die *breite Zustimmung des Volkes* zu den Wahlen vergehen ließ, hatte einen Leserbrief auf dem Tisch, den er unangenehm fand. Es war nicht der einzige Brief dieser Art, der ihn in diesen Wochen erreichte. Der Leser bat darum, das Blatt möge die Bevölkerung doch auch einmal genauer informieren, was unter einer gültigen Ja- und einer gültigen Neinstimme und was unter einer ungültigen Stimmabgabe zu verstehen sei. Der Chefredakteur antwortete dem *Werten Herrn Leser, der die vielen Berichte und Informationen über die Vorbereitung der Kommunalwahlen 1989 so aufmerksam verfolgt*, mit einem kurzen Brief:

Natürlich werden wir in diesen Bemühungen bis zum Wahltag nicht nachlassen, denn wir Journalisten der »Leipziger Volkszeitung« fühlen uns zutiefst und in fester Überzeugung der guten Politik verpflichtet, für deren Fortsetzung die Bürger der DDR am

7. Mai ihre Stimme geben werden. Ich sehe folglich keinen Sinn darin, in unserer Zeitung – in welcher Form auch immer – »Empfehlungen« zu geben, gegen diese Politik des Friedens, der Sicherheit und des Wohls der Menschen zu stimmen. Ihre eventuell in diese Richtung zielende Bitte werden wir also nicht erfüllen. Ich wünsche Ihnen eine gute Wahl am 7. Mai. Mit sozialistischem Gruß!

Jahrelang war das Wahlritual nicht hinterfragt worden. Plötzlich stellten auch Bürger Fragen, die bis dahin noch nie oppositionell in Erscheinung getreten waren, und tauchten in den schon lange vor dem 7. Mai eingerichteten Wahllokalen auf. Ein Leipziger Ehepaar war am 17. April im Sonderwahllokal Leipzig-Mitte gewesen und hatte sich über das, was es dort erlebte, so sehr erregt, dass es das Gespräch protokollierte und dem Arbeitskreis Gerechtigkeit zukommen ließ. In den Räumlichkeiten hatten sie eine ältere Frau angetroffen, der sie ihr Anliegen vortrugen: *Wir haben vergangene Woche unsere Wahlbenachrichtigungen erhalten, der Wahlhelfer konnte uns aber nicht erklären, welche Form eine gültige Nein-Stimme haben müsste. Er fügte jedoch hinzu, der Wahlleiter würde uns darüber sicherlich aufklären können, und aus diesem Grunde sind wir nun hier.*

Die Frau antwortete: *Ja, das kann ich Ihnen nicht sagen.* Sie verwies das junge Paar ins Nebenzimmer, dort befinde sich die Wahlleitung. Das Nebenzimmer war leer, und an einer Tür klebte ein Zettel, auf dem mit roter Schrift *Zutritt verboten!* stand. Sie klopften mehrere Male, bis sich endlich ein Mann zeigte, am Jackett das Parteiabzeichen der SED.

Guten Tag! Können Sie mir bitte sagen, wie eine gültige Nein-Stimme auszusehen hat?

Das weiß ich nicht.

Der Wahlhelfer mit unseren Wahlbenachrichtigungen konnte mir diesbezüglich schon keine Auskunft erteilen. Er hatte mich aber an einen Wahlleiter verwiesen, den ich in Ihnen glaube gefunden zu haben.

Wenn Sie eine Nein-Stimme abgeben möchten, dann tun Sie es doch. Ich weiß gar nicht, was Sie eigentlich von mir wollen.

Ich bin am Tage der Kommunalwahlen nicht in Leipzig, möchte aber zuvor von meinem Recht zu wählen Gebrauch machen. Da ich nicht beabsichtige, eine ungültige Stimme abzugeben, wollte ich mir zuvor Informationen darüber verschaffen, wie eine Nein- oder Gegenstimme konkret auszusehen hat.

Wie eine Nein-Stimme auszusehen hat, weiß ich nicht. Informieren Sie sich erst einmal, bevor Sie etwas machen wollen!

Dazu sind wir eigentlich hier, und aus dem Sonderwahllokal hatte man uns zu Ihnen geschickt.

Was eine Nein-Stimme ist, entscheidet allein der Wahlvorstand.

Könnten wir denn jemanden vom Wahlvorstand sprechen, der kompetent wäre, uns Klarheit zu verschaffen, da Sie ja nichts zu wissen scheinen?

Was ich zu wissen habe, haben Sie nicht zu entscheiden und was den Wahlvorstand betrifft, der tritt erst am Tage der Wahl, am 7. Mai, zusammen.

Wenn die Möglichkeit der vorherigen Stimmabgabe besteht, müssten doch theoretisch auch gleiche Bestimmungen wie zur eigentlichen Wahl gelten, und darum möchte ich jetzt jemanden vom Wahlvorstand sprechen, der mir endlich eine klare Antwort auf meine unmissverständliche Frage geben kann.

Ich habe Ihnen doch gesagt, dass der Wahlvorstand erst am Tage der Wahl zusammentritt. Befassen Sie sich erst einmal mit den Begriffen, ehe Sie die verwenden, junger Mann!

Der Bürger sah ein, dass er hier nicht weiterkam.

Gut, lassen wir es, obwohl ich mit Ihren Antworten nicht zufrieden bin.

Das spielt doch keine Rolle. Was weiß ich denn, wann Sie zufrieden sind. Ich habe Ihnen erklärt, dass der Wahlvorstand erst am Tage der Wahl zusammentritt und wenn Ihnen das nicht genügt, kann ich doch nichts dafür.

Eine andere Frage: Soviel mir bekannt ist, habe ich das gesetzliche Recht, an der Auszählung der Stimmen teilzunehmen.

Der SED-Genosse war genervt: *Das weiß ich nicht.*

Jetzt konnte sich die Ehefrau nicht länger zurückhalten: *Sie scheinen ja überhaupt nichts zu wissen!*

Der SED-Mann sah sie kurz an und erwiderte: *Sie haben mir doch nicht zu sagen, was ich zu wissen habe!*

Die bevorstehenden Wahlen hatten mehr solcher Begegnungen zwischen Bürgern und Funktionären zur Folge denn je. Der Ton war dabei auf Seiten der Genossen oft gereizt, überheblich oder arrogant, so wie in dieser »Unterhaltung« – auf jeden Fall abweisend. Das brachte viele Menschen auf die Palme. In den Zeitungen stand fast jeden Tag: *Arbeite mit! Plane mit! Regiere mit!* Doch wer das beim Wort nahm, erlebte, dass die Realität anders war.

Die Situation in und vor der Nikolaikirche hatte sich durch den anhaltenden Andrang von Ausreiseantragstellern verändert. Was im Herbst des Vorjahres begonnen hatte, das abwartende, gespannte Zusammenstehen und der Austausch von Informationen auf dem Vorplatz der Kirche, war nun schon zur Gewohnheit geworden. Von Anfang April 1989 an durften die Gruppen die Friedensgebete wieder mitgestalten. Nach vielen Gesprächen hatten Magirius und der Kirchenvorstand von Nikolai ihre Ausgrenzung zurückgenommen. Die Bewohner der Mariannenstraße, die Mitglieder vom Arbeitskreis Gerechtigkeit und der Initiativgruppe Leben kamen jeden Montag.

Vor einem Friedensgebet im März gingen Uwe und Rainer zum Küster von Nikolai. Sie überredeten ihn, die Tür zur Empore neben dem Altar aufzuschließen, was er eigentlich nicht durfte. Sie warteten, bis die Orgel spielte und das erste Lied gesungen wurde. Dann überstiegen sie ein Absperrseil, öffneten die Tür zur Empore, gingen nach oben und entrollten ein Transparent, das Rainer erst am Vortag für einen Solidaritätsabend in der Markusgemeinde beschriftet hatte. *Freiheit für Václav Havel und alle politischen und religiösen Inhaftierten in der CSSR!* Die Leute im Kirchenschiff klatschten lange Beifall. Die beiden hielten es bis zum Ende der Veranstaltung für alle sichtbar in die Höhe. Micha fotografierte sie und gab den Film an Thomas weiter, der ihn Westjournalisten zukommen ließ.

Bei einem anderen Friedensgebet zeigte sich, wie radikal sich mittlerweile Leipziger, die einen Ausreiseantrag gestellt hatten, in aller Öffentlichkeit äußerten. Nach dem Anfangslied »O komm, Du Geist der Wahrheit« konnten mehrere Besucher sprechen, die sich im *Kreis Hoffnung* von Pfarrer Führer trafen. Eine Kinderzahnärztin, Mutter von zwei Kindern, die schon seit drei Jahren auf die Genehmigung zur Ausreise wartete, trat als Erste nach vorne.

Ich bin nicht der Typ, der sich mit einer Fahne, welcher auch immer, auf die Straße stellt. Ich organisiere auch keine Untergrundbewegung oder halte Staatsmaschinerien auf. Ich möchte das sagen und tun können, was ich für richtig halte.

Der tosende Beifall machte sie etwas unsicher. Dann sah sie in die gespannt dreinblickenden Gesichter und wusste, dass man von ihr erwartete auszusprechen, was viele von ihnen dachten.

Leben heißt Veränderung! Irgendwann habe ich begriffen, dass es über meine Kräfte geht, weiter das mitzumachen, was man »Weg zum Sozialismus« nennt. Durch den Totalitätsanspruch werden in allen gesellschaftlichen Bereichen, vor allem aber im Bildungswesen, ständig Bekenntnisse und Verpflichtungen verlangt, hinter denen der Einzelne oft gar nicht steht. So erfolgt eine Erziehung zu Heuchelei. So hat sich ein Gemisch aus Apathie, organisierter Verantwortungslosigkeit, Tabuisierung und Verleugnung von Problemen ergeben. Eine gesellschaftliche Partizipation ist nicht

Blick aus der Zweinaundorfer Straße 20a, Januar 1989: Michas Kreuze markieren Stasi-Beobachter im Auto und einen »Beobachtungsstützpunkt«.
(Michael Arnold)

Drucken im Untergrund: eine Ormig-Wachsmatrizenmaschine in der Zweinaundorfer 20a
(Michael Arnold)

Tippen im Untergrund: Michas Schreibmaschine
(Michael Arnold)

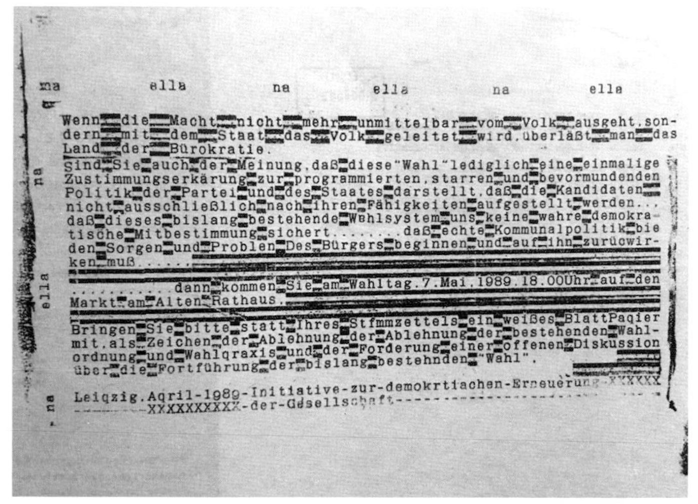

ma ella na ella na ella

Wenn die Macht nicht mehr unmittelbar vom Volk ausgeht, sondern mit dem Staat das Volk geleitet wird, überläßt man das
Land der Bürokratie.

Sind Sie auch der Meinung, daß diese "Wahl" lediglich eine einmalige
Zustimmungserkärung zur programmierten, starren und bevormundenden
Politik der Partei und des Staates darstellt, daß die Kandidaten
nicht ausschließlich nach ihren Fähigkeiten aufgestellt werden...
daß dieses bislang bestehende Wehlsystem uns keine wahre demokratische Mitbestimmung sichert....... daß echte Kommunalpolitik bie
den Sorgen und Problen Des Bürgers beginnen und auf ihn zurücwir-
ken muß.....

.... dann kommen Sie am Wahltag.7.Mai.1989.18.00Uhr auf den
Markt am Alten Rathaus.

Bringen Sie bitte statt Ihres Stfmmzettels ein weißes BlattPaqier
mit.als Zeichen der Ablehnung der Ablehnung der bestehenden Wahlordnung und Wahlqraxis und der Forderung einer offenen Diskussion
über die Fortführung der bislang bestehnden "Wahl".

Leiqzig.Aqril-1989-Initiative-zur-demokrtiachen-Erneuerung-XXXXXX
----------XXXXXXXXXX-der-Gdsellschaft-------------------------

ella na

Mit Bleilettern gedruckter Demonstrationsaufruf zur DDR-Volkskammerwahl am 7. Mai 1989
(Peter Wensierski)

7. Mai auf dem Leipziger Markt: Volksfest und Verhaftungen am Wahlsonntag (Tobias Hollitzer)

Eine »Zuführung«, 7. Oktober 1989
(Martin Jehnichen/Archiv Bürgerbewegung Leipzig)

Thomas und Jochen vor der Lukaskirche bei der Gegenveranstaltung zum evangelischen Kirchentag am 7. bis 9. Juli 1989
(Martin Jehnichen/Archiv Bürgerbewegung Leipzig)

Rainer und Uwe mit Protestbanner, das an das Tiananmen-Massaker erinnert, auf dem Gelände des offiziellen evangelischen Kirchentags, 9. Juli 1989 (Martin Jehnichen/Archiv Bürgerbewegung Leipzig)

Kathrin, Rainer und andere aus dem Arbeitskreis Gerechtigkeit lenken die Demonstration vom Kirchentagsgelände in Richtung Stadt. Die Idee, sich mit Kirchentagsbändern zu verbinden, entstand spontan.
(Martin Jehnichen/Archiv Bürgerbewegung Leipzig)

Straßenmusikfest in Leipzig, 10. Juni 1989: Gesine und Anita inmitten der Menge auf einem Grünstreifen am Leipziger Markt
(Rainer Kühn/Archiv Bürgerbewegung Leipzig)

Fotos mutmaßlicher Stasi-Mitarbeiter, die Micha heimlich von einem Dachboden gegenüber der Stasi-Untersuchungshaftanstalt in der Beethovenstraße aufnahm (Michael Arnold)

Protestplakat an der Nikolaikirche nach Verhaftungen am 11. September 1989 (Frank Sellentin/Archiv Bürgerbewegung Leipzig)

Pfarrer Wonneberger und Mitstreiter (u. a. Rainer, Frank Richter, Thomas) am 6. Oktober 1989: Das Foto wurde gemacht, damit im Fall von Verhaftungen Öffentlichkeit hergestellt werden konnte.
(Ansgar Vössing)

Wasserwerfereinsatz in der Leipziger Innenstadt am 7. Oktober 1989, dem 40. Jahrestag der DDR
(Armin Kühne/Universitätsarchiv Leipzig)

Demonstranten in der Leipziger Innenstadt, über 100 000 ziehen anschließend über den Ring, 16. Oktober 1989
(Gerhard Gäbler)

Kundgebung des Neuen Forums vor 50 000 Menschen auf dem Leipziger Dimitroffplatz, 18. November 1989
(Gerhard Gäbler)

Demonstranten in der Leipziger Stasi-Zentrale, links Micha, 4. Dezember 1989 (Gerhard Gäbler)

Gesine und Christian in der Mariannenstraße 46
(Frank Sellentin/Archiv Bürgerbewegung Leipzig)

erwünscht, es wird den Menschen lediglich die Rolle zustimmenden Mittuns, nicht aber die kritische Partnerschaft eingeräumt. Mündigkeit wird gehindert durch ein weit verbreitetes Gefühl der Angst.

Nach ihr sprach ein Mann, der ihren Worten noch einen wichtigen Gedanken hinzufügte: *Mit materieller Sicherheit, mit Arbeitsplatz und Lehrstelle für jeden, mit preiswerten Wohnungen, Straßenbahn und Brot für Pfennige allein ist der Mensch kaum zufriedenzustellen …*

Als Letzter sprach Pfarrer Führer. Er hatte wie immer Jeans und seinen weißen Rollkragenpullover an.

Ich hörte vor vierzehn Tagen von einem Genossen und Lehrer der Gesellschaftswissenschaften, 59 Jahre alt. Es ist mit seiner Frau von einer BRD-Reise nicht zurückgekehrt, ist »drüben« geblieben. Nun, da beginnen die Gedanken zu laufen.

Da hat der Mann den Schülern jahrelang den Sozialismus verkündet in der bekannten Art und Weise. Da hat der Mann jahrelang christlichen Kindern das Leben schwergemacht. Und nun sieht er in der BRD seiner gesicherten Beamtenpension entgegen – in DM-West versteht sich. Wie viele solche Menschen leben noch unter uns? Wie viele solcher Menschen mögen heute noch über den Sozialismus und die Vorteile und Zukunftsträchtigkeit dieses Systems dozieren, um bei günstiger Gelegenheit die Früchte des dem Untergang geweihten Kapitalismus zu genießen?

Die Worte des Pfarrers und das ganze mit dem Kreis Hoffnung vorbereitete Friedensgebet führten dazu, dass am nächsten Tag drei ihm vorgesetzte Kirchenvertreter zum Rat des Bezirkes einbestellt und mit Vorwürfen überschüttet wurden. Die Veranstaltung sei *ein massiver Angriff gegen Staat und Gesellschaft* gewesen. *Es gelte wohl nicht, was abgesprochen worden sei. Die alternativen Gruppen könnten wieder stärker agieren. Ihre Vernetzung wird immer sichtbarer. Aber wenn solche Leute wie Wonneberger,* und dann nannte Genosse Reitmann vom Rat des Bezirkes namentlich Thomas, Micha und Uwe, *die inhaltliche*

Seite der Friedensgebete wieder bestimmen könnten, ist auch klar, was dabei herauskomme: Eine Verschärfung der Lage. Der Vertreter des Landeskirchenamtes stimmte dem SED-Mann zu, auch er missbillige dieses Friedensgebet. Man sei vorher nicht informiert gewesen. Er versprach, man werde auf die Veranstalter einwirken.

Reitmann, der leitende SED-Mann in Leipzig, sah schon die nächste Gefahr aufziehen und verlangte von der Kirchenführung, etwas dagegen zu unternehmen: *Pfarrer Turek scheint aus den Ereignissen um den 15. Januar keine Konsequenzen gezogen zu haben. Sonst würde er seinen Gemeinderaum nicht für Gruppen zur Verfügung stellen, die dort beraten wollen, wie man die bevorstehenden Wahlveranstaltungen stören kann.*

Pfarrer Führer wurde am selben Tag ins Rathaus einbestellt, allerdings zu einem rangniedrigeren Genossen für Kirchenfragen. Er verteidigte das von ihm verantwortete Friedensgebet mit den Ausreiseantragsstellern des Kreises Hoffnung. Trennung von Staat und Kirche bedeute für ihn kein Rückzug hinter dicke Kirchenmauern, sondern schließe die Beschäftigung mit gesellschaftlichen Problemen ein. Die »Zeugnisse der Betroffenheit« hätten eine lange Tradition in der Kirche, denn Kirche sei dazu da, dass sich Menschen in ihrer Not äußern könnten. Sein Begleiter, der Stellvertreter von Magirius, bat, der Staat solle mehr Toleranz im Umgang mit den Gruppen zeigen. Besorgt erkundigte sich der SED-Mann, ob denn immer noch gelte, dass in der Kirche nicht gefilmt werden dürfe, vor allem nicht vom Westfernsehen. Führer versicherte, der Kirchenvorstand dulde weiterhin keine Innenaufnahmen. Wenigstens das beruhigte ihren Gesprächspartner.

Zwei Wochen später war Frühjahrsmesse in Leipzig. Der Messemontag, der 13. März, bot den Basisgruppen erneut eine günstige Gelegenheit zu einer gemeinsamen Demonstration mit den Ausreiseantragstellern. Die Stadt war voll, Journalisten aus dem Westen waren zahlreich anwesend. Die DDR-Zeitungen zeigten Bilder der staatlichen Nachrichtenagentur ADN von dem mit bunten Fahnen geschmückten Markt und schrieben darunter: *Ein großer Teil der 9000 Aussteller, Kaufleute sowie Repräsentanten von Wirtschaft und Handel aus aller Welt sind in der DDR-Handelsmetropole eingetroffen. Besucher aus mehr als 100 Ländern werden zur größten außenwirtschaftlichen Veranstaltung der DDR im 40. Jahr ihrer Gründung erwartet.*

Am Vorabend der Eröffnung war Hochbetrieb in der Wohnung von Thomas und Kathrin in der Meißner Straße. Aus der Mariannenstraße war Rainer gekommen, von der Umweltgruppe Roland und Tobias. Thomas hatte bereits im Vorfeld Kontakt mit den zur Messe angereisten Fernsehredakteuren von ARD und ZDF aufgenommen, ebenso mit einer Gruppe Leipziger Ausreiseantragsteller, und hatte alles Notwendige für die Demo abgesprochen.

Montagnachmittag um 17 Uhr begrüßte Magirius die Besucher in der Nikolaikirche, die Predigt hielt der Rektor des Theologischen Seminars zum Bibelspruch »Suchet der Stadt Bestes«. Über die Stadt Babel sagte er: *Diese Stadt ist ein Ort gewesen, wo Gerechtigkeit und Menschenwürde mit Füßen getreten wurden.* Seine Sätze wurden mit starkem Beifall bedacht. Die Leute aus den Gruppen hielten sich im hinteren Teil der Kirche auf. Frank und Anke standen neben jungen Männern mit schwarzen barettähnlichen Kopfbedeckungen, behängt mit weißen Kordeln. Die Anzahl der Kordeln verriet die Jahre, die sie schon auf ihre Ausreise warteten. Einer von ihnen hatte fünf Kordeln, zählte Anke.

Pfarrer Wonneberger hielt eine kurze Ansprache mit großem Verständnis für alle, die einen Ausreiseantrag gestellt hatten. Er sprach nicht in biblischen Gleichnissen: *Ich sehe die Gründe, die DDR zu verlassen, unter anderem darin, dass eine eigene Meinung in diesem Land nicht gefragt ist. Die Menschen haben das Gefühl der Entmündigung und der Vorenthaltung von Informationen. Jeder kennt die Einschränkungen der persönlichen Bewegungsfreiheit und Bevormundung durch die Behörden. Hoffnung auf Veränderung von oben besteht nicht mehr.*

Nach dem Friedensgebet bildeten rund 600 der 1000 Teilnehmer des Friedensgebets, begleitet von Fotografen und Filmteams, einen Demonstrationszug durch die Innenstadt, der über die Ritterstraße, die Grimmaische, den Markt bis zur Thomaskirche und wieder zurück zur Nikolaikirche führte. Sie taten sich zur Demonstration zusammen, obwohl schon Tage vor Messebeginn Hunderte von Antragstellern vorgeladen oder zu Hause aufgesucht und belehrt worden waren, während der Messe an keinerlei Aktionen teilzunehmen. Auch Micha hatten sie abgeholt, er wurde aufgefordert, keine Fotos zu machen. Am Rande der Demonstration verteilte Thomas einige Exemplare einer Erklärung, die er zuvor auch Westjournalisten von ARD und ZDF hatte zukommen lassen. Der Arbeitskreis Gerechtigkeit betrieb seit seiner Gründung eine Arbeitsgruppe Ausreise, die den Widerstand im Land und das Verlassen der DDR miteinander verband. Die Erklärung von Thomas bewies viel Verständnis für die Antragsteller: *Wir sind der Auffassung, dass die anhaltende Ausreisewelle ein Spiegelbild der gesellschaftlichen Zustände ist. Diese Zustände sind gekennzeichnet durch Stagnation in Politik, Wirtschaft und Kultur …*

Die Demonstranten wurden mehrmals durch Ketten von untergehakten Stasi-Männern attackiert, aber nicht erfolgreich aufgehalten. Eine Frau in der ersten Reihe rief: *Jetzt haben wir keine Angst mehr!* Angesichts der ständig filmenden Westkameras schauten 850 Sicherheitskräfte ansonsten mehr oder weniger zu. Nur als ein Demonstrant ein DIN A3 großes Blatt zeigte, auf dem er schnell mit Filzstift *Reisefreiheit statt Behördenwillkür* geschrieben hatte, stürzten sich sofort mehrere Männer, die im Zug gut getarnt mitgelaufen waren, auf ihn. Dass keine Plakate oder Transparente gesehen werden konnten, war ihnen wichtiger, als die Demonstration aufzulösen. Angesichts der Rangelei riefen die Umstehenden erstmals in unüberhörbaren Sprechchören *Stasi weg! Stasi weg! Freiheit! Gerechtigkeit!* Erst ein starker Regenguss trieb alle auseinander.

Der einzige Festgenommene wurde am gleichen Tag wieder freigelassen. Millionen DDR-Bürger sahen abends in den Nachrichtensendungen des Westfernsehens eine Protestdemonstration in Leipzig, bei der weder Stasi noch Polizei eingegriffen hatten. Von nun an sollten jeden Montagabend Demonstrationen oder zumindest Demonstrationsversuche vom Nikolaiplatz ausgehen.

Thomas nutzte die internationale Öffentlichkeit während der Messe auch dafür, um mit anderen Sprechern des Arbeitskreises Gerechtigkeit im Foyer des Hotels Bayrischer Hof eine Art Pressegespräch mit akkreditierten Westjournalisten abzuhalten, denen er einen *Offenen Brief an die Bevölkerung in der DDR* mitgab, in dem die tödlichen Schüsse an der Berliner Mauer auf den zwanzigjährigen Chris Gueffroy angeprangert wurden: *Es bleibt – und das nicht nur für die Regierung der DDR – beschämend, wenn der Zustand der Lüge bis in die Gräber der Toten reicht. Chris Gueffroy wurde im Februar am sogenannten Antifaschistischen Schutzwall von Grenzsoldaten der DDR ermordet. Er war nicht der erste und wird auch nicht der letzte gewesen sein – leider. 120 Personen waren am 23. Februar zu seiner Beerdigung gekommen, aber nicht einmal am Grabe fand die Wahrheit Platz. Der Mord wurde als »tragischer Unglücksfall« bezeichnet, was den Zustand der Lüge gegenüber den dunklen Stellen in der Geschichte der DDR besonders beschämend aufzeigt. Wenn wir, ob Parteigenosse oder Christ, Intellektueller oder*

Arbeiter etwas ändern wollen, müssen wir die Dinge so bezeichnen wie und was sie sind. Jeder muss an seinem Ort beginnen, die Wahrheit zu sagen. Wenn die Angst vor der Wahrheit einer Offenheit weicht, wird es überflüssig, Druckerzeugnisse zu zensieren, Journalisten bei ihrer Arbeit zu behindern oder Menschen wegen ihrer Meinungsbekundungen zu inhaftieren. Nur: Jeder muss eben an seinem gesellschaftlichen Platz damit beginnen und solidarisch für seinen Nachbarn eintreten.

Am 10. April durften Kathrin und Thomas unter Verantwortung des Jugendpfarrers Klaus Kaden das Friedensgebet gestalten. Das Kirchenschiff war mit neunhundert Besuchern dicht besetzt. Sie informierten über die Arbeit ihrer Widerstandsgruppe, über das Schicksal von Totalverweigerern bei den aktuell laufenden Einberufungen zur Volksarmee, über die Lage in Rumänien und Prag. Auch Thomas, der sonst nicht oft öffentlich auftrat, trug seine Gedanken vor: *Wir leben in einer Zeit, wo die Unwahrheit schon fast als Kavaliersdelikt betrachtet wird und einfach als zur Lebenstüchtigkeit gehörend hingenommen wird. Wenn der Todesschuss an der innerdeutschen Grenze, gegen Menschen, die sich als Staatseigentum der DDR empfinden und daraus entfliehen wollen, selbst noch an den Gräbern der Toten als tragischer Unglücksfall bezeichnet wird, so zeigt das auf, wie weit der Zustand der Lüge in dieser unserer Gesellschaft fortgeschritten ist. Und es fällt dann schon kaum noch auf, wenn Wahlen von amtlicher Seite als Bekenntnisse zu Partei und Regierung bezeichnet werden, also nicht mehr den Charakter des Wählens haben. Aber dies alles fängt bei uns an. Die Offenheit, Dinge, die verschleiert werden, auszusprechen, beginnt in unseren vier Wänden. Erst wenn wir damit anfangen, werden wir auch fähig die gesellschaftlichen Strukturen der Lüge zu überwinden.*

Vier Tage später musste Pfarrer Kaden zusammen mit Turek, Wonneberger und dem Studentenpfarrer Barthels zu einem Gespräch mit Bischof Hempel und den Leipziger Superintendenten nach Dresden fahren. Wonneberger notierte sich die Standpauke seines Bischofs. Es ging wieder einmal um die Frage, ob das Friedensgebet abgesetzt werden müsse.

Das Wort »Friedensgebet« ist nicht mehr wahr, warf ihnen Hempel vor, *es ist eigentlich ein Aggressionsgebet. Die Gruppen haben keinen Gottesdienst zu leiten. Die Vorstellungen der Gruppen mit Angabe ihrer Kontaktadressen entsprechen nicht dem abgesprochenen Konsens zur Durchführung der Friedensgebete! Für Ausreiser in Massen haben wir keine Botschaft! Thematische Gottesdienste sind als Ausnahme möglich, aber als Regel sind sie nicht christlich. Menschenrechte sind ein Thema der Kirche, eine Magna Charta der Menschenrechte ist nicht Thema der Kirche.*

Wonneberger bekräftigte, dass er an seiner engen Zusammenarbeit mit den jungen Leuten nichts ändern wolle. Hempel halte ihn wohl für naiv, was die Gruppen angehe. *Ich möchte mal ohne Seidenpapier hören, was die Gruppen von uns kirchenleitenden Leuten denken!*

Die Runde beschloss am Ende, das Friedensgebet beizubehalten, aber es sollte fortan Montagsgebet heißen.

Es war nicht nur seine Haltung zum Friedensgebet als politische Andacht, die Wonnebergers Vorgesetzten und dem Staat missfiel. Noch provokanter war in ihren Augen, dass Wonneberger sein Gemeindehaus im tristen Stadtteil Volkmarsdorf für die politisch aktiven Gruppen geöffnet hatte. Bei ihm in der Juliusstraße liefen viele Fäden zusammen, denn das kirchliche Gebäude bot einen weitaus besser geschützten Raum als Privatwohnungen. Mehr noch als die Markusgemeinde von Pfarrer Turek, das Stadtjugendpfarramt von Pfarrer Kaden und die Evangelische Studentengemeinde von Pfarrer Barthels war das Pfarrhaus der Lukaskirche zu einem strategisch günstig gelegenen Hauptquartier vor allem für den Arbeitskreis Gerechtigkeit und die Arbeitsgruppe Menschenrechte geworden. Die Juliusstraße lag nur neun Minuten Fußweg von der Mariannen- und der Meißner Straße entfernt. In den Räumen der Gemeinde fanden unzensierte Veranstaltungen statt. Die von den Gruppen aufgebaute Untergrundbibliothek war mittlerweile gut ausgestattet. Sie ermöglichte die Lektüre von verbotener Literatur und Druckschriften der Opposition, etwa des Pressespiegels *Dialog*, den der Ex-Jenaer Schriftsteller Jürgen Fuchs regelmäßig aus Westzeitungen zusammenstellte. Dienstags konnte man hier dank Susannes Kontakten zu den Westjournalisten meist den aktuellen SPIEGEL lesen, freitags die *Zeit*. Thomas erhielt über den Associated-Press-Korrespondenten Ingo zudem oft einen ganzen Kofferraum voller Bücher für Leipzig und den ganzen Süden der DDR, die er vorher in West-Berlin bei seinem Freund und Gruppenmitgründer Frank Wolfgang bestellt hatte.

Wonnebergers Telefon und sein Büro standen jederzeit als Nachrichtenzentrale zur Verfügung. Seine Vervielfältigungsgeräte wurden eifrig genutzt. Thomas hatte über Ingo inzwischen eine motorbetriebene Wachsmatrizenmaschine erhalten, die von einem Ortsverband der Grünen in Gladbeck spendiert worden war. Wonneberger hatte sie zunächst im Schrank des Kinderzimmers unter Babykleidung versteckt, bis es eine unausgefüllte, pauschale Schenkungsurkunde einer westlichen Partnergemeinde gab, mit der das eingeschmuggelte Gerät jederzeit als Kircheneigentum ausgewiesen werden konnte.

Während das Erdgeschoss in der Juliusstraße weiterhin für viele offen stand, blieb es dabei, dass zur kleinen Druckwerkstatt nur fünf Leute vom Arbeitskreis Gerechtigkeit und der Arbeitsgruppe Menschenrechte Zutritt hatten. Dort waren im Lauf der Zeit immer mehr und immer bessere Druckgeräte hinzugekommen. Sogar ein kleiner Tischkopierer und ein

Einbrenngerät, um Fotos auf Wachsmatrizen zu übertragen. Um den Fotokopierer vor Blicken durch die beiden Fenster zu schützen, hatten sie eigens eine dünne Zwischenwand mitten im Raum eingezogen. Hier stand auch ein Schrank mit etwa hundert Postverteilfächern für die Untergrundzeitschriften und andere Materialien, die Rainer und Thomas regelmäßig aus Berlin und anderen Städten abholten und dann an Gruppen in der DDR und Osteuropa verteilten.

Was weder der Bischof noch Wonneberger wusste: In diesen Apriltagen hatte es eine Absprache zwischen den Chefs zweier Stasi-Abteilungen in der Runden Ecke gegeben. Einer der beiden Leiter notierte sich dabei in seine Arbeitskladde: *Wonneberger – diskreditieren, mies machen (kirchliche Disziplinierung anweisen) Ziel: weg von Leipzig.*

Swing-Musik zum Wahlbetrug
Mai 1989

Die Demonstration zur Messe, die immer größeren Versammlungen vor der Nikolaikirche, die weiter drängenden Gruppen, die bevorstehenden Wahlen – die Spitzen von SED und Stasi in Leipzig konferierten und konferierten und gebaren eine Idee, die ihnen Erleichterung verschaffen sollte. Sie ersannen die *Aktion Auslese*, um Ausreiseantragsteller loszuwerden, die potentiell stören und demonstrieren könnten. Die Stasi half eifrig dabei, Listen mit Namen aufzusetzen. Bis zum Tag der Kommunalwahl am 7. Mai genehmigten die Leipziger Behörden etwa 2000 Ausreiseanträge, noch einmal so viele bis zum Kirchentag im Juli, im Glauben, damit wieder Ruhe im Bezirk herzustellen. Doch die Hoffnung trog. Stattdessen gab es eine Flut neuer Ausreiseanträge, und im Nikolaikirchof sah man immer neue Menschen mit einem sie verbindenden Symbol in Weiß. Die Leute mit weißen Turnschuhen, weißen Halstüchern, weißen Socken oder Bändern kamen längst nicht mehr allein aus Leipzig. Der Verzweiflungsschritt der Partei hatte sich herumgesprochen und wirkte wie ein Startsignal für alle, die bis dahin noch zögerlich gewesen waren. Wer schnell rauswollte, fuhr nun nach Leipzig. Im Endeffekt stellten erheblich mehr Leute neue Ausreiseanträge, als im Rahmen der Aktion Auslese herausgelassen worden waren.

Ausreiseantragsteller und Gruppen wirkten weiter zum gegenseitigen Vorteil zusammen. Die Ausreiser boten Risikobereitschaft, wollten politisch auffallen und scheuten sich nicht vor öffentlichkeitswirksamen Aktionen. Der Arbeitskreis Gerechtigkeit, aber auch die Initiativgruppe Leben halfen bei der Planung und den Kontakten zu Westmedien. So erhöhte sich die Wirksamkeit der Gruppen und für die Ausreisewilligen die Wahrscheinlichkeit, schneller ans Ziel zu kommen.

Auch Fred hatte einen Ausreiseantrag gestellt. Er musste noch vor dem Messemontag und der Demonstration, an der er gern teilgenommen hätte, das Land verlassen. Ihm war nicht nur das Abitur an der Schule verwehrt worden, sondern nach einer Tischlerlehre auch jegliche Weiterbildungsmöglichkeit, selbst das Nachholen des Abiturs an der Volkshochschule. Beharrlich legte er daraufhin innerhalb von zwei Jahren die Prüfungen für das Reifezeugnis in sechs einzeln belegten Fächern ab, was ihm trotzdem keinen Platz an der Uni einbrachte. Seit dem Sommer 1988 stand er unter Landesarrest, er durfte die DDR nicht einmal mehr Richtung Polen oder Ungarn verlassen.

Fred hatte sich lange engagiert, aber wollte nicht irgendwann ein Soziologiestudium machen, sondern jetzt. Seine Freunde akzeptierten das. *Jeder entscheidet für sich allein.* Er versprach, sie weiter von West-Berlin aus zu unterstützen. Sie begleiteten ihn zum Leipziger Hauptbahnhof, wo sie schon so viele andere verabschiedet hatten. Sie tranken und lachten, aber es war ihnen traurig zumute. Uwe hasste den Anblick, wenn die Rücklichter des Zuges am Ende des Bahnhofes verschwanden und der Gedanke sich einstellte: Den siehst du nie wieder. Er nahm Fred zur Seite. Wer sie beobachtete, sah, dass die beiden etwas verabredeten.

Es gab seit Beginn des Frühjahrs keinen ruhigen Tag mehr, weder für die Aktivisten noch für Stasi und Volkspolizei.

Am Abend des 1. Mai saßen Bewohner und Gäste im Hof der Mariannenstraße zusammen. Tagsüber war viel passiert. Rainer war noch morgens in Borna gewesen. Er berichtete: »Gegen halb zehn wollte ich mit dem Fahrrad zur staatlichen Maifeier fahren. Ich kam aber nicht bis dorthin. Ein paar Stasi-Leute in Zivil hatten in der Röthaer Straße auf mich gelauert und wollten mich packen, ohne mir zu sagen, warum.« Rainer ging in die Knie und setzte sich auf die Straße. Da sah er einen Bekannten am Rand stehen, rief ihm seinen Namen zu und wem er noch Bescheid geben solle. Die Angreifer wurden wütend, packten ihn an den Füßen und schleiften ihn über das Pflaster – bis zu ihrem Wartburg. Dort öffneten sie die hintere Tür und drückten Rainer unter Schlägen hinein. Erst ging es auf das Volkspolizeikreisamt Borna, von dort in die Dimitroffstraße nach Leipzig. »Ich hatte den Eindruck, die wussten nichts mit mir anzufangen, die wollten mich nur während der Maikundgebung nicht dabeihaben. Sie stellten Fragen zur Anti-Atomkraft-Mahnwache, die wir mit ein paar Leuten am Bahnhof Stendal vor ein paar Tagen organisiert hatten.«

In der Zwischenzeit war seine Freundin Silke von Rainers Verhaftung informiert worden. Sie erkundigte sich auf der Polizeiwache Borna nach ihm. Die Uniformierten schüttelten den Kopf und gaben sich absolut ahnungslos. Beim Verlassen des Gebäudes sah sie im Innenhof Rainers sichergestelltes Fahrrad. Es war unverkennbar: Im Dreieck des Rahmens hatte er mit Pappe eine Wandzeitung eingezogen. Auf der einen Seite stand unter der Zeile *Mobil ohne Auto* etwas Kritisches über das Autofahren, auf der anderen stand immer etwas Aktuelles. Diesmal prangte dort ein Spruch zu den bevorstehenden Kommunalwahlen: *Wer seine Stimme abgibt, hat nichts mehr zu sagen!* Silke war nun alles klar. Sie rief von einer Telefonzelle bei Pfarrer Wonneberger an, der gab Thomas, Bernd und

Kathrin Bescheid. In Ost-Berlin wusste es nur Minuten später Susanne und über sie der Westkorrespondent Ingo, der eine Agenturmeldung verfasste. Gegen Mittag kam die Nachricht von Rainers Verhaftung mit genauer Nennung seines Namens alle halbe Stunde im Radiosender RIAS und jede Stunde im Deutschlandfunk.

»Ich sitz mitten im Verhör, da fliegt plötzlich die Tür auf, ein Stasi-Offizier aus Borna kommt rein und unterbricht uns. Der macht dem Leipziger Kollegen Vorwürfe, ich habe doch nur zur Mai-Demo gewollt, ohne Transparent, das sei doch mein gutes Recht, und er nehme mich jetzt gleich wieder mit nach Borna. Das passierte dann auch. Der Vernehmer ließ mich gehen, der Offizier aus Borna führte mich hinaus, und ich musste in seinen Wartburg einsteigen. Mit einem Affenzahn ging es über die F95 an Espenhain vorbei zur Volkspolizei nach Borna. Dort bekam ich mein Fahrrad zurück und durfte gehen. Die Mai-Demo war allerdings längst vorbei.«

Seine Erzählung hatte Kopfschütteln und Lachen angesichts des offensichtlichen Chaos bei der Stasi ausgelöst. Frank sagte in das Lachen hinein: »Wenn Untertanen ihre Herrscher auslachen, ist das Ende meist nicht weit.« Womit er für den nächsten Lacher sorgte. Diesen Spruch hatte Frank von Stephan Krawczyks letztem Konzert in Leipzig in Erinnerung behalten. Alle wollten noch wissen, wie die Rückfahrt mit dem Stasi-Mann im Wartburg verlaufen war. Sie hätten sich hauptsächlich angeschwiegen, erzählte Rainer, aber der Bornaer Offizier habe das Vorgehen der Leipziger ihm gegenüber mehrfach bedauert.

Auch Uwe hatte etwas zu berichten. Er hatte sich mit Frank und anderen am Vormittag hinter die Haupttribüne der offiziellen 1.-Mai-Demo der SED in Leipzig geschlichen. Zwei Mitglieder der Initiativgruppe Leben hatten ein eigenes Spruchband für den Aufmarsch der Partei vorbereitet.

Wahrheit ist kein Monopol – Offen sein für Alternativen stand darauf. Pünktlich um neun Uhr hatten sie sich in der Nähe des Polizei- und Stasi-Gefängniskomplexes Dimitroffstraße zwischen die Marschblöcke der *Leipziger Volkszeitung* und der Hochschule für Grafik und Buchkunst eingereiht. Als es losging, entrollten sie ihr zwei Meter breites Transparent und konnten eine Dreiviertelstunde ungestört mitlaufen. Vielleicht war die Losung für manchen Beobachter erst auf den zweiten Blick als staatsfeindlich erkennbar, vielleicht hatten die Aufpasser nicht richtig aufgepasst. Die Mitdemonstranten direkt um sie herum gehörten jedenfalls zu jenen DDR-Bürgern, die bei solchen Aufmärschen ihrer Pflicht im Arbeitskollektiv nachkamen, aber Zustimmung zur Politik der Partei nur vortäuschten. Dafür versaute man dem Kollektiv im Betrieb vielleicht nicht die Prämie und bekam vor allem auch keinen Ärger.

Uwe und Frank konnten mitverfolgen, wie die beiden mit dem Transparent von zivilen Stasi-Leuten zwanzig Meter vor der Haupttribüne aus dem Zug herausgerissen und in eine Wolga-Limousine gezerrt wurden. Erst mussten sie eine Stunde mit dem Gesicht zur Wand im Kulturraum des VEB Starkstromanlagenbau stehen, dann wurden sie einzeln vernommen. »Aber nach vier Stunden«, erzählte Uwe weiter, »waren sie wieder auf freiem Fuß.« Kurz nachdem die beiden Aktivisten aus dem Zug herausgezerrt worden waren, kam ein Trupp freiwilliger Helfer der deutschen Volkspolizei hinter die Tribüne. »Die wollten unsere Ausweise kontrollieren«, Uwe machte deren grapschende Handbewegung nach. Seine Zuhörer lachten. »Frank stand etwas abseits und fotografierte. Daraufhin stürzten sich vier Stasi-Beamte, die eigentlich die Tribüne schützen sollten, auf ihn.« Frank ergänzte: »Aber ich habe mich geweigert und mich einfach auf den Bürgersteig gesetzt.«

Gesine zog Frank lachend auf. »Ach, du hast den Rainer gemacht!«

Uwe grinste und fuhr fort: »Sie haben ihn vor aller Augen gut siebzig Meter über den Bürgersteig geschleift. Das hab ich dann fotografiert. Darum stürzten sich andere auf mich. Aber nach einer Stunde Vernehmung waren wir wieder draußen. Meinen Fotoapparat bekam ich zurück – leider ohne Film.«

Nachmittags sammelten sich etwa 200 Ausreiser vor der Nikolaikirche, sie hatten nicht mitbekommen, dass am 1. Mai das Friedensgebet abgesagt worden war. Nach kurzer Diskussion formierten sie sich zu einem Schweigemarsch zum Markt und wieder zurück, ohne dass die begleitenden Sicherheitskräfte sie behinderten.

Je näher der Wahltag 7. Mai rückte, desto größer wurde die Nervosität der Leipziger Parteigenossen. Das kleine Flugblatt von Micha und Gesine trug seinen Teil dazu bei. In den Cafés und Kneipen der Innenstadt wurde das Personal aufgefordert, am Tag der Wahl auf »unliebsame« Gäste zu achten und diese gegebenenfalls zu melden. Auch auf das Nachtcafé in Michas Haus in der Zweinaundorfer wirkte sich die Angst der SED aus. Das ungenehmigte Café hatte inzwischen täglich geöffnet. Bisher hatten es Stasi und Volkspolizei nicht heimgesucht. In der Woche vor den Wahlen jedoch gab es jede Nacht Ärger bis hin zu Handgreiflichkeiten mit plötzlich auftauchenden zivilen Kontrolleuren vor der Tür. Einmal kam es, nachts um halb vier, vorgeblich zu einer »Fahndungskontrolle«. Alle Anwesenden wurden belehrt, nicht an staatsfeindlichen Aktionen teilzunehmen, sonst drohten ihnen Schnellgerichtsverfahren. Zwei Studenten wurden anderntags aus ihrem Seminar geholt und unverblümt gefragt, ob ihnen ihr Studium Spaß mache und sie künftig als Informanten über die Leute im Nachtcafé berichten wollten. Sie lehnten ab. Andere, die als inoffizielle Mitarbeiter der Stasi in den Gruppen spitzelten, streuten Gerüchte zur Abschreckung: Komme es zur Demonstration am Markt, würden Kampfgruppen eingesetzt, und für Verhaftete sei ein Lager in der Braunkohleschwelerei Espenhain vorbereitet worden.

Während in der *Leipziger Volkszeitung* und den anderen Blättern nahezu täglich die bevorstehenden Wahlen als *Vervollkommnung unserer sozialistischen Demokratie* gepriesen wurden, erreichten Stasi und SED in immer kürzeren Abständen Meldungen über *antisozialistische Erklärungen* und *feindliche Aufrufe zum Wahlboykott* sowie *Schmierereien von Hetzlosungen* und Berichte von *provokativem Auftreten* von Bürgern bei den Vorstellungen der Wahlkandidaten. Die Stasi überprüfte alle Wahlhelfer und Kandidaten erneut und ließ einige von ihnen unauffällig *herauslösen*, wie sie den Austausch nannten, etwa weil jemand einen Ausreiseantrag gestellt hatte.

Die Unruhe vor den Wahlen erfasste völlig neue Schichten der Bevölkerung. Im Leipziger Klub der Intelligenz* hatte sich zur großen Besorgnis der Partei ein Diskussionskreis gebildet, der nicht zu den radikaleren Basisgruppen gehörte, sich unter dem Namen *Dialog* aber kritisch mit dem Wahlsystem beschäftigte. Nachdem der Leiter des Wahlbüros von Leipzig-Mitte diesem Kreis, zu dem auch etliche SED-Mitglieder gehörten, bei einer Befragung äußerst unbefriedigende Antworten gegeben hatte, beschlossen die Teilnehmer erzürnt, sich am Abend des Wahltages an der Kontrolle der Stimmauszählung in 82 von 84 Wahllokalen zu beteiligen, ohne direkte Kooperation mit den kirchlichen Gruppen, die in 83 Wahllokalen mitzählten. Die Dialog-Gruppe suchte nach Reformern in der SED, las sowjetische Perestroika-Literatur und geriet zunehmend ins Visier des MfS, etliche Mitglieder wurden aus der SED ausgeschlossen. Ein Teil von ihnen bildete die radikalere *Gruppe*

Neues Denken, die in einem Abrisshaus in der Dreilindenstraße ein Lesecafé einrichtete.

Angesichts der vielen Zuführungen und der angespannten Situation hatte sich Thomas etwas einfallen lassen: Einen Tag vor den Wahlen veranstaltete sein Arbeitskreis Gerechtigkeit in der Reformierten Kirche ein Seminar zum Verhalten bei Festnahmen und Verhören. Till Böttcher von der Umweltbibliothek Berlin berichtete über seine Untersuchungshaft und die Taktiken der Vernehmer. Einige der vielen Zuführungen in Leipzig wurden ebenfalls ausgewertet. Rechtsanwalt Wolfgang Schnur wies darauf hin, dass man im Falle einer Inhaftierung die Aussage verweigern sollte, solange man keinen Anwalt gesprochen habe. Am Ende übten die Teilnehmer im Rollenspiel Demonstrations- und Vernehmungssituationen.

Die von Micha gedruckten Flugblätter hatte mittlerweile der Helfer aus Wonnebergers Arbeitskreis Menschenrechte in mehreren Stadtbezirken unbemerkt in Hausbriefkästen verteilt. SED und Stasi gerieten in regelrechte Panik, als treue Genossen etliche dieser *Pamphlete* am nächsten Morgen ablieferten. Die Leipziger SED-Spitze ersann auf die Schnelle eine neue Strategie. Um die von Gesine und Micha geplante Aktion mit der Wahlurne auf dem Markt zu verhindern, organisierte die Stadt für den 7. Mai dort ein großes Volksfest.

Am Tag der Wahl trat daher eine rasch engagierte Big Band auf dem Markt auf. Gesellschaftliche Kräfte* spielten das Publikum und nahmen möglichen Demonstranten den Raum. Die Leipziger Parteigenossen praktizierten solche Einsätze schon seit Jahren. Wenn Erich Honecker im Volvo zur Messe vorfuhr, waren ihr Beifallklatschen und die Hochrufe penibel inszeniert – schriftlich, mit exaktem Zeitplan.

Insgesamt 2600 Sicherheitskräfte zogen außerdem rund um den Markt auf. Viele waren mit Video- und Fotokameras bewaffnet, obwohl hinter den Fenstern der Häuser rund um den Platz schon andere Beobachter Position bezogen hatten. Die Fips Fleischer Big Band spielte fröhlichen Swing, der ganze Markt war mit bunter Dekoration geschmückt, aber da niemand entspannt zuhörte und feierte, wirkte das Ganze ziemlich gespenstisch. Dabei kamen angesichts der prominenten Band tatsächlich viele Menschen. Hanns-Joachim »Fips« Fleischer war Leiter der Abteilung Tanz- und Unterhaltungsmusik der Hochschule für Musik Leipzig und mit Louis Armstrong befreundet.

In den Seitenstraßen lauerten Diensthundestaffeln, und zahlreiche Lkws standen bereit, um Verhaftete abzutransportieren. Vom nahegelegenen Nikolaikirchplatz aus wollte am Nachmittag eine kleine Gruppe von Demonstranten, meist Ausreiseantragsteller, Richtung Markt ziehen. Sie wurde vollständig eingekesselt und durch Polizeiketten an jeglicher Bewegung gehindert. Niemand konnte angesichts dieser Verhältnisse eine symbolische Wahlurne auf dem Markt aufstellen. Jochen, Gesine, Micha, Frank und Uwe waren *zur Klärung eines Sachverhalts* schon Tage vorher zur Volkspolizei einbestellt, belehrt, verwarnt und durch Dauerbewachung in ihren Wohnungen praktisch unter Hausarrest gestellt worden. Die Stasi nannte dies in ihren Papieren *Schutzhaft*. Wer dennoch vor die Tür ging, auf den kam ein Stasi-Bewacher zu und brüllte: *Sie wissen doch, wo Sie sich heute aufzuhalten haben!*

Doch am frühen Abend, kurz nach Schließung der Wahllokale, tauchten auf dem Platz noch Demonstranten auf. Junge Leute, empörte Leipziger. Keiner wusste genau, woher sie kamen und wer sie waren. Als die Sicherheitskräfte rücksichtslos und teils brutal insgesamt 76 Personen festgenommen hatten, darunter etliche unbeteiligte Passanten, solidarisierten sich viele der auf das Volksfest gelockten Bürger. Schockiert und entrüstet setzten sie sich für die Protestierer ein. Den

Polizeieinsatz fanden sie völlig überzogen und brachten das mit lautstarken Beschimpfungen zum Ausdruck.

Für den Staat lief es wieder mal völlig schief. Eigentlich sollten potentielle Demonstranten abgeschreckt und isoliert werden und im Trubel des Volksfestes untergehen. Doch viele der rund 10 000 Leipziger Bürger, die eigens von der Partei auf den Markt gelotst worden waren, sahen nun das rücksichtslose Vorgehen gegen ein paar Demonstranten mit eigenen Augen, was sie nicht gegen die jungen Leute, sondern gegen Staat und Partei aufbrachte.

Wer versucht hatte, zur Kontrolle der Wahlen nach 18 Uhr in den Wahllokalen zu bleiben, erlebte ein Exempel der *sozialistischen Demokratie*. Zum Teil wurden die Kontrolleure nur bis zum Beginn der Stimmauszählung geduldet und dann hinausgeworfen, ohne das Ergebnis zu erfahren. Im Sonderwahllokal Leipzig-Mitte wurde die Öffentlichkeit beim Auszählen der Stimmen überhaupt nicht zugelassen. Häufig gab es Absperrungen vor den Auszähltischen, so dass die Stimmzettel für die Beobachter nicht zu erkennen waren. Diese hatten auch schon tagsüber viele Merkwürdigkeiten festgestellt. Die Wahlkabinen standen teils schwer zugänglich in der Ecke, und es fehlten Stifte, mit denen man Namen hätte durchstreichen können. Wenn es den Beobachtern dennoch gelang, ein Ergebnis zu überprüfen, überbrachten Mittelsmänner diese Erkenntnisse an geheim gehaltene Orte. In Leipzig gab es ein halbes Dutzend davon in Wohnungen oder Kneipen. Gesammelt wurden sie zentral bei Pfarrer Turek. Drei Stunden nach der Schließung der Wahllokale lag so erstmals ein unabhängig ermitteltes Wahlergebnis vor. Danach hatten im gesamten Stadtgebiet fast 10 Prozent gegen die Kandidaten der Nationalen Front gestimmt. Für die SED ein verheerendes Ergebnis. Die Frage war nur: Wird sie das auch zugeben?

Nein, die Partei meldete für Leipzig mit 98,54 Prozent eine wesentlich höhere Wahlbeteiligung, als die Kontrollzählungen mit 90,93 Prozent ergeben hatten. Und sie meldete 96,06 Prozent Jastimmen und nur 3,94 Prozent Gegenstimmen. Obwohl die Genossen die wahre Anzahl der Protestwähler zu vertuschen suchten, hatte Leipzig mit diesen 3,94 Prozent das schlechteste Ergebnis im ganzen Land. Da Wahlkontrolleure 10 Prozent Gegenstimmen ermittelt hatten, war nun erwiesen, dass die Regierung einen gezielten Wahlbetrug begangen hatte. Das sprach sich schnell herum.

Die Partei, die Partei, die hat immer recht, wie sie sich selbst besang, war der Lüge überführt.

Micha hatte ein Telegramm bekommen. Für Menschen ohne Telefon war das ein gern genutzter Weg, schnell miteinander zu kommunizieren. Briefe oder Postkarten waren viel zu lange unterwegs. Micha riss den Umschlag auf. Seine Mutter Christa schrieb, er solle dringend am nächsten Tag vorbeikommen, aber nicht zu ihr nach Coswig, sondern nach Finsterwalde zu Bines Eltern. Micha grübelte, was das zu bedeuten hatte.

Als er dort eintraf, nahm ihn seine Mutter in den Arm. Sie zog ihn aus dem Haus und ging mit ihm über Feldwege hinaus auf eine Weide, wo sie niemand hören konnte. Sie hatte sich den ganzen Weg von Johanna erzählen lassen. Plötzlich wurde sie ernst und blieb stehen. »Sie standen diesmal bei mir zu Hause vor der Tür«, begann sie zu erzählen. »Die beiden Stasi-Leute aus Leipzig, die schon mehrfach in meiner Schule waren. Sie sagten, es gibt zwei Möglichkeiten: Entweder ich nehme Einfluss auf meinen Sohn, der sich zunehmend staatsfeindlich entwickelt, oder sie übernehmen das. Der eine deutete an, du würdest wohl bald wieder verhaftet.«

Micha hörte zu und sagte nichts.

»Der eine meinte: Ihr Sohn entwickelt sich zum Verbrecher. Der andere wurde gemeiner: Und was wird dann aus seiner jungen Familie? Die kleine Johanna müsste dann wohl ins Heim gebracht oder von einer anständigen Familie adoptiert werden. Ich als Mutter müsse doch ein Interesse daran haben, dass es nicht so weit komme. Und dann fragten sie mich, ob ich dich nicht gemeinsam mit ihnen vor weiteren Dummheiten beschützen könnte. Es bestünde ein Interesse, sich regelmäßig mit mir zu treffen und Informationen über dich auszutauschen.« Über diese Treffen solle sie natürlich Stillschweigen bewahren, diese Vereinbarung, hatten die beiden Herren betont, sei das Einzige, was ihrem Sohn noch helfen könne, und der gute Einfluss seiner Mutter. »Dann legten sie mir einen Zettel vor, den müssten sie ihrem Vorgesetzten mitbringen, sagten sie, damit der dazu grünes Licht geben könne. Ich sollte unterschreiben, damit würde sich alles entspannen.«

Micha sah sie besorgt an. »Was hast du gemacht?«

»Ich hab ihnen den Zettel wieder hingeschoben, und sie schoben ihn zurück. Ich muss darüber nachdenken, sagte ich, lassen Sie ihn da und kommen Sie gerne wieder! Die beiden erklärten, der Zettel könne nicht bei mir bleiben, das sei gegen die Vorschriften. Ich wollte ihn aber haben. So ging das eine Weile weiter. Sie wollten meine Unterschrift, ich fühlte mich auf ganz schön wackeligem Grund. Schließlich sagte ich: Meine Herren, das geht so nicht. Man muss alles im Leben überschlafen, und ich muss auch sehen, was da zwischen den Zeilen steht.«

»Und?«

»Sie sind gegangen und ließen mir den Zettel da. Hier hast du ihn.«

Micha las.

Aus politischer Verantwortung als Genossin heraus und meiner Sorge als Mutter erkläre ich mich zur Unterstützung des MfS bei der Lösung gestellter Aufgaben bereit. Ich möchte im Rahmen der im beiderseitigen Interesse liegenden vertraulichen Zusammenarbeit vorbeugend dazu beitragen, dass mein Sohn durch politisch feindliche Kräfte in der DDR bzw. sogenannte Hintermänner, insbesondere Vertreter der westlichen Medien nicht gebraucht wird für deren gegen die Interessen der DDR gerichteten Ziele, wodurch sich für meinen Sohn strafrechtliche Konsequenzen ergeben könnten. Ich versichere, dass ich alle mir zu Gebote stehenden Möglichkeiten durch das Bestehen eines guten Mutter-Sohn-Verhältnis nutzen werde, um meinen Sohn zum Ablassen von Handlungen zu bewegen, die zur Diffamierung des internationalen Ansehens der DDR geeignet sind. Ich werde meinen Einfluss dahingehend geltend machen, dass mein Sohn seine ganze Kraft auf die erfolgreiche Bewältigung des Studiums und die anschließende Facharzt-Ausbildung konzentriert. Ich verspreche, mich entsprechend unserer vertraulichen Absprache stets für die mit den Mitarbeitern des MfS gemeinsam abgestimmten Aufgaben und Zielstellungen einzusetzen, die mir bekanntgewordenen Mitarbeiter über Vorhaben, Verbindungspersonen meines Sohnes bzw. ihm selbst gegenüber jedermann streng vertraulich zu behandeln und im Interesse vorbeugender Verhinderung und der Sicherung einer positiven Gesamtentwicklung meines Sohnes den Mitarbeitern des MfS zur Kenntnis zu geben. Ich bin darüber belehrt worden, die Kontakte zum MfS und mir alle bekanntwerdenden Vorgänge streng vertraulich zu behandeln.

Micha musste den Text zweimal lesen, um alles zu verstehen. »Du hast das nicht unterschrieben?«

»Ich werde es auch nicht unterschreiben, sonst hätte ich es dir nicht erzählt. Ich werde ihnen sagen, dass eine Mutter niemals ihren Sohn verraten darf.«

Micha umarmte sie. »Wenn die Herren wiederkommen, würdest du ein verstecktes Aufnahmegerät mitlaufen lassen?« Er wollte die Anwerbung einer Mutter als Spitzel gegen den eigenen Sohn gerne öffentlich machen.

Christa zögerte mit einer Antwort, dann schüttelte sie den Kopf. Sie erzählte ihm, dass die beiden Herren am Anfang des Gespräches im Wohnzimmer einen schweren Kasten auf den Fußboden gestellt hätten. Darin, vermutete sie, war ein

Tonbandgerät zum Mitschneiden. Sie selbst könne kaum mit einem solchen Gerät umgehen, ohne dass es auffalle. Langsam gingen sie zum Haus zurück. Sie redeten dabei über Michas Aktivitäten in Leipzig. Bevor sie hineingingen, blieb seine Mutter noch einmal stehen. »Noch etwas anderes, Micha. Vergangene Woche kam endlich der Fernsehmonteur, um unseren Apparat zu reparieren. Er hatte ihn deshalb gleich im Wohnzimmer geöffnet. Einen Moment später rief er mich und erklärte mir, welches Bauteil er ausgewechselt habe. Dann zeigte er mit dem Schraubenzieher auf etwas anderes im Apparat. Das hier, sagte er, gehört hier nicht hinein. Ich sagte zu ihm: Machen Sie es bitte raus. Er schüttelte aber nur den Kopf. Nein, ich kann das nicht entfernen, ich will meine Arbeit behalten.«

»Gib mir doch den Apparat«, sagte Micha erfreut.

»Mach ich, mein Junge!«

Während seine Mutter mit Bines Eltern Kaffee trank, schrieb Micha den Text der Verpflichtungserklärung Wort für Wort ab, um deren Wortlaut und den ganzen Vorfall in einer der Untergrundzeitungen zu veröffentlichen, die Mitarbeiter des Geheimdienstes nervös zu machen und den Anwerbeversuch zu stören.

An einem Morgen Ende Mai fand Uwe in seinem Briefkasten eine Vorladung. Es war ein Schreiben vom Wehrkreiskommando. Er hatte schon fast vergessen, dass er den Reservistendienst vollständig verweigert hatte, und riss den Briefumschlag hastig auf. Es waren nur wenige Zeilen. *… berufen wir Sie zu diesem Termin auf unsere Dienststelle ein. Der Wehrpass ist mitzubringen …* Verdammt, dachte Uwe, jetzt kommen sie damit an? Auf Verweigerung des Militärdienstes, auch des Reservistendienstes, stand immer noch Gefängnis. Was wollen sie nur von mir? Wozu soll ich den Wehrpass mitbringen?

Er beriet sich mit Theo und Frank. Es war klar, dass er dort hingehen musste. Die beiden alberten herum und malten Uwe aus, dass er nun alles Weitere in Leipzig verpasse. Wo sich die Protestbewegung doch gerade so gut entwickelt habe. Aber wenn er in den Militärknast nach Schwedt müsse, dann kämen sie regelmäßig zu Besuch und würden auch Päckchen mit Äpfeln schicken. Sie leerten einen Kanister Obstwein und sprachen bis weit nach Mitternacht von Uwes Zeiten bei der Armee.

Am nächsten Morgen machte Uwe sich verkatert auf den Weg ins Musikerviertel. Das Wehrkreiskommando war ein hässlicher flacher Betonbau im Hof eines Amtsgebäudes. Er meldete sich beim Pförtner und musste in einem größeren Raum warten. Außer ihm waren noch zwei jüngere Leute anwesend, die recht unglücklich aussahen, kein Wort sprachen und vor sich hin starrten.

Die Ungewissheit nagte an ihm. Plötzlich öffnete sich eine Tür, und Uwe wurde noch vor den beiden anderen in ein Zimmer gerufen und aufgefordert, Haltung anzunehmen. Ein höherer Offizier in grauer Uniform baute sich hinter einem Schreibtisch auf, streckte den Arm aus und verlangte den Wehrpass. Er nahm ihn und nannte Uwes vollständigen Namen und letzten Dienstrang: *Unteroffizier!* Dann hob er seine Stimme feierlich an: *Im Namen des Ministers für Nationale Verteidigung ergeht folgender Befehl …*

Uwe war sehr angespannt. Er stand direkt vor dem Offizier, sah aus den Augenwinkeln, wie zwei weitere Uniformierte links und rechts hinter dem Tisch sitzend Luftlöcher in den Raum starrten, und fragte sich, was nun passieren würde. Der Offizier brüllte ihn beinahe an. Erst irgendwelche Paragraphen des Wehrgesetzes, Bestimmungen, Verordnungen, dann der entscheidende Satz: *Ich degradiere Sie zum Soldaten der Nationalen Volksarmee!*

Keine Begründung. Nichts weiter. Der Offizier drückte einen Stempel in den Wehrpass, gab ihn zurück, und Uwe konnte gehen. Das war's. Er hätte jubeln können, aber es fiel ihm schon schwer, ein breites Grinsen zu unterdrücken. Er fragte sich, was das Trio jetzt wohl dachte, da er sichtbar leichten Schrittes den Raum verließ.

Sie trafen sich wieder einmal am Kulkwitzer See. Es war der 1. Juni, ein warmer Abend, sie tranken Rotwein, und Jochen spielte Gitarre, »Comandante Che Guevara«. Uwe erzählte von seinem Erlebnis im Wehrkreiskommando und sorgte damit für Heiterkeit.

Christian setzte sich neben Gesine, er kannte sie noch nicht so gut, einmal hatte sie bei ihm im Zimmer eine Zigarette geraucht, aber meist war sie im obersten Stock, bei den Frauen der Marianne zu Besuch. Gesine hatte, genau wie alle anderen, ihre Ordnungsstrafen wegen der Luftballonaktion noch immer nicht bezahlt und schon Mahnungen erhalten. »Als Nächstes wird wohl die Pfändung kommen«, sagte sie zu Christian.

»Wenn du willst, kann ich die Ordnungsstrafe für dich zahlen«, schlug er ihr spontan vor. Sie war überrascht. Christian erklärte, dass er gerade am Ende seiner Ausbildung als Fernmeldetechniker war und Aussicht auf 500 Mark Gehalt hätte. »Was soll ich denn sonst mit so viel Geld machen?« Gesine fand das nett, wollte aber erst den Pfändungsbescheid abwarten.

Christian brachte Gesine zum Lachen mit der Geschichte, wie er es beinahe geschafft hatte, einen Telefonanschluss in die Marianne legen zu lassen. Er hatte in seinem Betrieb die Frau bezirzt, die Leitungswege verwaltete. So konnte Christian immerhin eine Leitung reservieren lassen, was dann fehlte, war nur noch die Telefonnummer. »Doch die Leiterin der Rufnummernvergabe überprüfte noch einmal alles genau. Sie hat dann festgestellt, dass die Marianne 46 ein Haus im Abrissviertel ist.« Kurz bevor ein Fernmeldetrupp den Anschluss hätte legen können, stoppte sie sein Vorhaben. »Aber den Versuch war es wert.«

Gesine lehnte sich ins Gras zurück und sah sich Christian erstmals genauer an.

»Da war noch was. Zuerst habe ich während meiner Ausbildung im Wählersaal gearbeitet, später kam ich in den Hauptverteilerraum von Leipzig-Mitte, ein riesiger Saal mit allen Verbindungsschaltwegen sämtlicher Telefone. Weißt du, was ich da sehen konnte? Die zusätzlich angebrachten Drähte, die zur Stasi in die Runde Ecke führen. Die sind nicht angelötet, sondern einfach nachträglich um die Kontakte gewickelt. Ein Kabel kommt, zwei gehen. Es sind ziemlich viele Telefone, die damit abgehört werden.«

Gesine schüttelte nur ihren Kopf. »Da lassen sie dich rein?«

Uwe und Frank saßen mit den anderen direkt am Ufer. Sie kamen auf den bevorstehenden Pleißemarsch zu sprechen. Die Initiativgruppe Leben hatte schon einen Monat nach dem ersten den zweiten Marsch angekündigt, und Uwe und Frank hatten ein Arbeitspapier geschrieben: *Der 2. Pleißegedenkmarsch soll eine angemeldete, offene Veranstaltung sein, mit Ausstellungen, Foren, Broschüren und kulturellen Beiträgen.* Zur Vorbereitung hatten sich seit Monaten bereits Mitglieder verschiedener Gruppen zusammengetan. In der Runde tauschten sie sich nun über den Stand der Dinge aus. Diesmal sollte der Weg nicht mehr abseits durch den Auwald, sondern mitten durch die Stadt und entlang der in Betonröhren versteckten Pleiße führen. Jugendpfarrer Kaden war bereit, dies offiziell als kirchliche Veranstaltung anzumelden. In das Polizeiformular mit dem langen Titel: *Antrag auf Erteilung einer Erlaubnis für die Durchführung einer Veranstaltung im Freien* hatte Kaden am 21. April unter »Art der Veranstaltung«

eingetragen: *Pilgerweg. Anzahl der Teilnehmer:* 500. Auf einem gesonderten Blatt hatte Kaden die Route mit Straßen zwischen der Paul-Gerhardt-Kirche in Connewitz und der Reformierten Kirche in der Nähe des Hauptbahnhofs angegeben.

In der Vorbereitungsgruppe waren diesmal einige Mitstreiter der Umweltgruppe Rötha. Zu den Aktivisten aus Rötha gehörte auch Tobias, ein 22-jähriger gelernter Tischler, der schon seit Jahren dabei war. Tobias reiste fast jedes Wochenende wie ein Handlungsreisender durchs Land, um mit Diavorträgen für die Aktion »1 Mark für Espenhain« Geld und Unterschriften zu sammeln. So lernte er viele Gruppen kennen. Was er nicht wusste: Die Kreisdienststelle der Stasi hatte deswegen eine Akte unter dem Namen *Vertreter* über ihn angelegt.

Tobias plädierte beim Vorbereitungstreffen für eine von der Kirche ordentlich angemeldete und damit vielleicht erlaubte Aktion. Keine Demonstration, ein Pilgerweg. Tobias war seit drei Jahren Abonnent des DDR-Gesetzblattes und liebte es, alle Hintertüren, die die Gesetze ließen, auszunutzen und nichts unversucht zu lassen. Er stritt mit Thomas über das Datum 4. oder 5. Juni – Sonntag oder Montag. Thomas hätte gerne die zahlreichen Menschen aus der Nikolaikirche mit einbezogen, Tobias wollte lieber den Sonntag nehmen, damit Familien mit Kindern dabei sein könnten. Sie entschieden sich schließlich für den Sonntag.

Zur Vorbereitung stellten sie ein fundiertes Infoheft mit wichtigen Fakten zur Umweltverschmutzung zusammen. Sie hatten eigenständig recherchiert, alle Kirchengemeinden entlang der Pleiße angeschrieben, um möglichst viele Informationen zu sammeln. Doch als sie das Heft bei Superintendent Magirius vorlegten, damit er den Druck durch die Kirche genehmige, war dem das Vorhaben eine Nummer zu groß: »Höchstens vier Blatt und 200 Exemplare«, beschied er.

Daraufhin gingen sie zum Jugendpfarrer Kaden. Der hatte gerade eine neue Druckmaschine für den Kirchentag im Juli erhalten. »Druckt, was ihr wollt«, sagte Kaden, »besorgt nur Papier und Farbe selbst.« Das taten sie. Tobias' Oma brachte in Cornflakes-Packungen aus dem Westen die passende Druckerfarbe mit, eine Nachbarstochter in Tobias' Haus tippte in ihrem Betrieb heimlich auf einer elektrischen Schreibmaschine die Matrizen, ein Siebdrucker in Gohlis stellte das Titelblatt her, und ein Fotogeschäft lieferte ihm 2000 Fotoabzüge einer Landkarte zum Einlegen in die Broschüre. Eine Bekannte aus dem Klub der Intelligenz transportierte alles, und schließlich landeten die gedruckten Papierstapel auf dem Wohnzimmertisch seiner Eltern, wo Tobias mit ein paar Helfern die 36 Seiten zu über 1000 Exemplaren zusammenlegte. Wie sehr sich inzwischen die Dinge entwickelt hatten! Dank einer besseren Drucktechnik von Pfarrer Kaden und dank vieler Leute, die ganz Unterschiedliches beisteuern konnten, kam eine bemerkenswerte Broschüre zustande.

Zur Eröffnung des Pleißemarsches sollte in der Paul-Gerhardt-Kirche ein renommierter Theologieprofessor der staatlichen Karl-Marx-Universität sprechen, keiner der bekannten Pfarrer.

Auf staatlicher Seite, die über Informanten ins Bild gesetzt wurde, nahm man das beunruhigt zur Kenntnis. Die SED wollte Härte zeigen, obwohl die Stasi-Bezirksverwaltung Telegramme und Berichte in die Berliner MfS-Zentrale geschickt hatte, dass der Unmut der Bürger gegen die Umweltsituation in Leipzig begründet sei. 1988 habe man *insgesamt acht Informationen an den ersten Sekretär der SED-Bezirksleitung Leipzig übersandt*, in denen auf die *tatsächlich vorhandene hohe Umweltbelastung* insbesondere durch das Werk Espenhain hingewiesen worden war. *Die vom VEB Espenhain ausgestoßene Schadstoffmenge liege nach Überprüfungen der Kreisdienststelle Borna höher* als durch Umweltgruppen in Westmedien veröffentlicht. *Die Eingabesituation verschärft sich weiter, die Umweltbedingungen in der Stadt Leipzig, die Nichteinhaltung von zugesagten Maßnahmen und Terminen haben maßgeblich dazu beigetragen, dass sich in Leipzig der Unwillen der Bevölkerung konzentriert.* So stand es auch in den internen Papieren des DDR-Umweltministeriums.

SED, Stasi und Volkspolizei wollten den Marsch durch die Stadt unbedingt verhindern. Das intern längst feststehende Verbot wollte man Pfarrer Kaden jedoch erst kurz vor dem 4. Juni mitteilen, um die Menschen in Ungewissheit und den Ärger im Vorfeld klein zu halten. Das gehörte als erprobtes Herrschaftsmittel zum System.

Aus Berlin reiste eigens Generaloberst Rudi Mittig an, der Stellvertreter Erich Mielkes. Die Nummer zwei der Stasi sollte in Leipzig den großen Einsatz unter dem Codenamen *Spuk* mit über 600 Mitarbeitern persönlich leiten. Der Leipziger Stasi traute man das offensichtlich alleine nicht mehr zu.

Einigen von denen, die an diesem ersten Juniabend am Seeufer zusammensaßen, waren bereits Vorladungen zur Klärung eines Sachverhalts ins Haus geflattert. Worum es gehen sollte, stand nicht in den Briefen. Um den Pleißemarsch? Das Straßenmusikfestival, knapp eine Woche später, für das jetzt ebenfalls die Vorbereitungen auf Hochtouren liefen?

Jochen hatte aufgehört zu spielen und berichtete von seinen Versuchen, eine offizielle Genehmigung für das Festival zu erhalten. Auf die Idee zu einem Musikfest hatten ihn seine gelegentlichen Auftritte in der Leipziger Innenstadt gebracht. Die Menschen in dieser grauen Stadt sehnten sich ganz offensichtlich nach etwas Schönem, nach etwas Positivem. Jochen und seine Freunde hatten nicht nur einmal erlebt, dass die Menschen sogar bereit waren, gegen die miesepetrigen

Kontrolleure zu protestieren, wenn sie ihn und seinesgleichen verscheuchen wollten. Es wäre doch toll, so etwas einmal im größeren Stil zu versuchen. Zehn Straßenmusiker würden sie sicher abführen. Aber fünfzig? Oder hundert? Wie wäre es, wenn sie Musiker aus dem ganzen Land einfach für einen Tag nach Leipzig einladen würden? Wer immer von ihnen in den letzten Wochen und Monaten in einer anderen Stadt war, hatte diesen Gedanken und den Termin auf Veranstaltungen und Treffen verbreitet.

Jochen hatte einen Durchschlag seines Briefes an den Rat der Stadt, Abteilung Kultur, mitgebracht. Er begann mit den Sätzen:

Sehr selten, leider, trifft man in den Städten unseres Landes an gewöhnlichen Tagen auf Straßenmusiker, die die Passanten durch ihre Kunst erfreuen. Dabei könnte Musik mancher Großstadt ein interessanteres Fluidum verleihen. Die Bereitschaft bei Musikern ist eigentlich vorhanden, leider sind aber spontane Auftritte durch die komplizierte Genehmigungspraxis bisher nicht möglich. Um die angenehme Wirkung des Musizierens (ohne Verstärkeranlagen) auf Straßen und Plätzen einer Stadt wie Leipzig zu demonstrieren, treffen sich am 10. Juni einige Straßenmusikgruppen zu einem kleinen Musikfestival.

Von Folk über klassische Musik und Jazz sollten alle Musikrichtungen vertreten sein. Jochen feixte: »Wir wollen doch einfach mal zeigen, wie schön so ein Tag in Leipzig sein kann.«

»Na ja«, warf Gesine ein, »wir wollen ein autonomes Festival im Zentrum der Stadt.«

Jochen erzählte, was er in der Abteilung Meldewesen der Deutschen Volkspolizei erlebt hatte: *Sie gaben mir die Auskunft, dass Anmeldungen für Veranstaltungen auf der Straße nur mit vorheriger Zustimmung des örtlichen Rates entgegengenommen werden. Ich bin dann zum Vertreter des örtlichen Rates von Leipzig Mitte gegangen. Der meinte, dass er zwar Veranstaltungen genehmigen könne, aber nur, wenn eine gesellschaftliche Organisation als Veranstalter auftritt. Eine nächste Anlaufstelle war dann die Kulturdirektion Leipzig. Die organisiert aber nur eigene Veranstaltungen wie Markttage, und die Frau sagte, ein Musikfestival könne sie nicht unterstützen.*

Die anderen lachten, weder Jochen noch sie hatten jemals ernsthaft angenommen, dass es eine Genehmigung geben würde. Gesine steckte sich eine Zigarette an, Christian sah zu ihr herüber. Die Streichholzflamme legte für einen kurzen Moment einen warmen Lichtschein über ihr Gesicht. Jochen berichtete weiter: *Dann war ich beim Kulturbund. Die waren zunächst interessiert, bekamen aber von oben die Ansage, dass sie eine viel zu kleine Institution für so etwas seien. Ich wurde an den Rat der Stadt, Abteilung Kultur verwiesen. Ich hoffte, nun endlich an der richtigen Stelle angelangt zu sein. Doch dort sagte mir eine Frau, dass ganze sei eine Provokation und sie habe mit der Genehmigung einer solchen Veranstaltung überhaupt nichts zu tun. Ich solle mich an die Abteilung Meldewesen der Deutschen Volkspolizei wenden. An diesem Punkt hätte ich den Kreislauf wieder von vorne beginnen können …«*

Sie waren entschlossen, das Straßenmusikfest auch ohne Genehmigung zu machen. Aber am 4. Juni stand ja zunächst einmal der 2. Pleißemarsch an.

Eine Woche vor dem Pleißemarsch klingelte in der Runden Ecke bei Generalleutnant Hummitzsch vormittags das Telefon. Es war Erich Mielke. Er hatte zwar eigens einen seiner Stellvertreter nach Leipzig geschickt, aber was sich in der Stadt entwickelt hatte, beunruhigte ihn sehr.

Habt ihr bei euch alles im Griff, Manfred?

»Alles im Griff, Genosse Minister!«, beruhigte der Leipziger Stasi-Chef seinen obersten Dienstherrn.

Mielke schärfte ihm nochmals ein: *Es darf dort beim Pleißemarsch zu nichts kommen!*

Hummitzsch versprach es. Nach der kurzen Unterbrechung diktierte er weiter den Bericht, an dem er gerade saß: *Hinlänglich bekannte feindliche, oppositionelle und andere negative Kräfte, insbesondere Mitglieder der Zusammenschlüsse ›Interessengemeinschaft Leben‹ und ›Arbeitsgruppe Umweltschutz‹*, Organisatoren *von in jüngster Zeit in der Stadt Leipzig durchgeführten öffentlichkeitswirksamen Provokationen, planen unter vorgetäuschter Bezugnahme auf den Weltumwelttag einen sogenannten Pleißemarsch.*

Das angestrebte Ziel dieser Aktion soll darin bestehen, oppositionelle Kräfte durch eine öffentliche Demonstration aufzuwerten und moralisch zu stärken, Sympathisanten zu gewinnen und Bürger in Bewegung zu bringen, den Handlungsraum für derartige Aktivitäten und die Belastbarkeit des Staates zu testen. Zur Unterbindung werden wir …

Tobias hatte in den letzten Tagen vor dem Pleißemarsch meist bis tief in die Nacht an den Vorbereitungen gearbeitet. Ausstellungstafeln, Plakate, Bücherecke, Infozettel, Organisation des Ablaufs der Veranstaltungen, eine Rockmeditation der Band Uferlos. Die gedruckten Plakate glichen denen vom Vorjahr mit dem Fisch, der halb aus Gräten bestand, sie mussten zum Aufhängen zu den Pfarrgemeinden gebracht werden. Saskia, das Hippiemädchen von der IGL, hatte einen Teil der Besuche bei den Leipziger Pfarrern im Süden der Stadt übernommen und lief von Pfarrhaus zu Pfarrhaus. Einige Pfarrer waren kurz angebunden, einige machten ihr die Tür vor der Nase zu. Saskia ärgerte sich: Ist das Aufhängen eines solchen Plakates wirklich zu viel verlangt?

Am Samstagmorgen wollte Tobias nach einer durcharbeiteten Nacht im Stadtjugendpfarramt in seine eigene Wohnung zurück, denn dort lagen die Negative für die Fotoausstellung zur Pleißeverschmutzung. Er drückte die Haustür auf und ging durch zum Hof. Dort spielten die Kinder seiner Nachbarn gerade Fangen. Als sie Tobias erblickten, kreischten sie:

»Komm, wir fangen den Tobias und bringen ihn zur Polizei. Komm, wir fangen den Tobias ...« Er musste grinsen, aber als er das Treppenhaus hochstieg, öffnete sich eine Tür. Eine Nachbarin raunte ihm zu, dass »sie« mehrmals da gewesen seien. Seit gestern stünden die Ladas immer häufiger vor dem Haus. Er solle sich besser fortmachen.

Tatsächlich. An seiner Wohnungstür hing ein Zettel. Er nahm ihn ab. Darauf stand: *Und wir kriegen Dich doch!* Was sollte das nun wieder bedeuten? Eine üble Drohung oder ein Anfall von Humor bei der Stasi? So etwas hatten »sie« noch nie gemacht. Vorgestern Abend gab es schon die ersten Anzeichen, dass sie ihn im Visier hatten. Er hatte einen Redetext für die Auftaktveranstaltung des Pleißemarsches in der Paul-Gerhardt-Kirche bei Pfarrer Kaden in den Briefkasten gesteckt. Auf dem ganzen Weg dorthin hatte er das Gefühl, beobachtet zu werden. Als er gestern Kaden nach dem Manuskript fragte, antwortete der Pfarrer, er habe nichts in seinem Kasten gehabt. Beide gruselte es.

Tobias beschloss, so schnell wie möglich das Haus wieder zu verlassen. Er verschwand über die Hinterhöfe zu seinen Eltern, die nur drei Straßen weiter wohnten. Dort holte er etwas vom fehlenden Schlaf der letzten Nacht nach. Ein paar Stunden später wachte er auf mit dem Gedanken: Ich muss die Ausstellung fertig machen. Inzwischen hatten sie durch Pfarrer Kaden von dem Verbot des Pilgerwegs erfahren, aber untersagt worden war ja nur der Weg *zwischen* den beiden Kirchen, nicht aber die Veranstaltungen am Anfangs- und am Endpunkt *in* den Kirchen.

Also zurück über die Hinterhöfe, die Treppen hinauf. Offiziell gemeldet war er dort, wo der Zettel an der Tür klebte. Ein Stock tiefer aber war seine Dunkelkammer in einer Wohnung, die Tobias illegal nutzte. Da würden sie ihn nicht finden, weil kein Licht nach außen drang. Die ganze Nacht arbeitete

Tobias an den Ausstellungstafeln. Er entwickelte die Fotos, schnitt sie zurecht, klebte sie auf die Tafeln und schrieb Texte dazu. Manchmal hörte er Schritte im Hausflur. Dann hielt er inne: Kommen sie jetzt?

Vor dem Haus stand ein weißer Lada, der Stasi-Mann auf dem Beifahrersitz notierte in einem Beobachtungsbogen: *Das Objekt ist außer Kontrolle geraten.* In der Dunkelkammer hörte Tobias leise den Deutschlandfunk. Nachrichten aus China. Über den Platz des Himmlischen Friedens, wo Tausende von jungen Leuten seit Wochen für mehr Demokratie demonstrierten. *Es sind Panzer aufgefahren*, sagte der Sprecher, *und Schüsse zu hören.* Tobias beschlich ein mieses Gefühl. Wieder hört er Schritte im Treppenhaus. Doch die Nacht verging, ohne dass etwas passierte.

Die fertige Ausstellung versteckte er auf dem Dachboden, dann stahl er sich aus dem Haus, zu den Eltern, die nicht da waren, immer in der Hoffnung: Da suchen sie dich nicht. Er wollte auf keinen Fall durch eine Verhaftung um den Pleißemarsch gebracht werden.

Tobias bat Pfarrer Kaden darum, die Ausstellungstafeln mit dem Auto abzuholen, denn an einem Mann der Kirche würden sie sich nicht vergreifen. »Was wir machen«, vergewisserte er sich beim Pfarrer, »ist doch gerechtfertigt! Der Staat kann sich doch nur blamieren mit seiner Gegenreaktion.« Der Jugendpfarrer holte die Ausstellung vom Dachboden und machte sogar die Stasi-Leute vor dem Haus an: »Suchen Sie hier was?« Sie reagierten nicht.

Um 14 Uhr war die Paul-Gerhardt-Kirche in Connewitz, der Ausgangspunkt des verbotenen Marsches, trotz aller Einschüchterungen mit tausend Besuchern übervoll. Viele Familien mit Kindern waren darunter, ebenso wie jugendliche Umweltaktivisten aus anderen Städten. Volkspolizei und Stasi postierten sich um das Gotteshaus und blockierten die geplante Wegstrecke. Als am Ende der Veranstaltung die Leute herausströmten, kam es zu Rangeleien. Auch Uwe wurde von Stasi-Leuten angegriffen, sie wollten ihn mit sich zerren. Jugendpfarrer Kaden brüllte: »Lassen Sie den Uwe los!« Die Männer waren so verdutzt, dass sie Uwe tatsächlich freigaben. Kaden zog ihn zu seinem Auto und nahm ihn mit in die Stadt.

Einige Grüppchen versuchten, an der Pleiße entlangzulaufen, andere wollten einfach nur ins Stadtzentrum zur Reformierten Kirche durchkommen. Immer neue Polizeiketten verhinderten dies. Vor dem Haus der SED-Bezirksleitung in der Karl-Liebknecht-Straße wurden rund 90 Menschen eingekesselt. Als sich die Eingekesselten auf die Straße setzten, wurden sämtliche Männer auf Lkws verladen und fortgebracht. Die 20 Frauen, die zurückgeblieben waren, setzten ihren Weg fort, andere schlossen sich ihnen an, und sie gelangten bis zur Reformierten Kirche. Dort trafen am späten Nachmittag immerhin noch 600 Leute ein, die ungestört die Abschlussveranstaltung des 2. Pleißemarsches erleben konnten. Sie sahen die von Tobias hergestellte Ausstellung und den von Umweltaktivisten und dem *Grünen Netzwerk Arche* heimlich gedrehten Dokumentarfilm mit dem Titel *Bitteres aus Bitterfeld**. Bis in den späten Abend spielte die Rockband Uferlos.

Über Wonnebergers Telefon wurden am selben Abend die in der DDR akkreditierten Westjournalisten über die Ereignisse informiert. Angereist war von ihnen niemand. Kathrin machte sich später noch mit einem anderen Gruppenmitglied auf den Weg und brachte Fotos von dem Geschehen nach Ost-Berlin. Aus einer Umweltveranstaltung zur Sanierung der Pleiße war durch die Reaktion des Staates eine oppositionelle Aktion geworden.

Freiheit und Musik
Juni 1989

Nun fieberten alle dem nächsten Wochenende entgegen. *Wir wollen Gesang, wollen Spiel und Tanz auf unseren Straßen …* In der Stadt hatte der Vorbereitungskreis kleine, im Siebdruckverfahren hergestellte Plakate geklebt und Hunderte von Handzetteln und Flugblättern verbreitet: *Mit dem Leipziger Straßenmusikfestival wollen wir wenigstens einen Tag lang die Stadt zum Leben erwecken. Musiker aller Richtungen haben sich angesagt. Wer ohne Anlage und ohne Bühne musizieren oder irgendeine andere Kunst auf die Straße bringen kann, sollte noch mitmachen, wir haben genug Platz in der Innenstadt.* Unterzeichnet war die Einladung mit *Straßenmusiker und Freunde.*

Katti und Conny hatten die Aufgabe übernommen, an gut sichtbaren Stellen in der Stadt immer wieder neue Plakate aufzuhängen, wenn sie an anderen Stellen von Mitarbeitern der Staatssicherheit abgerissen worden waren. Sie hatten mehrere Linolschnittvorlagen angefertigt, mit Silhouetten von Musikern: ein Saxofonist etwa, ein Gitarrist, ein Kontrabassist. Im Grunde war jedes Plakat ein Original. Gemalt und gedruckt auf unterschiedlichen Unterlagen in vielfältigen Größen. Auf Packpapier oder Pappresten, auf alten, zerteilten Rückwänden alter Schränke aus Pappe – was immer sich fand. Gemalt und gedruckt wurde tagsüber, geklebt spät in der Nacht, bis es wieder hell wurde.

Als sie gerade ein Plakat in den Hauseingang eines großen

Wohnhauses aufhängen wollten, kam jemand die Treppen herunter. Die beiden verließen fluchtartig das Haus und warfen die restlichen Plakate, Kleber und Pinsel in eine Abfalltonne, damit sie nicht auf frischer Tat ertappt werden konnten. Sie rannten, bis sie völlig außer Atem waren. Später nahmen sie sich vor, mehr Nerven zu behalten, um nicht die Arbeit von vielen Stunden zu verlieren. Selten kehrten sie an einen Ort zurück, wenn, dann nur, um ihre Arbeit zu dokumentieren. Die Musikalienhandlung Oelsner in der Schillerstraße traute sich, ein Plakat im Schaufenster auszuhängen, Christian aus der Marianne hatte eines für die Raucherecke im Fernmeldeamt mitgenommen. Das Festival sollte Leichtigkeit und Lebensfreude nach Leipzig bringen und daneben ein öffentliches Zeichen für die Legalisierung von Straßenmusik setzen. Jochen, Katti und einige andere wollten die emotionale Wirkung eines Musikfests vor allem auch politisch nutzen. Wichtiger als Flugblätter seien Aktionen, die man fühlen und sehen könne, die sich als Bilder ins Gedächtnis einbrennen. Jede Polizeimaßnahme, so ihr bewusstes Kalkül, würde die Perversion eines Systems, das Lebendigkeit und selbstbestimmte Lebensfreude unterdrückte, deutlich wie nie offenlegen. Und nach allen Erfahrungen mussten sie mit Repressionen durch die Polizei rechnen. Besonders die Frauen im Vorbereitungskreis sahen dem gelassen entgegen.

Katti hatte seit Monaten mit Studenten der Theaterhochschule Hans Otto und der Kunsthochschule gesprochen. Auch einige der Thomaner, die sie kannte, hatte sie gefragt, ob sie das Festival nicht mit einem Auftritt oder einer Performance oder zumindest als Zuschauer unterstützen wollten. Rainer hatte beim Treffen der Gruppen im Sonnabendkreis darüber informiert. Da man Anfragen nicht mit der Post verschicken konnte – dann wäre womöglich alles aufgeflogen –, mussten sie auswärtige Musiker persönlich aufsuchen, um sie einzuladen. Jeder aus dem Vorbereitungskreis hatte dafür einige Reisen in alle Winkel der DDR unternommen.

Katti brachte den Theologiestudenten Jens Koch zu den Vorbereitungstreffen mit, der das Festival vom Turm der Thomaskirche aus den ganzen Tag über fotografieren wollte. Sein Freund Lutz Toepfer, Küster in der Thomaskirche, versprach, ihm den Zutritt zum Turm zu ermöglichen.

Leipzig besaß traditionell eine enge Beziehung zur Musik. Hier hatten weltberühmte Musiker wie Johann Sebastian Bach, Felix Mendelssohn Bartholdy oder Richard Wagner gelebt und gewirkt. SED und Stasi saßen in der Zwickmühle. Wenn sie ausgerechnet in dieser Stadt gewaltsam gegen ein Festival für Musik- und Künstlergruppen vorgingen, die zudem aus dem ganzen Land anreisten, würde sich die Empörung am Ende gegen sie wenden. »Wenn sie es erlauben«, beschloss der Vorbereitungskreis, »dann machen wir jedes Sommerwochenende ein autonomes Musikfestival.« Und das war auch den staatlichen Stellen klar. Es blieb nur die Wahl, das Festival im Vorfeld zu unterdrücken. Bereits in der Einladung hatten die Organisatoren die Konfrontation einkalkuliert: *Die Frage der Genehmigung ist bisher nicht geklärt, wir wollen uns allerdings davon auch nicht abhängig machen. Die Sache wird auf jeden Fall irgendwie stattfinden!*

Jochen war es wie erwartet nicht mehr gelungen, das Festival offiziell anzumelden. Tatsächlich wurde es kurz vorher ausdrücklich verboten. Um ihm das mitzuteilen, bat man Jochen ins Rathaus. Als Begründung wurde ihm vom Ratsmitglied für Kultur mitgeteilt, dass am selben Tag auf dem Messegelände das Pressefest des SED-Bezirksblatts *Leipziger Volkszeitung* stattfinde und damit alle kulturellen Bedürfnisse der Leipziger an diesem Wochenende abgedeckt seien. Eine Gegenveranstaltung in der Innenstadt könne nicht geduldet werden. Jochen verlangte von dem SED-Mann daraufhin, er solle dies so im

Radio bekanntgeben. Der Genosse brauste auf: *Wieso soll ich eine Veranstaltung absagen, zu der ich nicht eingeladen habe?*

Jochen entgegnete ruhig: *Das Straßenmusikfestival findet auf jeden Fall statt. Ich rechne deshalb mit dem Eingreifen von Stasi und Volkspolizei – das ist aber nicht so schlimm.*

Der SED-Mann sah ihn verblüfft an.

Jochen erläuterte: *Ich bin selbst auch schon oft zugeführt worden. Dann lässt man uns wieder frei. Wenn wir von einer Stelle weggejagt werden, gehen wir an eine andere und machen weiter!*

Damit war das Gespräch beendet.

Nahezu täglich lud dieser für Leipziger Kulturpolitik zuständige SED-Genosse nun junge Musiker aus Bands und Gruppen vor, ermahnte sie, sich nicht am Festival zu beteiligen, und drohte ihnen: *Sonst wird Ihnen die Spielerlaubnis entzogen!* Andere wurden von Stasi und Volkspolizei belehrt, darunter sämtliche Bewohner der Marianne. Ob Organisatoren, Musiker oder Zuhörer – für die Teilnahme am Festival wurden allen schwere strafrechtliche Konsequenzen in Aussicht gestellt. Viele verweigerten dennoch die Unterschrift unter dem Belehrungsprotokoll. Saskia, das lebenslustige Mädchen mit der runden Nickelbrille und den langen Haaren, wurde vom ergrauten Major Schuster in einem Zimmer mit vergittertem Fenster in der Dimitroffstraße fast eine Stunde lang belehrt. Sie müsse am 10. Juni zu Hause zu bleiben und dürfe auf keinen Fall in die Innenstadt gehen. Als sie das Protokoll nicht unterschreiben wollte, war das dem alten Stasi-Mann auch egal: »Gelesen ist wie unterschrieben! Sie wissen, wo Sie sich an diesem Tag aufzuhalten haben!«

Es regnete seit Tagen. Das Festival war zum Stadtgespräch geworden. Es ging um mehr als ein wenig Musik auf den Straßen. Ein neues Kräftemessen zwischen den Gruppen, der Partei und den Sicherheitskräften in Leipzig bahnte sich an.

In der Küche der Marianne saßen zwei Tage vor dem 10. Juni einige Bewohner und Gäste beisammen und redeten über das bevorstehende Ereignis. Rainer hatte schöne, alte Porzellanteller im Sperrmüll gefunden, die klapperten zur Reinigung im heißen Wasser eines großen Kochtopfes auf dem Herd. Gesine war seit dem Abend am Kulkwitzer See in das Zimmer von Christian so gut wie eingezogen, jedenfalls konnte man Gesine fast täglich bei ihm antreffen und nicht mehr in ihrer Wohnung.

In der Küche spekulierten sie darüber, wie viele Musiker wohl am Samstag mitmachen würden. Es war schwer abzuschätzen. Die Idee war überall auf große Zustimmung, ja Begeisterung gestoßen, aber welche Wirkung würden die Drohungen und Einschüchterungen entfalten? Keiner hatte klar gesagt: »Ich werde auf jeden Fall da sein«, meistens hieß es nur: »WIR werden spielen, wenn IHR das eröffnet.«

In der letzten Zeit waren Straßenmusiker in Leipzig konsequenter als bisher kontrolliert, verjagt oder zugeführt worden. *Musizieren ohne Genehmigung ist in der Öffentlichkeit nicht erlaubt!* Das hatte Jochen genauso wie ein Leipziger Dudelsackspieler zu spüren bekommen. Als der junge Musiker vor der Ausweiskontrolle auf dem Fahrrad floh, eilte ihm ein Volkspolizist hinterher, stellte ihn und brachte ihn aufs Revier. Eine gepfefferte Ordnungsstrafe folgte.

Uwe war mit Frank in der Stadt unterwegs gewesen und hatte Unterschriften von bekannten Leipziger Künstlern und Schriftstellern gesammelt. »Mit Adolf Endler musste ich nicht lange sprechen, der war begeistert von unserer Idee und unterschrieb, ohne zu zögern.« Wer seinen Namen unter den von Jochen formulierten Text setzte, sprach sich gegen das Verbot des Musikfestivals aus und forderte stattdessen *in Zukunft eine Unterstützung derartiger Aktivitäten.*

Vom Flur der Marianne hörten sie in diesem Moment ein

Rumpeln. Die Haus- und Wohnungstüren standen ja immer offen – kam da jemand? Alle schauten hoch. Gesine und Christian standen im Türrahmen. Als Uwe die beiden Frischverliebten sah, fiel ihm etwas ein. »Wir dürfen morgen nicht zu Hause schlafen. Auch ihr nicht. Die stehen Samstag ganz sicher vor unseren Wohnungen und fangen uns ab. Wir müssen aber unbedingt da sein, wenn die Musiker kommen. Ohne Organisatoren klappt das nicht mit dem Festival.« Christian hatte eine Idee: »Ich weiß einen Ort, wär auch mal was anderes als immer nur bei den Protestanten.« Er kannte den Jugendkaplan der katholischen Propsteigemeinde ganz gut. Für den Fall, dass die Stasi vor dem Haus mithören würde, schrieb er die Adresse des Gemeindezentrums auf einen Zettel, den er herumreichte.

Am Freitagabend schlichen sich Gesine, Christian, Frank, Uwe, Jochen und noch einige andere in ein Gebäude in der Nähe des Leipziger Zoos. Christian kannte sich aus. Er zeigte ihnen das Kolpingzimmer, in dem sie kampieren konnten. Trotz der Ungewissheit, was am nächsten Tag passieren würde, waren sie bestens gelaunt, jemand hatte sogar an Wein gedacht. Unter dem Bild von Pfarrer Kolping, Sohn eines armen Schäfers und Kämpfer gegen menschenunwürdige Lebensbedingungen, wurde eine Zigarette nach der anderen geraucht. So lagerten sie schon eine ganze Weile, als plötzlich die Tür aufflog und jemand brüllte: »Was ist denn hier los?« Es war der katholische Priester, den natürlich niemand informiert hatte. Er stand nun zeternd vor ihnen, ein Propst im Bademantel, mit Pantoffeln an den Füßen. Es dauerte eine Weile, bis er sich beruhigt hatte und mit dem für ihn überraschenden Kirchenasyl einverstanden war.

An Schlafen war nicht zu denken, erst recht nicht, als eine Faust um zwei Uhr nachts kräftig ans Fenster klopfte. Christian blickte hinaus, öffnete den Fensterflügel, und Micha kletterte zu ihnen hinein. »Ich hab noch was zum Verteilen für morgen mitgebracht.« Es waren Abzeichen aus rotem Stoff. Die chinesische Flagge mit einem schwarzen Trauerflor am Rand. »Als Protest gegen die Niederschlagung der Demokratiebewegung!« Micha hatte sie von vietnamesischen Näherinnen herstellen lassen. Es wurde schon beinahe hell, als sie endlich einschliefen.

Mit ihrem Freund aus Wonnebergers Menschenrechtskreis, der als Taxifahrer arbeitete, hatten sie vereinbart, dass er für ihren Transport sorgte. Zu Fuß, so ihre Ahnung, würden sie wohl niemals bis zum Markt durchkommen. Es klappte alles perfekt, pünktlich morgens um kurz vor zehn erschienen mehrere Taxis, die sie unbehelligt in die Innenstadt chauffierten.

Nach einer Reihe von Regentagen schien am 10. Juni endlich wieder die Sonne. Auf einer kleinen Grünfläche neben der Thomaskirche unweit des Marktes trafen die ersten Musiker und Zuschauer ein. Auch Stasi-Mitarbeiter, wie üblich in Zivil, waren bereits anwesend. Als die Ersten ihre Instrumente auspackten, kam ein Mann auf sie zu und erinnerte an das Verbot. Volkspolizisten waren in der Nähe jedoch nicht zu sehen, und der Mann schien keine unmittelbare Gefahr zu sein. Jochen griff daher in die Seiten seiner Gitarre, neben ihm begann ein Bongospieler zu trommeln. Das war das Startsignal.

Mehr als ein Dutzend Musikgruppen begannen auf dem Markt zu spielen, und schnell bildeten sich um sie herum Menschentrauben. Zwischen Thomaskirche und dem Restaurant Stadt Kiew war bald ein fröhliches Fest im Gange, das sich mehr und mehr auch in die umliegenden Straßen ausweitete. In der Petersstraße spielte eine Gruppe Renaissancemusik, etwas weiter entfernt jazzte ein Saxofonist, auf der Grünfläche tanzten Menschen zur Volksmusik. Barfüßige Musikanten in mittelalterlichen Trachten hatten Dudelsack, Trommel und ein seltsames Saiteninstrument mitgebracht. Unter den Arkaden gab es Folklore, vor dem Capitol-Kino spielte Katti Flöte mit einer Freundin. An einer Ecke des Marktes saß Rico, der angehende Bluesmusiker, der sein Gitarrenspiel seit den ersten Übungen im Hof der Marianne schon beträchtlich verbessert hatte. Über all dem strahlte die Junisonne, die Tausende von Menschen in die Innenstadt lockte. Die Leipziger blieben stehen und staunten, wie bunt und entspannt es in ihrer Stadt zugehen konnte. Eine Touristengruppe, unterwegs zur Thomaskirche, fotografierte das Treiben.

Die Ordnungskräfte mochten in dieser Situation nicht einschreiten. Der Leiter des Einsatzstabes Helmut Hackenberg schaute sogar persönlich vorbei. Er meldete später an das SED-Zentralkomitee in Ost-Berlin: *Da anfangs eine große Personenbewegung in der Innenstadt war und die Liedtexte keinen provozierenden Inhalt hatten, wurde durch mich entschieden, die Auflösung der Personenansammlung nicht vorzunehmen.*

Um Jochen hatte sich eine besonders große Traube gebildet. Die jüngeren unter den Passanten hatten sich vor ihm auf den Boden gesetzt, nach jedem Lied klatschten sie begeistert Beifall. Passend zum Wetter spielte er »Eine Sonne, die unter die Haut geht«, danach Lieder von Mercedes Sosa und Renft.

Eine Stunde verging und eine zweite. Abgesehen von Versuchen der abkommandierten SED-Genossen, als Gesellschaftliche Kräfte gegen die langhaarigen Musikanten zu pöbeln – was im Publikum nur für Empörung sorgte –, passierte nichts. Um halb zwölf erschien der 2. Sekretär der SED-Bezirksleitung und fragte in die Menge nach einem Verantwortlichen. Er bekam zu hören, jeder sei hier für sich selbst verantwortlich. Dann bekräftigte er nochmals das Verbot und meinte, da die Geschäfte gleich schließen würden, könne jetzt auch mit der Musik Schluss gemacht werden. Er wurde ausgelacht.

Dann gab es einen Zwischenfall. Gegenüber dem Modehaus Topas stoppte ein Trabant, der sich vom Ring her der Thomaskirche genähert hatte. Auf seinem Dach waren sechs große Lautsprecher installiert. Mit einem Mal plärrte daraus sehr laute Discomusik von Jennifer Rush über den Platz und übertönte die Straßenmusikanten. Zornig gingen etliche Passanten auf den Trabi zu und klopften an dessen Scheiben. Die beiden Männer im Inneren trauten sich nicht zu öffnen, stattdessen griff der Beifahrer zum Mikrofon und forderte dazu auf, *diese nichtgenehmigte Veranstaltung abzubrechen und zu verlassen.*

Den Fahrer des Lautsprecher-Trabis beruhigte es wenig, dass sich ein Ring ziviler Stasi-Männer schützend um das Auto stellte. Er sah die Wut und den Zorn in den Gesichtern der Passanten. Als sich ein älterer Mann zu ihm beugte, kurbelte er das Seitenfenster runter. Aufgebracht rief der Alte ins Wageninnere: *Ja, schämen Sie sich denn gar nicht?* Das ging dem Fahrer unter die Haut. Er und sein Kollege im Trabi kamen sich vor *wie eingesperrte Tiere.*

Der Trabilenker war ein Angestellter des Fernmeldeamtes Leipzig, dessen Parteisekretär ihn beauftragt hatte, eine »Werbefahrt« mit dem »Agitations- und Propagandafahrzeug« zu machen. Eigentlich hatte er am Wochenende etwas anderes vorgehabt, folgte aber der Weisung. Er war linientreues SED-Mitglied und hatte eine perfekte Personalakte: Armeezeit als Grenzsoldat, niemals aufgefallen. Er hatte sich im Stadthaus bei einer für ihn sonderbaren »Einsatzleitung« gemeldet und als Beifahrer einen Mann zugewiesen bekommen, der sich ihm als »Ratsmitglied« vorstellte. Erst angesichts der erbosten Leipziger rund um sein Auto begriff er, was hier seine wirkliche Aufgabe war, und er fühlte sich missbraucht. Er mochte Straßenmusik und sollte nun der Kulturbanause sein? Er beschloss, die Aktion abzubrechen. Sein Beifahrer, das angebliche Ratsmitglied, wollte offenbar auch nur noch seine Haut retten, fügte sich dem Entschluss und fragte nur besorgt, ob er ihm beim sicher zu erwartenden Ärger mit der Einsatzleitung helfen würde. Der Fahrer stoppte die Discomusik, wendete den Trabi und zockelte unter dem Gejohle der Menschen vom Platz.

Um die Mittagszeit machten die ersten Musiker mit glücklichen Gesichtern Pause, froh darüber, dass das Festival trotz aller Drohungen stattfand. Auch der Zustrom der Passanten nahm etwas ab, die Leute gingen nach Hause, um mittagzuessen. Das nutzten die Ordnungskräfte sofort aus. Gegen ein Uhr nahm man einer Musikgruppe auf dem Markt die Instrumente ab. Sie sang daraufhin a cappella weiter.

Eine Theatergruppe aus Quedlinburg führte eine Fabel vom Bär und der Familie Esel auf: *Es war einmal ein alter und ein junger Bär ...* Jeder der Umstehenden verstand es als ein Gleichnis auf Breschnew, Gorbatschow und Honecker, auf die Sowjetunion und die DDR: *Der alte Bär starb und der junge Bär wurde nun König und begann sein Amt mit einer Reihe von Reformen. Er hatte erkannt, dass der alte Bär eine ganze Menge Fehler gemacht hatte, und bemühte sich nun, diese wieder wettzumachen. Für das Volk des Waldes war es eine große Umstellung. Der Esel jedoch wurde mit diesen plötzlichen Wandlungen nicht fertig. Er eiferte immer noch dem Vorbild des alten Bären nach. Die Bevölkerung seines Waldes jedoch erkannte die Vorteile der Neuerungen des jungen Bären und wollte diese auch bei sich eingeführt wissen.*

All das alarmierte die Stasi-Beobachter, und es dauerte nicht lange, da rollte ein Ello der Polizei mitten auf den Markt. 25 Bereitschaftspolizisten in schwarzen Stiefeln und mit ausziehbaren Gummiknüppeln sprangen herab und begannen mit der Jagd auf die Quedlinburger und überhaupt auf Leute mit Instrumenten.

Die Musik verstummte, die Stimmung kippte, die gellenden Schreie eines Mädchens, das weggetragen wurde, hallten über den Platz, und ein Pfeifkonzert erhob sich gegen die Polizei. Bald waren die Quedlinburger und andere Künstler auf den Ello befördert worden, auch Katti und ihre Freundin. Doch ein dichter Ring protestierender Bürger stand um den Laster, sie sangen »We Shall Overcome« und »Die Internationale«. Frank war mittendrin und rief immer wieder: »Wir lassen uns das nicht mehr gefallen! Wir lassen uns das nicht mehr gefallen!« Er und andere Passanten stiegen kurzerhand zu den Festgenommen auf die Ladefläche, obwohl sie niemand dazu aufgefordert hatte. Jemand reichte eine Flasche Wein nach oben. Andere stellten sich direkt vor die Kabine des Fahrers, um ihn an der Abfahrt zu hindern. Der setzte daraufhin den Wagen rücksichtslos rückwärts in die Menge hinein, so dass die Leute beiseitespringen mussten und er losfahren konnte. Doch jetzt waren die Menschen aufgebracht, und ein spontaner Demonstrationszug bildete sich und zog vor das Polizeirevier Mitte in der Ritterstraße. Dorthin hatte man die Festgenommenen gefahren.

Etwa zweihundert Leute ließen sich zu einem Sit-in vor dem Eingang der Polizei nieder und verlangten die Freilassung der Zugeführten. Sie sangen im Kanon »Dona nobis pacem«. Nach mehreren Aufforderungen, den Platz zu verlassen, zogen sie zurück zum Marktplatz. Hier schwoll die Menge auf über fünfhundert an. In ihrer Mitte sangen und tanzten sie eine »Laurentia«, worüber sogar einige der Sicherheitskräfte unwillkürlich lachen mussten. *Laurentia, liebe Laurentia mein, wann werden wir wieder zusammen sein? Am Mooontag!* Die Volkspolizei antwortete mit einer Megafondurchsage: *Die ungesetzliche Ansammlung ist aus … äh … aufzulösen, sonst erfolgen polizeiliche Zwangsmaßnahmen!* Der Versprecher sorgte für großes Gelächter.

Jochen und seine Freunde trugen an ihren Hemden die rote Flagge Chinas mit dem Trauerflor. Sie hatten alle mitgebrachten Aufnäher verteilt, wem immer sie einen anboten, der heftete ihn ohne Zögern an seine Kleidung. Das Massaker an den Demonstranten auf dem Platz des Himmlischen Friedens in Peking war noch nicht einmal eine Woche her. Doch in Leipzig besaßen die Ordnungskräfte an diesem Sonntag wenig Autorität, und für den Aufnäher interessierten sie sich nicht.

Vor der Thomaskirche kesselten die Polizisten dann eine größere Gruppe ein. Einige konnten noch in die Kirche fliehen. Wer sich nicht freiwillig abführen ließ, wurde an den Haaren zu den Ellos geschleift und auf die Ladefläche geworfen. Auch hier kletterten Unbeteiligte aus Solidarität mit dazu. Die Gäste vom Bachstüb'l und dem Café Concerto verfolgten entsetzt das Geschehen, und vor der Polizeikette, die den Thomaskirchhof absperrte, sammelte sich erneut eine lautstark protestierende Menschenmenge. Die Thomaner-Chorknaben kamen wie immer um diese Zeit in ihren schwarzen Anzügen zu Fuß vom Internat herüber, und Stadtführer erschienen mit ausländischen Touristengruppen, beide waren sie auf dem Weg zur Motette in der einstigen Kirche von Johann Sebastian Bach. Das wurde den Uniformierten offensichtlich zu viel Öffentlichkeit, so beendeten sie die Polizeiaktion kurz vor drei Uhr und zogen sich unter Johlen und Beifallklatschen zu den Verhafteten auf den Lastwagen zurück.

Von den Zugeführten war ein großer Teil gemeinsam in einem Raum des Volkspolizeikreisamtes Dimitroffstraße gelandet. Später erfuhren sie, dass es insgesamt 83 Festgenommene gegeben hatte. Jeder, der neu hereinkam, wurde mit großem Hallo begrüßt. Die Stimmung war ausgelassen. Zwei Verkehrspolizisten standen als Bewacher reglos im Raum und starrten vor sich hin. Es wurde gesungen, geklatscht und Witze gerissen. Leute aus Mecklenburg spielten auf Plattdeutsch Kasperletheater. Regelmäßig wurden Einzelne zu Verhören herausgeholt, doch die Koordination zwischen Stasi und

Volkspolizei funktionierte nicht gut. Teils irrten Bewacher und Bewachte durch endlos scheinende Gänge und landeten in leeren Verhörzimmern. Teils bildeten sich auf den Gängen Gruppen, die warten mussten. Dann begann einer mit der Mundharmonika, ein anderer auf der Mandoline zu musizieren. Das hallte durch die Stasi-Untersuchungshaftanstalt. Aber selbst wenn die Aufforderung kam, damit aufzuhören, wurde das Stück unter dem Beifall der anderen zu Ende gespielt. Ob Chaos oder böser Wille, die Quedlinburger wurden ohne Rücksicht auf ihr noch in Leipzig stehendes Auto zurück in ihre Heimatstadt gefahren und dort erst freigelassen. Andere mussten bis zu 26 Stunden ausharren.

Auch Frank wurde verhört und ließ den Vernehmer auflaufen.

Durch wen wurde diese Veranstaltung organisiert?

Diese Veranstaltung trägt organisationslosen Charakter.

Welche Kenntnisse hatten Sie hinsichtlich der Genehmigung?

Mir war bekannt, dass das Festival nicht genehmigt worden war, darüber bin ich auch belehrt worden, nicht daran teilzunehmen.

Und warum nahmen Sie trotz Belehrung teil?

Ich wollte sehen, wie sich der Tag entwickelt, ob die Stasi das Festival wirklich verhindert.

Was dachten Sie, wie sich die Sicherheitsorgane verhalten würden?

Aus meiner Sicht war abzusehen, dass sich die Stasi zurückhalten wird. Dafür gibt es verschiedene Gründe. Diese bestanden zum Beispiel darin, dass zur Zeit die Internationale Buchausstellung in Leipzig und auf dem Messegelände das Pressefest ist. Außerdem hält sich ein SPD-Politiker und Mitglied der Grundwertekommission aus Westdeutschland in Leipzig auf, der sich mit totalitären Regimen beschäftigt.

Warum glaubten Sie, dass wir die Konfrontation scheuen würden?

Ich nehme an, dass Sie sich mit einem Einschreiten nicht noch mehr vor der Weltöffentlichkeit blamieren möchten. Ich bereue nicht, mich wegen des Straßenmusikfestes im Stadtzentrum aufgehalten zu haben. Dies gebe ich offen zu, obwohl ich genauso sagen könnte, in der Stadt nur einen Spaziergang gemacht zu haben. Mir ist klar, dass dagegen keine Staatsgewalt etwas haben kann. Ich bereue es auch nicht, weil ich heute ein gutes Gefühl hatte, als ich das bunte Treiben in meiner Stadt sah.

Nach der Chinaflagge mit Trauerflor fragte niemand. Aber Frank musste den belichteten Film aus seinem Fotoapparat abgeben. Er regte sich darüber schrecklich auf.

Der SPD-Politiker war Günter Brakelmann, ein Theologieprofessor aus Bochum. Er war öfter bei seinen Kollegen in Leipzig zu Besuch und hatte vormittags einen Vortrag über Menschenrechte am Theologischen Seminar gehalten. Anschließend war er mit einigen Studenten zum Markt gefahren. An seiner Seite gingen Edgar aus der Nicaragua-Gruppe und Mike, der trotz der Hitze eine gelbe Regenjacke trug, auf deren Rücken er geschrieben hatte: *Wo man singt, lass Dich nieder, nur böse Menschen dulden keine Lieder.* Normalerweise wäre das – besonders an diesem Tag – ein Grund zur Festnahme gewesen, aber an die Gruppe um den Theologieprofessor traute sich kein Stasi-Mann heran. Brakelmann hörte kurz den Straßenmusikanten zu und erlebte dann den brutalen Polizeieinsatz mit dem Abtransport der Quedlinburger und anderer junger Musiker.

»Wer so zugreift, der ist am Ende«, meinte der schockierte Sozialdemokrat zu seinen Begleitern. »Gewalt eskaliert, wenn man nicht mehr anders kann.« Er wollte mit den Studenten in das Gemeindehaus der Lukaskirche, um mit Leuten aus dem Arbeitskreis Gerechtigkeit und der Arbeitsgruppe Menschenrechte zu diskutieren. Rainer, Thomas, Kathrin und Bernd nahmen daran teil. Sie drängten den SPD-Politiker, sich für die Einstellung aller Wirtschaftshilfen an die DDR einzusetzen, weil durch diese die Herrschaft der SED nur stabilisiert und eine grundlegende Änderung der Verhältnisse hinausgezögert werde.

Uwe und Jochen saßen nach dem Polizeieinsatz draußen vor dem Restaurant Stadt Kiew und berieten, wie es weitergehen könne.

»Sollen wir abbrechen oder weitermachen?« Uwe blickte Jochen fragend an. »Mindestens die Hälfte der Musiker ist noch da, vielleicht noch mehr.«

Gesine und Anke setzten sich dazu. Die Gruppe mit dem Dudelsack musizierte auf einmal wieder, das entspannte die Situation. Jochen hielt es nicht länger auf seinem Platz. »Ich mach jetzt weiter!« Er ließ den halben Eisbecher stehen, packte seine Gitarre mit dem Straßenmusikfestival-Aufkleber und schritt zur Wiese vor der Thomaskirche. Uwe zahlte und ging langsam über den Markt. Plötzlich versperrte ihm ein Stasi-Mitarbeiter, den er von Zuführungen und Vernehmungen kannte, den Weg. Der Eins-neunzig-Mann im kurzärmeligen weißen Sommerhemd baute sich direkt vor ihm auf und fixierte ihn.

»Na? Wie soll denn das hier jetzt weitergehen?«

Uwe antwortete mit treuem Blick, es gehe wohl im Clara-Zetkin-Park weiter. Das reichte dem Mann, und er drehte ab. Von einem der vielen Fotografen, die an diesem Tag unterwegs waren, erfuhr Uwe später, dass wohl tatsächlich Einsatzkräfte in den ein ganzes Stück entfernten Park verlegt worden waren.

Gegen Abend war die Wiese vor der Thomaskirche wieder voller Menschen. Die verbliebenen Musiker fanden sich rund um den Markt ein, und das Straßenmusikfestival ging noch stundenlang unbehelligt weiter. Der junge Gitarrist Martin Jankowski, den viele als Aktivisten bei den Friedensgebeten kannten, spielte das an diesem Tag besonders beliebte Heinz-Rudolf-Kunze-Lied »Wir haben keine Angst«, danach den Umweltsong »Ich will Grün sehen«, was gleich wieder zu Gelächter führte in Anbetracht der vielen Polizeiuniformen um sie herum. Jochen hielt eine kurze Ansprache und erinnerte daran, dass am Mittag viele Musiker und Zuschauer festgenommen worden waren, für die man sich einsetzen möge.

Mit einem Herrn, der angab, er sei vom Rat der Stadt, entbrannte eine heftige Diskussion inmitten einer Gruppe von 80 Jugendlichen. Mittendrin stand auch die Philosophin Inge Berndt. Erst ging es um die Genehmigungspraxis und um den Begriff Veranstaltung. Aber schnell waren Themen dran wie die Wahlfälschung, das Verbot der sowjetischen Zeitschrift *Sputnik* und das blutige Vorgehen der chinesischen Kommunisten gegen die Studenten, die für Demokratie demonstriert hatten. Der irritierte Stasi-Mann stand auf verlorenem Posten. Er gab am Ende zu, dass es womöglich falsch gewesen sei, die Initiative zur Straßenmusik zu verbieten – vielleicht wollte er aber auch nur heil der erregten Menge entkommen.

Wer aber in dieser Runde dabei gewesen war, der staunte. Eine öffentliche Diskussion wie diese hatte es auf den Straßen im Zentrum der Stadt noch nie gegeben. Und einen solchen Tag auch nicht. Uwe dachte daran, wie er mit Frank und Anke vor einem Jahr hier Jochens Zuführung erlebt hatte und wie sehr sich die Dinge doch entwickelt hatten.

Jochen und Uwe gingen mit einer größeren Gruppe vom Markt zur Straßenbahnhaltestelle am Leuschnerplatz, weil es hieß, Richtung Bahnhof würden alle Menschen mit Musikinstrumenten immer noch festgenommen. Sie sahen aber unterwegs keinen einzigen Polizisten mehr. Es war ein warmer Abend und später leuchtete über der Stadt ein Feuerwerk – wenn auch das des SED-Pressefestes.

Schall und Rauch
Juli 1989

Für die Partei und Stasi im Bezirk gab es keine Ruhepause mehr. Schon am nächsten Tag fanden gleich zwei Umwelttage im Bezirk Leipzig statt: der eine, wie im Vorjahr mit Hunderten von Teilnehmern, in Deutzen. Der andere im kleinen Ort Börln im Kreis Oschatz. Dort hatte Rainer nach wochenlangen Recherchen mit dem Fahrrad den geheim gehaltenen Ort entdeckt, an dem ein neues Atomkraftwerk in unmittelbarer Nähe der Großstädte Leipzig und Halle entstehen sollte. Er versuchte, die Menschen wachzurütteln. Das funktionierte. Auf den Dörfern breitete sich Unruhe aus. Etlichen Bürgern wurde von der Polizei untersagt, zum Umweltgottesdienst nach Börln zu fahren. Ein Vorsitzender der LPG Tierproduktion drohte einem Mitarbeiter mit dem Staatsanwalt, sollte dieser zur Kirche gehen. Am 11. Juni wurden dann alle Wege nach Börln durch massive Polizei- und Stasi-Kräfte kontrolliert und etliche Interessierte abgewiesen. Doch aus den umliegenden Dörfern der Dahlener Heide kamen trotz schlechten Wetters 800 Besucher, um sich über die Gefahren der Atomkraft und die Reaktionen des Staates auf bisher gemachte Eingaben zum geplanten Bau zu informieren.

Am Montag ging es in Leipzig vor der Nikolaikirche weiter. Zum Friedensgebet kamen inzwischen Woche für Woche 1000 Leute, und immer wieder mussten die Ordnungskräfte im Anschluss Demonstrationsversuche aufhalten.

Die hysterische Reaktion des Staates auf das Straßenmusikfestival hatte die Empörung der Leipziger deutlich wachsen lassen. Viele Bürger schickten Eingaben und Beschwerden an die Behörden über die verhängten Ordnungsstrafen und den Umgang mit den Verhafteten. In der Stadt brodelte es, und die Wirkung des Straßenmusikfestivals reichte weit über Leipzig hinaus. Der Leipziger Gewandhauskapellmeister Kurt Masur lud Ende August zu einer Veranstaltung »Straßenmusik in Vergangenheit und Gegenwart« ein. Diese »Begegnung im Gewandhaus« wurde zu einer offenen Diskussion über die Probleme im Land und gab den Organisatoren rund um Jochen ein offizielles Podium außerhalb der Kirche. Sie überreichten Masur zu dieser Gelegenheit eine Dokumentation über das Straßenmusikfestival mit sehr vielen Fotos, Karikaturen, Augenzeugenberichten und Kommentaren. Sie hatten nur 50 Exemplare, aber jedes war mit 36 Seiten aufwendig hergestellt. Mehrere Tage lang klebte eine kleine Gruppe, die sich spontan zusammengefunden hatte, Hunderte von Originalfotos ein und fügte Kopien von Ordnungsstrafverfügungen dazu. Sie arbeiteten in der Remise im Garten eines Hauses im Waldstraßenviertel an zwei langen Tapeziertischen wie in einer Manufaktur.

Die Vorbemerkung hatte Jochen geschrieben: *Für uns hat sich die Sache, um die es hier geht, die Emanzipation von Gruppen gegenüber einem totalitären Staat, der jede autonome, öffentliche Bestrebung zu unterdrücken sucht, nicht erledigt. Die Kreativität, die Freude und Gemeinschaft der Menschen darf nicht manipuliert, nicht geplant oder auf bestimmte Anlässe beschränkt werden.*

Von der Decke baumelte eine nackte Glühbirne, sonst war der Raum leer. Alle Seiten mussten gelocht, pro Exemplar 144 Lochverstärkungsringe von Hand angebracht werden – insgesamt 7200 Stück. Das Ganze wurde mit einer Metallklammer gebunden und mit einem von Gesine entworfenen Pappdeckel als Schutzumschlag versehen. Um das grafisch gestaltete Titelbild herzustellen, fuhr Christian eigens zum Dominikanerkloster St. Albert nach Leipzig-Wahren. Er hatte gehört, dass die Mönche dort eine gute technische Ausstattung aus dem Westen hatten und nicht gerade Freunde des Staates waren.

Die Ordensbrüder empfingen Christian freundlich und halfen ihm sofort. Er sah bei dieser Gelegenheit zum ersten Mal in seinem Leben einen Fotokopierer und kehrte mit fünfzig Kopien des Titelblattes zu den anderen zurück.

Etliche Exemplare der Dokumentation gingen an Gruppen in der ganzen DDR. Uwe wollte eines einem besonders guten Freund zukommen lassen, Fred, der seit vielen Monaten unerreichbar in West-Berlin wohnte. Sie hatten bei der Verabschiedung auf dem Leipziger Hauptbahnhof einen Übergabeort ausgemacht. Telefonisch verabredeten sie eine Zeit.

Uwe bat einen Leipziger Freund, ihn mit dem Auto Richtung Berlin bis zur Autobahnraststätte Köckern zu fahren. Von Leipzig aus waren sie schnell da. Die beiden setzten sich in den Gastraum, bestellten etwas zu essen und warteten. Als Uwe von seinem Teller mit Würzfleisch hochblickte, sah er Fred an der Tür der Raststätte. Er war über die Transitstrecke aus West-Berlin gekommen. Fred setzte sich weiter weg alleine an einen Tisch. Als er bezahlt hatte, stand Uwe auf, ging wortlos an seinem Freund vorbei zur Herrentoilette. Fred folgte ihm kurz darauf. Beide betraten nebeneinanderliegende Kabinen. Auch dort sprach niemand ein Wort. Uwe schob eine Mappe mit Informationen aus Leipzig von Klokabine zu Klokabine. Fred verschwand, und Uwe setzte sich kurz darauf zu seinem Freund ins Auto. Es ging schweigend zurück nach Leipzig.

Die Überwachungsmaßnahmen und Übergriffe von Polizei und Stasi in den vergangenen Monaten hatten auf kaum jemanden einschüchternd gewirkt. Besonders auf Micha nicht. Bine und er hatten es allerdings satt, dass ständig Stasi-Mitarbeiter vor ihrer Haustür herumlungerten. Sie hatten es mit Galgenhumor versucht, mal mit Kaffee gegen die Kälte, mal mit Anraunzen, wenn sie in den Hausflur vordrangen, mal mit Ignorieren. Es hörte nicht auf. Einmal saßen sie im Frühsommer im Hof, als Micha meinte, ihrem Bewacher, einem dynamischen Mittvierziger mit militärisch kurzer Frisur, einen höheren Dienstrang anzusehen. Er grüßte ihn und lud ihn ein, am Tisch Platz zu nehmen. Der Mann willigte ein, stellte sich sogar vor (»Hoffmann«) und setzte sich. Ein wirkliches Gespräch wurde es nicht. Der Mann war gut geschult und aalglatt. Als ein junger Nachbar in den Hof kam, winkte Micha ihm zu und rief: »Wolfgang, komm zu uns! Die Stasi sitzt schon am Tisch!« »Hoffmann« zuckte zusammen, stand sofort auf, bedankte sich für den Kaffee und verschwand eilig. Micha dachte sich, ein Geheimdienst ist so lange geheim, wie man ihn nicht offenlegt. Er wollte den Spieß umdrehen und fasste einen Plan. Er fragte sich, warum sie nicht schon früher darauf gekommen waren.

In der Hainstraße suchte und fand er ein Haus, in dem er ungehindert auf das Dach hinausklettern konnte. Micha genoss die Aussicht über die Innenstadt. Er blickte sich weiter um und entdeckte eine Möglichkeit, auf das nächste Dach zu klettern. Von dort aus ging es weiter, gut hundert Meter über alle Dächer hinweg, bis der Neubau der Stasi-Zentrale in der Fleischergasse zu seinen Füßen lag. Er setzte sich, holte einen Skizzenblock heraus und zeichnete, was er sah. Später untersuchte er das Gebäude mit seinen Ein- und Ausgängen noch aus der Nähe – soweit man überhaupt unauffällig herankam.

Am nächsten Tag suchte er in der Zweinaundorfer Straße Foto Korzer auf, ein Geschäft, in dem er schon öfter Filme zum Entwickeln und Abzüge in Auftrag gegeben hatte. Das war unproblematisch gewesen, selbst bei heikelsten Motiven wie

Schnappschüssen von Stasi-Bewachern oder Bildern von verbotenen Demonstrationen. Andere Fotogeschäfte in der Innenstadt waren angewiesen, »auffällige« Fotos zu melden. Diesmal wollte er nur etwas kaufen, aber es war nicht vorrätig. Es dauerte nur wenige Tage, da war eingetroffen, was er benötigte.

In der Zwischenzeit hatte sich Micha öfter zu Fuß auf den Weg in die Stadt gemacht und den Gebäudekomplex zwischen Beethoven- und Dimitroffstraße genauer angesehen. Dorthin wurden sie bei Zuführungen gefahren und von der Stasi vernommen. Es war der zweite große Standort des Geheimdienstes im Innenstadtbereich. Der Komplex schien sich besser zu eignen für das, was er vorhatte.

Einige Gebäudeteile beherbergten aber auch Verhandlungssäle des Bezirks- und Kreisgerichts, die Staatsanwaltschaft, das Polizeigefängnis und die Zentrale der Leipziger Volkspolizei. Zu der musste, wer wieder mal per Brief zur Klärung eines Sachverhalts einbestellt worden war. Wobei man meist nicht wusste, wem man da gegenübersaß, denn oft gaben sich Stasi-Mitarbeiter als Kriminalbeamte aus. Und einen geheimen Durchgang zwischen Polizei- und Geheimdiensträumen gab es ebenfalls.

Im Innenhof lag die Stasi-Untersuchungshaftanstalt. Überwachungskameras dienten der Kontrolle der Ein- und Ausgänge. Hohe, graublaue Tore aus Metall schirmten in der Beethovenstraße das Innere vor neugierigen Blicken der Passanten ab. Ein paar Tage lang umkreiste Micha den Gebäudekomplex, mal mit Johanna im Tragetuch oder im Kinderwagen, mal hatte er Uwe dabei, und sie diskutierten über das Vorhaben. Micha hatte bald entdeckt, dass sich die Untersuchungsführer der Stasi täglich zwischen 16 und 18 Uhr aus einem Nebenausgang in der Beethovenstraße herausschlichen. Er erkannte sogar seinen Vernehmer vom Januar wieder. Micha sah sich in der Straße nach geeigneten Häusern um.

An einem Tag mit schönem Wetter verabredete er sich mit einem Freund für den frühen Nachmittag. Die beiden gingen in der Beethovenstraße zielstrebig auf ein Wohnhaus schräg gegenüber dem Nebenausgang zu. Die Haustür stand offen, und sie stiegen im Treppenhaus ganz nach oben. Niemand begegnete ihnen. Die Dachbodentür war unverschlossen. Micha ging als Erster hinein. Es roch nach Staub. Das Sonnenlicht drang durch viele Ritzen in schmalen Streifen bis auf den Bretterboden. Der Dachboden stand leer und wurde nicht zum Wäschetrocknen verwendet. Hier störte sie wahrscheinlich niemand. Außerdem gab es kleine runde Fenster auf Bodenhöhe, von denen man die Straße und das gegenüberliegende Gebäude gut überschauen konnte. Micha nahm eine Decke aus seiner Tasche, faltete sie über dem Taubendreck auseinander und legte sich bäuchlings darauf vor eines der kleinen Fenster. Er schaute hinaus und war zufrieden.

Aus seiner Tasche zog er ein 500-Millimeter-Teleobjektiv, Lichtstärke 5,6, und schraubte es auf seine Praktica-Spiegelreflexkamera. Er hatte das Monsterobjektiv – es war etwa einen halben Meter lang – nur zu diesem Zweck bei Foto Korzer gekauft. Sein Freund blieb an der Bodentür stehen und lauschte ins Treppenhaus. Als Micha sah, wie gegenüber ein Mann aus seinem geöffneten Fenster schaute, drückte er das erste Mal auf den Auslöser.

Von hier oben konnte er wirklich alles gut übersehen. Er putzte die Glasscheibe noch etwas sauberer und stützte das schwere Objektiv besser ab. Da zeigte sich zu Dienstschluss auch schon der erste Stasi-Mann mit seiner Aktentasche am Nebenausgang, Micha zielte und – klick! Gleich darauf der nächste, mit kurzen Hosen. Klick! Einer mit Dederon-Beutel*, ein anderer auf dem Fahrrad. Klick! Viele kamen in der typischen beigefarbenen Windjacke, einige auch mit Schlips und Jackett. Hinter dem Fenstergitter eines Vernehmungszimmers zeigte sich ein Mitarbeiter, hemdsärmelig, aber ebenfalls mit Schlips – ob er gerade jemanden in die Mangel nahm? Das Objektiv holte ihn ganz dicht heran.

Im nächsten Moment ging das große Metalltor auf, und ein Lada schob sich durch. Fahrer und Nummernschild waren deutlich zu erkennen. Klick! Micha musste schon bald den Film wechseln. Nach drei Stunden und über hundert Aufnahmen hatte Micha fürs Erste genug. Als wäre nichts gewesen, verließen die beiden das Haus und machten sich auf den Heimweg. Sie waren aufgekratzt und malten sich aus, wer die Bilder nach dem Entwickeln zu sehen bekommen sollte. Alle könnten helfen, die Vernehmer zu identifizieren und vielleicht auch herauszufinden, wo sie wohnten, wie sie hießen. Und schließlich könnte man die Bilder auch in einer Ausstellung öffentlich machen. »Die kommen dauernd zu uns, jetzt kommen wir zu ihnen!« Zum Entwickeln gab er die Bilder dem Geschäft seines Vertrauens.

Ein paar Tage später lag ein Brief im Postkasten der Zweinaundorfer. Absender war die MfS-Untersuchungsabteilung mit der Aufforderung, Micha solle am nächsten Tag um acht Uhr morgens mit Personalausweis im Zimmer 111 der Dimitroffstraße 5 erscheinen. Er war pünktlich.

Der Vernehmungsraum sah aus wie gewohnt. Neonlicht. Klein und eng, ein strenger Geruch nach Desinfektions- oder Putzmittel. Oder roch der Fußbodenbelag so? Ein Tisch mit Schreibmaschine, ein vergittertes Fenster, ein Holzstuhl. Oben auf dem Aktenschrank vegetierte eine anspruchslose Grünlilie vor sich hin.

Sein Gegenüber, ein Oberleutnant, gab sich korrekt.

Ihren Ausweis haben Se mit?

Ja.

Die Vorladung?

Nee.

Warum nicht?

Die hab ich schon weggeworfen.

Na sicher! Geht die jetzt in Ihre Sammlung ein?

Wie? Ist das eine Leihgabe?, fragte Micha und fügte noch hinzu: *Das wär 'ne große Sammlung!* Dann fragte er den Vernehmer: *Wie ist denn Ihr Name?*

Mein Name? Schall und Rauch.

Sie sind von der Staatssicherheit?

Ja. Na, dann wollen wir mal: Wir wollen wissen, warum Sie in der Vergangenheit mehrfach vor Dienstobjekten des MfS festgestellt worden sind. Was für einen Grund hatten Sie dafür?

Ich hab einen Spaziergang durch die Stadt gemacht!

Wenn man Sie an Dienstobjekten des MfS sieht, dann setzt das bei uns verschiedene Überlegungen in Gang …

Welcher Art?, wollte Micha wissen.

Provokation? Spionage?

Micha überlegte nur kurz: *Sagen Sie bitte nicht, dass Sie mich aufgrund Ihrer Überlegungen hierher bestellt haben. Sie stellen ja viele Überlegungen über Menschen an und bestellen die nicht alle deswegen ein –*

Der Vernehmer fiel ihm ins Wort: *Die halten sich auch nicht alle vor Objekten des MfS auf! Schon gar nicht zu Zeiten reger Personenbewegung, wie bei Dienstschluss.*

Micha blieb ruhig. *Zu der Zeit am Nachmittag hab ich die beste Möglichkeit, ins Zentrum der Stadt zu gehen.*

Sein Vernehmer wurde ungeduldig. *Wissen Se, ich bin ein erwachsener Mensch, jetzt sagen Se mal endlich: Was bezwecken Sie damit, sich verstärkt Objekte des MfS anzusehen?*

Mich interessieren Menschen auf der Straße, auch die vom MfS. Ich möchte wissen, was sind das für Menschen?

Mit anderen Worten: Sie gehen bewusst dorthin?

Ich gehe überall bewusst hin.

Sie sind ja nun kein unbeschriebenes Blatt für uns. Sie waren ja schon im Januar unser Gast hier. Steht das in einem Zusammenhang?

Nein!

Warum machen Sie uns denn unsere Arbeit so schwer?

Ich werde doch nicht für Ihre Arbeit bezahlt.

Gut, dann kommen wir mal zurück zum Thema. Ich habe hier eine Aufstellung der Tage, an denen Sie festgestellt worden sind. Sie haben längere Zeit vor unserem Dienstobjekt gestanden, Sie sind ja nicht nur so vorbeigegangen. Machen Sie soziologische Studien? Wollen Sie unsere Leute kennenlernen? Oder wollen Sie Informationen über die Mitarbeiter ans Ausland weitergeben? Sie können den Mitarbeitern ja leicht nachgehen und sehen, wo sie wohnen, wie sie heißen. Wenn solche Informationen in einer Publikation auftauchen, dann werden wir uns ganz sicher erst Mal an Sie halten …

Micha blieb trotzig: *Das kann ich doch nicht beeinflussen, wenn Ihr Geheimdienst öffentlich wird! Wissen Sie, wenn Sie mir nur vorwerfen können, dass ich an Ihren Dienstobjekten in Erscheinung trete, dann werde ich das auch in Zukunft weitermachen!*

Sein Vernehmer beugte sich vor: *Wollen Sie uns etwa ausspionieren?*

Micha musste grinsen. Er hatte in seiner Jackentasche einen Walkman, den er im Intershop gekauft hatte, und im Ärmel ein Mikrofon. Er nahm schon die ganze Zeit das Gespräch auf.

Aber hoffentlich dauerte es nicht mehr so lange. Er hatte nur eine Kassette mit einer halben Stunde Laufzeit beschaffen können – und die würde sich am Ende mit einem lauten Klack! verabschieden. Er löste das Problem mit einem starken Husten, als ob er sich an den Fragen seines Gegenübers verschluckt hätte. Der Vernehmer hörte das Abschaltgeräusch nicht. Die Macht der Stasi, stellte Micha fest, besteht nur so lange, wie man Angst vor ihr hat.

Die Macht der Straße
Juli 1989

Sonntagmorgen in der Marianne. Rainer verschaffte sich etwas Platz in seinem Zimmer und schob die Möbel beiseite. Dann drückte er Hilli, seinem Besucher aus Berlin, zwei Zipfel eines großen Bettlakens in die Hände, nahm selbst das andere Ende des Lakens, und sorgfältig breiteten sie den weißen Stoff zwischen Bett, Ofen und Tisch auf dem Fußboden aus.

Hilli war zu Besuch aus Ost-Berlin angereist. Er gehörte zum festen Kern der Umweltbibliothek und zum Sonnabendkreis. Ursprünglich kam Hilli aus Jena, wo er schon zu Beginn der achtziger Jahre in der alternativen Jugendszene aktiv war. Spätestens der ungeklärte Tod seines Freundes Matthias Domaschk kurz nach dessen Festnahme durch die Stasi hatte aus Hilli einen dauerhaft kämpfenden Regimegegner gemacht.

Rainer nahm einen Pinsel, tunkte ihn in rote Farbe und malte sorgfältig Buchstaben für Buchstaben auf das Laken, bis dort fast über die ganze Breite das Wort DEMOKRATIE stand.

Während Hilli das Laken spannte, pinselte Rainer mit schwarzer Farbe die chinesischen Schriftzeichen für »Demokratie« darunter. Rainer war extra zur Deutschen Bücherei geradelt, hatte das Wort in einem deutsch-chinesischen Wörterbuch nachgeschlagen und die Schriftzeichen penibel mit dem Zettel verglichen, den Hilli als Vorlage aus Ost-Berlin mitgebracht hatte. Dort hatte es, wie auch anderswo im Land, Protestveranstaltungen zu den Ereignissen in Peking gegeben. Die

Menschen waren empört, dass die DDR-Medien sich hinter die chinesischen Kommunisten gestellt und die Niederschlagung der *konterrevolutionären Unruhen* begrüßt hatten.

Während die Farbe auf dem Laken trocknete, suchte er im Flur zwei gleich lange Bambusstangen heraus. Oberhalb der Türrahmen hatten sie für diesen Zweck etliche Latten und Stangen gelagert, die sie irgendwo »weggefunden« hatten.

Bevor sie loszogen, steckte Rainer das zusammengefaltete Laken in seine Tasche, packte noch Reißzwecken dazu und – da diese erfahrungsgemäß oft abknickten – eine große Rolle Bindfaden. Sein Taschenmesser hatte er immer dabei. Hilli nahm die Stangen und ging etwas später los. Beide saßen in derselben Straßenbahn, aber nicht nebeneinander.

Ihr Ziel war die Abschlusskundgebung des evangelischen Kirchentags am 9. Juli im Scheibenholz, auf dem Gelände der Galopprennbahn. An die Genehmigung hatte der Staat viele Bedingungen geknüpft. Wie von der SED gewünscht, standen religiöse Themen im Vordergrund. Die Leipziger SED meldete in einem Fernschreiben an das Zentralkomitee der Partei nach Ost-Berlin: *Im Gefolge der intensiv geführten Auseinandersetzung mit der sächsischen Kirchenleitung wurde bereits im Vorfeld des Kirchentages Klarheit darüber geschaffen, dass sie gegenüber den bekannten Gruppen selbst für deren Disziplinierung zu sorgen habe.*

Die Gruppen waren praktisch vom Kirchentag ausgeschlossen. Deshalb stellten sie eine Alternative auf die Beine, den Statt-Kirchentag bei Pfarrer Wonneberger in der Lukaskirche. Diese Tage entwickelten sich zu einem Treffen der oppositionellen Gruppen aus der ganzen DDR, die sich, ohne von Ordnungskräften gestört zu werden, auf Wonnebergers geschütztem Terrain austauschen konnten. Neonazis in der DDR waren für die 2500 Besucher genauso Thema wie der Wahlbetrug oder der Erfolg von Solidarność bei den Wahlen in Polen. An einer Podiumsdiskussion beteiligte sich der westdeutsche SPD-Politiker Erhard Eppler, der sich für die Einhaltung der Menschenrechte in einem künftig vereinten Europa aussprach. Hilli hatte sich über Eppler aufgeregt, weil er die Verhältnisse in der DDR seiner Ansicht nach zu blauäugig beurteilte.

Vor einer Woche war in Ungarn der Grenzzaun nach Österreich durchschnitten worden, aber in der DDR-Führung regte sich nichts. Immerhin konnten in der Lukaskirche Untergrundzeitschriften wie *Grenzfall*, *Umweltblätter*, *Kontext*, *Streiflichter* oder *Aufrisse* offen verteilt oder gegen Spenden abgegeben werden, darunter sogar eine umfangreiche Dokumentation *Wahlfall 89* über den Wahlbetrug, ohne dass jemand einschritt. Nur auf eine Demonstration, die von der Lukaskirche zum Kirchentagsgelände führen sollte, hatte der Statt-Kirchentag verzichten müssen. Dafür konnten sich an den Nachmittagen die angereisten Gruppen vorstellen und über ihre bevorstehenden Aktivitäten informieren. So bildete Leipzig in diesen Tagen den zentralen Ort der Opposition im Land. Rainer dachte, was angesichts der vielen Worte und der Gäste aus dem Westen beim Kirchentag fehlt, ist eine Demonstration für Demokratie.

Auf dem Gelände des Kirchentages wimmelte es nur so vor Menschen. Rainer traf dennoch schnell auf Uwe, Frank und Anke. Er holte das Transparent heraus und befestigte es gemeinsam mit ihnen an den beiden Bambusstangen. Hilli diskutierte mit zwei Westlern von Amnesty, die ihm erzählten, dass sie von den Protesten im Osten ganz inspiriert seien. Rainer guckte misstrauisch und mahnte Hilli zur Vorsicht. Als sie das Transparent hochhielten, zollten die Umstehenden Beifall. Einige rätselten: Wer traut sich denn so was?

In diesem Moment stieß Rechtsanwalt Schnur zu ihnen und begann erregt auf sie einzureden. Sie gefährdeten den ganzen schönen Kirchentag, es hätte ja nun jeder ihr Transparent gesehen, aber jetzt sollten sie es lieber einrollen, bevor staatliche Kräfte zuschlügen ...

Sie wussten nicht, dass Wolfgang Schnur, der Oppositionelle anwaltlich beriet und vertrat, seit vielen Jahren inoffizieller Mitarbeiter der Stasi war. Dass er sie hier penetrant verfolgte und überreden wollte, ging ihnen auf den Wecker.

Zwei Arbeitskollegen von Hilli aus dem Ost-Berliner St.-Joseph-Krankenhaus gesellten sich mit einem aus Berlin mitgebrachten Transparent gegen den Wahlbetrug zu ihnen, was Anwalt Schnur genauso missfiel. Auch sie versuchte er zu überzeugen: Der Wahlbetrug sei doch noch gar nicht erwiesen, und behauptete, es gebe hierzu ein laufendes Verfahren vor einem DDR-Gericht. »Überlegt euch doch mal, solch ein Transparent würde hier nur als Provokation gewertet, das ist jetzt nicht der richtige Zeitpunkt!«

Der Kirchenanwalt hatte Erfolg: Die beiden Berliner rollten ihr Transparent wieder ein. Rainer und Uwe ließen sich nicht beirren und zogen mit ihrem bemalten Betttuch unübersehbar weiter durch die Zuschauermenge des Kirchentages in Richtung Bühne, auf der gerade die Abschlussveranstaltung zu Ende ging. Solange sich noch die meisten der 50 000 Besucher auf dem Platz befanden, wollten sie das Transparent auf der Bühne zeigen und dazu etwas sagen.

Rasch bildete sich hinter dem Demokratie-Banner eine beträchtliche Menge, die ihnen folgte. An der Bühne versperrten Ordner der Kirche ihnen den Weg. Rainer traute seinen Augen nicht. Als Ordnungskräfte waren Mitglieder der Jungen Gemeinde Borna eingesetzt, darunter sein eigener Bruder. Doch bevor er ihn erreichen konnte, sprang unter vollem Einsatz seines Körpers ein Mann vor und rempelte Rainer so heftig an, dass er mit dem Transparent ins Stolpern geriet. Es war der Superintendent des Kirchenkreises Borna, der ihn seit

Jugendtagen kannte und der auch schon bei der Umweltdemo in Deutzen im vergangenen Sommer Rainers Anti-AKW-Transparent untersagt hatte. Eine Prügelei auf der Bühne des Kirchentags wollte Rainer nicht, so änderten Uwe und er die Richtung und zogen mit der ständig wachsenden Schar an Begleitern weiter über das Gelände.

Mittlerweile hatten die Menschen daran Gefallen gefunden, ihre bunten Bänder, die für die Abschlussveranstaltung ausgeteilt worden waren, untereinander und mit den Stangen des Demokratie-Transparentes zu verknoten. Am Ausgang des Veranstaltungsgeländes zögerten sie, und der bunte Zug blieb stehen. In diesem Moment übernahm eine junge Frau die Initiative. Es war Kathrin. Sie rief ihnen zu: »Ihr werdet doch diese Chance nicht vergeben? Los, wir gehen jetzt mit allen weiter, Richtung Stadt!« Entschlossen nahm sie dem verdutzt dreinblickenden Uwe die Stange aus der Hand.

Sie sah, dass Hunderte von Leuten, bereit zu demonstrieren, um das Transparent herumstanden. Und viele andere wollten kurz vor Schluss der Veranstaltung das Kirchentagsgelände verlassen. Die bunten Bänder, die sie mit den Stangen des Transparents verknotet hatten, wirkten wie ein unzerreißbares Netz um das Wort Demokratie. Das ist doch eine einmalige Gelegenheit, dachte Kathrin, drückte das Transparent jemand anderem in die Hand und wechselte an die Spitze des Zuges, ergriff eines der langen, bunten Bänder, zog daran und bestimmte so die Richtung. Auf in die Stadt!

Ihre Freundin Michaela schloss sich ihr an. Christoph lief mit ihnen an der Spitze und fotografierte. Kirchenanwalt Schnur schaute hilflos hinterher, dann verschwand er und telefonierte. Der Zug wuchs mächtig an, ein Kamerateam des Westfernsehens filmte, bald ging es durch die ersten Straßen der Südvorstadt.

Rainer hatte den *Offenen Brief an die Bevölkerung der DDR* in seiner Tasche, den sie im Arbeitskreis Gerechtigkeit in den vergangenen Tagen aus Anlass des Kirchentages formuliert und vervielfältigt hatten. *Mit großer Besorgnis beobachten wir die seit Wochen offen zu Tage tretende Gewalt staatlicher Organe in Leipzig. Gottesdienstbehinderungen, die Auflösung friedlicher Demonstrationen und die Einschränkungen der Rechte auf gesellschaftliche Mitbestimmung, freie Meinungsäußerung, Freizügigkeit und Verteidigung dienen nicht dem inneren Frieden. Wer gegen friedliche Demonstrationen und freie Meinungsäußerung mit Gummiknüppeln, Hausarresten, vorläufigen Festnahmen, Strafbefehlen, Haftstrafen, Berufsverboten und Nötigung zum »freiwilligen« Verzicht auf das Recht auf Verteidigung vorgeht, macht sich des Machtmissbrauchs schuldig … Die Angst der Regierung der DDR und der SED-Führung vor Reformen hin zu einer demokratischen Gesellschaft spiegelt sich aber nicht nur in den Repressionen gegen die Besucher des montäglichen Friedensgebetes und Leipziger Menschenrechtsgruppen wider, sondern auch in der moralischen und propagandistischen Unterstützung staatsterroristischer Regime, wie China und Rumänien … Jeder sollte sich an seinem Platz in die gesellschaftlichen Diskussionsprozesse einbringen und eine demokratische Gesellschaft mit aufbauen helfen.*

Falls sie den Markt erreichten, wollte Rainer diesen Brief, den sie vorher schon Westjournalisten zugespielt hatten, von der Mauer aus, auf der Fred im Januar geredet hatte, öffentlich verlesen. Die Chancen standen nicht schlecht. An der Spitze des Zuges liefen nicht nur Kathrin und Rainer, sondern auch noch andere aus der Gruppe. Sie drängten Richtung Innenstadt.

Sie hatten schon mehr als die Hälfte des Weges zum Markt geschafft, als beim Floßplatz plötzlich eine Straßenbahn um die Ecke bog und die Spitze des Zuges vom Rest abtrennte. Die Bahn stoppte und schuf eine Lücke im Netz der bunten Bänder. Die Türen öffneten sich, und heraus sprangen zwei sportliche Stasi-Männer, die blitzschnell nach dem Transparent griffen. Rainer klammerte sich an der Stange fest und verletzte sich dabei die Hände, dann riss der Stoff ab, und die beiden Männer verschwanden mit dem Transparent wieder in der Bahn.

Hilli eilte ihnen hinterher, war mit einem Satz im Wageninneren und drückte den Nothaltknopf hinter der Tür. Die Bahn war damit vorerst lahmgelegt, gleichzeitig setzten sich Demonstranten auf die Schienen und blockierten die Weiterfahrt. Hilli sah, dass Rainer blutige Hände hatte, aber nicht festgenommen worden war. Er konnte angesichts einer überraschenden Stasi-Übermacht in der Bahn das Transparent nicht zurückholen und sprang wieder hinaus. Der Wagenführer pöbelte durch sein Fenster die Demonstranten an, ein junger Mann trat mit den Füßen gegen den Wagen. Hilli glaubte, es sei ein Stasi-Provokateur, und ermahnte ihn, friedlich zu bleiben. Woher sollte er auch wissen, dass die Bahn keineswegs zufällig des Wegs kam, sondern ein zwei Haltestellen zuvor gekaperter Einsatzwagen voller Stasi-Mitarbeiter war und der Fahrer Parteisekretär der Verkehrsbetriebe? So zogen sie ohne Transparent weiter und riefen dafür laut immer wieder: »Demokratie, Demokratie!« Mehrmals lief der Demonstrationszug auf Polizeiketten zu, die den Weg abgeriegelt hatten. Sie wichen jedes Mal über eine Querstraße aus, jedoch zeigte sich an der nächsten Ecke erneut eine Kette grün Uniformierter.

Unter den Demonstranten waren etliche Pfarrer, und während der Zug unterwegs war, hatte es Eiltelefonate zwischen den für die Sicherheit beim Kirchentag zuständigen Kirchenfunktionären und der SED gegeben, um die Demonstration nicht bis zum Markt durchkommen zu lassen. In einer Blitzaktion wurde aufgrund dieser Absprachen die Peterskirche in der Schletterstraße geöffnet. Die Absperrungen leiteten die Demonstranten fast automatisch in die Nähe des Petersplatzes.

Kathrin beriet sich kurz mit Rainer. Sie sahen ein, dass ihnen keine Alternative blieb, sie wollten keine gewaltsame Auseinandersetzung. So führten sie die Menge in die Kirche. Kathrin wollte andererseits den Leuten das Gefühl geben, dass das, was sie gerade gemacht hatten, ein Erfolg gewesen war. Sie ging allein nach vorne zum Altar und hielt eine kleine Rede. Sie sprach über *die Polizeigewalt, die uns bedroht*, über die Notwendigkeit von Demokratie und Menschenrechten und darüber, dass sie auf eine friedliche Veränderung der Verhältnisse in der DDR hoffe, dass es hier niemals so weit kommen dürfe wie in Peking.

Nach der spontanen Veranstaltung konnten sich alle problemlos auf den Heimweg machen. Es gab keine Festnahme, zwei Leute und ein Transparent hatten über 1000 Menschen auf Leipzigs Straßen gebracht. Auch wenn sie den Markt nicht erreicht hatten, so hatte doch eine weitere Demonstration für Demokratie in Leipzig für viele sichtbar stattgefunden. Obwohl das Westfernsehen gefilmt hatte, waren später allerdings keine Aufnahmen der Demo zu sehen. Kirchenleute hatten so lange auf den Redakteur eingeredet, bis er versprach, nichts davon zu zeigen.

Kathrin, Rainer und die anderen Beteiligten waren enttäuscht, dass nichts gesendet wurde, denn es war ihnen wichtig, dass ihre Aktionen in der ganzen DDR bekannt wurden, und das ging nun mal am schnellsten über Westradio und vor allem Westfernsehen, das die meisten Bürger abends einschalteten. Es war ja umgekehrt auch für sie wichtig, mitzubekommen, was in anderen Städten passierte. Das funktionierte über die Kontakttelefone schon ganz gut, und die selbstgedruckten Infohefte erreichten eine weite Verbreitung und Wirkung, doch die Auflagen reichten kaum noch. Die Nachfrage war in letzter Zeit rapide gewachsen, und der Takt der Aktionen hatte sich beschleunigt. Immerhin hatte es in Radio Glasnost Berichte über das Straßenmusikfestival gegeben. Fred hatte dazu die Dokumentation verwendet, die er von Uwe erhalten hatte. Fred versuchte in West-Berlin immer wieder, Informationen aus Leipzig in die Medien zu bringen, und kümmerte sich besonders um Radio Glasnost.

Die Gruppen in Leipzig benötigten aber auch dringend technische Unterstützung. Thomas nutzte dazu seine Verbindung zu Frank Wolfgang, mit dem er den Arbeitskreis Gerechtigkeit gegründet hatte und der seit über einem Jahr in West-Berlin lebte. Die beiden unterhielten einen Kommunikationsweg an der Stasi vorbei, hauptsächlich über den Ost-Berliner Westkorrespondenten Ingo. Der ließ sich alles, was Thomas bestellte, unbesehen von Frank Wolfgang in den Kofferraum packen und fuhr damit über die Grenze. In Ost-Berlin lieferte er es meist bei Susanne ab.

Thomas datierte die Briefe nach West-Berlin nicht, doch gab er ihnen fortlaufende Nummern, damit der Empfänger feststellen konnte, ob womöglich einer verloren gegangen war. Es ging um sehr praktische Fragen:

Brief Nr. 6
Angesichts der Entwicklungen hätten wir gern am schnellsten
1.) Ein Diktiergerät – wie in Prag beschrieben.
2.) Eine Rex Rotary 2202S Schablonenbrennmaschine nebst 40 Schablonen Long Run, 80 Short Run …
3.) Die Patronen des Kopierers (Toner FC-3II) sind fast alle und reichen kaum für unseren Bedarf. Von dem was abgezogen wird, bekommen 50 Gruppen in 15 Städten Exemplare. Mehr ist nicht möglich.
Es grüßt Dich die AG Menschenrechte, der AK Gerechtigkeit, Ute und Christoph Wonneberger, im Auftrag Thomas

Brief Nr. 9
Lieber Frank Wolfgang, ich sitze in der Juliusstraße 5 in unserem Raum. Geschliffener Fußboden, Schränke, Regale, Abstelltische sind unter, hinter und neben mir – vor mir zwei Fenster. Im Erdgeschoss (ich bin im obersten Stockwerk), befindet sich ein Raum mit der Gemeindebibliothek. Diese kirchenjuristische Bezeichnung muss beibehalten werden für die Öffentlichkeit, um das in die Erprobungsphase zu schicken, was wir vier Monate handwerklich und sondierungsmäßig vorbereitet haben.
Die Generalprobe, den Statt-Kirchentag, haben wir mit Erfolg bestanden, trotz mancher Widrigkeiten. Bei der China-Demo trug Rainer das Plakat und Kathrin hat den Zug geleitet, was niemand wissen braucht. Über die Demo wurde dann bei Euch nicht ausführlich berichtet, da aller Wahrscheinlichkeit nach die sächsische Kirchenleitung sowie Stolpe und Schnur auf die Presse eingewirkt haben, um unser aller Verhaftung zu verhindern, die der Staat geplant hatte, wenn die Kirchenleitung die Sache nicht medienmäßig runterkocht. [Der Staatssekretär für Kirchenfragen Kurt] Löffler und [Hartmut] Reitmann hatten dies der Kirchenleitung zumindest signalisiert. Du wirst sehr bald Neues von unseren Aktivitäten erfahren und vielleicht erreicht Dich dieser Brief noch vor dem 13. August.
Zwei Dinge hätte ich beinahe vergessen. Vervielfältigungsfarbe Rex-Rotary 450 schwarz in Büchsen bzw. Patronen. Werden ab jetzt ständig in großen Mengen gebraucht. Außerdem brauchen wir dringend vier Andruckrollen für das Gerät. Tut mir selbst leid, dass wir ständig was brauchen.
Viele liebe Grüße von Thomas, Rainer und Bernd

Die beiden Freunde trafen sich auch in Prag. Auf dem Einwickelpapier eines Antiquariats notierte sich Frank Wolfgang neben Technikwünschen die neuesten Informationen, die Thomas von Kontakten erhalten hatte, die er selbst vor seinen engsten Leipziger Freunden geheim hielt. Thomas hatte einen ganz guten Draht zu Bernhard Becker, einem inoffiziellen Stasi-Mitarbeiter und SED-Mitglied, und über diesen indirekt zu Roland Wötzel, einem Mitglied der SED-Bezirksleitung. Er erfuhr so manches über Meinungsverschiedenheiten und Kräfteverhältnisse innerhalb der SED. Thomas wusste auch, dass die Partei in Leipzig ein Problem mit ihrer Führung hatte. Horst Schumann, der 1. Sekretär der Bezirksleitung, lag schwer krebskrank im Krankenhaus – das erfuhr er zufällig von Constanze, die dort als Krankenschwester arbeitete. Über Becker kam Thomas an die monatlichen internen SED-Informationen, einmal sogar mit genauen Angaben aktueller Ausreisezahlen. Von ihm hatte er auch das geheime Protokoll über das Treffen des Politbüromitglieds Jarowinsky mit der ostdeutschen Kirchenleitung. Anfangs misstraute Thomas dem Genossen Becker und überprüfte, ob die internen Parteiinfos überhaupt echt waren. Sie waren es. Thomas erteilte ihm fortan Aufträge, und Becker lieferte zu seinem Erstaunen die gewünschten Papiere, warum auch immer.

Thomas sprach mit Frank Wolfgang bei einem Treffen in Prag darüber, dass er eine gewisse Tradition der Toleranz in der Leipziger SED sehe. Er machte dies an früheren Debatten um Nietzsche und Bloch – beide nicht wohlgelitten in der DDR – an der Uni und im Klub der Intelligenz fest, aber auch am Jugendforschungsinstitut und dessen Direktor. Thomas kannte auch Jürgen Tallig gut, den Parolenmaler vom Leuschnerplatz, der im Klub der Intelligenz die Gruppe Dialog gebildet hatte. Dort ging er ein paar Mal selbst mit hin und lernte eine Mitarbeiterin der SED-Stadtleitung Nordost kennen. Von ihr erhielt er interne Informationen für hauptamtliche Parteimitglieder, die er mit denen von Becker verglich, um sicherzugehen, dass ihm keine vom Geheimdienst gefälschten Informationen untergeschoben wurden.

Thomas überraschte bei einem der Treffen in Prag seinen Freund auch mit der Information, dass ein Drittel der Politbüromitglieder angeblich baldige Wirtschaftsreformen anstrebte und einige von ihnen einen noch viel verwegeneren Plan hegten. Frank Wolfgang notierte sich auf dem Einwickelpapier: *Honecker stürzen während des Parteitages 1990 – Honecker-Mittag-Krenz stehen gegen Mielke und Innenminister Dickel – Es geht um die Befriedung Leipzigs. Wer schafft das? Die Stalinisten? Die Reformer? Honecker hat unpopuläre Sachen veranlasst wie China, Sputnik … Fricke, Deutschlandfunk, Material für Sendung zukommen lassen. Nächstes Treffen 22. August*

Frank Wolfgang versuchte, die Wünsche aus Leipzig so gut wie möglich zu erfüllen. Kleinere Dinge konnte der Student aus eigener Tasche bezahlen. Es war aber schwer, Spenden im Westen für die Opposition im Osten Deutschlands aufzutreiben. Besonders für einen jungen Studenten mit langen Haaren, der aus Leipzig kam. Er versuchte es bei Parteien, Verbänden oder auch mal im Neuköllner Bürgerbüro des SPD-Politikers Hans-Jochen Vogel. Dort empfing ihn eine schnippische Assistentin, von der weder er noch Vogel wissen konnte, dass sie eine heimliche Stasi-Agentin war. Heraus sprang am Ende nichts für die Gruppen in Leipzig. Vogels Mitarbeiterin gab ihm lediglich einen Aufnahmeantrag für die SPD mit.

Sonntagsreden zum Tag der Deutschen Einheit waren das eine, konkrete materielle Hilfe für die Opposition etwas anderes. Eine Anfrage von anderen ehemaligen DDR-Bürgern bei Herstellern nützlicher Technik nach Sachspenden in Form von Kopierern, Druckern, Kameras, gebraucht oder Auslaufmodelle, endete niederschmetternd. Kein einziges Unternehmen in Westdeutschland war dazu bereit. Ein großer Elektronikkonzern antwortete: *… müssen wir Ihnen mitteilen, dass wir keine Spenden in Form von Geräten zur Verfügung* *stellen können. Wir haben in unseren Budget-Planungen immer einen bestimmten Fond für wohltätige Zwecke zur Verfügung. Dieser Betrag ist jedoch nicht hoch, da sich solche Ausgaben naturgemäß auf die Preise und damit auf die Verbraucher auswirken. Der Etat ist bereits erschöpft, da wir täglich Zuschriften ähnlich Ihrem Anliegen erhalten. Es tut uns leid …*

Franks Ausbeute nach einem Jahr in West-Berlin jedenfalls war mager. Durch persönliche Bekanntschaften gaben immerhin zwei Ortsverbände der Grünen Geräte ab, die dank Ingo über die Grenze kamen. Susanne hatte eigens für Schmuggelgut eine leerstehende Wohnung in einem Hinterhof des Prenzlauer Berges organisiert, für die auch Rainer einen Schlüssel besaß. Er lieh sich dann von einem Freund einen Trabi, fuhr damit nach Ost-Berlin und holte aus der konspirativen Wohnung alle für die Gruppe bestimmten Sachen ab.

Einige Mitglieder der Initiativgruppe Leben saßen an einem der letzten Augusttage in der Morgensonne auf dem Hausdach ihrer Freunde in der Meißner Straße. Frank und Uwe hatten eine Decke ausgebreitet, es gab zu essen und zu trinken. Robert, ein Besucher aus Connewitz, hatte sich mit seiner Bongo auf einen Schornstein zurückgezogen und trommelte in den Tag. Ihr Blick ging weit über die Dächer des Leipziger Ostens. Das neue Hochhaus der Universität erhob sich im Hintergrund. Vom nahegelegenen Güterbahnhof drang ein ständiges Quietschen vom Rangieren der Züge herüber, und wenn man genau hinhörte, hallten sogar die Lautsprecherdurchsagen bis zu ihnen hinauf.

Uwe machte sich mit Frank einen Spaß, sie suchten um die Wette nach Antennen, die nicht zum Empfang des Westfernsehens ausgerichtet waren. Es war windstill. Auf der gegenüberliegenden Straßenseite hingen aus einem Fenster zwei DDR-Fahnen reglos herab. Der Putz daneben war weitgehend abgefallen, aus der Dachrinne wuchsen kleine Birken, aber in der Wohnung darunter lebte noch eine Familie. An die Hauswand neben dem verrotteten Fenster hatte jemand gepinselt: *40 Jahre DDR 1949 – 1989.*

Sie bekamen Besuch. Christian aus der Mariannenstraße war zu ihnen auf das Dach gestiegen und ging auf Uwe zu. Aus Berlin seien zwei Typen da, die ihn sprechen wollten. Uwe nickte. Er schien Bescheid zu wissen, erhob sich und begleitete Christian auf dem kurzen Weg zurück. Die Berliner standen im Hof der Marianne. Sie stellten sich als Aram und Siggi vor. Es ging um Aufnahmen für einen Fernsehbeitrag über Leipzig – für das Westfernsehen, ohne Erlaubnis. Die beiden waren keine akkreditierten Westjournalisten, sondern Ost-Berliner Oppositionelle: Siggi war Mitbegründer der Umweltbibliothek und Aram als jugendlicher Rebell in Plauen wegen angeblicher staatsfeindlicher Hetze zu einem halben Jahr Gefängnis verurteilt worden. Das wollte er dem Staat heimzahlen und wusste auch, wie. In einem Land, in dem alles verschwiegen und versteckt wurde, wirkten Enthüllungen im Fernsehen wie Dynamit. So drehten sie seit zwei Jahren ständig verbotene Bilder: heimliche Videoaufnahmen über die Umweltsituation, den Uranbergbau, Giftmüllkippen und sogar über die Gewalt von Neonazis zwischen Dresden und Berlin. Gerade kamen sie von Dreharbeiten in Halberstadt, Potsdam, Greifswald und Magdeburg, wo sie den dramatischen Zerfall der Altstädte gefilmt hatten. Sie arbeiteten in der DDR wie investigative Journalisten im Westen. Ingo hatte ihnen schon 1987 Kamera und Mikrofon aus einer West-Berliner Fernsehredaktion nach Ost-Berlin mitgebracht. Ihm gaben sie wiederum die bespielten Videokassetten mit, aus denen dann Filme entstanden, die im Westfernsehen zu sehen waren. In Leipzig wollten sie zum ersten Mal nicht nur Außenaufnahmen vom Verfall der Häuser in den Straßen machen, sondern auch Leute über ihre Situation in der Stadt sprechen lassen: Mütter, Familienväter, Krankenpfleger. Uwe hatte durch seine Kontakte im Schweitzer-Haus einige Interviewpartner gewinnen können, und er hatte Ernst, den Ingenieur aus seiner Gruppe, gebeten, die beiden mit seiner Sachkenntnis durch die Straßen zu führen. Ernst wohnte mit Frau und Tochter gleich um die Ecke, in der Thälmannstraße.

Erst aber sollten Aufnahmen mit den jungen Leuten im Hof der Marianne stattfinden. Auch Frank war inzwischen dazugestoßen. Siggi hatte sich in ein Gespräch mit Conny vertieft, die im Nachbarhaus wohnte. Sie hatte ihm von ihrer Arbeit im Porzellanwerk in Colditz erzählt, wo sich das Filmen wohl auch lohnen würde. Dort hatte sie ihre Lehre absolviert. Jede der drei Schichten im Werk dauerte acht Stunden. »Acht Stunden lang Teller nach Materialfehlern untersuchen, eine halbe Sekunde Zeit pro Teller«, erzählte sie. »Viele Frauen hatten hochprozentigen Alkohol in ihre Brauseflaschen gefüllt. Es war niemand da, den das interessiert hätte. Vielen fehlte ein Finger an der Hand, weil sie immer in die elektrischen Drehmaschinen hineingegriffen haben, um Porzellanreste zu entfernen. Die Maschinen hingen an der Taktstraße, sie anzuhalten hätte die Erfüllung der Arbeitsnorm und der Prämie versaut. So haben viele ihre Unversehrtheit für die Produktion von zumeist unglaublich hässlichem Geschirr geopfert.«

»Es gibt leider keinen Wallraff, der sich mal unsere sozialistischen Betriebe vorknöpft und Industriereportagen schreibt«, meinte Siggi.

»Der hätte viel zu tun«, lachte Conny. »Unter dem Dach gab es einen depressiven Formgestalter, der in seinem Arbeitsraum neue Formen entwarf, doch nach jeder Besprechung wurden wieder nur die alten produziert. Er riet mir ab, so einen kreativen Beruf anzustreben. Wir Lehrlinge schwiegen untereinander darüber, was wir wirklich werden wollten. Aber dann ist mir dort etwas ganz Verrücktes passiert.« Connys Stimme wurde etwas lauter, auch die anderen hörten jetzt zu.

»Eines Morgens war ich zum Henkelkleben erstmals am Tassenkarussell eingeteilt. Wir Lehrlinge wurden immer mal woanders eingesetzt. Mir gegenüber saß eine junge Frau, vielleicht 30 Jahre, hübsch, schlank, etwas sorgenblass. Ich sah, wie sie die Henkel ins Innere der Tassen klebt. Sie verzog keine Miene dabei. Ich dachte, sie macht einen Witz zur Montagsfrühschicht, ich lachte, aber ihr Gesicht blieb unverändert. Stell dir das mal vor: Sie saß mir gegenüber, klebte die Henkel unbeirrt ins Tasseninnere und stellte sie in die sich weiter drehende Ablage. Erst war ich wie erstarrt, und dann hab ich die Henkel ebenfalls innen angeklebt. So ging das eine Weile, dann kam eine ältere Arbeiterin angerannt, nahm mein Gegenüber und rannte mit ihr ins Freie. Jemand anderes kam dann, und wir klebten die Henkel wieder außen an die Tassen. Alle wussten Bescheid: Der 30-Jährigen hatte man den dritten Ausreiseantrag abgelehnt.«

Siggi und Aram sprachen noch eine Weile mit Conny und erzählten von ihrem derzeit schwierigsten Filmvorhaben, einmal in eine Schweine- oder Geflügelgroßmastanlage hineinzukommen. Dann fragte Siggi, ob Conny gleich die Rolle der Interviewerin übernehmen könne. Sie sagte spontan zu und notierte sich die Fragen auf einen Zettel.

Die anderen hatten inzwischen ein paar Stühle um den Tisch gestellt. Aram packte ein Stativ aus, machte die Ausrüstung aufnahmebereit und fragte noch einmal nach, ob jemand Stasi-Leute vor der Haustür gesehen habe. Frank meinte, ihm sei das egal, so einfach hereinschneien würden sie normalerweise nicht. Eine ältere Frau aus dem Haus auf der anderen Straßenseite hatte ihrer Oma Läppchen anvertraut, dass die Wohnung im ersten Stock des gegenüberliegenden Hauses regelmäßig seltsamen Herrenbesuch bekam. Das hatte Oma

Läppchen ihren jungen Leuten im Haus sofort weitererzählt, womit klar war: Die Stasi hatte dort einen festen Beobachtungsstützpunkt eingerichtet, die Herren wollten wohl nicht länger im engen Auto sitzen.

Es spielte aber für Conny, Katti, Frank und Uwe keine große Rolle mehr. Mit diesem Film stellten sie praktisch ein Beweismittel für die Stasi gegen sich selbst her, das war ihnen klar. Aber sie waren glücklich, diese Gelegenheit, sich öffentlich zu äußern, zu nutzen – selbst wenn sie nicht genau wussten, wie diese Aufnahmen geschnitten und wann der Film vom Westfernsehen gesendet werden würde. Vor der Kamera in ihrem Hof redeten sie offen. Es war das erste Mal, dass Aram und Siggi eine Gruppe filmten. Uwe berichtete zuerst vom Straßenmusikfest: *Wir wollten die Leipziger Innenstadt wenigstens einen Tag lang mal mit Leben erfüllen, durch eine nicht organisierte Veranstaltung, sondern spontan.* Frank redete weiter: *Und dann zu sehen, das klappt, die Menschen rund um den Markt sind begeistert, das ist mir wirklich nahe gegangen, das war 'ne Sache, die hat sich gelohnt. Bei der Verhaftung dann, da hat man gespürt, dass den Musikern unwahrscheinlich viel Sympathien entgegengebracht wurden.*

Aram, der auf den Ton achtete, beeindruckte Franks ruhiger Stimme, die er selbst dann behielt, wenn er sich erregte.

Solange solche Interessen in diesem Land nicht mehr geachtet werden, sehe ich keine Zukunft mehr für die Situation (hier in Leipzig) – *und überhaupt für dieses Land.*

Katti war von der gewachsenen Solidarität in der Stadt beeindruckt: *Bei der Verhaftung hat man gespürt, dass den Musikern und den Theatergruppen von der Bevölkerung unwahrscheinlich viel Sympathien entgegengebracht worden sind, dass die Leute bei dem Thema der Straßenmusik genau das unverhältnismäßige Aufgebot gespürt haben – gegenüber den Musikern, die versucht haben ein friedliches Feeling in die Stadt zu bringen. Es war unheimlich gut für mich, zu erleben, dass ich* (nach der Festnahme) *auf dem Wagen stand, und die Leute drum herumstanden und gesungen haben für uns und wir mit ihnen. Und versucht haben, den Abtransport aufzuhalten.*

Uwe wischte beiläufig eine Fliege weg und meinte: *Man hat sich im Prinzip nicht unterdrücken lassen, auch nicht durch den brutalen Einsatz. Das Straßenmusikfestival hat gezeigt, wie groß die Diskrepanz zwischen dem Staat und den Menschen hier ist. Es wird von diesem totalitären Staat ständig versucht, irgendwelche kreativen oder emanzipatorischen Gedanken schon im Keim zu ersticken. Ich denke, dass das in diesem 40. Jahr der DDR ein Festhalten an stalinistischen Formen ist, die eigentlich unmöglich sind. Für die Zukunft unseres Landes sieht es düster aus, wenn sich das nicht ändert.*

Nach einer halben Stunde Dreh fragte Siggi noch einmal nach, ob wirklich alle Aussagen im Westfernsehen gesendet werden könnten. »Warum?«, fragte Frank. »Weil sich noch nie jemand getraut hat, so etwas zu sagen.« Uwe antwortete, er habe sich vorher genau überlegt, was er sagen wolle. Beim Protest gegen die Zustände in der DDR dürfe man nicht länger drum herumreden.

Kurz darauf klingelten sie an der Wohnungstür von Oma Läppchen. Die Einzige im Haus mit Fernseher. Siggi trug höflich den Wunsch vor, auf ihrem Gerät etwas Gefilmtes anschauen zu können. Die 80-Jährige verstand das nicht ganz, freute sich aber über den Besuch und entschuldigte sich, dass nicht aufgeräumt sei und sie gerade keinen Bohnenkaffee dahabe, um ihn aufbrühen zu können.

Aram schloss die Kamera auf der Rückseite des TV-Apparates an, die anderen ließen sich alle auf Oma Läppchens Sofa und Sesseln nieder. Gemeinsam schauten sie sich noch einmal das gedrehte Material an. Oma Läppchen staunte und schwieg.

Von der Marianne zogen die beiden Besucher mit der Kamera weiter zu Ernst, der schon auf der Straße vor seinem Wohnhaus auf sie wartete. Ihre Begrüßung ging im Lärm einer vorbeifahrenden Tatra-Straßenbahn unter. Aber Namen waren sowieso egal. Die nächste Bahn, die vorbeifuhr, wurde gleich gefilmt. Noch ein Schild »Broilerbar Ost«, dann führte Ernst die beiden drei Stunden durch den Leipziger Osten und erklärte ihnen, was zum Verfall der Häuser beigetragen hatte. In der Neustädter Straße war bei einem Haus über Nacht eine ganze Außenwand herabgestürzt. Von außen konnte man nun ins Wohnzimmer sehen. Der ganze Leipziger Osten stand, wie so viele Altbauviertel im Land, kurz vor dem Zusammenbruch. »Undichte Dächer und Salpeter in den Wänden«, erklärte ihnen Ernst, »führen dazu, dass vor allem die obersten Stockwerke leer gezogen sind und die Erdgeschosswohnungen zugemauert werden.« Viele Notdächer aus den Jahren nach 1945 existierten immer noch und waren undicht. Häuser, die aus Trümmerziegeln errichtet worden waren, hatten bis heute keinen Putz erhalten, eingenistete Tauben übertrugen gefährliche Krankheitserreger.

Um nicht aufzufallen, blieben sie nicht allzu lange an einer Stelle stehen. In dieser Gegend filmte sonst nie jemand, schon gar nicht mit einer Videokamera aus dem Westen. Eine Kontrolle durch einen Streifenwagen wünschte sich keiner. An einem der vernachlässigten Häuser ermunterte sie eine junge Frau, die mit ihrem Kind am offenen Fenster stand, die zerbröckelnde Fassade zu filmen. Luftverschmutzung und ausbleibende Instandsetzung hatten seit Jahrzehnten nicht nur an der Bausubstanz, sondern offenbar auch an den Nerven der Bewohner genagt. *So etwas gehört doch in die Zeitung,* rief sie erregt in den Hof hinunter, *wie die Menschen hier wohnen und leben müssen! Setzt das mal in die Zeitung, wie wir leben müssen!*

Im Lauf des Nachmittags suchten die beiden noch Mitarbeiter aus dem Albert-Schweitzer-Haus in ihren Wohnungen auf. Keiner von ihnen scheute sich dabei, sein Gesicht im Westfernsehen zu zeigen. Der Heizer Frank Bartusch nicht, der Koch Rainer Schladebach und seine Frau Rosemarie Reschke nicht, der Altenpfleger Andree Botz nicht, die Krankenschwester Kerstin Huhn nicht, die sich beim Interview lässig an einen Trabi lehnte und fassungslos auf den Plan der SED reagierte, Leipzig solle sich als Austragungsort der Olympischen Spiele bewerben: *Hier bricht doch alles zusammen, aber das zeigen sie nicht. Ich kann das nicht fassen, ich kann es wirklich nicht fassen. Leipzig als Olympiastadt? Unvorstellbar!* Erich Honecker hatte zwei Monate zuvor gegenüber dem West-Berliner Bürgermeister geäußert: »Auch die DDR hat Ideen. Leipzig bewirbt sich um die Ausrichtung der Olympischen Spiele 2004.«

Die beiden Videofilmer fuhren am nächsten Morgen mit ihrem Trabi zurück nach Ost-Berlin. Die Kassetten mit den Aufnahmen nahmen den üblichen Weg über die Mauer. In der Redaktion der Sendung *Kontraste* entstand aus den Aufnahmen wenige Tage später ein Film über *Frust und Verfall in Leipzig,* den Millionen Zuschauer im Westen wie in der DDR sehen konnten.

Auch die Leute aus der Marianne schauten zu und feierten den Coup bei Micha und Bine vor dem Farbfernseher von Michas Mutter in der Zweinaundorfer. Was sie erlebten, war ein Perspektivwechsel. Sie saßen vor dem Fernseher und sahen ihre eigene marode Stadt, an die sich so viele gewöhnt hatten. Die eigene Lebenswelt mit dem Blick von außen.

Gleich am nächsten Tag reagierte die *Leipziger Volkszeitung* zu ihrer Überraschung auf den Film im Westfernsehen. Das SED-Blatt schrieb, die gezeigte Kritik sei »überflüssig«. Die Leute in der Stadt sahen das anders. Frank erlebte, wie sich die Menschen in einem Geschäft darüber unterhielten. *Zeigt mal, wie wir leben müssen!* Eine aufgebrachte Frau mit ihrem kleinen Kind am Fenster eines heruntergekommenen Hinterhauses war zum Symbol der Stadt geworden. Ein einziges Bild machte allen klar, so kann es nicht weitergehen.

Wenige Tage nach den heimlichen Filmaufnahmen fand in der Nikolaikirche das erste Montagsgebet nach der Sommerpause statt. »Die Welt ist wieder zu Gast in Leipzig«, schrieben die Zeitungen, die Herbstmesse stand bevor. Wie immer an Messemontagen waren außer vielen Besuchern jede Menge Journalisten aus dem Westen zu erwarten. Alle rechneten mit einer besonders gut gefüllten Kirche, vor allem wegen der zunehmenden Zahl von Ausreisewilligen. Seit Beginn des Sommers zeigten ARD und ZDF Bilder der Massenflucht über Ungarn nach Österreich, besetzte Botschaften in Budapest, Warschau und Prag und glücklich im Westen angekommene DDR-Bürger.

Gesine und Katti hatten abgesprochen, nach dem Friedensgebet Transparente vor der Kirche hochzuhalten, um die Versammelten zur Demonstration bis zum Karl-Marx-Platz oder gar auf den Ring zu bewegen.

Das schien ihnen nur möglich mit den zahlreichen Ausreisewilligen, die sich vor Volkspolizei und Stasi nicht fürchteten und genau wie sie die durch die Kameras aus dem Westen geschaffene Öffentlichkeit ausnutzen wollten. Die beiden Frauen überlegten, welche Botschaften sie auf das Transparent schreiben könnten. Es sollten Forderungen sein, mit denen sich jeder Passant sofort identifizieren könnte. Keine halben Sachen, nichts Kompliziertes. Das Transparent, das sie selbst tragen wollten, sollte eine persönliche Botschaft sein. Eine, die kritisch war und mitten ins Herz zielte. Gesine und Katti überlegten lange, und plötzlich fand sich alles in einem Satz:

Für ein offenes Land mit freien Menschen.

Das war das Bild, das sie erzeugen wollten. Und so viel mehr als eine Forderung nach Reisefreiheit. Dieses Banner stand für eine Vorstellung von einer anderen Gesellschaft, in der nicht nur jeder gehen darf, wohin er will, sondern in der sich alle zu dem entwickeln können, was sie möchten. Die beiden Frauen sahen sich an. Sie wollten ein Gefühl, einen Traum zeigen. Ihre Hoffnung war, dass jeder Mensch, der ihre Botschaft sehen würde, sich hinter sie stellen und sagen könnte: »Ja, das fühle und wünsche ich auch.«

Sie machten sich in Kattis Wohnung an die Arbeit. Dort gab es Farben und Pinsel und die Bettlaken ihrer Großmutter. Die Aufregung, die Angst vor der bevorstehenden Aktion war gemischt mit Euphorie und dem Gefühl, das Richtige zu tun. Nach all den versteckten Aktionen im vergangenen Jahr spürte Katti, dass es Zeit war, die Menschen in Bewegung zu setzen. Keine konspirativen Flugblattaktionen mehr, sondern Gesicht zeigen und die Menschen mit dieser Botschaft überzeugen, sie hinter dem Transparent versammeln und weg von der Kirche in die Stadt tragen, ja, das war es. Katti empfand schon die Vorbereitung der Aktion als Befreiung.

Als Uwe und Frank am Montagnachmittag von der Arbeit zurückkamen, bestaunten sie das Werk. Die beiden Frauen hatten vier Banner hergestellt: *Reisefreiheit statt Massenflucht. Vereinigungsfreiheit – Versammlungsfreiheit. Gegen den Strom – Freies Reisen für alle.* Katti wollte die Buchstaben so groß wie möglich malen, und um auf dem Laken Platz zu sparen, schrieb sie die wichtigste Losung so, wie man in Leipzig sprach: *Für ein offnes Land mit freien Menschen.*

Katti und Gesine baten Uwe und Frank, beim Transport der Banner zu helfen und nach dem Friedensgebet eins nach dem anderen hochzuhalten, damit sie möglichst lange zu sehen wären, selbst wenn das erste weggerissen würde.

Da die Marianne von Stasi-Leuten überwacht wurde, wickelten sie die vier Stoffbahnen unter ihrer Kleidung um ihre Hüften, als sie hinausgingen. Die Stasi-Männer eilten aus ihrem gegenüberliegenden Beobachtungsstützpunkt und hefteten sich neugierig an ihre Fersen. Als die vier in die Ernst-Thälmann-Straße einbogen, stand dort gerade eine Straßenbahn an der Haltestelle. Gesine, Katti, Uwe und Frank rannten kurzentschlossen hin. Doch auch ihre Verfolger waren mit einem Satz drin. Nach kurzer Fahrt hielt die Bahn erneut. Ein paar Leute stiegen aus, andere ein. Dann klingelte es wieder zur Abfahrt. Die Türen begannen sich zu schließen. In diesem Moment sprangen die vier aus dem Wagen, den beiden Stasi-Männern aber schlug die Tür vor der Nase zu. Die abgeschüttelten Verfolger konnten nur noch durch die Fenster der abfahrenden Bahn zurückschauen.

Auf kleinen Umwegen gelangten sie mit den Transparenten unter ihren Jacken zu Fuß in die Nikolaikirche. Dort stellten sie sich unter die Orgelempore zu ihren Freunden aus den Basisgruppen. Es fehlten noch vier weitere Leute, um die Transparente zu halten. Theo und der Theologiestudent Christian sagten sofort zu, zwei andere fanden sich auch rasch. Westliche Kamerateams waren darüber informiert, dass etwas auf dem Nikolaikirchhof passieren würde, und so hofften alle, die Bilder würden noch am selben Abend um die Welt gehen.

Nach dem Friedensgebet strömte die Menge auf den Platz vor der Kirche. 2000 Leute blieben in der Erwartung stehen, dass noch etwas passierte. Gesine und Katti ließen einen Moment verstreichen, dann entrollten sie ihr Transparent, die anderen, wie verabredet, kurz nacheinander die übrigen. Etliche Menschen reihten sich hinter ihnen ein.

Gesine und Katti hielten das Transparent so hoch sie konnten und gingen langsam los. *Für ein offnes Land mit freien Menschen!* Ihre Freunde folgten in kurzem Abstand. Sechs Fernsehkameras und ein Dutzend Fotografen hielten die Szene fest. Gesine und Katti waren nur wenige Schritte gegangen, da stürzten sich durchtrainierte Stasi-Mitarbeiter einer besonderen Eingreiftruppe auf sie und gingen brutal gegen sie vor. Sie zerrten am Transparent, Katti wurde an den Haaren gepackt, zu Boden geworfen, weggeschleift, Gesine kämpfte noch, musste aber aufgeben, und auch den anderen wurden die Transparente entrissen.

Als sie sich wieder gefasst hatten, hakten sich Gesine, Katti, Carola, Theo, Uwe und Christian unter und liefen schweigend weiter, ohne Transparente. Dann standen sie einer Polizeikette gegenüber.

Sie wollten mutig sein und fürchteten sich zugleich natürlich vor dem, was aus ihren Aktionen folgen könnte. Katti dachte in diesem Moment, meine Angst war immer groß, aber mein Wunsch, all die Lügen und den Druck nach Anpassung nicht mehr hinzunehmen, sich zu wehren, wiegt schwerer.

Am selben Abend konnte das ganze Land in den Nachrichtensendungen des Westfernsehens verfolgen, wie sich wütende Stasi-Leute auf die beiden jungen Frauen an der Spitze der demonstrierenden Menge stürzten und ihnen das Transparent brutal entrissen. Viele DDR-Bürger, die diese Bilder sahen, begriffen in diesem Augenblick vielleicht zum ersten Mal: Die Leute, die in Leipzig protestieren, sind wie du und ich. Der Staat hatte ihnen erzählt, in Leipzig, das seien alles nur Rowdys, Provokateure, Kriminelle. Aber was sie sahen, waren zwei junge Frauen mit einer Botschaft, die jeder unterschreiben konnte: *Für ein offenes Land mit freien Menschen.*

Immer mehr aus dem ganzen Land machten sich an den nächsten Montagen auf den Weg nach Leipzig. Bald umrundeten Zehntausende Demonstranten vom Nikolaikirchplatz aus die Innenstadt.

Jetzt liegt es an uns
18. November 1989

Fred kämpft sich durch das Gewimmel der Menschen auf dem Dimitroffplatz. Es ist kalt, über ihnen ein blauer Himmel. Der Frost lässt den Atem der 50 000 versammelten Menschen als weißen Dampf über ihren Köpfen schweben. Lautsprecher schallen über den Platz:

Das noch vor sieben Wochen als staatsfeindlich diffamierte Neue Forum veranstaltet seine erste Kundgebung.

Spricht da etwa Jochen? Zu ihm will Fred. Und zu seinen Freunden. Er ist von West-Berlin nach Leipzig gefahren, fast ohne Kontrolle an der Grenze, ohne Angst. Aufmerksam hört er dem Redner zu.

40 Jahre lang lag auf unserem Land ein Schatten, der sich in den Jahren 1953, 1956, 1968 zur Nacht verdunkelte, und durch die Ereignisse dieses Jahres in China und die Stellung unserer Machthaber dazu schien es auch für uns ganz finster zu werden. Der 9. Oktober 1989 hätte in Leipzig ein zweites Peking sein können. Die freie öffentliche Meinung, die uns auszusprechen verboten wurde, wir haben sie uns genommen. Noch sitzt die stalinistische Vergangenheit in unseren Knochen, aber wir haben die Chance, jetzt das alles von uns zu werfen. Noch nie war für uns so viel Zukunft da wie heute. Unser Leben, unsere Gesellschaft soll entstehen aus dem freien Willen von uns allen.

Fred, der coole Fred grinst. Grinst über das ganze Gesicht, als er glaubt, den Schopf von Gesine aus der Ferne entdeckt zu haben. Oder war es Anita? Und stehen Frank und Anke daneben? Er kann sich kaum vorstellen, durch die dicht gedrängt stehende Menge zu ihnen zu gelangen.

Fred fühlt sich seltsam euphorisch. Hat der Redner gerade von Revolution gesprochen? Was ist eine Revolution? Einer Revolution geht immer eine große Unzufriedenheit mit der bestehenden Situation voraus, hatte Fred in der Schule gelernt. Eine revolutionäre Situation gibt es dann, wenn die oben nicht mehr können und die unten nicht mehr wollen.

Eine Revolution ist eine grundlegende und schnelle Änderung der Machtverhältnisse. »Das ist eine Revolte!«, soll der französische König Ludwig XVI. ausgerufen haben, als er 1789 vom Sturm auf die Bastille in Paris erfuhr. »Non, Sire, das ist eine Revolution«, schätzte ein Herzog den Ernst der Lage richtig ein.

Alles in diesem Land ist in wenigen Wochen aus den Angeln gehoben worden. Es war oft unheimlich gewesen und leicht zugleich.

Die Mauer ist gefallen, Erich Honecker und die gesamte Regierung sind abgetreten, seit gestern gibt es auch kein Ministerium für Staatssicherheit mehr, nur noch ein angeschlagenes Amt für Nationale Sicherheit*, ohne Erich Mielke. Das DDR-Fernsehen hatte plötzlich eine Reportage gesendet, mit dem Titel: *Ist Leipzig noch zu retten?* Gezeigt wurden fast die gleichen Aufnahmen, wie sie Siggi, Aram und Ernst gemacht hatten.

Die Demonstrationen im September und Oktober waren von Mal zu Mal größer geworden. Aus knapp 1000 Teilnehmern, die am 4. September, dem Tag, an dem Gesine und Katti mit ihrem Transparent ein offenes Land für freie Bürger gefordert hatten, bereits bis zum Bahnhof kamen, wurden am Montag darauf 4000, dann 25000, die bis zur Runden Ecke liefen und riefen: *Demokratie, jetzt oder nie, Stasi raus!* und:

Inhaftierte freilassen! Für die im September noch Verhafteten, unter ihnen auch Katti, entwickelte sich eine Welle von Solidaritätsaktivitäten. In Dresden kam es zu gewalttätigen Demonstrationen rund um den Hauptbahnhof.

Am 7. Oktober, dem 40. Jahrestag der Gründung der DDR, demonstrierten Menschen im ganzen Land gegen die Regierung. Ein Leipziger Stasi-Abteilungsleiter notierte bei einer Besprechung im Zimmer 131 der Runden Ecke die Ohnmacht seines Chefs, Generalleutnant Hummitzsch', in sein Arbeitsbuch: *Jubiläum behindert uns in den Entscheidungen. Wir können nicht handeln, wie wir wollen, es können nicht alle verfügbaren Mittel eingesetzt werden.* Im Gemeindehaus der Lukasgemeinde von Pfarrer Wonneberger in der Juliusstraße erhielten die Leute vom Arbeitskreis Gerechtigkeit und der Arbeitsgruppe Menschenrechte am 7. Oktober überraschenden Besuch von einem jungen Mann aus West-Berlin, der mit ihnen redete, vorsorglich Fotos für die Westmedien machte und politische Hilfe seines Chefs und seiner Partei versprach, wenn sie verhaftet würden. Der Besuch war endlich ein greifbares Ergebnis der Bemühungen von Frank Wolfgang um Unterstützung in West-Berlin. Der junge Mann hieß Ansgar Vössing und war persönlicher Referent und Redenschreiber des langjährigen Regierenden Berliner Bürgermeisters Eberhard Diepgen. Der hatte ihn auf Bitten Frank Wolfgangs nach Leipzig geschickt. Abends ging der Besucher noch mit in die Meißner Straße, in die Wohnung von Kathrin und Thomas. Dort trafen später Freunde aus Dresden ein, die von den brutalen Übergriffen am dortigen Hauptbahnhof und von über 1300 Verhaftungen in den letzten Tagen unter dem Bezirkschef Hans Modrow berichteten.

Der 9. Oktober dann, ein Montag, war der Tag der Entscheidung*. Das wichtigste Flugblatt für diesen Tag, einen Aufruf zur Gewaltlosigkeit, stellten drei Leipziger Basisgruppen gemeinsam her. Auflage 30 000, unzählige Male getippt von Kathrin und dann gedruckt im Gemeindehaus von Pfarrer Wonneberger, dem Oppositionszentrum in der Juliusstraße. Vom frühen Morgen an verteilten Mitglieder der Gruppen es völlig offen auf den Leipziger Straßen an Demonstranten, Polizisten und Betriebskampfgruppen.

Der Text wurde auch in den vier überfüllten Kirchen verlesen, aus denen um 18 Uhr die Menschen auf die Straße strömten. Siggi und Aram filmten heimlich vom Dach der Reformierten Kirche mehr als 70 000, vielleicht über 100 000 Menschen, wie spätere Nachzählungen ergaben. Die Leute riefen: *Wir sind keine Rowdys – wir sind das Volk!* und liefen unbehindert auf dem Ring einmal um die ganze Innenstadt. Pfarrer Wonneberger berichtete abends von seinem Telefon aus in den *Tagesthemen* der ARD von den Ereignissen in Leipzig. Die Bilder der Demonstration gingen um die Welt.

Es war das Ende der DDR. Ein historischer Moment, in dem das ganze Land die Angst verlor und die Welt die Niederlage einer Staatsmacht erlebte, die vierzig Jahre lang unüberwindbar schien.

Bis zwei Uhr nachts riefen die Westmedien bei den Kontakttelefonen in der Juliusstraße und Pfarrer Tureks Markusgemeinde an, um zu erfahren, was genau passiert war. Dann wurde gefeiert. Wonneberger, der sonst nie trank, holte eine Flasche Johnnie Walker Black Label, die er im Intershop erstanden hatte, hervor und stieß mit seinen Freunden aus den Hinterhöfen der Stadt an.

Vier Tage danach wurden die *Personen des politischen Untergrunds*, wie sie die Machthaber so lange bezeichnet hatten, erstmals zu einem Gespräch mit der SED ins Rathaus eingeladen. An einem langen Tisch saßen Wonneberger, Rainer, Thomas und andere junge Leute auf der einen, der stellvertrende Vorsitzende des Rates Reitmann und SED-Genossen auf der anderen Seite. Die im September inhaftierten Freunde kamen frei und wurden mit einer Siegesparty vor dem Gefängnis empfangen.

Drei Wochen später zogen mehr als 300000 Demonstranten über den Leipziger Ring.

Fred bleibt stehen und hört Edgar zu, dem Vikar und jetzt Sprecher des Neuen Forums* Leipzig: *Wir brauchen Organisationen, in denen wir uns zu Hause fühlen, in denen wir bestimmen, wo es lang geht, wo uns niemand mehr gängelt, zurechtweist, demütigt oder erniedrigt. Schaffen wir uns nun eine politische Ordnung, eine Gesellschaft, ja ein Leben, wie es uns gefällt, eine Gesellschaft, in der unsere Hoffnungen zum Tragen kommen und unser Dasein endlich einen Sinn erhält. Jetzt liegt es an uns, jetzt kommt es auf uns alle an, was wir aus unserer Zukunft machen.*

50000 Menschen applaudieren. Fred erspäht endlich seine Leute. Sie stehen beisammen und lachen miteinander.

Nur fünf Tage nach der Montagsdemo am 4. September mit dem Transparent *Für ein offnes Land mit freien Menschen* war Micha als Vertreter der Leipziger zu Katja Havemann nach Grünheide gefahren. Dort hatte er mit dreißig anderen das Neue Forum gegründet.

Für Micha und Gesine löste das Neue Forum ihre Initiative zur demokratischen Erneuerung der Gesellschaft ab. Im Anmeldungsschreiben des Neuen Forums Leipzig an den lokalen SED-Chef, das ihre Unterschrift trug, lehnten sie den Führungsanspruch der SED ab. Uwe, Micha und Ernst gehörten zu den ersten 28 Kontaktadressen in der Stadt. Während das Westfernsehen Bilder der völlig überfüllten bundesdeutschen Botschaft in Prag zeigte, gab es am 24. September ein Treffen mit mehr als 80 Vertretern der neuen Bürgerrechtsgruppen aus der gesamten DDR in der Markuskirche von Pfarrer Turek. Micha hatte in der Zweinaundorfer ein provisorisches Büro des Neuen Forums eingerichtet, wo sich die Leute als Mitglieder oder Unterstützer eintragen konnten. Bine besorgte einen roten Läufer für das Treppenhaus, die Leute standen Schlange, über vier Stockwerke bis auf die Straße.

Ein anderer Sprecher tritt ans Mikrofon: *Bewahrt unsere Vorzüge: den Gemeinschaftssinn, die Kommunikationsfreudigkeit, die Toleranz, den Mut. Gerade wir Leipziger haben ihn am 9. Oktober bewiesen. Wir leben in unserer Stadt zusammen mit vielen tausend ausländischen Bürgern. Wir erleben, wie sie im Alltag diskriminiert werden, durch eine verfehlte Politik der Stadtväter in Ghettos gesperrt worden sind. Wir erleben den immer stärker werdenden Terror offen neofaschistischer Kräfte. Der Stalinismus hat durch die Entmündigung des Volkes diese Haltung mit hervorgebracht und begünstigt. Wirklich neues Denken bedeutet, unseren alltäglichen Faschismus gegenüber den ausländischen Mitbürgern endlich zu überwinden und sie in unser Gemeinwesen einzubinden. Wirklicher Kampf gegen den Stalinismus bedeutet auch konsequenter Kampf gegen den Neofaschismus!*

Auf der Treppe des ehemaligen Reichsgerichtes wird eine Frau angekündigt: *Es spricht jetzt Inge Berndt.*

Fred bleibt stehen.

Sie hat bei Ernst Bloch bei uns in Leipzig studiert und hat uns einiges zu sagen.

Er freut sich. Plötzlich hat er die Bilder aus dem Offenen Keller wieder vor Augen. Diese Frau mit der tiefen, rauchigen Stimme, die an Hannah Arendt erinnerte. Sie beginnt mit ihrer Rede:

Unsere Situation wird als Weg zu einem neuen Anfang bezeichnet. Diesem Wort kann ich nur zustimmen, wenn ich an DDR-Landstraßen und -Wege denke: an Schlaglöcher, an Frosteinbrüche und an Wege, die voller Gestrüpp sind, umgestürzter toter Bäume quer über den Weg und Brennnesseln.

Ja, das ist der Weg vor uns, voller Gestrüpp, mit Wegweisern, die umgefallen und verdreht sind. Der neue Weg muss gesucht, geschaffen oder sogar erfunden werden, in Freiheit oder zur Freiheit hin.

Auch wenn die Freiheit, für die wir heute hier sind, bald von Verfassung und Gesetzen gesichert sein wird, kann das ganze neue System wieder zur Diktatur entarten. Wir leben immer in der unheimlichen Nachbarschaft von Diktatur, auch zu einer sanften Diktatur. Die wichtigste Garantie für die bald gesetzlich gesicherten Freiheiten, das sind wir.

Inge Berndt, Jahrgang 1926, ist eine schmale Frau mit lockigen Haaren. Sie war Anfang der fünfziger Jahre Assistentin von Ernst Bloch, dann Cheflektorin des St. Benno Verlags. Beide Posten verlor sie, weil sie die von ihr verlangte Anpassung verweigerte und offen ihre Meinung vertrat. In ihrer Connewitzer Wohnung mit den vielen Bücherregalen hat die bekennende Katholikin oft und gerne junge Leute empfangen, die auch spontan zu ihr hingehen konnten, um mit ihr zu debattieren, wie Thomas, der diskutierte mit ihr über den Unterschied zwischen Karl Jaspers und Martin Heidegger. Für ihn waren solche Begegnungen ein Stück gelebter Freiheit inmitten einer intellektuellen Einöde. Sie hatte immer ein offenes Ohr, galt Leuten wie ihm als eine Mutmacherin und war ein stets gefragter Gast in Studentengemeinden.

Aber erst dann, und nur dann, wenn das kritisch-oppositionelle Denken und Handeln in uns und von uns her lebendig bleibt und wenn wir uns niemals wieder einem Frageverbot fügen, von wem auch immer. Denn der Mensch ist von seinem Wesen her ein Fragender, ein Anfragender an das Selbstverständliche, das oft ein Gefälle hat zur Diktatur. Dagegen kritisch zu fragen, das ist notwendig, das ist die Aufgabe. Wir müssen es lernen, auch wenn uns kein Gesetz verpflichten kann.

Nur jeder selbst kann sich frei verpflichten zum Fragen, zum stets offenen Fragen und frei verpflichten zu politischer Bildung. Politische Bildung ist das Hauptproblem der Demokratie.

Zwar fällt ab und zu ein Meister vom Himmel, doch eher in der Kunst als in der Politik. In der Politik sind wir lebzeitlang Lehrlinge. Das ist gewiss mühsam und schade, aber es ist nun einmal so. Eine Möglichkeit für politische Bildung ist die Meinungsfreiheit, für deren gesetzliche Sicherung wir hier sind. Sie kann uns nicht gewährt werden, denn sie ist unser Recht, ein Menschenrecht, das zum Grundrecht werden muss.

Zur Meinungsfreiheit sind wir, ist jeder Einzelne aufgerufen, gefordert und provoziert. Dazu gehört die Mühe und der Mut, eine eigene Meinung zu finden und zu haben. Wir wissen alle: Wie leicht kuschelt man sich doch ein in die Meinungen der Mehrheit oder einer Elite. Aber dann: Stille Nacht über die Menschheit, alles schläft. Mit der eigenen Meinung an den Schlaf der Welt zu rühren, das ist etwas für uns! Vor allem für jeden Einzelnen. Zur Meinungsfreiheit gehört unabdingbar die Achtung, der Respekt, ja sogar die Ehrfurcht vor der begründeten Meinung des anderen, auch dann und vor allem dann, wenn sie unserer eigenen Meinung widerspricht!

Es ist ein Verbrechen gegen die von uns geforderte Meinungsfreiheit, wenn wir dem anderen nicht zuhören, sondern pfeifen oder brüllen, wie das gegen SED-Menschen geschehen ist. Denn damit ist dasselbe getan, was die SED-Diktatur uns angetan hatte, den Andersdenkenden mundtot zu machen. Aber wir wollen, wir dürfen, wir sollen nicht sein, wie die SED war.

Wir wollen Meinungsfreiheit, das heißt, eine eigene begründete Meinung zu haben und die begründete Meinung des anderen anzuhören. Wenn wir das nicht können, wenn wir das nicht lernen, geht die Freiheit zum Teufel, wo sie nicht hingehört, denn die Freiheit gehört zu uns, die Freiheit, das sind wir, besorgt um die Freiheit aller.

Fred schlängelt sich durch die Menge, bis er vor seinen Freunden steht. Sie sehen sich an, fallen sich in die Arme, lachen, können noch nicht fassen, was passiert ist. Sie haben so lange gekämpft, der Deckel, der ein selbstbestimmtes Leben verhindert hat – endlich ist er abgesprengt. Jeder kann nun, wie er mag, seinen Weg gehen. Aber dafür haben wir noch viel Zeit, denkt Fred. Ich muss jetzt nicht wissen, was morgen passiert.

Zwei Wochen nach der Kundgebung auf dem Dimitroffplatz, am 4. Dezember, zogen 150000 Demonstranten zur Runden Ecke. Vor der langjährigen Geheimdienstzentrale von Leipzig erhoben sie die Forderung nach Auflösung der Staatssicherheit, des wichtigsten Machtinstruments der SED. Micha und Tobias gehörten zu den dreißig Bürgern, die von den Demonstranten durch das Stahltor hineingelassen wurden und das Gebäude besetzten, um die Aktenvernichtung zu stoppen und den Geheimdienst aufzulösen.

Noch am Vormittag hatte Generalleutnant Hummitzsch auf einer Dienstberatung darüber sinniert, dass die *Angriffe aufs Amt zunehmen* würden, und seine Leute ermahnt: *Ruhe, Besonnenheit, nicht durchdrehen.* Am Ende schloss er fatalistisch: *Wir müssen diesen Montag überstehen.*

Sie überstanden ihn nicht.

Micha ging im Schein der Neonleuchten staunend durch die Flure der Stasi-Zentrale. Hier war der Konferenzraum 131, dort das Büro des Generalleutnants. Zu den Stasi-Mitarbeitern, die noch in ihren Dienstzimmern saßen, sagte er: *Es ist vorbei, geht nach Hause!* Dann wies er einen Mann an, die leeren Räume gegen erneutes Betreten zu sichern. Es war der Bezirksstaatsanwalt, der Micha und seine Freunde im Januar inhaftiert und gegen sie Anklage erhoben hatte. Jetzt zeigte ihm Micha, wie er die Türen der Stasi für immer zu versiegeln hatte.

Wie es für sie weiterging

Andreas Radicke, geboren 1963, Aktivist der Initiativgruppe Leben, der im Haus Zweinaundorfer 20a in einer Wohngemeinschaft mit dem »Buddhisten« lebte, hat dessen illegales Nachtcafé im Erdgeschoss noch eine Weile weiterbetrieben. Am Tag der ersten freien Wahl ging er in den Westen. Er lebte vier Jahre im Ruhrgebiet, machte in Essen am Ruhrkolleg das Abitur nach, was ihm zu DDR-Zeiten verwehrt worden war. Er erlebte die Menschen dort als angenehm locker, entspannt und offen: *Jeder konnte sich in dieser Kulturmischung leicht integrieren.* Andreas studierte Wirtschaftswissenschaften, ging nach Delmenhorst, wurde Familienvater mit vier Kindern und kehrte 2001 nach Leipzig zurück. In dieser Stadt sieht er für sich (und für andere) weiterhin die Möglichkeit, *offen zu sein für Dinge, selbst solchen, die meinen Gewohnheiten widersprechen oder die ich nicht gleich verstehe, die ich mir aber erschließen kann.*

Andree Botz, geboren 1963, damals Aktivist der Initiativgruppe Leben und Pfleger im Schweitzer-Haus. Er machte bei der nächtlichen Flugblattverteilung zum 15. Januar mit und war Mitorganisator des 2. Pleiße-Gedenkumzugs. Kaum war die Mauer gefallen, baute er in Leipzig den mobilen Behindertendienst auf und machte Fortbildungen, um Pflegemanagement zu studieren. Ein Angebot des Arbeitsamtes brachte ihn nach Stuttgart. Er dachte: Dann geh ich mal in den Westen und schaue, wie dort gearbeitet wird. Er wurde geschäftsführender Pflegedienstleiter, bis ihm die Art, wie Pflege organisiert wurde, nicht mehr gefiel. Jetzt arbeitet Andree in einer spezialisierten Schlaganfallstation in Heilbronn.

Anita Unger, geboren 1965, hat die Zeit nach dem Mauerfall als *verrückt und frei* empfunden. Sie hat ihr Studium der Sozialarbeit abgeschlossen und in Leipzig ambulante Angebote mit Wohn- und Arbeitsmöglichkeiten für psychisch Kranke aufgebaut. Anita hatte schon zu DDR-Zeiten versucht, alle Reisemöglichkeiten zu nutzen, und war wie viele andere ostdeutsche Jugendliche auf abenteuerliche Weise über Ungarn, Bulgarien, Rumänien bis nach Samarkand, Taschkent oder ins Fan-Gebirge gelangt. Mitte der neunziger Jahre brach sie erstmals zum Himalaja auf, bereiste Nepal und immer wieder Indien, wo sie den Buddhismus kennenlernte. Die Eingabenschreiberin von damals kämpft heute mit Anträgen, Beschwerden und Widersprüchen für ihre Klienten in einer Einrichtung in Altenburg für eine gerechte Behandlung durch Behörden und Institutionen. Sie lebt immer noch gern in Leipzig und liebt es, von ihrer Wohnung unterm Dach eines renovierten Altbaus in der Südvorstadt immer wieder in die Welt zu ziehen.

Anke Hansmann, geboren 1967, ging mit 24 Jahren in den Westen, führte drei Jahre lang an einem Kolleg ein wildes Studentenleben und holte ihr Abitur nach. Dann studierte sie Politologie und Germanistik, aber in den Vorlesungen dachte sie immer öfter, *das echte Leben geht an mir vorbei.* Sie begann, als Pädagogin zu arbeiten. In Leipzig gründete sie einen Waldkindergarten, verfolgte ihre alte Leidenschaft weiter, die *Umwelterziehung mit Kindern.* Neue Anregungen holte sie sich bei der Naturschule in Freiburg. So hat sie viele Jahre mit Kindern im Leipziger Auwald verbracht. Anke bekam 1997 selbst einen Sohn, mit dem sie noch heute gern durch den Auwald zieht, wo sie und ihre Freunde vor drei Jahrzehnten ihre erste Demonstration wagten. Die Pfarrerstochter wohnt heute in einem Dorf bei Braunschweig in einem Pfarrhaus, arbeitet mit geistig behinderten jungen Leuten und fühlt sich mitten im Leben.

Aram Radomski, geboren 1963, arbeitet heute als Fotograf und Designer. Für seinen Mut, in DDR-Zeiten heimlich zu filmen und der Opposition damals eine Stimme zu geben, wurde er zusammen mit Siegbert Schefke vielfach mit Preisen ausgezeichnet. Seine Großmutter Margarete Neumann war eine SED-nahe Schriftstellerin, sein Vater Gert Neumann ein regimekritischer Schriftsteller. Aram sollte als 16-Jähriger seinen Vater bespitzeln, was er ablehnte. 1983 wurde er bei einer Faschingsveranstaltung in einem Plauener Jugendclub zusammengeschlagen. Er wusste nicht, dass die Schlägerei durch Stasi-Mitarbeiter inszeniert war, wurde als Täter verhaftet und zu sechs Monaten Haft verurteilt. All das war Teil eines Zersetzungsplanes gegen seinen Vater, den man aus der DDR drängen wollte. Im Gefängnis beschloss er, gegen das SED-Regime aktiv zu werden, zog nach Leipzig und begann eine Lehre als Fotograf. Später arbeitete er in Ost-Berlin als freier Fotograf, stellte Postkarten, Aufkleber und Plakate für Veranstaltungen her, meist ohne Druckgenehmigung. In der Umweltbibliothek lernte er 1987 Siggi Schefke kennen, mit dem er die Umweltzerstörung, den Verfall der Städte und den Widerstand in der DDR dokumentierte. 2002 gründete er die Firma Berlintapete, deren Geschäftsführer er bis heute ist.

Bernd Oehler, geboren 1960, 1988 Mitbegründer des Arbeitskreises Gerechtigkeit und Mitglied der Solidarischen Kirche mit Kontakt zur Initiative Frieden und Menschenrechte, ist seit 1999 Pfarrer in Meißen und dort trotz Morddrohungen aktiv im Vorstand von *Buntes Meißen – Bündnis Zivilcourage*, einem Verein gegen Fremdenfeindlichkeit. Unter dem Pseudonym »Björn« schrieb er für den *Grenzfall*. Er studierte Theologie in Leipzig und Berlin, baute dort – jeweils im Haus der Demokratie – ehrenamtliche Gruppen auf, die sich um Strafgefangene kümmerten. *Es gab viele Leute im Knast, die dort nicht hineingehörten. Die DDR-Gefängnisse mussten dringend reformiert werden*, erinnert er sich. In Meißen unterstützte er 2001 die Gründung einer Freien Werkschule und begleitet das Projekt Stolpersteine für die ermordeten jüdischen Bürger der Stadt. Er erteilt an Schulen Religionsunterricht und ist Notfallseelsorger. Wenn er zu Fuß durch seine Stadt geht, freut er sich ganz besonders, dass vor dem Rathaus, mitten auf dem Markt, eine Bronzeplatte in den Boden eingelassen ist mit dem Datum der ersten großen Demonstration in Meißen am 24. 10. 1989 und dem Text: *Im Herbst 1989 demonstrierten hier mutige Bürger Zivilcourage und forderten demokratische Grundrechte ein. Freiheit wurde erreicht – Zivilcourage bleibt unser Auftrag*.

Carola Bornschlegel, geboren 1969, hatte gerade die Schule abgeschlossen, als sie nachts mit ihrem Freund Theo im Januar 1989 Flugblätter verteilte. Wie er engagierte sie sich noch eine Weile als Abgeordnete in Espenhain. Wenn sie zurückdenkt, ist nicht der Einzelne am wichtigsten, sondern das Netzwerk von Menschen mit ganz unterschiedlichen Talenten. *Um so eine Bewegung zum Funktionieren zu bringen, braucht es sehr viele Leute, die mitmachen, wie in einem Ameisenhaufen*. Sie zog irgendwann nach Berlin-Prenzlauer Berg, begann im Jobcenter Mitte als stellvertretende Teamleiterin zu arbeiten und wurde Fan von »Eisern Union«. Als in der Musikschule ihrer

Tochter alle Lehrer entlassen werden sollten, organisierte sie als Vorsitzende der Landeselternvertretung der Musikschulen kurzerhand eine Demonstration durch Pankow: *Zugangsoffenheit für alle, unabhängig vom Geldbeutel!*

Christian Dietrich, geboren 1969, der bei der verbotenen Demonstration am 15. Januar 1989 in der ersten Reihe lief, wurde evangelischer Pfarrer und war von 2013 bis 2018 Landesbeauftragter des Freistaats Thüringen zur Aufarbeitung der SED-Diktatur. Auf der Demonstration am 4. September 1989 trug er das Transparent mit den Worten *Versammlungs- und Vereinsfreiheit.* Er beteiligte sich am Aufbau des Neuen Forums und des Demokratischen Aufbruchs, leitete einen Untersuchungsausschuss zu Korruption und Amtsmissbrauch im Kreis Naumburg und war Mitbegründer des Archivs Bürgerbewegung Leipzig sowie des Vereins für politische Bildung Sachsen, Stiftung Runder Tisch. Für die Enquete-Kommission Aufarbeitung von Geschichte und Folgen der SED-Diktatur in Deutschland verfasste er eine umfangreiche *Fallstudie Leipzig 1987–1989. Die politisch-alternativen Gruppen in Leipzig vor der Revolution.* Etwa 13 Jahre lang konnte er als Pfarrer in Nohra bei Weimar Erfahrungen in der Gemeindearbeit sammeln. Er ist verheiratet mit **Constanze**, bei der die Flugblätter mit dem Aufruf zur Demonstration am 15. Januar versteckt worden waren. Sie haben vier Kinder.

Christoph Motzer, geboren 1963, fotografierte den ersten Pleißegedenkumzug. Er baute 1990 in Leipzig die Obdachlosenhilfe mit auf, dabei entstand das erste kommunale Obdachlosenhaus in den neuen Bundesländern. Er gab seine Arbeit als Elektroinstallateur auf und wechselte ins Sozialamt. In den neunziger Jahren half er in Leipzig, ein demokratisches Gemeinwesen und eine bürgernahe kommunale Selbstverwaltung aufzubauen. Bis heute ist er in der Wohnungsnotfallhilfe der Stadt Leipzig beschäftigt und meistens »mobil ohne Auto«. Der Gedanke »Frieden schaffen und erhalten ohne Waffen« ist immer noch seine Hoffnung. Auf der Pleiße paddelt er heute mit dem Kajak ohne gesundheitliche Risiken durch den Auwald. Den Fotoapparat hat er oft dabei. *Jedes weitere totalitäre System*, sagt er, *egal ob in Deutschland, Europa oder sonst wo auf der Welt, muss verhindert werden!*

Cornelia – **Conny** – Fromme, geboren 1969, damals Nachbarin der Marianne, nach 1989 Bühnen- und Kostümbildnerin, Meisterschülerin und Assistentin von Professor Andreas Reinhardt bis 2007. Sie sichtet derzeit seinen Nachlass im Archiv der Akademie der Künste in Berlin. Außerdem arbeitet sie als bildende Künstlerin im Bereich Rauminstallation und Zeichnung.

Katrin Dorn, geboren 1963, Kurierin zur Charta 77, lebt heute in Hamburg als Theaterpädagogin und Schriftstellerin namens Katrin McClean.

Edgar Dusdal, geboren 1960, einer der sieben Sprecher des Neuen Forums Leipzig, ging nach dem Mauerfall nicht in die Politik, sondern blieb Theologe und ist heute Pfarrer in der Paul-Gerhardt-Gemeinde in Berlin-Karlshorst.

Ernst Demele, geboren 1940, Aktivist der Initiativgruppe Leben, weigerte sich einst als Mitarbeiter der Deutschen Reichsbahn, in die Betriebskampfgruppe zu gehen. Damit war der Ingenieur Staatsfeind Nummer 1 in seinem Betriebskollektiv. *Mir ging das ständige Lügen auf den Keks. Ich erlebte, wie Parolen von einem Tag auf den anderen genau ins Gegenteil gewechselt wurden.* Er litt unter dem Verfall der Bausubstanz im Leipziger Osten und dokumentierte ihn fotografisch. Es wurden mehr als tausend Dias. Die DDR-Reichsbahn bestand länger als ihr Staat – bis zum 31. Dezember 1993. So lange arbeitete Ernst dort. Er versuchte, Dinge zu verändern und die Vergangenheit aufzuarbeiten, leitete eine Personalgruppe, schrieb offene Briefe, rief zu Betriebsversammlungen auf. Weil die Aufarbeitung der DDR-Zeit in seinem Betrieb ins Stocken geriet, wollte er in das neue Leipziger Ingenieurbüro einer Heidelberger Firma einsteigen. Doch da bekam er überraschend das Angebot, ab 1. Januar 1994 als Leiter die Außenstelle Halle des Eisenbahnbundesamts aufzubauen. Nach zehn Jahren ging er in den Ruhestand. Mit seiner Frau blieb der Vater einer Tochter aber bis heute in Leipzig wohnen.

Friedel Fischer, geboren 1946, der Jugendseelsorger, lebt als Pfarrer in Vilnius in Litauen. Wie die Kollegen an der Nikolaikirche hängte er 1989 an die katholische Liebfrauenkirche das Schild *Offen für alle.* Als einer der wenigen Leipziger Pfarrer, dazu noch als Katholik, unterstützte er die Basisgruppen. Nach dem Fall der Mauer erfuhr er, dass ihn sein eigener Bruder bespitzelt hatte. Er liebt es, immer neue Sprachen zu lernen. Bei einer Urlaubsvertretung im sorbischen Crostwitz lernte er Sorbisch. Englisch spricht er sowieso, dazu Russisch, Polnisch, Tschechisch, Slowakisch, Ukrainisch, Litauisch, Latein, Griechisch, Italienisch und Spanisch. Nicht nur die Sprachen, auch das Leben in diesen Ländern interessiert ihn. Fischer besucht Leipzig nur noch gelegentlich, feierte aber in der Liebfrauenkirche seinen 75. Geburtstag. Er ist Rektor des Priesterseminars St. Josef in Vilnius und Oberer des Oratoriums des hl. Philipp Neri, Vilnius.

Frank Sellentin, geboren 1966 in Leipzig, Bewohner der Mariannenstraße, Mitbegründer der Initiativgruppe Leben, schlug sich bis 1989 als Zimmermann, Tischler und Hilfspfleger durch. Nach dem Fall der Mauer verschrieb er sich dem Innenausbau von Wohnungen und Häusern und kam dabei in ganz Deutschland herum. In einer Woche wechselte er dann von Baustelle zu Baustelle zwischen Köln, München, dem Teutoburger Wald und dem Sauerland. Er entwarf und gestaltete eigene Produkte wie Lampen und Kamine und engagierte sich mit großer Leidenschaft für den Lehmbau. Frank Sellentin starb 2013 in seiner Leipziger Wohnung durch einen Unglücksfall.

Frank Wolfgang Sonntag, geboren 1961, Bausoldat, Mitbegründer des Arbeitskreises Gerechtigkeit und nach seiner Ausreise im Juli 1988 Unterstützer des Widerstands in Leipzig von West-Berlin aus, was sich wegen weitverbreiteter politischer Vorbehalte oder Desinteresses als nicht so einfach erwies. Im September 1989 las er in der Zeitung, der langjährige Regierende Bürgermeister von West-Berlin, Eberhard Diepgen, habe gesagt, es müsse Schluss damit sein, dass die Westpolitiker nur mit der SED reden. Er schickte sofort einen Brief, erhielt einen Termin, konnte Diepgens Referenten Ansgar Vössing überzeugen und bekam ab September etwas materielle Unterstützung für die Opposition. Frank Wolfgang studierte Germanistik, Literaturwissenschaften und Geschichte, absolvierte Praktika als Journalist und erhielt ein Stipendium der Journalistischen Nachwuchsförderung der Konrad-Adenauer-Stiftung. Zunächst arbeitete er für den Mitteldeutschen Rundfunk als Fernsehreporter aus Dresden. Dort traf er sich oft mit Michael Arnold und Thomas Rudolph im Landtag, wenn es um das Neue Forum und die Arbeit im Untersuchungsausschuss zu Amts- und Machtmissbrauch in Folge der SED-Herrschaft ging. Seit 1993 gehört er zur Redaktion des politischen Magazins

Fakt des MDR und erstellt Filmbeiträge über Parteipolitik und wirtschaftliche Themen, immer wieder aber auch mal Zeitgeschichtliches. 2004 war er Mitorganisator und Pressesprecher des ersten Bausoldatenkongresses.

Fred Kowasch, geboren 1965, der im Januar 1989 auf dem Leipziger Markt auf eine Mauer sprang, um zu den Umstehenden zu reden, konnte in West-Berlin erstmals studieren: Publizistik, Geschichte, Politik. *Zur Verhinderung von Überraschungen,* schrieb die Stasi nach Freds Ausreise im März 89, drang sie in seine leere Leipziger Wohnung ein. Im Zuge der *legendierten Wohnungsbegehung* prüfte sie, *ob eventuell Flugschriften zeitweilig deponiert oder das Quartier durch andere feindlich-negative Personen als Absteige genutzt wird.* Weder das eine noch das andere konnte sie feststellen. Nach der Ausbildung an der Münchener und Berliner Journalistenschule arbeitete Fred als Autor und Reporter für ARD und ZDF. Er gehört seit 2007 zum Team des investigativen Fernsehmagazins *sport inside* und berichtete zuletzt über Hooligans und Pegida-Anhänger. Kowasch betreibt das unabhängige Onlineportal interpooltv.de, ist Autor und Produzent von Dokumentarfilmen.

Christian Führer, geboren 1943, damals Pfarrer an der Nikolaikirche. Er setzte sich nach dem Mauerfall viele Jahre für Arbeitslose und Hartz-IV-Empfänger ein, organisierte für sie erneut Friedensgebete und Montagsdemos sowie Gegendemonstrationen gegen Neonazi-Aufmärsche in Leipzig. 2002 versuchte Führer die Losung »Wir sind das Volk« als Marke anzumelden, um den Missbrauch zu verhindern. Elf Jahre später löschte das Deutsche Patent- und Markenamt die Marke »Wir sind das Volk« wegen »fehlender gewerblicher Nutzung«. Eine Bürgerrechtlerin hatte dies beantragt, damit

Anita

Anke

Aram

Carola

Christian

Bernd

Christoph

Conny

Constanze

Ernst

Frank

Frank W.

Fred

Gesine

Christian

die Parole zukünftig frei bleibt. 2008 beendete Führer seine Arbeit als Pfarrer von Nikolai und ging in den Ruhestand. Er starb im Juni 2014.

Gesine und **Christian** Oltmanns aus der Mariannenstraße, Jahrgang 1965 und 1969, sind bis heute ein Paar und leben mit ihren neun Kindern in Leipzig-Connewitz. Seit einem ersten Hilfstransport nach Rumänien im März 1990 engagierte sich Christian jahrelang in der praktischen Hilfe für die Menschen in diesem Land. Gemeinsam mit ihrer wachsenden Kinderschar bereiste die Familie Europa von Italien bis zum Polarkreis. Christian, der noch immer lange, lockige Haare trägt, ist als Bauingenieur bei der Bahn für die Sicherheit des Baugrundes von Brücken und anderen Bauwerken zuständig. Gesine, bis Dezember 1988 im Arbeitskreis Gerechtigkeit, betreute nach 1990 in der Stasi-Unterlagenbehörde Rehabilitationsverfahren und studierte anschließend einige Semester Jura. Mit dem *FREI_RAUM für Demokratie und Dialog* der Stiftung Friedliche Revolution, in deren Vorstand sie sitzt, ist sie als Projektleiterin bis heute in Leipzig und anderen Großstädten mit politischen und kulturellen Veranstaltungen auf öffentlichen Plätzen präsent, organisiert politische Debatten oder zeigt Filme zur Gegenwart und Zeitgeschichte. Sie gründete gemeinsam mit Mitstreitern aus der Zeit der friedlichen Revolution nach der ukrainischen »Revolution der Würde« den Euro-Maidan Leipzig e. V. und betreut ein Traumaprojekt in Kiew und der Ostukraine, organisiert Informationsveranstaltungen und Netzwerkarbeit. Bürger- und Menschenrechte sind für sie Mittelpunkt ihrer Aktivitäten, wie bei den jüngsten Einschränkungen des Demonstrationsrechtes in Leipzig-Connewitz. Die von ihr 2015 angemeldeten Gegendemonstrationen zu Legida auf dem Leipziger Ring standen unter der immer gültigen Losung: *Für ein offenes Land mit freien Menschen.*

Gerold – **Hilli** – Hildebrand, geboren 1955, damals eine der treibenden Kräfte in der Ost-Berliner Umweltbibliothek und Initiator von Solidaritätsaktivitäten. Er hielt den Kontakt zwischen Gruppen in Ost-Berlin und Leipzig. Hilli wurde Pressereferent im Bundesverband des Neuen Forums, studierte Ende der neunziger Jahre Sozialwissenschaften und setzte sich stark für die Aufarbeitung der DDR-Geschichte ein, als Autor wie als Organisator eines Bausoldatenkongresses.

Jochen Lässig, geboren 1961, der Straßenmusiker und Mitbegründer des Arbeitskreises Gerechtigkeit, spielt noch immer Gitarre, seinen Bart aber hat er schon lange abrasiert. Der Organisator des Straßenmusikfestivals hatte Trompetenunterricht bei Ludwig Güttler genommen, darum bearbeitete ihn die Stasi unter dem Namen »Trompete«. Er war Mitbegründer des Neuen Forums und wurde zu einem beliebten und bekannten Redner auf den Montagsdemonstrationen, die noch bis zur ersten freien Wahl im März 1990 in Leipzig stattfanden. Er war an der Vereinigung von Bündnis 90 und den Grünen in Leipzig beteiligt und begann ein zweites Studium, Jura. Jochen war für die Grünen bis 1999 im Stadtrat und einmal sogar Oberbürgermeisterkandidat. Er trat zwar Ende der neunziger Jahre in die SPD ein, doch die heutige Parteienlandschaft findet er schwierig. Seit seiner Zulassung 1997 arbeitet er als Rechtsanwalt in Leipzig.

Klaus Kaden, geboren 1951, damals Jugendpfarrer und Betreiber des »Kaden-Kreis« genannten Treffs für Ausreiseantragsteller, blieb nach 1990 Pfarrer an der Leipziger Michaeliskirche, wurde in Pirna 1996 Superintendent und 2006 Rektor der Diakonissenanstalt in Dresden.

Kathrin Mahler Walther, geboren 1970, Aktivistin der Arbeitsgruppe Menschenrechte, Bewohnerin der Mariannenstraße, hat sich nach dem Abschluss ihrer Ausbildung bereits Anfang 1989 voll auf den politischen Widerstand konzentriert. Sie kämpfte nach 1989 mit ihren politischen Freunden vom Arbeitskreis Gerechtigkeit und der Arbeitsgruppe Menschenrechte in der Initiative Frieden und Menschenrechte (IFM) bis zu den Fusionsverhandlungen zum Bündnis 90/Die Grünen. Sie saß am Runden Tisch der Stadt und des Bezirks Leipzig, gehörte zum Bundesvorstand der IFM und leitete deren Regionalbüro in Leipzig. 1991 zog sie von Leipzig nach Berlin, pendelte aber noch bis 1992 nach Dresden, wo sie Referentin einer Abgeordneten des ersten Sächsischen Landtags in der Fraktion Bündnis 90/Die Grünen war. Nach Pause und Neuorientierung entschied sie sich 1994, auf dem zweiten Bildungsweg ihr Abitur nachzumachen, und erhielt ein Stipendium der Hans-Böckler-Stiftung. Sie studierte Soziologie und Politik an der Humboldt-Universität, verbrachte ein Auslandssemester in New York, engagierte sich in Projekten für Geschlechtergerechtigkeit. Seit 2004 arbeitet sie für die EAF Berlin. Als Geschäftsführerin und Mitglied im Vorstand des gemeinnützigen Beratungs- und Forschungsinstituts verknüpft sie ihr politisches Engagement mit ihrem beruflichen Einsatz für Chancengleichheit und Vielfalt. Kathrin wohnt mit ihrer Frau und ihrem gemeinsamen Kind am Görlitzer Park in Kreuzberg und erinnert sich gern an den langen Sommer der Revolution: *Wir waren jung, wir haben gelebt, geliebt und gestritten, Partys gemacht wie alle Jugendlichen. Trotz Stasi und Polizei war es keine dauernd gedrückte Stimmung. Es ging uns auch darum, miteinander das Leben zu genießen.*

Katrin – **Katti** – Hattenhauer, geboren 1968, bis Dezember 1988 Aktivistin des Arbeitskreises Gerechtigkeit, war als

Jugendliche in kirchlichen Umweltgruppen aktiv und durfte kein Abitur machen. Sie legte 1988 die Aufnahmeprüfung an der Kirchlichen Hochschule in Leipzig ab. Von Oktober 1988 bis zu ihrer Inhaftierung am 11. September 1989 nahm sie an zahlreichen politischen Aktionen wie dem Straßenmusikfestival und einem Hungerstreik in der Thomaskirche teil. Am 4. September 1989 demonstrierte sie zusammen mit Gesine Oltmanns mit dem Transparent *Für ein offnes Land mit freien Menschen.* Diese Aktion gilt heute als der Beginn der Leipziger Montagsdemonstrationen. Nach der friedlichen Revolution wurde Katrin Künstlerin. Zu ihren wichtigsten Ausstellungen gehören »Rückkehr in die Freiheit« (Leipzig 1999 und 2009) und »Paradiesstücke« (Berlin, Bologna, Florenz, Houston 2009/2010). Bei der zentralen 25-Jahr-Feier der deutschen Einheit sprach sie am Brandenburger Tor; an die junge Generation gerichtet sagte sie: *Nehmt euch die Freiheit, lebt eure Träume.* Im Oktober 2015 initiierte sie einen offenen Brief früherer Oppositioneller an Bundeskanzlerin Angela Merkel zur Unterstützung einer Flüchtlingspolitik der offenen Grenzen. Sie ist im Vorstand der Kreisau-Initiative tätig und arbeitet mit Jugendlichen zum Thema Zivilcourage. In den letzten Jahren konzentriert sie sich auf Kunstinstallationen im öffentlichen Raum, »Müllwiese« (Hamburg 2013) über die Verschmutzung der Meere, »Über das Verschwinden« (London, Leipzig 2014) zum Mord an politischen Häftlingen. Sie hat bei der Beuys-Schülerin Shelley Sacks studiert und arbeitet in Oxford als Doctoral Fellow. In ihrem derzeitigen Projekt »Do I Know You« (Oxford 2016, Berlin/Rom 2017) hat sie 50 Kurzfilme mit Menschen aus 15 verschiedenen Ländern gedreht. In dem Projekt geht es um Verständnis für die Verschiedenheit des Anderen, um die Fähigkeit zur Empathie als Grundlage unserer Gesellschaft.

Friedrich Magirius, geboren 1930, blieb von 1982 bis zu seiner Pensionierung 1995 Superintendent des Kirchenbezirks Leipzig-Ost. Er wurde nach 1989 mit Ehrungen überhäuft, was angesichts seiner Rolle vor dem Herbst 89 wiederholt auf Kritik stieß. Magirius traf ich im Herbst 2016 vor der Nikolaikirche und sprach lange mit ihm in den Räumen der ehemaligen Superintendentur. Nur ein einziges Mal, erzählte er, habe er nach dem Mauerfall den SED-Mann Hartmut Reitmann auf der Straße wiedergesehen. Der habe nur einen Satz gesagt: *Sie hatten doch recht!* Dann sei er gegangen. Wie Magirius die damalige Zeit sieht, hat er in einem Erinnerungsbuch aufschreiben lassen.

Michael – **Micha** – Arnold, geboren 1964, Aktivist in der Initiativgruppe Leben, und Sabine – **Bine** – Arnold, geboren 1959, aus der Zweinaundorfer Straße 20a, leben zusammen in Radebeul und haben drei Kinder. Micha baute im Herbst 1989 maßgeblich das Neue Forum Leipzig mit auf. Im Oktober 1990 wurde er Abgeordneter im Sächsischen Landtag. Als innenpolitischer Sprecher beschäftigte er sich intensiv mit dem Verfassungsschutz, der Aufarbeitung des DDR-Geheimdienstes und wirkte auch am Stasi-Unterlagengesetz mit. Besonders intensiv war seine Arbeit im Untersuchungsausschuss zu Amts- und Machtmissbrauch in Folge der SED-Herrschaft. Heute hat der aus Meißen stammende Micha eine moderne Zahnarztpraxis in Dresden, in der er forscht und den zahnärztlichen Nachwuchs fortbildet. Sabine arbeitet als Psychoanalytikerin in ihrer eigenen Praxis. **Johanna**, damals ein Baby, hat die ganze Welt bereist und vor kurzem ihr Psychologiestudium abgeschlossen. Die Schreibmaschine, auf der Micha seine Eingaben verfasste und Flugblätter schrieb, steht heute im Zeitgeschichtlichen Forum Leipzig.

Rainer Müller, geboren 1966 in Borna, Aktivist im Arbeitskreis Gerechtigkeit und bei zahlreichen Protest- und subversiven Widerstandsaktionen. Wohnte in Leipzig erst im Studentenwohnheim des Theologischen Seminars in der Paul-List-Straße 19, bevor er im Sommer 1988 zusammen mit Kathrin Walther in der Mariannenstraße 46 einzog. Zu seinen frühesten Kindheitserinnerungen gehört es, wie im Kindergarten von Benndorf das Bild von Walter Ulbricht ab- und ein neues von Erich Honecker aufgehängt wurde und dabei die »richtige« politische Einstellung überprüft wurde. Seine Eltern waren Hauptbuchhalter in der LPG. Aus politischen Gründen wurde er nicht zum Abitur zugelassen, lernte von 1983 bis 1985 Maurer und arbeitete auf Baustellen in Leipzig. Nach politischen Konflikten und erzwungener Arbeitslosigkeit wechselte er in eine Kirchenbaubrigade und begann 1987 das Studium am Theologischen Seminar Leipzig. Rainer schuf sich im Lauf der Jahre einen großen Bekannten- und Freundeskreis, weit über seine Heimatregion hinaus. Das kam ihm bei vielen politischen Aktionen zugute. Wenn er nach Ost-Berlin fuhr, übernachtete er oft bei den Oppositionellen Ulrike und Gerd Poppe in der Rykestraße 28. *Ich glaubte damals, dass ich irgendwann eh im Gefängnis landen werde. Es war für mich nur eine Frage der Zeit, die ich davor möglichst intensiv nutzen wollte.* Nach der friedlichen Revolution wurde Rainer Vater von vier Kindern und blieb in vielen Bereichen ehrenamtlich politisch aktiv. Er engagierte sich in mehreren Leipziger Sozialinitiativen, im Archiv Bürgerbewegung, im Lindenauer Stadtteilverein und im Bürgerverein Lindenau. Gelegentlich macht er dort, wo er auch wohnt, stadtgeschichtliche Führungen für Schüler. Man erkennt ihn dabei schon von weitem an seinem langen Bart. Er hat als Zeitzeuge präzise viele Daten und Begebenheiten im Kopf, kann zwar mit Computern umgehen, aber wenn er einen

Ort sucht, guckt er doch lieber in einen echten Atlas als bei Google Maps.

Rico Schmidt, geboren 1968, der Gitarrenspieler im Hof der Marianne, ist Profimusiker geworden. Bald nach dem Fall der Mauer war er mit der Band Messias Makárov auf kleinen und großen Bühnen zwischen Rostock und München, Dresden und Köln unterwegs. Dem Blues ist er treu geblieben, aber heute fließt die Musik der ganzen Welt in seinen Stil mit ein. Er interpretiert Klassiker und moderne Stücke, liest gerne Gedichte vor, schreibt eigene Kompositionen und Texte, tritt solo und mit Begleitung auf. Rico will jetzt Dresden verlassen und nach Göttingen ziehen.

Roland Quester, geboren 1966, baute als Leiter die Umweltbibliothek in Leipzig auf und arbeitete maßgeblich in der Arbeitsgruppe Umweltschutz beim Stadtjugendpfarramt mit, auch als Redakteur der *Streiflichter.* Von 1994 bis 2013 war er Stadtrat für die Fraktion Bündnis 90/Die Grünen und ist heute persönlicher Referent von Leipzigs Baubürgermeisterin und Dezernentin für Stadtentwicklung und Bau. Mitbegründer und langjähriger Mitstreiter der Arbeitsgruppe Umweltschutz war auch der Theologiestudent Nico Voss, der 1990 die Leipziger SPD mit aufbaute, nach Schwerin umzog und dort Büroleiter des Ministerpräsidenten Harald Ringstorff wurde. Seit 2011 ist er Staatssekretär im Ministerium für Arbeit, Gleichstellung und Soziales.

Saskia Paul, geboren 1967, Aktivistin der Initiativgruppe Leben, die den ersten und zweiten Pleiße-Gedenkumzug mit vorbereitet hatte, holte ihr Abitur 1995 nach drei Jahren Abendgymnasium nach und studierte dann Geschichte und Archivwissenschaften. Ihre Doktorarbeit schrieb sie über die Geschichte der Sächsischen Akademie der Wissenschaften zu Leipzig. Heute leitet die promovierte Historikerin das Archiv Bürgerbewegung Leipzig im Haus der Demokratie in der Bernhard-Göring-Straße 152. Das Archiv steht mit seiner ständig wachsenden Sammlung von Originaldokumenten, Zeitzeugeninterviews, Fotos, Videos und Tonaufnahmen aus der Zeit um 1988/89 für jeden Interessierten offen. Viele der Bilder in diesem Buch entstammen der Fotosammlung, einige Reden und Flugblätter den dort aufbewahrten Originalen. Wie sich der politische Protest entwickelte, auf welche Widerstände er stieß, wie sie überwunden werden konnten, Ursachen und Verlauf der friedlichen Revolution, das Entstehen demokratischer Strukturen – Saskia bewahrt als Hüterin des Archivs die Zeugnisse des Umsturzes für die Zukunft. Wie schon als Jugendliche zieht sie in ihrer Freizeit immer noch handgemachte Livemusik in Leipzig und anderswo jeder Tonkonserve vor.

Siegbert – **Siggi** – Schefke, geboren 1959, der zusammen mit Aram Radomski im Leipziger Sommer und Herbst 1989 heimlich Videoaufnahmen machte, ist heute Fernsehjournalist und arbeitet oft für *Tagesschau* und *Tagesthemen*. Nach dem Fall der Mauer unternahm er eine Vortragsreise durch die USA und berichtete dort von der Zivilcourage der Ostdeutschen. Gemeinsam mit Aram filmte er heimlich während der entscheidenden Montagsdemonstration am 9. Oktober 1989 vom Turm der Reformierten Kirche. Dazu benutzte er eine Kamera, die er vom ausgebürgerten Jenaer Oppositionellen Roland Jahn erhalten hatte. Die Aufnahmekassette übergab er dem Ost-Berliner Korrespondenten des SPIEGEL, Ulrich Schwarz, der sie nach West-Berlin brachte. Am nächsten Tag sendete die ARD die spektakuläre Aufnahme. Um die Urheber zu schützen, hieß es, sie stammten »von einem italienischen

Kamerateam«. Die Videokamera ist heute in einer Wanderausstellung zur Geschichte der DDR-Opposition zu sehen.

Susanne Krug, geboren 1965, Mitbegründerin des Arbeitskreises Gerechtigkeit, studierte nach dem Theologiestudium in Halle, Leipzig und Berlin an der TU Berlin Diplompädagogik und arbeitete in unterschiedlichen Feldern als Drogenberaterin, Trainerin für gewaltfreie Kommunikation, Theaterpädagogin und hat jetzt als körperorientierte Sexualberaterin ihre Berufung gefunden. Tanz, Bewegung, Kommunikation und Körperarbeit sind wichtige Themen, die private Leidenschaft und berufliche Entwicklung verbinden. Sie lebte nach der Wende gemeinschaftlich in einem besetzten Haus und ist Mutter von zwei Kindern. Susanne nutzte die neu gewonnene Reisefreiheit für Entdeckungsfahrten in andere Kulturen und erfüllte sich mit einer einjährigen Weltreise einen langjährigen Traum. Mit Neugier erkundete sie immer wieder alternative Lebensformen und widmet sich ihrem persönlichen Arbeits- und Forschungsthema jenseits politischer Systemfragen: Was bindet und verbindet Menschen in ihrer Suche nach Erfüllung und Glück in vielgestaltigen Beziehungen, in Gemeinschaft, mit sich allein, in der Paardynamik, im Familiensystem?

Jürgen Tallig, geboren 1956, treibende Kraft der Dialog-Gruppe, Gründer von Neues Denken und Mitbegründer des Neuen Forums Leipzig, studierte Politik- und Sozialwissenschaften. Er zog nach Berlin, wo er in Weißensee als Sozialarbeiter wirkte.

Udo – **Theo** – Hartmann, geboren 1962, hatte wegen seiner Teilnahme an den Aktionen der Gruppen heftige Auseinandersetzungen mit seinem Vater, einem linientreuen SED-Genossen. Theo konnte ihn zwar überreden, auch mal zum Friedensgebet in die Nikolaikirche mitzukommen, doch im

September, als es in der Partei hieß, die Konterrevolution marschiere in Leipzig, da glaubte auch sein Vater, auf der Straße, das wären nur Rowdys – bis ihm Theo entgegnete: *Ich war auch da, ich bin selber einer.* Während für seinen Vater im Herbst 89 eine Welt zusammenbrach, erfreute sich Theo der neugewonnenen Freiheiten. Seitdem reist er jedes Jahr ausgiebig um die Welt. Noch 1989 wurde er zum Sprecher des Neuen Forums in Espenhain gewählt und saß in der Stadtverwaltung. Vor allem kümmerte er sich um die katastrophale Umweltsituation in seiner Heimatstadt. Heute arbeitet er in einem Behindertenheim.

Thomas Rudolph, geboren 1963, Mitbegründer des Arbeitskreises Gerechtigkeit, wohnt in Leipzig. Anfang der neunziger Jahre arbeitete er in der Fraktion Bündnis 90/Die Grünen zunächst als Pressereferent, dann als Referent des Landtagsabgeordneten Michael Arnold im Sächsischen Landtag sowie als dessen Berater im Untersuchungsausschuss zu Amts- und Machtmissbrauch in Folge der SED-Herrschaft. Er arbeitete als Archivleiter des Forschungszentrums zu den Verbrechen des Stalinismus in der DDR in Dresden und später im Archiv der sächsischen Initiative Frieden und Menschenrechte und widmet sich weiterhin dieser Forschungsarbeit. Seine große Leidenschaft ist eine mehrbändige *Chronik zu Opposition und Widerstand in der DDR zwischen 1987 und 1989*, von der erst ein Band erscheinen konnte. Zwei weitere geplante und teils fertiggestellte Bände könnten erscheinen, wenn sich seine Hoffnung auf Förderung des Projektes erfüllt. Die Arbeit daran verbindet ihn mit Rainer Müller, Christoph Wonneberger und dem Politikwissenschaftler Oliver Kloss.

Tobias Hollitzer, geboren 1966 in Leipzig, der Umweltaktivist und Stasi-Auflöser vom Dezember 1989, war bis 2006 Sachgebietsleiter und stellvertretender Außenstellenleiter Leipzig des Bundesbeauftragten für die Unterlagen der Staatssicherheit der ehemaligen DDR. Seitdem leitet er die Gedenkstätte Museum in der Runden Ecke in der Trägerschaft des Bürgerkomitees Leipzig e. V. Als Vorsitzender des Stiftungsbeirates der Gedenkstättenstiftung in Sachsen befasst er sich mit der Aufarbeitung der DDR-Vergangenheit. *Nach der Musikstadt Leipzig,* sagt Hollitzer, *ist die friedliche Revolution das zweite große Anziehungsmerkmal für Touristen.* Als er mit Michael Arnold und einigen anderen Bürgerrechtlern am 4. Dezember erstmals in die Leipziger Stasi-Zentrale gelangte, traf er *auf Stasi-Offiziere, die entweder dabei waren, Akten und Karteikarten zu zerreißen oder völlig deprimiert an ihren leer geräumten Schreibtischen saßen.* Er empfand dieses Aufeinandertreffen von Spitzeln und Bespitzelten als einen der skurrilsten Momente in seinem Leben. Die 1989 errungene rechtsstaatliche Demokratie ist ihm bis heute das wichtigste Ergebnis der friedlichen Revolution.

Rolf-Michael Turek, geboren 1949, gründete Anfang der neunziger Jahre den *Ökumenischen Arbeitskreis Recht und Versöhnung.* Zu dieser Gruppe kamen auch einige wenige ehemalige Mitarbeiter der Stasi, die bereit waren, über ihr Leben zu sprechen. Bis 1997 war Turek Pfarrer der Markusgemeinde. Anschließend arbeitete er als Krankenhausseelsorger im Zentrum für Psychische Gesundheit der Universitätsklinik und ist in der Weiterbildung an der Akademie für Palliativmedizin tätig.

Uwe Schwabe, geboren 1962, gründete mit Frank Sellentin die Initiativgruppe Leben. Er gehörte im Herbst 89 zu den ersten Kontaktadressen des Neuen Forums in Leipzig und war dessen Regionalsprecher in Leipzig-West. Anfang 1990 gründete er mit Gesine Oltmanns einen Rumänienhilfe-Verein, der von

Jochen

Kathrin

Katti

Micha

Bine – Johanna

Rainer

Saskia

Siggi

Susanne

Theo

Thomas

Tobias

Rolf-Michael Turek

Uwe

Christoph Wonneberger

Leipzig aus humanitäre Hilfe organisierte, und mit Gleichgesinnten aus Ost- und Westdeutschland das Archiv Bürgerbewegung Leipzig, dessen Vorstandsvorsitzender er noch heute ist. Seit 1994 arbeitet Uwe Schwabe im Zeitgeschichtlichen Forum Leipzig. Er engagierte sich in jüngster Zeit zusammen mit Gesine Oltmanns für eine gewaltfreie Auseinandersetzung und Dialoge zwischen Legida und Gegendemonstranten. Nach der Revolution der Würde in der Ukraine gründete er mit ihr den EuroMaidanLeipzig e. V., der interkulturellen Austausch zwischen der Ukraine und Deutschland organisiert und ukrainische Psychologen bei der Traumatherapie unterstützt.

Christoph Wonneberger, geboren 1944, gründete als evangelischer Pfarrer mit unbändigem Drang nach Frieden, Freiheit und Gerechtigkeit die Arbeitsgruppe Menschenrechte und war Freund und Förderer der Leipziger Basisgruppen. 1981 in Dresden und dann seit 1986 in Leipzig Koordinator des Friedensgebetes mit erheblicher politischer Wirkung bis Oktober 1989. Seine Freunde nennen ihn »Wonni«. Er hielt am 25. September eine legendäre Predigt über Gewaltlosigkeit in der Nikolaikirche und berichtete am 9. Oktober live am Telefon in den ARD-*Tagesthemen* von der erfolgreichen Demonstration in Leipzig, die das Ende der DDR bedeutete. Im selben Monat erlitt Wonneberger einen Schlaganfall und verschwand aus der Öffentlichkeit. Der Mann des Wortes war plötzlich sprachlos. Neue Interviewpartner der Medien wurden Superintendent Magirius, Nikolaipfarrer Führer und Kurt Masur. Inzwischen ist Christoph Wonneberger für seine historische Rolle und Leistung vielfach geehrt und mit Preisen ausgezeichnet worden. Er ist wieder gesund, fährt mit dem Fahrrad von Paris nach Moskau und hat an einer Friedensfahrt an der Grenze zu Nordkorea teilgenommen. Er genießt sein Leben, und wenn er nicht gerade umtriebig unterwegs ist, sitzt er in seiner Wohnung in der Nähe der Leipziger Innenstadt, lächelt und sagt: *Jetzt sind andere dran, das Rad der Geschichte weiterzudrehen.*

Die **Zweinaundorfer Straße 20a**, in der einst Flugblätter gedruckt wurden, das illegale Nachtcafé und das erste, provisorische Büro des Neuen Forums in Leipzig existierten, wäre ein guter Ort für eine Gedenktafel oder -stele, die Besuchern in Verbindung mit einer App stadtgeschichtliche Informationen liefern könnte. Derzeit dominiert eine Autowerkstatt das Grundstück. Ob Michas Hauswandzeitung noch existiert? Grimmige Bewohner ließen das nicht nachprüfen.

Die **Mariannenstraße 46**, in der einige der jungen Leipziger Rebellen altersgemischt mit Oma Läppchen und Frau Nerger bei offenen Türen hausten, ist heute ein normales Mietshaus in einer ordentlich renovierten Straße. Auch bei diesem »Widerstandsnest«, zusammen mit der Meißner Straße 25 (Katti und Bernd) und 31 (Kathrin und Thomas), wurde schon an eine Gedenktafel oder -stele mit App-Anbindung gedacht. Freiräume, in denen Jugendliche umsonst oder für ganz wenig Geld leben können, sind rar geworden.

Die **Runde Ecke** ist heute Gedenkstätte, Museum des Bürgerkomitees Leipzig und Archiv der Stasi-Unterlagenbehörde. Hier sind am Originalschauplatz Arbeitsräume der Stasi zu sehen, Reiseportale im Internet ordnen es unter die Toptouristenziele ein und empfehlen auch den Stadtrundgang »Auf den Spuren der friedlichen Revolution« sowie die Apps *Leipzig 89* und *Zeitfenster* der Leipziger Uni, mehrsprachige, kostenlose Hörführungen zu den Orten bedeutender Aktionen, die zum Sturz der SED-Diktatur beitrugen.

Der **Kulkwitzer See**, von den Leipzigern meist nur »Kulki« genannt, war einst ein Braunkohletagebau, der schon in den siebziger Jahren geflutet wurde. Sein grünes Ufer, teils als flacher Kies- und Sandstrand angelegt, ist mit der S-Bahn oder Straßenbahn von der Innenstadt leicht zu erreichen. Bei einer Internetabstimmung wurde er zum beliebtesten sächsischen See gekürt.

Das Traditionskino **Capitol** existiert nicht mehr. Bis auf die denkmalgeschützte Fassade in der Petersstraße 20 ist das Gebäude abgebrochen und neu aufgebaut worden. Die Leuchtbuchstaben »Capitol« befinden sich heute in der Sammlung des Zeitgeschichtlichen Forums Leipzig.

Über die Entstehung dieses Buches

Im Sommer 1989 bekam ich in meiner West-Berliner Fernsehredaktion eine Videokassette aus Leipzig zugespielt. Das Video zeigte ein paar junge Leute, die im Hinterhof eines verfallenen Hauses zusammengekommen waren und überraschend klar über das Ende der DDR sprachen, was zu diesem Zeitpunkt sonst kaum jemand machte.

Sie saßen zwischen Sonnenblumen und Mülltonnen und ließen sich von einer heimlich eingeschmuggelten Videokamera für das Westfernsehen filmen. Sie redeten offen über ihre Aktionen, über eine Umweltdemo entlang der Pleiße, eine Protestaktion gegen die Pressezensur, ein verbotenes Straßenmusikfestival. Sie sahen keine Zukunft mehr für den von greisen Männern geführten Staat und fanden, dass die Zeit reif sei zu handeln. Vierzig Jahre Stalinismus sind genug, sagte einer von ihnen.

Aus diesen Aufnahmen haben wir in der Redaktion einen kurzen Film gemacht, der von *Kontraste*, einem politischen Magazin der ARD, ausgestrahlt wurde. Die unerschrockenen Stimmen aus einem Leipziger Hinterhof erreichten so Millionen Zuschauer in West und Ost.

Stasi und SED ließen mich damals nicht mehr zur Berichterstattung in die DDR einreisen, die jungen Leute aus der Mariannenstraße konnte ich nicht treffen und kennenlernen.

Für dieses Buch habe ich sie getroffen. Nicht nur einmal, sondern immer wieder, zu stundenlangen Gesprächen, manchmal in größerer Runde bis zum Morgengrauen. Sie öffneten ihre privaten Archive mit Fotos, Briefen, Tonbändern oder vertrauten mir ihre Tagebücher und Kalender an, in die sie selbst oft zum ersten Mal seit langem hineinschauten.

Dabei gab es viele überraschende Einblicke, je öfter und je länger wir miteinander sprachen. Die ersten intensiveren Begegnungen fanden 2014 statt, 25 Jahre nach dem Mauerfall, dann ging es das ganze Jahr 2016 hindurch weiter. Ein Kontakt führte zum anderen, eine Spur zur nächsten. Dabei stellte ich fest, dass fast jeder noch viel mehr zu erzählen hatte, als bisher öffentlich bekannt geworden ist. Ich habe gestaunt, wie oft sie dabei ganz selbstverständlich über die bemerkenswertesten Geschehnisse berichteten. Nicht alle Beteiligten konnte ich finden, aber doch manchen, der als verschollen oder unerreichbar galt. Wenige hatten keine Zeit oder wollten nicht, etwa vierzig Personen stimmten der dokumentarischen Fiktionalisierung in diesem Buch zu und trugen mit ihren Erzählungen gerne dazu bei.

Natürlich gibt es noch mehr Ereignisse und Geschichten von Personen, die sich damals in Leipzig zugetragen haben und noch erzählt werden könnten. Oft erinnerte sich jemand erst im vierten oder fünften Gespräch an ein zurückliegendes Ereignis, ein Dokument, ein Foto oder einen Tonbandmitschnitt, tief vergraben im Keller oder auf dem Dachboden. Solche historischen Schätze wurden inzwischen digitalisiert und dem Archiv Bürgerbewegung zur Verfügung gestellt.

Manchmal regten erst die niedergeschriebenen Szenen, zur Autorisierung vorgelegt, die Erinnerung richtig an. Oft folgte ein neues, intensives Suchen in Kisten und Ordnern. Vieles wurde mehrfach durchgesprochen, präzisiert, ergänzt und autorisiert. Nach beinahe drei Jahrzehnten setzte sich so die Vergangenheit Stück für Stück wie ein Mosaik wieder zusammen. Dabei wurde etwas Wichtiges deutlich: die Rolle der vielen »kleinen« Helfer. Ohne sie hätte die Arbeit der zu allem entschlossenen Aktivisten in den Gruppen nicht funktioniert. Mal für die Oppositionellen einen Brief transportieren, mal einen Raum zur Verfügung stellen, mal ein Fahrzeug ausleihen, mal für eine Nacht den Schlüssel der Siebdruckwerkstatt anvertrauen – es gab viele Möglichkeiten, den Widerstand zu unterstützen, es musste nicht jeder an vorderster Stelle seinen Kopf hinhalten. Eine Demonstration, die nur aus den ersten Reihen besteht, ist keine.

Sie alle waren damals Teil einer größeren Szene in Leipzig und eines Netzwerkes in der ganzen DDR, in deren staatsunabhängigen Gruppen sich sehr unterschiedliche Menschen zusammengefunden hatten. Die Vielfalt ihrer Talente, Charaktere und Fähigkeiten entwickelte eine eigene Kraft. Kaum jemand war älter als 25 Jahre. Sie wollten nichts verlieren als ihre Ketten und eine Welt gewinnen – wie es im *Kommunistischen Manifest* heißt. Eine aktive Generation befreite sich selbst, es ging ihr um das Recht, Rechte zu haben.

Eine Rebellion bringt Befreiung, vielleicht auch einen Machtwechsel, die Revolution von 1989 aber begründete die Freiheit. Machtlose Gruppen wurden mächtig. »Macht entsteht zwischen Menschen, wenn sie zusammen handeln, und sie verschwindet, sobald sie sich wieder zerstreuen«, schrieb einst Hannah Arendt. Gegen die überlegenen Gewaltmittel des DDR-Staates erzeugten die Gruppen eine fast unwiderstehliche Macht, auch weil sie sich selbst der Gewalttätigkeit enthielten. Anders als der Staat, denn vor dem 9. Oktober war die friedliche Revolution keineswegs friedlich. Doch mit jedem brutalen Polizeieinsatz, jeder Verhaftung, gewann er nicht an Stärke, sondern verlor Legitimität.

Zum Geheimnis des Erfolges der Leipziger Gruppen und Demonstranten gehörte aber nicht nur dieser Zusammenhalt in der Vielfalt, sondern in besonderer Weise auch, wie sie Öffentlichkeit herstellten und Wahrheiten aussprachen in einer Landschaft, die von den Lügen der Herrschenden bestimmt war. Sie benutzten eine Sprache, die nicht mehr drum herumredete. Václav Havels Essay über die Macht der Machtlosen, *Versuch, in der Wahrheit zu leben*, war ihnen Ermutigung und Inspiration. Es ging den meisten nicht länger um utopische Gesellschaftsmodelle, die ihnen von Jugend an als Heilsversprechen einer fernen Zukunft vorgehalten wurden. Davon hatten sie sich verabschiedet und begonnen, sich gegen den allgegenwärtigen Machtmissbrauch zu wehren.

Es ging um demokratische Rechte und Freiheiten, verblüffend ähnlich wie 140 Jahre zuvor in der Revolution von 1848. Leipziger hatten damals die *Unbedingte Preßfreiheit, ohne irgend welche andre Beschränkungen* gefordert. Das verlangten auch die jungen Leute von 1989: Versammlungsfreiheit, Vereinigungsfreiheit, Pressefreiheit, die es weder für sie noch für ihre Eltern und Großeltern jemals wirklich gegeben hatte. Man könnte ohne zu übertreiben sagen, sie vollendeten den langen Kampf um Freiheit und Demokratie in Deutschland, sie vollendeten die Revolution von 1848, die der Leipziger Robert Blum als führender Kopf der demokratischen Linken in der Frankfurter Paulskirche, wie so viele andere seiner Mitstreiter, nicht vollenden konnte, weil er (an einem 9. November) 1848 hingerichtet wurde.

Beide Ereignisse sind tiefer miteinander verbunden, als sich viele klar machen. So sieht es auch der aus Zwickau stammende Bürgerrechtler Werner Schulz, der am 9. Oktober in Leipzig selbst mit dabei war. »Es war beides Mal eine Erhebung ohne Führer, ohne Avantgarde und ohne theoretisches Konzept. Ein Aufstand, bei dem die Demonstranten Transparente statt Waffen trugen.«

Eine auffällige Gemeinsamkeit zwischen den Revolutionen von 1848 und 1989, findet er, »ist die enorme Frust- und

Ausreisewelle.« So wie damals Tausende Deutsche aus Not und politischer Resignation die Schiffe nach Amerika bestiegen, besetzten Ostdeutsche die westdeutschen Botschaften in Prag, Budapest und Warschau, um der Bevormundung und Mangelwirtschaft zu entkommen. Aus der Verbindung von Oppositionsgruppen und Ausreisewilligen erwuchsen beide Male Triebkräfte der Revolution. Im Vormärz hatte einst Georg Büchner mit Gleichgesinnten die Gesellschaft der Menschenrechte ins Leben gerufen. Dieses Buch erzählt von der Initiative Frieden und Menschenrechte, dem Arbeitskreis Gerechtigkeit, der Arbeitsgruppe Menschenrechte und der Initiativgruppe Leben. Mehr als zwei Dutzend Gruppen sind es in Leipzig insgesamt gewesen, über die und die einzelnen Beteiligten ausführlich zu schreiben eine jede von ihnen verdient hätte, denn sie beförderten eine Freiheitsrevolution von unten. Oft werden in der Nachbetrachtung aber nur die prominenten Akteure von oben als Helden der Geschichte verklärt, mögen sie nun Gorbatschow, Kohl oder Reagan heißen. Die Veränderungen in der Sowjetunion, der beginnende Zerfall des Ostblocks ermutigten viele Menschen überall in der DDR. Es brodelte, ob in Dresden, Ost-Berlin oder Plauen. Besonders aber in Leipzig wurde 1989 die Basis geschaffen, auf der unsere heutige Gesellschaft steht. Die von ihnen mühsam und gefahrvoll erkämpfte Freiheit und Demokratie sind ein wertvolles Gut, aber sie müssen gelebt und immer wieder neu verteidigt werden.

Die pressefeindliche Stimmung, die politikfeindliche Atmosphäre, salonfähig gewordener Rassismus und Antisemitismus – all diese Erscheinungen stehen den Ideen von 1989 entgegen, ja begraben sie. Der Berliner Bürgerrechtler Tom Sello meinte jüngst: Deshalb ist gerade der auf Pegida-, Legida- und anderen Versammlungen gehörte Ruf *Wir sind das Volk!* ein Verrat an den Ideen von 1989. Damals, im langen Sommer der

Revolution, ging es nicht um Ausgrenzung, sondern darum, Mauern einzureißen, Abgrenzungen zu überwinden. *Wir sind das Volk!* hieß nicht, jemanden auszuschließen – egal warum. Und zu *Wir sind das Volk!* gehörte stets der Ruf: *Keine Gewalt!*

Es ist oft gerätselt worden, wie der Ruf auf der Leipziger Montagsdemonstration entstanden ist. Am 9. Oktober verfassten die damals 18-jährige Kathrin Walter, ihr Freund Thomas Rudolph und einige andere Mitglieder der Basisgruppen in ihrer Oppositionszentrale im Pfarrhaus von Christoph Wonneberger ein Flugblatt, von dem sie im Lauf des Tages mehr als 30000 Exemplare in der Stadt verteilten. Hervorgehoben und fett gedruckt war die Zeile: *Wir sind ein Volk.* Es war kein Appell zur Wiedervereinigung. *Wir sind ein Volk* war an die Sicherheitskräfte gerichtet, an die Volkspolizisten, die Arbeiterkampfgruppen, die begreifen sollen, dass in Leipzig und im ganzen Land alle in einem Boot sitzen, dass sie womöglich gegen ihre eigenen Kinder, Angehörige und Nachbarn im Einsatz sind: *Gewalt unter uns hinterlässt ewig blutende Wunden. Heute ist es an uns, eine weitere Eskalation der Gewalt zu verhindern. Davon hängt unsere Zukunft ab.* Als sich um 18 Uhr die Menschenmassen aus der Innenstadt über den Karl-Marx-Platz (heute Augustusplatz) auf den Ring ergossen, waren die ersten Rufe: *Schließt Euch an! Schließt Euch an!* Kathrin stand am Fenster der Reformierten Kirche und schrieb die gerufenen Parolen in ein kleines Heft, oben auf dem Turm filmten Aram und Siggi und hielten den Ton fest. Die Menschen auf der Straße riefen: *Wir sind keine Rowdys* – denn als solche waren Demonstranten in allen SED-Zeitungen bis zu diesem Tag bezeichnet worden. Als sie die Polizisten und Sicherheitskräfte an der Runden Ecke passieren mussten, wurde es noch einmal brisant. Da entwickelte sich aus: *Wir sind keine Rowdys!* der Ruf: *Wir sind das Volk!*

Die Leipziger Montagsdemonstranten riefen in diesem Augenblick dasselbe wie einst die Aufständischen 1848 gegen die Fürsten. Die Zeile *Wir sind das Volk!* steht auch im Revolutionslied »Trotz alledem!« des Lyrikers Ferdinand Freiligrath, des Dichters der Freiheit. Einer der herausfordernden Verse des Liedes lautet: *Nur, was zerfällt, vertretet ihr! / Seid Kasten nur, trotz alledem! / Wir sind das Volk, die Menschheit wir / Sind ewig drum, trotz alledem! … Ihr hemmt uns, doch ihr zwingt uns nicht / Unser die Welt trotz alledem!*

Die jungen Leipziger Rebellen von 1989 forderten in einer Kette von Aktionen immer wieder den Staat heraus und bezwangen ihn schließlich gemeinsam mit anderen, mit radikalen Ausreisern, mit Zehntausenden, dann Hunderttausenden von Demonstranten.

So erzählt dieses Buch voller verblüffender Details die Geschichte junger Menschen, die sich mit Mut, Willensstärke und Phantasie gegen eine Übermacht wehrten. Und die wahre Geschichte einer Revolution, die sich trotz aller Bedrohungen und Gefahren mit einer seltsamen Leichtigkeit vollzog.

Als dieser Text fertig war und sich der Titel meines geplanten Buches in Leipzig herumsprach, machte mich Rolf Sprink, der im Herbst 1989 gemeinsam mit anderen Mitgliedern und Freunden des Neuen Forums den Forum Verlag Leipzig begründete, auf eine Stelle in dem damals ersten frei verlegten Buch des Verlags, *Jetzt oder nie – Demokratie!*, aufmerksam. Die Sätze von Gudula Ziemer und Holger Jackisch, die in dieser Sammlung von Zeugnissen, Gesprächen und Dokumenten der friedlichen Revolution zitiert werden, haben mich sehr überrascht, diesen Sätzen ist nichts hinzuzufügen:

Plötzlich war da die Erkenntnis, dass dies die Revolution ist, die süße, die lange herbeigesehnte, die in Gedanken schon aufgegebene. Wir haben erfahren, dass wir in der Lage sind, eine Regierung zu stürzen und ich habe beschlossen, das nicht mehr zu vergessen. Es wird das erste Anliegen jeder neuen Regierung sein, uns das wieder vergessen zu machen, im Namen von Stabilität und Vaterland, in Wahrheit aber, weil es unbequem und mühselig ist, ein Volk zu regieren, dass diese Erinnerung hat: Ohne *Anstrengung haben wir die Regierung gestürzt. Es war schön und sehr leicht …*

Dank

Ich danke allen Beteiligten und Protagonisten in diesem Buch für ihre ausdauernde Bereitschaft, Auskunft zu geben und Fragen zu beantworten.

Darüber hinaus danke ich Barbara Henkys und Katarina Henkys für die aufmerksame und kritische Begleitung während des Schreibens, Barbara Naumann für die Durchsicht des Manuskriptes sowie Finn Henkys, Reinhard Mohr, Lea Kneist und Michael Sontheimer für die Erstlektüre und Anregungen, Rainer Müller für seine Anmerkungen zum Glossar. Besonderer Dank gilt Saskia Paul und dem Archiv Bürgerbewegung Leipzig e. V. für die Hilfe bei der Recherche von Originaldokumenten und Fotos und für die Erlaubnis, diese hier abzudrucken. Charles M. Schulz verdanke ich die Inspiration für das dem Buch vorangestellte Motto.

Peter Wensierski, im Januar 2017

Als weiterführende Lektüre empfehle ich folgende Bücher, denen ich Einsichten und Material verdanke:

Freunde und Feinde: Friedensgebete in Leipzig zwischen 1981 und dem 9. Oktober 1989, hrsg. von Christian Dietrich und Uwe Schwabe, Evangelische Verlagsanstalt 1994.

Weg in den Aufstand: Chronik zu Opposition und Widerstand in der DDR von August 1987 bis zum Dezember 1989, hrsg. von Thomas Rudolph, Oliver Kloss, Rainer Müller und Christoph Wonneberger, Araki Verlag 2014.

Nikolaikirche, montags um fünf: Die politischen Gottesdienste der Wendezeit in Leipzig, von Hermann Geyer, Wissenschaftliche Buchgesellschaft 2007.

Unsere Revolution: Die Geschichte der Jahre 1989/90, von Ehrhart Neubert, Piper Verlag 2008.

Die friedliche Revolution in Leipzig: Bilder, Dokumente und Objekte, Band 1 und 2, hrsg. von Tobias Hollitzer und Sven Sachenbacher, Leipziger Universitätsverlag 2009.

Widerstehen – Pfarrer Christoph Wonneberger, von Andreas Peter Pausch, Metropol Verlag 2014.

Anhang

Glossar

1 Mark für Espenhain

1987 startete die Gruppe Christliches Umweltseminar Rötha diese DDR-weite Aktion, um auf die Umweltkatastrophe durch Kohleverschwelung im Süden Leipzigs aufmerksam zu machen. Wichtiger als der symbolische Beitrag war die unterschriebene Spendenquittung, die zu einer eigentlich verbotenen Unterschriftensammlung gegen die DDR-Umweltpolitik wurde. 1990 waren es 100 000 Unterschriften, und bis 1999 kamen 100 000 DM zusammen, die das Grundvermögen einer Zukunftsstiftung bildeten.

1. Sekretär der SED-Bezirksleitung

Diesen Titel trug der Chef der SED-Bezirksleitung, der für die Organisation der politischen Arbeit im Bezirk zuständig war und über beträchtliche Macht verfügte. Er war Mitglied des Zentralkomitees der SED und Vorsitzender der Bezirkseinsatzleitung für den Verteidigungsfall. In Leipzig fiel 1988/89 der SED-Genosse Horst Schumann als 1. Sekretär aus Krankheitsgründen weitgehend aus. Im August 1988 übernahm daher der 2. Sekretär Helmut Hackenberg die Geschäfte und leitete auch den Einsatz am 9. Oktober 1989, bei dem er anwies, *keine aktiven Handlungen gegen Personen zu unternehmen, wenn keine staatsfeindlichen Aktivitäten und Angriffe auf Sicherheitskräfte, Objekte und Einrichtungen erfolgen.*

Aktion Auslese

Um die Situation in Leipzig und Umgebung zu beruhigen, erlaubte die SED rund 4000 Ausreiseantragstellern bis zum Kirchentag im Juli 1989 die Ausreise aus der DDR.

Amt für Nationale Sicherheit

Nach dem Rücktritt Erich Mielkes am 7. November 1989 benannte sich die Stasi in Übereinstimmung mit dem neuen Ministerpräsidenten Hans Modrow am 15. November 1989 in »Amt für Nationale Sicherheit« um. Zentrale Aufgabe blieb der Schutz des Sozialismus und die flächendeckende Bekämpfung seiner »Feinde«. Weder die Struktur noch das Personal wurde stark verändert, lediglich die Diensteinheiten wurden umbenannt und zugleich umfangreiche Unterstützungsmaßnahmen für ausscheidende Mitarbeiter beschlossen. Das Netz der inoffiziellen Mitarbeiter blieb erhalten; viele trafen sich weiterhin mit ihren Führungsoffizieren und berichteten bis in den Januar 1990 hinein, etwa über ihre ersten Besuche im Westen. Die noch von Mielke befohlene Vernichtung brisanter Akten ging ebenfalls weiter. Die Besetzung von Kreis- und Bezirksverwaltungen durch spontan entstandene Bürgerkomitees am 4. und 5. Dezember 1989 in Erfurt und Leipzig beendete dies. Um die Aktenvernichtung und Weiterarbeit zu stoppen, wurden mit Hilfe von Staatsanwälten und Volkspolizei die Diensträume versiegelt. Die Stasi-Zentrale in Berlin wurde erst ab dem 15. Januar 1990 durch ein Bürgerkomitee kontrolliert, die Spionageabteilung HVA durfte sogar noch bis in den Sommer weiter in ihren Räumen arbeiten.

Anschlag

Von 1984 bis 1989 in Leipzig herausgegebene gesellschaftskritisch-künstlerische Untergrundzeitschrift, gegründet von Angelika Klüssendorf und Wiebke Müller. Nach 1986 traf sich die Redaktion in der Galerie Eigen+Art. Mitherausgeber war Karim Saab von der Initiativgruppe Hoffnung Nicaragua. Saab wollte Kunst und Opposition in Leipzig zusammenbringen.

Asoziales Verhalten

War strafbar. Am 1. Juni 1968 trat das neue Strafgesetzbuch der DDR mit dem § 249 in Kraft: *Wer das gesellschaftliche Zusammenleben der Bürger oder die öffentliche Ordnung dadurch gefährdet, dass er sich aus Arbeitsscheu einer geregelten Arbeit hartnäckig entzieht, obwohl er arbeitsfähig ist, oder wer der Prostitution nachgeht oder wer sich auf andere unlautere Weise Mittel zum Unterhalt verschafft, wird mit Verurteilung auf Bewährung oder mit Haftstrafe, Arbeitserziehung oder mit Freiheitsstrafe bis zu zwei Jahren bestraft. Zusätzlich kann auf Aufenthaltsbeschränkung und auf staatliche Kontroll- und Erziehungsaufsicht erkannt werden.* Das konnte Arbeitsplatz- oder Wohnortbindung bedeuten. Arbeitslager und Gefängnisse für Kinder und Jugendliche, Jugendhäuser und Jugendwerkhöfe sollten in der

DDR von »Arbeitsbummelei« und »-verweigerung« abschrecken. Der § 249 wurde 1990 ersatzlos gestrichen.

Ausreiseantragsteller, Ausreiser, Antragsteller
In der DDR gebräuchliche Bezeichnungen für alle Bürger, die einen »Antrag zur ständigen Ausreise aus der DDR« gestellt hatten. Angenommen wurden die Anträge bei der Abteilung Inneres des Rates des jeweiligen Kreises oder Stadtbezirks. Wer ihn eingereicht hatte, wurde von der Stasi beobachtet, riskierte Berufsverbot, Ausgrenzung und Kriminalisierung. 1987 und 1988 stellten dennoch 219 000 Menschen einen solchen Antrag. Fast immer wurde der Personalausweis eingezogen und damit die Bewegungsfreiheit eingeschränkt.

Aussprache
Ein Mittel zur Disziplinierung, bei dem in der Regel erwartet wurde, dass die Person, mit der man die Aussprache führte, ein Fehlverhalten einsah, sich davon distanzierte und eine disziplinarische Maßnahme akzeptierte. Eine Aussprache mit einem Vorgesetzten oder der SED-Parteileitung in Betrieb, Schule oder Universität ähnelte oft einem Verhör oder einer inquisitorischen Befragung, bei der es auch um öffentlichen Widerruf und Reue gehen konnte. Betroffene empfanden Aussprachen oft als Erniedrigung und Demütigung.

Barkas
Kleintransporter aus den VEB Barkas-Werken in Karl-Marx-Stadt, vergleichbar einem VW-Bus.

Basisgruppen in Leipzig 1988/89
In Leipzig gab es rund zwei Dutzend unabhängige oppositionelle Gruppen, die zum Teil unter dem Dach der Kirchen arbeiten konnten und DDR-weit vernetzt waren: Aktion Sühnezeichen – Bezirksgruppe Leipzig, Arbeitsgruppe Friedensdienst (AGF), Arbeitsgruppe für Frieden Gohlis, Arbeitsgruppe Menschenrechte (AGM), Arbeitsgruppe Umweltschutz (AGU), Arbeitsgruppe Wehrdienstfragen beim Jugendpfarramt, Arbeitskreis »Treff für Haftentlassene«, Arbeitskreis Abgrenzung und Öffnung, Arbeitskreis Gerechtigkeit (AKG), Arbeitskreis Gerechtigkeit und Ökumene, Arbeitskreis Solidarische Kirche (AKSK) – Regionalgruppe Leipzig, Christliche Friedenskonferenz (CFK), Frauen für den Frieden, Frieden und Umweltschutz mit Kindern, Friedenskreis Grünau/Lindenau, Gesprächskreis »Hoffnung für Ausreisewillige«, Gruppe Neues Denken (Gruppe »Dialog«), Initiativgruppe Hoffnung Nicaragua (IHN), Initiativgruppe Leben (IGL), Kadenkreis, Offene Arbeit Mockau.

Gruppen bzw. Arbeitszusammenhänge zur Vorbereitung existierten zudem noch zeitweise, wie die Kontaktgruppe Friedensgebet für die Inhaftierten, die Koordinierungsgruppe für die Friedensgebete, der Trägerkreis Kommunikationszentrum (KOZ), die Arbeitsgruppe zur Situation der Menschenrechte in der DDR, der Jugendkonvent Leipzig und mehrere temporäre Gruppen an Kontakttelefonen. Überregional bzw. gruppenübergreifend tagte in Leipzig der Sonnabendkreis.

Bausoldat

Ziviler Ersatzdienst in Krankenhäusern, Altersheimen oder anderen sozialen Einrichtungen existierte in der DDR bis zur friedlichen Revolution nicht. Wer aus Gewissengründen nicht zum Wehrdienst mit der Waffe bereit war, konnte sich zu den Bausoldaten melden. Die »Spatis« waren Angehörige der Nationalen Volksarmee und trugen einen stilisierten Spaten auf dem Schulterstück der Uniform, wurden nicht an Waffen ausgebildet, sondern zu Bau- und anderen Arbeiten in Militäreinrichtungen herangezogen. Zum Dienst als Bausoldat gehörte Zivilcourage. Er war zwar gesetzlich vorgesehen, aber wer sich als Jugendlicher dafür entschied, musste mit Nachteilen in der Ausbildung und später im Berufsleben rechnen. In den Kasernen wurden Bausoldaten separiert und oft schikaniert. Totalverweigerer mussten mit etwa zwei Jahren Gefängnis rechnen.

Bezirkssynodalausschuss

Er entstand, da es in Leipzig immer mehr politisch alternative kirchliche Gruppen gab, in denen keine Pfarrer mitarbeiteten. Am 2. November 1985 wurde der Bezirkssynodalausschuss für Friedensdienst, Umweltschutz und Dritte Welt – später nur Frieden und Gerechtigkeit – geschaffen. Zu Mitgliedern wurden auch die Pfarrer Matthias Berger, Sieghard Mühlmann und Christoph Wonneberger gewählt. Der Ausschuss war ökumenisch, Vorsitzender war Pfarrer Berger, ein inoffizieller Mitarbeiter der Stasi (Deckname »Carl«). Hauptthema war das Mitspracherecht bei den Friedensgebeten. Hier wurde auch der Terminplan beschlossen, wann welche Gruppe das Friedensgebet gestaltete. Als Kommunikationsmöglichkeit der Gruppen untereinander gab es einen von Wonneberger eingerichteten monatlichen Gruppentreff.

Bitteres aus Bitterfeld

So lautete der Titel eines 1988 illegal gedrehten Videofilms über die Umweltzerstörung in der Region um Bitterfeld-Wolfen. Es war ein gemeinsames Projekt des im Januar 1988 in Ost-Berlin gegründeten Umwelt-Netzwerkes Arche, regionaler Umweltschützer und West-

Berliner Medienschaffender. Die DDR-Umweltschützer Carlo Jordan und Ulrich Neumann, der Bitterfelder Chemiefacharbeiter Hans Zimmermann und die West-Berliner Radiojournalistin Margit Miosga beschlossen das Projekt bei einem Recherchebesuch in Bitterfeld und bezogen Rainer Hällfritzsch von der unabhängigen Werkstatt für interkulturelle Medienarbeit in Berlin-Schöneberg mit ein. Gedreht wurde heimlich am 25. Juni 1988 während eines Endspiels um die Fußballeuropameisterschaft. Der Ost-Berliner Charité-Arzt Edgar Wallisch fuhr das Team zu den von Zimmermann bestimmten Drehorten. Die Stasi wurde durch den mehrfachen Wechsel von Fahrzeugen, Aufenthaltsorten und andere Vorsichtsmaßnahmen vollständig ausgetrickst. Der fertige 30-Minuten-Film wurde zuerst von Umweltgruppen in der DDR gezeigt und am 27. September 1988 gekürzt im ARD-Magazin *Kontraste.*

Cabernet
In der DDR ein bulgarischer Rotwein vom Exporteur Vinimpex-Sofia, kostete 6,– Mark.

Charta 77
Bürgerrechtsbewegung in der Tschechoslowakei, entstand 1977 aus einer Menschenrechtsgruppe, die gegen die Unterdrückung der Band Plastic People of the Universe protestiert hatte. Im Gründungsdokument heißt es: *Charta 77 ist keine Organisation, hat keine Statuten, keine ständigen Organe und keine organisatorisch bedingte Mitgliedschaft. Ihr gehört jeder an, der ihrer Idee zustimmt, an ihrer Arbeit teilnimmt und sie unterstützt.* Zu den Gründungsmitgliedern gehörte der spätere tschechische Präsident Václav Havel. Die Charta informierte besonders die Westmedien über die tatsächliche Situation im Land. Der Ingenieur Petr Uhl, den die Mitglieder Leipziger Gruppen in Prag häufig besuchten, gehörte als marxistischer Kritiker zu den ersten Opfern der Säuberungen nach der Zerschlagung des Prager Frühlings von 1968 und verbrachte etliche Jahre im Gefängnis. Seine Frau Anna Šabatová war Sprecherin der Charta 77, Mitbegründerin der Polnisch-Tschechoslowakischen Solidarität und arbeitete 1988/89 für die Osteuropäische Informationsagentur VIA.

Connewitzer Eiskeller
Alte Ausflugslokalität am Rande des Leipziger Auenwaldes, vom Volksmund benannt nach der Endhaltestelle »Eiskeller«, in der Nazizeit ein Hitler-Jugend-Heim, nach 1949 Jugendclub der FDJ »Erich Zeigner«, heute Conne Island, ein alternatives Jugendkulturzentrum.

Dederon-Beutel
Einkaufsbeutel, Handelsname von Polyamidfasern, die u. a. im VEB Chemiefaserkombinat Wilhelm Pieck in Rudolstadt hergestellt wurden. Dederon ist ein nach dem Vorbild Perlon geprägtes Kunstwort, das sich aus DDR und der Endung -on zusammensetzt: DDR-(Perl)on = Dederon.

Deutsch-Sowjetische-Freundschaft
Die Gesellschaft für Deutsch-Sowjetische Freundschaft (DSF) war eine Massenorganisation, die den Bürgern Kenntnisse über die Kultur und Gesellschaft der Sowjetunion vermitteln sollte.

Die Firma
Eine 1983 gegründete Ost-Berliner Punkband. Der Name »Die Firma« wurde im Volksmund auch als Bezeichnung für die Stasi verwendet. Der Gitarrist Paul Landers ging 1994 zu Rammstein.

Eigen+Art
Gerd Harry Lybke, genannt Judy, gründete die Galerie am 10. April 1983 in seiner Drei-Raum-Privatwohnung am Körnerplatz 8, die sich auch wegen eines bewusst fehlenden Türschlosses fortan zu einem öffentlichen Ort für Künstler und Kunstinteressierte in Leipzig entwickelte. Zu Partys und Vernissagen kamen 100 bis 200 Besucher. Anfang 1985 gelang es Judy Lybke, den Mietvertrag für eine kleine ehemalige Fabriketage in der Leipziger Fritz-Austel-Straße 31 zu erhalten. Nach dem Ausbau des Werkstattraums wurde die Galerie am 25. Oktober 1985 mit Werken der »Stifter« Lutz Dammbeck, Klaus Elle, Günther Firit, Hans Hendrik Grimmling, Andreas Hanske, Frieder Heinze, Michael Kunert, Akos Novaky, Peter Oehlmann, Gundrun Petersdorf, Ingo Regel, Hans Scheuerecker, Tobias E. und Olaf Wegewitz eröffnet. Von 1985 bis 1990 fanden in der Galerie 58 Ausstellungen vor allem junger Leipziger Künstler statt. Eine erste umfassende Dokumentation der Galeriearbeit mit Interviews der beteiligten Künstler wurde von Karim Saab unter dem Titel »Eigen+Art im Gespräch« in einem Sonderheft des *Anschlag* bereits 1988 zusammengestellt.

Eingaben
Seit 1961 gab es ein Eingabengesetz, dem zufolge jeder Bürger Vorschläge, Hinweise, Anliegen, Petitionen und Beschwerden an staatliche Stellen und gesellschaftliche Organisationen, Betriebe oder Abgeordnete richten konnte. Jedem Bürger stand es frei, sich an die Institution zu wenden, die er für erfolgversprechend hielt. Oft war dies die Volkskammer oder SED-Generalsekretär und Staatsratsvorsitzender Erich Honecker.

Binnen drei Wochen sollte eine Eingabe bearbeitet oder zumindest eine Zwischenmeldung an den Absender erfolgt sein. Viele schrieben auch an das DDR-Fernsehen, etwa an die Sendung *Prisma.* Gingen 1983 an den Staatsrat rund 52800 Beschwerden, stieg die Zahl 1989 auf 134000 an.

Einheitsliste der Nationalen Front
Bei Wahlen stand allein die Liste der Nationalen Front zur Wahl. Eine Auswahlmöglichkeit zwischen Parteien und Kandidaten existierte nicht. In der Nationalen Front vereinigten sich – unter Führung und Kontrolle der SED – Massenorganisationen wie die FDJ sowie Blockparteien wie die Bauernpartei, die National-Demokratische Partei oder die Christlich-Demokratische Union. Bei Wahlen war es üblich, keine Wahlkabine zu benutzen, sondern den Zettel mit den Namen der Einheitsliste einmal zu falten und in die Urne zu werfen. Wer darauf herumkritzelte oder Namen durchstrich, fiel sofort auf und wurde registriert.

Ello, LO
Lkw-Typen der VEB Robur-Werke in Zittau trugen alle die Bezeichnung LO von Luftgekühlter Ottomotor. Davon leitete sich der damals übliche Spitzname Ello oder LO ab.

FDJ
Die Freie Deutsche Jugend – mit zuletzt rund 2,3 Millionen Mitgliedern eine Massenorganisation der SED. Wer mit dem 14. Lebensjahr nicht eintrat, wurde oft von Lehrern unter Druck gesetzt und musste mit Nachteilen bei der Zulassung zur Erweiterten Oberschule (EOS), Studium und Berufswahl rechnen, obwohl die Mitgliedschaft offiziell freiwillig war. Die Zeitung der FDJ hieß *Junge Welt*, es gab Auszeichnungen, Ernteeinsätze, Jugendreisen, -festivals und -clubs, die unter politischer Kontrolle der Partei und der Stasi stattfanden. Nach der Mitgliedschaft bei den Jungen Pionieren vom 6. bis zum 10. Lebensjahr und den Thälmann-Pionieren bis zum 13. oder 14. Lebensjahr konnte man etwa bis zum 30. Lebensjahr FDJ-Mitglied sein. Langjähriger FDJ-Vorsitzender war Egon Krenz.

Feuermelder
Genauer *Friedrichsfelder Feuermelder*, eine Ost-Berliner Untergrundzeitung, erschien seit 1987, anfangs mit einer Auflage von 200, später von bis zu 2000 Exemplaren. Zur Redaktion gehörten Reinhard Schult, Tina Krone, Silvia Müller und Udo Barfaut. Noch vor der ersten Ausgabe produzierte die Stasi als Zersetzungsmaßnahme eine gefälschte

Ausgabe 1/87. In der wurden andere Oppositionsgruppen diffamiert. Unabhängige Publikationen wie die *Umweltblätter*, der *Friedrichsfelder Feuermelder* und der *Grenzfall* bildeten eine Gegenöffentlichkeit.

Freunde
Im Sprachgebrauch der SED die Sowjetunion, die sowjetischen Soldaten und Kommunisten.

Friedensdekade
In Ost- wie Westdeutschland seit 1980 alljährlich zehn Tage vor dem Buß- und Bettag praktizierte Gottesdienste mit dem Thema Frieden als Schwerpunkt. Ursprünglich stammte die Idee aus den Niederlanden. Während dieser zehn Tage fanden in den Kirchen zahlreiche Veranstaltungen statt unter dem Motto: *Frieden schaffen ohne Waffen*. In der DDR wurde das aus Vliesstoff vom Jugendpfarrer Harald Brettschneider entwickelte Symbol Schwerter zu Pflugscharen zum verbindenden Erkennungszeichen von Jugendlichen, die bei der Friedensdekade mitmachten oder mit ihren Zielen sympathisierten. Häufig nahmen Gäste aus dem westlichen Ausland an den Friedensdekaden der DDR teil.

Friedensgrenze
Im Sprachgebrauch der SED: Grenze zwischen Polen und der DDR.

Friedensstaat
Im Sprachgebrauch der SED: die DDR. Es gab zahlreiche allgegenwärtige Floskeln zum Thema Frieden. Etwa auch: *Mein Arbeitsplatz, mein Kampfplatz für den Frieden.*

Gesellschaftliche Kräfte
DDR-Bürger, die von der SED zu Sicherheitseinsätzen hinzugezogen wurden. Der Einsatz geschah nach Vorgaben, die von der Stasi erarbeitet und von den entsprechenden Sekretariaten der SED beschlossen wurden. Nach der Demonstration am 15. Januar 1989 befahl das Sekretariat der SED-Bezirksleitung Leipzig, verstärkt Gesellschaftliche Kräfte zur *Verhinderung von Provokationen oder anders gearteter Störungen der öffentlichen Ordnung und Sicherheit* zu bilden. Der Leipziger Stasi-Chef Hummitzsch sah folgende Einsatzmöglichkeiten: *1. bei Veranstaltungen der Opposition zur offensiven Auseinandersetzung, 2. als Gruppen zum Auflösen, Isolieren, Abdrängen, Durchdringen* der Opposition, 3. *zur offensiven Auseinandersetzung bei [staatlichen] Kundgebungen gegen Störer* und 4. *als Zeugen und zur Beweissicherung*. Eingewiesen wurden die Gesellschaftlichen Kräfte von der Stasi, für den

Einsatz verantwortlich war jedoch der jeweilige 1. oder 2. Sekretär der SED-Leitung. Hinzugezogen wurden vor allem FDJ-Ordnungsgruppen, Kampfgruppenangehörige, Mitarbeiter aus den staatlichen Betrieben und Universitätsangehörige.

Glasnost
Russisch für: anhören. Ein Schlagwort, das nach dem Amtsantritt von Generalsekretär Michail Gorbatschow im März 1985 die in der Sowjetunion eingeleitete Politik einer größeren Transparenz der Staatsführung bezeichnete. Sie ermöglichte den russischen Medien eine kritische Berichterstattung und Diskussion. Der im Zusammenhang mit Gorbatschows Reformen ebenfalls verwendete Begriff Perestroika bedeutet Umbau, Umgestaltung.

Grenzfall
Von 1986 an in Ost-Berlin von der Initiative Frieden und Menschenrechte herausgegebene politisch-oppositionelle Untergrundzeitschrift. Heimlich gedruckt in verschiedenen Privatwohnungen und der Umweltbibliothek; die Auflage betrug zunächst 50, später bis zu 1000 Exemplare.

Großwohnsiedlung Wohnkomplex 8, WK8, Leipzig-Grünau
Neben Berlin-Marzahn und Halle-Neustadt eines der größten Neubaugebiete der DDR mit wechselvoller Geschichte. Von 1976 an entstanden auf freiem Feld in acht Abschnitten Plattenbauten, in denen 1989 rund 85000 Leipziger wohnten. Heute leben dort nach dem Abriss zahlreicher Hochhäuser nur noch 41000 Menschen. Auf den entstandenen Freiflächen wird angesichts des Bevölkerungswachstums Leipzigs bereits wieder neu gebaut, so soll ein 42 Meter hoher Wohnturm mit Blick über den angrenzenden Kulkwitzer See entstehen.

Hummitzsch, Manfred
Geboren am 7. Juli 1929 als Sohn eines Lagerarbeiters. Nach der Volksschule erlernte er den Beruf eines Handlungsgehilfen. Am 1. August 1950 begann er seine Tätigkeit im Ministerium für Staatssicherheit in der Kreisdienststelle Flöha und bekam 1966 die Gesamtleitung der Stasi in Leipzig übertragen. 1974 zum Generalmajor ernannt, gehörte er zur MfS-Generalität. 1989 war Hummitzsch, der noch im Februar zum Generalleutnant befördert wurde, mit 22 Jahren im Amt einer der dienstältesten Leiter einer Bezirksverwaltung. Mit dem Beginn der Stasi-Auflösung Anfang Dezember 1989 musste auch er den Dienst quittieren. Er starb am 23. Dezember 2015 in Berlin.

Inoffizieller Mitarbeiter
Abgekürzt »IM«, oft fälschlicherweise informeller Mitarbeiter genannt. Im Gegensatz zu den rund 100000 hauptamtlichen Mitarbeitern der Stasi handelte es sich um heimlich angeworbene DDR-Bürger, die sich ohne reguläres Dienstverhältnis mit Führungsoffizieren meist in konspirativen Wohnungen trafen und mündlich oder auch schriftlich über Personen oder Gruppen berichteten sowie Aufträge erfüllten. Ende 1988 gab es nach stasieigenen Angaben rund 110000 als IM aktive DDR-Bürger, einige Wissenschaftler sprechen heute von bis zu 189000 registrierten IM. Zu den Aufgaben der IM gehörten neben der Sammlung von Informationen, Stimmungen oder der Übergabe von Beweismitteln insbesondere die psychologische Zersetzung von angeblich »feindlichen« Mitbürgern. Seit seiner Gründung beschäftigte der DDR-Geheimdienst insgesamt 624000 inoffizielle Mitarbeiter. Sie bekamen häufig Orden, Prämien, Sachgeschenke, seltener regelmäßige Geldzahlungen (auch Westgeld) oder erhielten berufliche und andere Vorteile.

Jugendwerkhöfe
Für vermeintlich schwierige Kinder und Jugendliche gab es in der DDR »Spezialheime« und »Einrichtungen zur Umerziehung von Minderjährigen«. Bis zum Alter von 14 Jahren waren es besondere Kinderheime, anschließend standen 32 Jugendwerkhöfe mit 3300 Plätzen im ganzen Land zur Verfügung. Es waren keine Gefängnisse, auch wiesen nicht Gerichte die Jugendlichen ein, sondern die Jugendhilfe, etwa auf Antrag von Lehrern. Oft waren die Gründe willkürlich: Jemand schwänzte die Schule, zeigte sich rebellisch oder politisch widerständig, haute von zu Hause ab, hatte sich Subkulturen wie Punks oder Skinheads angeschlossen, klaute Autos oder Mopeds für Spritztouren. Im Geschlossenen Jugendwerkhof Torgau, der Gefängnischarakter hatte, wurden Neuankömmlingen die Haare geschoren, sie erhielten Anstaltskleidung, drei Tage Einzelarrest. »Explosionsmethode« nannten die Erzieher das. Bis zu 60 Jugendliche konnten hier untergebracht werden, sie schliefen in Dreistockbetten, mussten hart arbeiten und waren brutalen Schikanen, Missbrauch und Bestrafungen ausgesetzt.

Junge Welt
Zentralorgan des Jugendverbandes der SED, der Freien Deutschen Jugend (FDJ). Mit 1,6 Millionen auflagenstärkste Tageszeitung in der DDR, auflagenstärker als das *Neue Deutschland.*

Juwel
Die in Dresden hergestellte Zigarettensorte »Juwel Filter« (20 Stück 2,50 M) wurde »Alte Juwel« genannt (manchmal auch »Kurze Juwel« oder schlicht »Alte«), um sie von der mit bulgarischem Tabak gestopften »Juwel 72« zu unterscheiden. Merkmal war ihr kurzer Filter. Sie wurde von Arbeitern, Handwerkern, Landarbeitern und Studenten geraucht. Die Produktion wurde erst 2016 eingestellt.

Karl-Marx-Stadt
Name der Stadt Chemnitz zwischen 1953 und 1990.

Kirche im Sozialismus
Die Formel entstand auf der Bundessynode der DDR-Kirchen 1971 in Eisenach. Damals erklärte Albrecht Schönherr, Vorsitzender des Bundes der Evangelischen Kirchen in der DDR: *Wir wollen Kirche nicht neben, nicht gegen, sondern Kirche im Sozialismus sein.* Die Formel war zweideutig und wurde von der SED als Anpassung an die DDR verstanden, zumindest als Anerkennung ihrer Herrschaft und der Verhältnisse. Am 6. März 1978 traf Erich Honecker mit leitenden Vertretern der Evangelischen Kirche zusammen, um eine Art Burgfrieden zu schließen. Er kam einigen Forderungen zum Kirchenbau, religiösen Sendungen im Rundfunk, kirchlichen Kindergärten und Seelsorge in den Gefängnissen entgegen und räumte der Kirche eine beschränkte Autonomie ein.

Klärung eines Sachverhaltes
So lautete die übliche Formel in einer Vorladung durch die Volkspolizei oder die »Abteilung K« (der Kriminalpolizei) oder – seltener – durch die Stasi-Untersuchungsabteilung. Man wusste nie genau, worum es gehen sollte und wem man bei einer solchen Befragung gegenübersaß, da sich Stasi-Mitarbeiter oft als Polizeiangehörige ausgaben.

Klub der Intelligenz
1989 bestanden 170 Klubs, die dem Kulturbund, einer Massenorganisation zur Förderung sozialistischer Kultur, zugeordnet waren, in allen größeren Städten der DDR. Sie hatten zwischen 100 und über 2000 Mitglieder. Dort trafen sich Wissenschaftler, Ingenieure, Ärzte, Lehrer, Schriftsteller, Schauspieler oder Musiker. Aufgabe der Klubs war, durch Veranstaltungen und Gespräche Akademiker für das sozialistische Projekt zu gewinnen.

Kollektiv der Sozialistischen Arbeit
Ein Auszeichnungstitel, der jährlich vergeben wurde, wenn die Betriebsgruppe bestimmte Anforderungen erfüllt hatte. Dann gab es eine Urkunde, Medaille und Geldprämie.

Kontaktgruppe
Zur Unterstützung der am 17. Januar 1988 in Ost-Berlin Inhaftierten bildeten sich vielerorts spontan Gruppen, die Solidaritäts- und Protestaktionen organisierten. Vorbild waren die Reaktionen nach dem Stasi-Überfall auf die Umweltbibliothek im November 1987. Die Leipziger Kontaktgruppe Friedensgebet für die Inhaftierten entstand am 26. Januar 1988 nach dem Fürbittgottesdienst in der Evangelischen Studentengemeinde (ESG) aus der Gruppe, die diesen Gottesdienst vorbereitet hatte. Sie bereitete weitere Fürbitten vor und konnte für einige Tage das Telefon der ESG als Kontakttelefon nutzen. Gemeinsam mit dem Kontakttelefon in Berlin kam es so zu einem DDR-weiten Informationsaustausch über die Solidaritätsaktionen. Die Kontaktgruppe koordinierte die Aktivitäten der verschiedenen Gruppen und versuchte, nachdem die Inhaftierten freigelassen worden waren, ein Kommunikationszentrum der Leipziger Gruppen einzurichten, was die Kirchenleitung nicht zuließ. Auch nach den Verhaftungen im Januar und im September 1989 bildeten sich in Leipzig vor allem in den Pfarrhäusern von Christoph Wonneberger und Rolf-Michael Turek Kontaktgruppen, die immer besser vernetzt und organisiert waren.

Kutte
Parkaähnliche schwere, lange Jacke, neben langen Haaren, Hirschbrüllbeutel (Umhängetasche) und Römerlatschen Markenzeichen der Blueser und Tramper, Angehörigen der Jugendsubkultur in der DDR.

Leipziger Volkszeitung, Volkszeitung
Von 1946 bis 1989 Sprachrohr der SED-Bezirksleitung Leipzig. Nach der Gründung 1894 sozialdemokratisch orientiert. Vom 1. April 1902 an arbeitete Rosa Luxemburg für drei Monate in der Zeitungsredaktion. Bis zum Verbot 1933 blieb sie ein SPD-Organ. Gehört heute zur Madsack-Gruppe, an der die SPD über eine Holding beteiligt ist.

LPG
Landwirtschaftliche Produktionsgenossenschaften, die Einzelbauern in der DDR fast vollständig ersetzten, waren unterteilt in Tier- und Pflanzenproduktion.

Mach-mit-Bewegung
Freiwillige, unbezahlte Arbeitseinsätze in der Freizeit (Subbotniks) zur Verschönerung des Wohnumfeldes. Losung: *Schöner unsere Städte und Gemeinden – Mach mit!*

Misthaus
Wer das Misthaus nicht kennt, hat umsonst gelebt, lautete einer der Sprüche des Sudetendeutschen Gustav Ginzel, der 1964 für heutige 10 Euro ein 300 Jahre altes Holzhaus im böhmischen Isergebirge erwarb. Der Name Misthaus kam daher, weil das als Viehstall zweckentfremdete Haus vor der Renovierung erst vom meterhohen Kuh- und Schafsmist befreit werden musste. Das Haus Nummer 8 in Jizerka wurde ein beliebter Treffpunkt von Wanderern, Bergsteigern, aber auch Oppositionellen und unangepassten jungen Leuten aus der DDR und der Tschechoslowakei. Jeden Sommer übernachteten hier täglich Dutzende von Gästen, der Rekord soll bei 113 Personen in einer Nacht gelegen haben. Die Besucher liebten die freie Atmosphäre und die gestempelten Sprüche: *Auch wenn der Westen noch so lockt, der wahre Fan im Misthaus hockt.* Ginzel starb 2008, über ihn und das Misthaus finden sich auf YouTube etliche sehenswerte Filme.

Mondos-Kondome
Hergestellt im VEB Gummiwerke »Werner Lamberz« in Erfurt. Den Begriff Kondom benutzte in der DDR niemand, meist wurde schlicht Gummi oder Mondo gesagt. Automaten standen gelegentlich in öffentlichen Toiletten, sonst fand der Verkauf in Apotheken, Drogerien und einigen Friseurläden statt. (Einkauf auch mittels Vorzeigeschildchen, um das Wort nicht aussprechen zu müssen.)

naTo
Kulturzentrum in der Leipziger Südvorstadt. Seit Anfang der achtziger Jahre entwickelte sich das Haus zu einem Ort der Alternativkultur, mit Happenings, Performances, Theater, Kino und Konzerten.

Neues Deutschland
Von 1946 bis 1989 der Name des Zentralorgans der SED; überregionale Tageszeitung und offizielles Organ der Partei mit einer Auflage von über einer Million Exemplaren. Heute eine in Berlin erscheinende sozialistische Tageszeitung, Auflage etwa 25000.

Neues Forum
Entstand als Organisation der Bürgerbewegung in der DDR am 9./10. September 1989. Zu den Gründern gehörten Bärbel Bohley, Rolf Henrich, Katja Havemann, Jens Reich, Reinhart Schult, Sebastian Pflugbeil und aus Leipzig Michael Arnold. Am 25. September wurde der unter Berufung auf Artikel 29 der Verfassung für einen Großteil der Bezirke gestellte Antrag auf Zulassung mit der Begründung abgelehnt, es bestehe keine gesellschaftliche Notwendigkeit für eine derartige Vereinigung. Bis Ende 1989 unterschrieben etwa 200000 DDR-Bürger den Aufruf, 10000 waren feste Mitglieder. Eine kleine Gruppe existiert noch heute.

Nur für den innerkirchlichen Dienstgebrauch
Laut der staatlichen »Anordnung über das Genehmigungsverfahren für die Herstellung von Druck- und Vervielfältigungserzeugnissen« von 1959 konnten innerbetriebliche Publikationen in geringer Auflage ohne staatliche Genehmigung erscheinen. Das nutzten Basisgruppen innerhalb des Betriebes »Kirche« überall in der DDR und erhofften sich dadurch zudem einen gewissen Schutz, wenn sie eigene Drucksachen herstellten, die nicht »innerkirchlich« verbreitet wurden.

Objekt
Die Stasi hatte eine markante Neigung, ihren Opfern das Wesen als Menschen zu nehmen, auch sprachlich. Der oft aggressive Ton sowie ein Wortschatz, der reich an Bildern von Angriff und Verteidigung war und das Gegenüber zum Feind abstempelte, lagen mit an der militärischen Herkunft vieler ihrer Mitarbeiter. Daher die Reduzierung des Menschen und seiner Wohnung zum feindlichen Objekt.

Offene Jugendarbeit
Eine Form der kirchlichen Jugendarbeit in der DDR seit Ende der siebziger Jahre als Reaktion auf eine religionsferne Bevölkerung und ein politisch normierendes Erziehungssystem. Die Offene Arbeit, meist durch Jugenddiakone und manchmal Jugendwarte gestaltet, versuchte Jugendlichen Freiräume zur Selbsterfahrung und geistige Horizonterweiterung zu bieten. Wochenendausflüge, Gesprächskreise, Themenabende, Zusammensitzen bei Rockmusik und Bier – all das war attraktiv als Ausnahme vom grauen Alltag und von allgegenwärtiger Bevormundung.

Operative Aktion Symbol 89
Ziel dieser zwischen SED und Stasi abgesprochenen Aktion war es, bei der sogenannten Kommunalwahl am 7. Mai 89 wieder ein Zustimmungsergebnis von über 99 Prozent zu erlangen. Den oppositionellen

Kräften sollte »der Nachweis von Verletzungen des Wahlrechts« nicht gelingen. Lange vor der Wahl sammelte die Stasi Informationen über geplante Aktionen der verschiedenen Basisgruppen und meldete dies der SED-Spitze. Um aber vor allen Überraschungen gefeit zu sein, wurden auch die Wahlvorstände überprüft. Jedem Wahlbüro wurde ein so genannter Wahloffizier des MfS zugeteilt, der »Ordnung und Sicherheit« durchzusetzen hatte.

Peacer
Jugendslang; pazifistisch gesinnte oppositionelle DDR-Jugendliche.

Pionierappelle, FDJ-Appelle, Schulappelle
Der nach sowjetischem Vorbild aufgebauten Pionierorganisation »Ernst Thälmann« gehörten Ende der achtziger Jahre 98 Prozent aller Schulkinder von der ersten bis zur siebten Klasse als Jung- oder Thälmannpioniere an. Der Fahnenappell fand zu besonderen Anlässen wie dem ersten oder letzten Schul- oder Pionierlagertag statt. Die Zeremonie war pseudomilitärisch. Es wurde ein- und ausmarschiert, Kommandos wie »Augen geradeaus« oder »Stillgestanden« gerufen. Ein »Fahnenkommando« trug die Pionier- und FDJ-Fahne, die streng in Reih und Glied stehenden Kinder entboten den Pionier- und FDJ-Gruß.

Plagwitzer Interessengemeinschaft (PIG)
Angehörige der alternativen Kunstszene, die zahlreiche Aktionen veranstalteten. Der Leipziger Galerist Judy Lybke 2016: *Ich war 21, 22 Jahre. In dem Alter dreht sich der Motor hochtourig. Also haben wir Partys gemacht. Das hat irgendwann nicht mehr gereicht. Wir haben dann eine Gruppe gegründet, PIG, das stand für Plagwitzer Interessengemeinschaft. Wir gingen in leer stehende Fabriken und simulierten einen Achtstunden-Arbeitsalltag, das haben wir gefilmt. Dieses Dokumentieren war uns wichtig. Wir haben einen Preis ausgelobt und verliehen, auch für Performances. Wir haben uns Anzüge besorgt, sogar Smokings, falls die Polizei auftauchen würde, die waren da leicht zu beeindrucken.*

Politbüro
Höchstes Führungsgremium der SED. Viele alte Männer, kaum eine Frau.

Politisches Nachtgebet
Hervorgegangen aus der Idee eines ökumenischen politischen Gottesdienstes vor dem Hintergrund des Vietnamkrieges 1968 auf dem Katholikentag in Essen. Initiatoren waren u. a. die evangelische Theologin

Dorothee Sölle und der Schriftsteller Heinrich Böll. Die Organisatoren des Katholikentages drängten die Veranstaltung auf eine Zeit nach 23 Uhr, daher die Bezeichnung Nachtgebet. In der Folgezeit wurden monatliche Nachtgebete in Köln veranstaltet, der Kölner Kardinal Joseph Frings verbot allerdings die Nutzung katholischer Kirchenräume, und die evangelische Kirchenleitung kritisierte, dass man politische Informationen nicht zu einem Gottesdienst erklären könne. Sölle beschrieb die Nachtgebete so: Bei ihnen handele es sich *um politische Information, um ihre Konfrontation mit biblischen Texten, eine kurze Ansprache, Aufrufe zur Aktion und schließlich die Diskussion mit der Gemeinde*. Themen waren etwa die Militärdiktatur in Griechenland, die RAF oder die Bundestagswahl. Das Politische Nachtgebet war für Pfarrer Christoph Wonneberger Vorbild für die Erfindung des Friedensgebetes.

Radio Glasnost
Als einstündiges Format auf der Frequenz des West-Berliner Radiosenders Radio 100 bekommt »Radio Glasnost – außer Kontrolle« im August 1987 einen festen monatlichen Sendeplatz. Die Beiträge wurden im Osten auf Tonband aufgenommen und nach West-Berlin geschmuggelt. Die Redaktion machte Dieter Rulff, die Moderation Ilona Marenbach. Unterstützt wurden sie vom ehemaligen Jenaer Oppositionellen Roland Jahn, dazu stießen der Ost-Berliner Rüdiger Rosenthal und im Frühjahr 1989 der Leipziger Fred Kowasch. Ein negativer Kommentar im *Neuen Deutschland* steigerte die Bekanntheit von Radio Glasnost erheblich. In 27 Sendungen wurde über die oppositionellen Aktivitäten in der ganzen DDR bis Ende 89 berichtet.

Rat des Bezirkes, Rat der Stadt
Verwaltungsorgane der DDR auf der Bezirks- und auf der Stadtebene. Zur Zeit der friedlichen Revolution in Leipzig war Hartmut Reitmann Stellvertreter des Vorsitzenden des Rates des Bezirkes Leipzig für Innere Angelegenheiten. Rudolph Sabatowska war Stellvertreter des Oberbürgermeisters und Stadtrat für Inneres im Rat der Stadt Leipzig. Bernd Seidel war von 1986 bis 1989 Oberbürgermeister der Stadt Leipzig.

Rowdys
In DDR-Massenmedien häufig abwertend benutzter Begriff für Protestteilnehmer. Das Strafgesetzbuch der DDR kannte seit 1968 den Straftatbestand § 215, Rowdytum. Abs. 1 lautete: *Wer sich an einer Gruppe beteiligt, die aus Missachtung der öffentlichen Ordnung oder der Regeln des sozialistischen Gemeinschaftslebens Gewalttätigkeiten, Drohungen oder*

grobe Belästigungen gegenüber Personen oder böswillige Beschädigungen von Sachen oder Einrichtungen begeht, wird mit Freiheitsstrafe bis zu fünf Jahren oder mit Haftstrafe bestraft. Weil die Leipziger Demonstranten als Rowdys beschimpft worden waren, riefen sie am 9. Oktober: *Wir sind keine Rowdys – Wir sind das Volk!*

Runde Ecke
Das Gebäude, in dem fast 40 Jahre lang die Leipziger Bezirksverwaltung für Staatssicherheit ihren Sitz hatte, beherbergt heute die Gedenkstätte Museum in der Runden Ecke. In den ehemaligen Büros der Stasi-Offiziere können sich nun Besucher über Funktion, Arbeitsweisen und Geschichte des MfS informieren. Das Bürgerkomitee hat versucht, das authentische Umfeld weitgehend zu erhalten, um die Gäste etwas von der Arbeitsatmosphäre erahnen zu lassen, die bis 1989 in der Runden Ecke herrschte. Linoleumfußboden, gelbbraune Tapeten, Scherengitter an den Türen und Fenstern, Kabelkanäle und alte Heizkörper sind noch im gesamten Museum zu sehen.

Schwerter zu Pflugscharen
Das Symbol der staatsunabhängigen DDR-Friedensbewegung, das ein Zitat des Propheten Micha (4,3) bzw. Jesajas (2,4) verwendet: »Sie werden ihre Schwerter zu Pflugscharen und ihre Spieße zu Sicheln machen. Es wird kein Volk wider das andere das Schwert erheben, und sie werden hinfort nicht mehr lernen, Krieg zu führen.« Das Bildsymbol war einer Skulptur von Jewgeni Wutschetitsch nachempfunden, einem Geschenk der Sowjetunion an die UNO in New York, und zeigt einen muskulösen Schmied, der ein Schwert zu einer Pflugschar umschmiedet. Zur ersten Friedensdekade 1980 hatte der damalige sächsische Landesjugendpfarrer Harald Bretschneider dieses Symbol gewählt und mit dem Motto »Frieden schaffen ohne Waffen« versehen. Viele Jugendliche in der DDR trugen das in einer Auflage von über 120 000 Exemplaren per Siebdruck hergestellte Symbol als Stoffaufnäher an ihrer Kleidung, was zu heftigen Auseinandersetzungen in Schulen und Betrieben sowie mit Volkspolizei und Stasi führte. Oft wurde ihnen allein deswegen ein Studium verweigert.

Sonnabendkreis
Vom Sommer 1988 an monatliche Zusammenkunft der organisierten Opposition in der DDR. Vertreter von Umwelt-, Friedens- und Menschenrechtsgruppen, von Untergrundzeitschriften und alternativen Bibliotheken aus 50 Orten trafen sich sonnabends heimlich in Leipzig, u. a. im Theologischen Seminar oder bei Pfarrer Rolf-Michael Turek, im Herbst 1989 im Gemeinde- und Pfarrhaus von Christoph Wonneberger.

Sie bereiteten politische Aktionen vor, tauschten Informationen aus und selbstgedruckte Zeitschriften und aus dem Westen eingeschmuggelte Bücher und Materialien wie den umfangreichen Pressespiegel *Dialog*, den der Schriftsteller Jürgen Fuchs in West-Berlin regelmäßig für Gruppen in der DDR kopierte.

Sozialer Friedensdienst
Der Dienst in den 1964 gegründeten Baueinheiten der Armee konnte nicht als »sozialer Friedensdienst« bezeichnet werden, weshalb sich Bausoldatengruppen und Kirchenkreise für einen »Zivildienst« einsetzten. Die Forderung erhielt nach Einführung des Wehrkundeunterrichtes an den Schulen 1978 neue Aktualität. Ein Friedenskreis in der Dresdener Weinbergsgemeinde mit Pfarrer Christoph Wonneberger forderte 1981, dass neben Wehrdienst und Wehrersatzdienst als Bausoldat ein Sozialer Friedensdienst (SoFD) eingerichtet und von der Volkskammer beschlossen werde. Die Gruppe verbreitete ihr Initiativpapier per Kettenbrief innerhalb der evangelischen Jugendarbeit und rief zu Eingaben an die Kirchensynoden für einen SoFD auf. Diesem Aufruf folgten über 5000 Gemeindeglieder in der DDR. Die unabhängige Bewegung wurde vom Staat sofort als Bedrohung begriffen. Entsprechend gingen staatliche Stellen gegen die SoFd-Initiative vor. So wurde im Laufe der Jahre die SoFD-Bewegung zu einem wichtigen Symbol des Widerstandes meist junger Leute.

Streiflichter
Eine von rund 190 Untergrundzeitschriften, die es 1989 in der DDR gab. Die Leipziger *Streiflichter*, hergestellt von der Arbeitsgruppe Umweltschutz im Leipziger Stadtjugendpfarramt, wurden ab 1981 von einer Redaktion produziert, zu der 1988 die damals 18-jährige Kathrin Walther sowie der 22-jährige Roland Quester gehörten. Quester organisierte die Veranstaltungsreihe »Grüne Abende«. An der offiziellen Demonstration zum 1. Mai 1986 versuchte er mit einem Transparent gegen Atomkraft teilzunehmen.

Superintendent
Kirchenamt, der leitende Geistliche eines Kirchenkreises. Er hat die Dienstaufsicht über Pfarrer, steht somit zwischen Bischof und Pfarrern. Leipzig hatte zwei Kirchenkreise, West und Ost. Friedrich Magirius war Superintendent von Leipzig-Ost (sein Stellvertreter dort Manfred Wugk). Gemeinsam mit Christian Führer und anderen war »Maggi« (so hieß er in den Basisgruppen) Pfarrer der Nikolaikirche. Superintendent von Leipzig-West war Johannes Richter.

Tag der Entscheidung
Der 9. Oktober 1989 gilt als der Tag der Entscheidung über das Schicksal der DDR. Dieser Tag beendete die Herrschaft der SED. Eine Massendemonstration von 70000 bis 100000 Menschen zog vom Karl-Marx-Platz (heute Augustusplatz) über den Ring, einmal um die Innenstadt. Rufe wie »Gorbi, Gorbi« und »Wir sind das Volk« ertönten. Einige forderten auch, das Neue Forum zuzulassen. Nicht nur Einwohner Leipzigs protestierten, Tausende waren aus der ganzen DDR gekommen. Seit den frühen Morgenstunden hingen Transparente an der Nikolaikirche: »Keine sinnlose Gewalt, reißt euch zusammen«. Der Arbeitskreis Gerechtigkeit, die Arbeitsgruppe Umweltschutz und die Arbeitsgruppe Menschenrechte um Pfarrer Christoph Wonneberger verfassten einen Appell, der fast 30000 Mal vervielfältigt und verteilt wurde. Auch darin wurde zum Verzicht auf Gewalt aufgerufen.

Umweltbibliothek
Die Ost-Berliner Umweltbibliothek (UB) wurde am 2. September 1986 auf Initiative der Umweltschützer Carlo Jordan, Oliver Kämper, Wolfgang Rüddenklau und Christian Halbrock gegründet und entwickelte sich zu einem Treffpunkt der DDR-Opposition. Die UB belegte zwei Kellerräume im Gemeindehaus der Zionskirche. Dort gab es sonst nicht erhältliche Bücher und Westzeitungen; weitere Räume wurden genutzt als Kneipe, Café, Galerie, Archiv und Kino, auch gab es Druckmöglichkeiten. Die Gruppen in der DDR-Provinz hatten in der Umweltbibliothek einen zentralen Anlaufpunkt; es gab 200 Postfächer, über die Informationsmaterial ausgetauscht und durch Kuriere abgeholt werden konnte. Vom 24. auf den 25. November 1987 startete die Stasi im Auftrag der SED gemeinsam mit der Staatsanwaltschaft die »Aktion Falle«, in deren Verlauf sie die Bibliothek durchsuchte und mehrere Aktivisten verhaftete. Durch diese Razzia wurde die UB international bekannt. In der ganzen DDR kam es zu Solidaritäts- und Protestveranstaltungen, die zum Vorbild für die Konflikte der Jahre 1988 und 1989 wurden. Die festgenommenen Aktivisten kamen kurz danach straflos wieder frei. Der Zulauf zur UB wurde größer als je zuvor, und bis zum Ende der DDR wagten SED und Stasi keine erneute Aktion gegen sie.

Umweltblätter
Vorläufer der im Herbst 1989 erscheinenden Untergrundzeitschrift *telegraph* war die seit 1986 von der Ost-Berliner Umweltbibliothek herausgegebene Oppositionszeitschrift *Umweltblätter.* Ausführlich wurde darin über die Aktivitäten der Friedens-, Umwelt- und Menschenrechtsgruppen und deren Konflikte mit Staat und Kirchenleitungen informiert.

VEB
Volkseigener Betrieb.

Werwolf
Faschistische Kampftruppe am Ende des Zweiten Weltkriegs, die Terroranschläge, Sabotage und Partisanenkämpfe durchführen sollte.

Westmedien, Westkameras, Westjournalisten
Zwar hatte die SED durch Kontrolle und Zensur die Informationspolitik in der DDR fest in der Hand. Doch in fast allen Regionen, bis auf die Gegend um Dresden, konnten westliche Radio- und Fernsehsender empfangen werden. Noch in den sechziger Jahren waren FDJ-Trupps auf Dächern im Einsatz, um nach Westen ausgerichtete Antennen abzuknicken. Nach dem Grundlagenvertrag zwischen West- und Ostdeutschland erhielt ein dpa-Journalist am 3. September 1973 die erste Akkreditierung als ständiger Korrespondent in der DDR. Ihm folgten Kollegen von der *Westdeutschen Allgemeinen* und vom *Vorwärts*. Bald kamen noch Fernseh- und Radiokorrespondenten hinzu. Die SED gewährte den etwa 20 Akkreditierten zwar Arbeitsmöglichkeiten, jedoch nur »im Rahmen der in der DDR geltenden Rechtsordnung«. Dadurch konnte die DDR willkürlich und undurchschaubar die Berichterstattung einschränken und regulieren. Kein Journalist konnte mit einer Behörde, einem Betrieb oder sonstigen Institution einfach Kontakt aufnehmen, geschweige denn an Gerichtsprozessen teilnehmen. Interviews mussten meist einzeln beantragt werden, Interviewpartner konnten nicht immer frei ausgewählt werden, wer Ost-Berlin verließ, musste sich im Außenministerium 24 Stunden vorher abmelden und erklären, warum. Daher gab es in Leipzig nur zu Messezeiten eine größere Zahl von Westjournalisten. Zu den in Ost-Berlin ohnehin Akkreditierten kamen dann etliche Reisekorrespondenten hinzu, deren Aufenthaltsgenehmigung nur für die Messetage galt.
Eine besondere Bedeutung kam der Tatsache zu, dass die akkreditierten Journalisten beim Grenzübertritt zwischen Ost- und West-Berlin nicht kontrolliert wurden. Kathrin Walther kam regelmäßig mit einer Wunschliste an Büchern und Zeitschriften aus dem Westen für die »Gemeindebibliothek« bei Pfarrer Christoph Wonneberger in der Juliusstraße ins Ost-Berliner Büro des SPIEGEL-Korrespondenten Ulrich Schwarz.

Wolfspelz
Radikale Jugendoppositionsgruppe in Dresden um Johanna und Roman Kalex.

Wutanfall
Legendäre Punkband der achtziger Jahre in Leipzig, mehrfache Umbesetzungen und Umbenennung in L'Attentat. Zu ihren »Klassikern« gehört der Song »Leipzig in Trümmern«.

Zuführung
Vorläufige Festnahme zur Vernehmung. Die Freilassung erfolgte in der Regel innerhalb von 24 Stunden, wenn nicht eine Verhaftung folgte.

Zusammenrottung Niko
Stasi-Abkürzung für »Zusammenrottung Nikolaikirche« – gemeint ist die Situation nach dem Ende des Friedensgebetes auf dem Nikolaikirchplatz.

Zweite (2.) Person
»Zeitschrift zum geistigen Austausch«, so der Untertitel, 1987 in kleiner Auflage von Dietrich Oltmanns (Bruder von Gesine) in Leipzig per Siebdruck hergestellte gesellschaftskritische Kunstzeitschrift mit quadratischem Layout. Und nach Teilung der Redaktion: in kleiner Auflage in Leipzig hergestellte gesellschaftskritische Kunstzeitschrift, erschien im unabhängigen Bergen-Verlag, den Heidemarie Härtl und Gert Neumann im Jahre 1988 gründeten.

Chronik
1987 bis 1990

1987

1.–18. September Internationale Friedensgruppen organisieren einen Friedensmarsch zum Gedenken an den ermordeten schwedischen Ministerpräsidenten Olof Palme quer durch die DDR von Stralsund bis Dresden. Demonstranten staatsunabhängiger Basisgruppen führen Transparente mit, auf denen sie u. a. fordern: »Schwerter zu Pflugscharen«, »Sozialer Friedensdienst für Wehrdienstverweigerer«, »Friedenserziehung statt Wehrunterricht«, »Abbau der Militarisierung in Schulen und Kindergärten«.

7.–11. September Erich Honecker reist zu einem Staatsbesuch in die Bundesrepublik.

24./25. November Um Mitternacht werden sieben Mitglieder der Umweltbibliothek in Ost-Berlin während des Druckes der kirchlichen *Umweltblätter* festgenommen. Die Sicherheitskräfte hatten gehofft, sie beim illegalen Druck der Zeitschrift *Grenzfall* der Initiative Frieden und Menschenrechte zu überraschen. Nach DDR-weiten Mahnwachen und Protesten im Westen werden alle freigelassen und die Ermittlungsverfahren eingestellt.

1988

10. Januar In der Ostberliner Umweltbibliothek wird das grün-ökologische Netzwerk Arche gegründet.

17. Januar Etliche Mitglieder der Opposition versuchen sich mit eigenen Transparenten in Ostberlin an der SED-Demonstration zu Ehren Rosa Luxemburgs und Karl Liebknechts zu beteiligen. Andere entrollen Plakate mit Rosa-Luxemburg-Zitaten: »Die Freiheit ist immer die Freiheit des Andersdenkenden«, »Der einzige Weg zur Wiedergeburt – breiteste Demokratie« und »Wer sich nicht bewegt, spürt die Fesseln nicht«. Viele von ihnen, wie der Liedermacher Stephan

Krawczyk, Vera Wollenberger und Till Böttcher, Andreas Kalk, Bert Schlegel von der Umweltbibliothek, werden inhaftiert, Ermittlungsverfahren gegen sie eingeleitet. Auf Initiative der Oppositionsgruppen kommt es zu einer bis dahin nicht gekannten Protestwelle in Ostdeutschland.

25. Januar In Ostberlin werden in einer zweiten Verhaftungswelle einige Oppositionelle um die Initiative Frieden und Menschenrechte wie Bärbel Bohley, Werner Fischer, Ralf Hirsch, Freya Klier, Lotte und Wolfgang Templin wegen landesverräterischer Agententätigkeit inhaftiert. Dabei geht es insbesondere um deren Kontakte zu den Westmedien.

27. Januar In Leipzig bildet sich eine Kontaktgruppe zur Koordinierung der Proteste, der täglichen Fürbitten und zur Weitergabe von Informationen über die Entwicklung in Ost-Berlin an andere Gruppen in der DDR und an die Westmedien. Der Arbeitskreis Gerechtigkeit tritt dabei erstmals öffentlich auf.

2.–9. Februar Ralf Hirsch, Stephan Krawczyk, Freya Klier reisen nach Gesprächen mit dem Kirchenanwalt und heimlichen Stasi-Mitarbeiter Wolfgang Schnur in den Westen aus. Bärbel Bohley, Werner Fischer, Lotte und Wolfgang Templin sowie Vera Wollenberger werden zu »Studienaufenthalten« vorübergehend nach Großbritannien und in die Bundesrepublik entlassen.

13. Februar Zum Jahrestag der Bombardierung Dresdens demonstrieren nach dem traditionellen Gottesdienst in der Kreuzkirche mehrere hundert Personen an der Ruine der Frauenkirche.

19. Februar Bischof Werner Leich, Vorsitzender der Konferenz der Evangelischen Kirchenleitungen in der DDR, trifft im Ost-Berliner Staatsratsgebäude das Politbüromitglied Werner Jarowinsky. Dieser teilt dem Kirchenvertreter die staatliche Erwartungshaltung an die Kirche in der DDR mit. Das Gespräch wird von beiden Seiten geheim gehalten, bis der Leipziger Arbeitskreis Gerechtigkeit die Protokolle öffentlich macht.

1. März Frank Wolfgang Sonntag, Mitglied des Arbeitskreises Gerechtigkeit in Leipzig, wird inhaftiert und erst nach zehn Tagen wieder entlassen.

14. März Nach dem Friedensgebet in Leipzig demonstrieren 300 Ausreiseantragsteller und Angehörige der Basisgruppen für Menschenrechte.

5. Juni Erster Pleiße-Gedenkumzug in Leipzig, mit rund 230 Teilnehmern, verläuft ohne Behinderung durch Stasi und Polizei.

31. August Auf Massendemonstrationen in Estland, Litauen und Lettland wird Unabhängigkeit von Moskau gefordert.

Nachdem es in Polen wegen Preiserhöhungen zu einer landesweiten Streikwelle kam, ist die Regierung Jaruzelski am Ende. In Danzig fordern Demonstranten die Wiederzulassung von Solidarność. Erstes Gespräch zwischen Innenminister Czesław Kiszczak und Lech Wałęsa. Es kommt zu einer Kette von Begegnungen zwischen der kommunistischen Führung Polens und der verbotenen Solidarność, die im Februar 89 zum Runden Tisch führt und am 5. April zur Anerkennung der Gewerkschaft.

5. September Während des Friedensgebetes verteilt der Arbeitskreis Gerechtigkeit die Geheimprotokolle vom Treffen des SED-Führungspolitikers Jarowinsky mit Bischof Leich vom 19. Februar. Anschließend demonstrieren 200 Menschen in der Innenstadt.

17. September In Leipzig entsteht der monatlich tagende Sonnabendkreis aus Mitarbeitern des Arbeitskreises Gerechtigkeit, der Berliner Initiative Frieden und Menschenrechte und der Umweltbibliothek. Er entwickelt sich zum DDR-weiten Treffen von Vertretern aus Basisgruppen, Redaktionen von Untergrundzeitungen und -bibliotheken. Es geht u. a. um den Austausch von Materialien, Informationen und Aktionsvorhaben.

10. Oktober In Ost-Berlin wird eine Demonstration gegen die Zensur der Kirchenzeitungen aufgelöst.

9. November In Leipzig demonstrieren 200 Personen, sie ziehen von der Nikolaikirche über den Markt bis zur ehemaligen Synagoge. Der Arbeitskreis Gerechtigkeit verteilt dazu ein Flugblatt gegen Stalinismus in der DDR und neonazistische Tendenzen.

19. November Die sowjetische Zeitschrift *Sputnik* wird in Ostdeutschland verboten. Es kommt zu wochenlangen Protesten.

28. November Vor dem Leipziger Capitol-Kino wird während der Dokumentar- und Kurzfilmwoche gegen das *Sputnik*-Verbot demonstriert.

4. Dezember Fünf Ausreiseantragsteller besetzen die Weimarer Herder-Kirche, der zuständige Superintendent lässt daraufhin die Kirche von der Polizei räumen.

1989

11.–14. Januar In Leipzig werden nach dem Aufruf zu einer Demonstration für Meinungs-, Versammlungs-, Vereinigungs- und Pressefreiheit am 15. Januar 12 Personen inhaftiert und Ermittlungsverfahren eingeleitet.

15. Januar Etwa 800 Personen demonstrieren nach einer kurzen Rede von Fred Kowasch in der Leipziger Innenstadt. 53 Demonstranten werden kurzzeitig festgenommen. Am Abend findet in der Lukaskirche die erste Fürbittandacht für die Verhafteten statt. Kowasch wird aufgrund einer Verwechselung erst am nächsten Tag inhaftiert, kommt aber – trotz Haftbefehl – wie die anderen Initiatoren am 20. Januar wieder frei.

19. Januar Erich Honecker verkündet im Ost-Berliner Staatsratsgebäude: »Die Mauer wird in 50 und auch in 100 Jahren noch bestehen bleiben, wenn die dazu vorhandenen Gründe nicht beseitigt sind.«

6. Februar Tödliche Schüsse auf den 20-jährigen Chris Gueffroy an der Berliner Mauer. Sein Begleiter Christian Gaudian wird schwer verletzt. Gueffroy hatte gehört, der Schießbefehl sei aufgehoben. Er wollte fliehen, um dem Dienst bei der Armee zu entgehen.

13. Februar Am Jahrestag der Bombardierung Dresdens ziehen nach Gedenkgottesdiensten in mehreren Kirchen Tausende zur Ruine der Frauenkirche.

24.–26. Februar In Greifswald treffen sich Vertreter von 171 Friedensgruppen unter dem Motto »Frieden konkret«.

13. März Messemontag: Nach dem Friedensgebet demonstrieren 600 Menschen, vorwiegend Ausreiseantragsteller und Mitglieder von Basisgruppen, in der Leipziger Innenstadt.

1. Mai An der offiziellen Maidemonstration in Leipzig nehmen ca. 300000 Personen teil. 200 Gegendemonstranten gehen schweigend durch die Innenstadt.

7. Mai Unabhängige Gruppen kontrollieren vielerorts die Auszählung der Kommunalwahlen in der DDR. Vielfach gelingt trotz Behinderungen der Nachweis der Wahlfälschung. In Leipzig wird Wahlfälschung für alle Stadtbezirke nachgewiesen. Am Abend kommt es am Leipziger Markt zu Protestzügen, die von Stasi und Volkspolizei sofort aufgelöst werden; es gibt 56 vorläufige Festnahmen. Eine Person bleibt in Haft. Schon im Vorfeld war es zu Vorladungen und Zuführungen wegen eines Flugblatts mit dem Aufruf zu dieser Demonstration gekommen.

7.–29. Mai Nach dem montäglichen Friedensgebet demonstrieren 500 Personen gegen die Wahlfälschung. Immer wieder kommt es auch in diesem Monat zu Demonstrationen oder Demonstrationsversuchen in der Innenstadt.

4. Juni In China geht das Militär in Peking mit Gewalt gegen die um Demokratie kämpfenden Studenten vor.
In Leipzig findet der zweite Pleiße-Gedenkumzug statt. Ein Demonstrationszug in der Innenstadt wird behindert, aber die Veranstaltungen zu Beginn und am Ende der Strecke in zwei Kirchen können stattfinden. Rund 80 Personen werden zugeführt.

Solidarność gewinnt die Wahlen in Polen und erhält 99 der 100 Senatssitze.

7. Juni Auf dem Alexanderplatz in Ost-Berlin versuchen 200 Personen eine Demonstration gegen den Wahlbetrug. 140 Personen auf dem Platz werden zugeführt, rund 50 schon auf dem Weg dorthin.

10. Juni In der Leipziger Innenstadt findet trotz Behinderungen durch Polizei und Stasi ein unabhängiges Straßenmusikfestival statt. Mittags werden etwa 100 Teilnehmer und Passanten zugeführt, dennoch geht es am Nachmittag und Abend weitgehend ungestört in kleinerem Umfang weiter. Die Demonstrationsversuche nach den Montagsgebeten setzen sich den ganzen Juni über fort.

11. Juni Umwelttag in Rötha bei Leipzig mit Protesten gegen das geplante AKW in Börln. Teilweise werden die beim Straßenmusikfestival Festgenommenen erst am Nachmittag freigelassen, damit sie nicht zum Umwelttag fahren.

27. Juni Abbau der ungarischen Grenzsperren an der Grenze nach Österreich.

7. Juli Auf dem Gipfeltreffen der Ostblockländer gesteht Gorbatschow jedem Land seine eigene Entwicklung zu. Erich Honecker verlässt das Treffen mit einer Gallenblasenkolik und nimmt seine Arbeit erst am 26. September wieder auf.

7.–9. Juli In der Leipziger Lukaskirche von Pfarrer Christoph Wonneberger organisieren der Arbeitskreis Gerechtigkeit und die Arbeitsgruppe Menschenrechte den »Statt-Kirchentag«. Während der Abschlussveranstaltung des offiziellen Kirchentages initiieren Mitglieder der Basisgruppen eine Demonstration für Demokratie und Solidarität mit den chinesischen Studenten. Sie ziehen mit mehr als 1000 Personen Richtung Leipziger Innenstadt, wo sie durch Polizeiketten gestoppt werden, aber niemand verhaftet wird.

13. August Die Botschaft der Bundesrepublik Deutschland in Budapest wird – wie bei der Ständigen Vertretung in Ost-Berlin bereits am 8. August geschehen – wegen Überfüllung geschlossen. Im ersten Halbjahr 1989 haben 39 000 Ausreiser per Antrag die DDR verlassen, weitere 5000 illegal.

19. August Massenflucht in den Westen: 661 DDR-Bürger durchbrechen die ungarische Grenze nach Österreich. In Leipzig sind seit Jahresanfang etwa 5000 Bürger ausgereist, 5000 haben im August einen laufenden Ausreiseantrag, 1000 weitere Personen sind illegal über Ungarn sowie Botschaften in den Westen gelangt.

22. August Die Botschaft der Bundesrepublik in Prag wird wegen völliger Überfüllung geschlossen.

Der 1. Sekretär der SED-Bezirksleitung Leipzig, Horst Schumann, meldet sich nach langem Urlaub als krank von den Dienstgeschäften ab. Der 2. Sekretär, Helmut Hackenberg, übernimmt seine Geschäfte.

24. August Tadeusz Mazowiecki vom Bürgerkomitee Solidarność wird polnischer Ministerpräsident.

25. August Der evangelische Bischof Werner Leich bietet Erich Honecker ein vertrauliches Gespräch an.

2. September Das für den 12. September geplante Spitzengespräch zwischen Staat und Kirche müsse ausfallen, erfährt Bischof Leich. Leich verweist auf die seit über einem Jahr andauernde Gesprächsverweigerung und sagt: *Nun ist das Fass übergelaufen.* Die evangelische Kirche schreibt an Honecker, dass die Möglichkeit einer *mündigen Beteiligung der Bürger an der Gestaltung* gesellschaftlicher Prozesse *unabdingbar* sei und es endlich offene Diskussionen geben müsse.

4. September Nach dem Friedensgebet demonstrieren in Leipzig 1000 Personen. Auf vier Transparenten wird u. a. Reisefreiheit, Versammlungsfreiheit und Vereinigungsfreiheit gefordert. Auf dem ersten Transparent, getragen von Gesine Oltmanns und Katrin Hattenhauer, steht: *Für ein offnes Land mit freien Menschen.*

10. September In Grünheide bei Berlin wird das Neue Forum gegründet. Einziger Teilnehmer aus Leipzig ist Michael Arnold.

11. September Um Mitternacht Grenzöffnung in Ungarn.
In Leipzig wird der Brief von Bischof Leich an Honecker im Friedensgebet verlesen, unter dem Beifall von 1300 Teilnehmern. Beim Versuch einer Demonstration werden 89 Personen vorläufig festgenommen. 19 Personen bleiben in Haft, darunter Carola Bornschlegel, Katrin Hattenhauer und Udo »Theo« Hartmann.

13. September Mitglieder der Initiativgruppe Leben und des Neuen Forums bilden eine Koordinierungsgruppe, um tägliche Fürbitten für die Leipziger Inhaftierten zu organisieren. Bis zur Freilassung der Inhaftierten am 13. Oktober finden tägliche Fürbitt- und Informationsandachten in Leipziger Kirchen statt.

21. September Das Innenministerium lehnt die Zulassung des Neuen Forums ab, da es sich um eine *staatsfeindliche* Organisation handele. Per Strafbefehl und ohne Gerichtsverfahren werden die ersten der am 11. September inhaftierten Friedensgebetsbesucher zu 4 bis 6 Monaten Haft verurteilt.

22. September Erich Honecker fordert in einem Fernschreiben an die SED-Bezirksleitungen die *Isolierung der Organisatoren der konterrevolutionären Tätigkeit* und dass *die feindlichen Aktionen im Keim erstickt werden müssen.*

24. September In der Leipziger Markusgemeinde treffen sich – auf

Einladung der Initiative zur demokratischen Erneuerung unserer Gesellschaft – erstmals Vertreter der neu entstandenen Gruppen und Initiativen, um ihre zukünftige Arbeit abzustimmen.

25. September Demonstration in Leipzig mit 8000 Teilnehmern nach dem Friedensgebet der Arbeitsgruppe Menschenrechte mit Christoph Wonneberger.

30. September Bundesaußenminister Hans-Dietrich Genscher gibt die Zusage der DDR zur Ausreise der 6000 Botschaftsflüchtlinge in Prag vom Balkon der Botschaft aus bekannt.

1. Oktober In Ost-Berlin gründet sich der Demokratische Aufbruch.

2. Oktober Demonstration in Leipzig mit 25000 Menschen nach dem Friedensgebet für die Freilassung der Inhaftierten und gegen SED und Stasi. Der Versuch von Polizei und Stasi, die Demonstration zu stoppen und mit Gewalt aufzulösen, scheitert. Die Sperrketten von Polizei und Kampfgruppen werden mehrfach durchbrochen. Das SED-Blatt *Neues Deutschland* erklärt, dass den ausgereisten Bürgern *keine Träne* nachzuweinen sei. In Leipzig gibt es Probleme bei öffentlichen Verkehrsmitteln. Da viele Fahrer in den Westen ausgereist sind, werden sogar Soldaten eingesetzt.

3. Oktober Demonstration in Dresden mit 5000 Menschen. Stasi und Volkspolizei lösen sie mit Gewalt auf. Der visafreie Reiseverkehr in die Tschechoslowakei wird eingestellt, DDR-Bürger werden an der Grenze verhaftet oder abgewiesen.

4.–6. Oktober Demonstration in Dresden mit 20000 Menschen. 225 Demonstranten werden vorläufig festgenommen. Am nächsten Tag demonstrieren dort 6000 Menschen und am 6. Oktober etwa 5000.

7. Oktober Am 40. Jahrestag der DDR-Gründung kommt es in vielen Städten zu Demonstrationen, so in Dresden, Leipzig, Magdeburg, Karl-Marx-Stadt, Ost-Berlin, Plauen und Potsdam. Mehr als 1500 Personen werden festgenommen, viele bleiben in Untersuchungshaft. In Plauen erfolgen der Rückzug von bewaffneten Armeeeinheiten und die Beendigung der Demonstration nach Verhandlungen.
Nördlich von Berlin, in Schwante, gründet sich die Sozialdemokratische Partei in der DDR (SDP).
Gorbatschow sagt vor Honecker den Satz: *Wenn wir zurückbleiben, bestraft uns das Leben sofort.* Später wird er zitiert als: »Wer zu spät kommt, den bestraft das Leben!« Die DDR-Regierung feiert im Palast der Republik.

8. Oktober In Ungarn löst sich die kommunistische Partei auf.
Erneut finden in vielen ostdeutschen Städten kleinere Demonstrationen statt. In Dresden erklärt sich Oberbürgermeister Wolfgang Berghofer bereit, eine Abordnung der Demonstranten zu empfangen. In

Leipzig bildet sich ein Operativer Einsatzstab, der die Verhaftungen Hunderter Oppositioneller vorbereitet.

9. Oktober Dieses Datum gilt als *Tag der Entscheidung* über das Ende der DDR. Demonstration nach den Friedensgebeten in fünf Leipziger Kirchen: Etwa 100 000 Menschen marschieren ab 18 Uhr auf dem Ring einmal um die Innenstadt. Auch in Dresden, Magdeburg und Ost-Berlin wird demonstriert. Walter Friedrich, der Leiter des Leipziger Zentralinstitutes für Jugendforschung, fährt nach Ost-Berlin und übergibt Egon Krenz eine Erklärung, in der er den Rücktritt Honeckers empfiehlt und schreibt, dass die SED mit einer Opposition leben und auf Gewalt in Leipzig verzichten müsse. An der Nikolaikirche hängt ein Transparent: *Leute, keine sinnlose Gewalt, reißt Euch zusammen!* Drinnen sitzen ab 14 Uhr rund 2000 staatstreue sogenannte Gesellschaftliche Kräfte. Die ganze übrige Innenstadt ist nachmittags dicht gefüllt mit demonstrationswilligen Menschen. 30 000 Flugblätter werden von Mitgliedern einiger Basisgruppen verteilt. Sie fordern zum Gewaltverzicht auf und appellieren an die Sicherheitskräfte: *Wir sind das Volk!* Die Bezirkseinsatzleitung Leipzig löst nach 18 Uhr die Demonstration trotz bereitstehender Hilfe von Volkspolizei, Stasi, Kampfgruppen und Armee nicht auf. Der Rat des Bezirkes und drei SED-Bezirkssekretäre bieten ein Gespräch mit der Bevölkerung an. Von nun an kommt es in immer mehr Städten zu immer größeren Demonstrationen.

13. Oktober In Leipzig findet ein erstes Gespräch von Mitgliedern aus Basisgruppen mit Vertretern des Rates des Bezirkes statt. Die meisten der in den letzten Wochen Inhaftierten werden freigelassen.

14. Oktober In Plauen demonstrieren 10 000 Personen.

16. Oktober In Leipzig demonstrieren etwa 150 000 Personen.

18. Oktober Auf einer Sondersitzung des SED-Zentralkomitees ist der 77-jährige Erich Honecker gezwungen, seinen eigenen Rücktritt »aus gesundheitlichen Gründen« vorzulesen. Honecker schlägt Egon Krenz als Nachfolger vor. Auch die Politbüromitglieder Günter Mittag – zuständig für Wirtschaft – und Joachim Herrmann – Agitation und Medien – verlieren ihre Ämter.

23. Oktober In Leipzig demonstrieren 300 000, in Dresden 50 000 Personen.

27. Oktober Amnestie für sogenannte Republikflüchtlinge und inhaftierte Demonstranten.

30. Oktober In Leipzig demonstrieren erneut etwa 300 000 Personen. In allen fünfzehn Bezirken der DDR kommt es zu Demonstrationen.

4. November In Ost-Berlin findet eine angemeldete und genehmigte

Kundgebung auf dem Alexanderplatz statt. Das DDR-Fernsehen überträgt die Reden, u.a. vom HVA-Agentenchef Markus Wolf.

6. November In Leipzig demonstrieren 500 000 Personen gegen das SED-Regime. Erneut kommt es zu Demonstrationen in allen fünfzehn Bezirken, u.a. in Karl-Marx-Stadt (100 000 Personen), Halle (80 000 Personen), Dresden (70 000 Personen) und Magdeburg (50 000 bis 80 000 Personen).

9. November Die am 13. August 1961 errichtete Mauer, die die beiden deutschen Teilstaaten trennt, fällt. In Erfurt demonstrieren 56 000 Menschen gegen die SED.

18. November 50 000 Menschen auf der ersten Kundgebung des Neuen Forums in Leipzig.

4. Dezember Während der Montagsdemonstration wird die Leipziger Stasi-Zentrale in der Runden Ecke von rund 30 Mitgliedern der Basisgruppen besetzt, um die Aktenvernichtung zu stoppen.

7. Dezember In Ost-Berlin findet die erste Sitzung des Zentralen Runden Tisches statt.

8. Dezember Gregor Gysi wird Vorsitzender der SED, die sich in SED-PDS umbenennt.

29. Dezember In der Tschechoslowakei wird Václav Havel neuer Staatspräsident, Alexander Dubček Parlamentspräsident.

1990

Das wilde Jahr der Anarchie – bis zur Wiedervereinigung beider deutscher Staaten am 3. Oktober.